Astrid Lindgren

Kalle
Blomquist

Verlag Friedrich Oetinger · Hamburg

Nach den Regeln der neuen Rechtschreibung gesetzt

© Verlag Friedrich Oetinger, Hamburg 1996
Alle Rechte für die deutschsprachige Ausgabe vorbehalten
Die schwedischen Originalausgaben erschienen
bei Rabén & Sjögren Bokförlag, Stockholm, unter den Titeln
MÄSTERDETEKTIVEN BLOMKVIST
© Astrid Lindgren, Stockholm 1946
MÄSTERDETEKTIVEN BLOMKVIST LEVER FARLIGT
© Astrid Lindgren, Stockholm 1951
KALLE BLOMKVIST OCH RASMUS
© Astrid Lindgren, Stockholm 1953
In deutscher Übersetzung als Gesamtausgabe
erstmalig erschienen 1969
im Verlag Friedrich Oetinger, Hamburg
Deutsch von Cäcilie Heinig und Karl Kurt Peters
Einband von Jutta Bauer
Satz: Utesch Satztechnik GmbH, Hamburg
Druck und Bindung: Graphischer Großbetrieb Pößneck
Printed in Germany 1997/II

ISBN 3-7891-4130-5

Inhalt

Kalle Blomquist
Meisterdetektiv

1. Kapitel

Blut! Daran gab's keinen Zweifel!

Er starrte durch das Vergrößerungsglas auf den roten Fleck. Dann schob er die Pfeife in den anderen Mundwinkel und seufzte. Natürlich war es Blut. Was sollte denn auch sonst kommen, wenn man sich in den Daumen geschnitten hatte?

Dieser Fleck da hätte der endgültige Beweis dafür sein sollen, dass Sir Henry seine Frau durch den abscheulichsten Mord beiseite gebracht hatte, den ein Detektiv jemals aufklären musste. Aber leider – es war anders! Das Messer war ausgerutscht, als er seinen Bleistift anspitzen wollte – das war die traurige Wahrheit. Und das war wahrhaftig nicht Sir Henrys Schuld. Vor allen Dingen deswegen, weil Sir Henry, das Rindvieh, nicht einmal existierte. Traurig – das war es! Warum hatten so viele Menschen das Glück, in den Slumbezirken Londons oder in den VerbrecHervierteln von Chicago geboren zu werden, wo Mord und Schießerei zur Tagesordnung gehörten? Während er selbst... Er hob seinen Blick widerwillig von dem Blutfleck und schaute aus dem Fenster.

Die Hauptstraße lag im tiefsten Frieden und träumte in der Sommersonne. Die Kastanien blühten. Es war kein lebendes Wesen zu sehen außer der grauen Katze vom Bäcker, die auf der Bordsteinkante saß und sich die Pfoten leckte. Nicht einmal das allergeübteste Detektivauge konnte etwas entdecken, was darauf hindeutete, dass ein Verbrechen begangen worden war. Es war wirklich ein hoffnungsloses Unternehmen, in dieser Stadt Detektiv zu sein! Wenn er groß war, würde er, sobald sich eine Möglichkeit bot, in die Londoner Slumbezirke ziehen. Oder vielleicht lieber nach Chicago?

Vater wollte, dass er im Geschäft anfangen sollte. Im Geschäft! Er! Ja, das könnte denen so passen, allen Mördern und Banditen in London und Chicago! Da konnten sie drauflosmorden, ohne dass ihnen jemand auf die Finger sah, während er im Geschäft stand und Tüten drehte und grüne Seife oder Hefe abwog. Nein, wahrhaftig, er hatte nicht die Absicht, Rosineneinpacker zu werden! Detektiv oder gar nichts! Vater konnte wählen! Sherlock Holmes, Asbjörn Krag, Hercule Poirot, Lord Peter Wimsey, Karl Blomquist! Er schnalzte mit der Zunge. Und er, Kalle Blomquist, hatte die Absicht, der Beste von allen zu werden.

»Blut! Daran gibt's keinen Zweifel«, sagte er zufrieden.

Draußen auf der Treppe polterte es und eine Sekunde später wurde die Tür aufgerissen und Anders kam schwitzend und keuchend herein. Kalle betrachtete ihn kritisch und machte seine Beobachtungen.

»Du bist gerannt«, sagte er schließlich in einem Ton, der keinen Widerspruch duldete.

»Klar bin ich gerannt«, sagte Anders gereizt. »Hast du gedacht, ich komme in der Sänfte?«

Kalle versteckte seine Pfeife. Keineswegs deswegen, weil es ihm etwas ausmachte, dass Anders ihn beim heimlichen Rauchen überraschte. Es war nur so, dass er keinen Tabak in der Pfeife hatte. Aber ein Detektiv braucht seine Pfeife, wenn er sich mit Problemen herumschlägt. Auch wenn der Tabak im Augenblick alle war.

»Kommst du ein bisschen mit raus?«, fragte Anders und warf sich auf Kalles Bett.

Kalle nickte zustimmend. Natürlich wollte er mit raus. Er musste ja unbedingt noch einmal vor dem Abend durch die Straßen patrouillieren und sehen, ob etwas Verdächtiges aufgetaucht war. Natürlich gab es Polizisten, aber so viel hatte man ja gelesen, dass man wusste, was von ihnen zu halten war. Sie erkannten keinen Mörder, selbst wenn sie über ihn stolperten.

Kalle legte das Vergrößerungsglas in seine Schreibtischschublade. Dann stürmten sie beide die Treppe hinunter, sodass das Haus in seinen Grundfesten erzitterte.

»Kalle, vergiss nicht, dass du heute Abend das Erdbeerbeet gießen sollst!«

Das war die Mutter, die ihren Kopf zur Küchentür heraussteckte. Kalle winkte beruhigend. Klar, dass er die Erdbeeren gießen würde. Später. Wenn er sich davon überzeugt hatte, dass keine dunklen Gestalten, die Böses im Sinn hatten, in der Stadt herumschlichen. Die Aussicht dafür war nicht groß, leider, aber man muss immer auf dem Posten sein. Das hatte man im »Fall Buxton« erlebt, was passieren kann. Da ging man friedlich durch die Gegend und – peng – fällt ein Schuss in der Nacht, und ehe man mit den Augen zwinkern konnte, waren vier Morde geschehen. Damit rechneten die Halunken, dass niemand in so einer kleinen Stadt an einem so schönen Sommertag Verdacht schöpfen würde. Aber da kannten sie Kalle Blomquist nicht!

Im Erdgeschoss lag das Geschäft. »Viktor Blomquists Lebensmittelgeschäft« stand auf dem Schild.

»Bitte deinen Vater um ein paar Bonbons«, schlug Anders vor.

Kalle hatte selbst schon dieselbe gute Idee gehabt. Er steckte den Kopf durch die Tür. Hinter dem Ladentisch stand »Viktor Blomquists Lebensmittelgeschäft« in höchsteigener Person – das war der Vater.

»Papa, ich nehm ein paar von den gestreiften!«

»Viktor Blomquists Lebensmittelgeschäft« warf einen liebevollen Blick auf seinen blonden Sprössling und grunzte gutmütig. Kalle steckte die Hand in die Bonbonbüchse. Das Grunzen bedeutete, dass man nehmen durfte. Dann zog er sich schnell zu Anders zurück, der auf der Schaukel unterm Birnbaum saß und wartete.

Aber Anders hatte im Augenblick kein Interesse für die »Gestreiften«. Er starrte mit einem einfältigen Ausdruck in den Augen auf etwas in Bäckermeisters Garten. Das Etwas war Bäckermeisters Eva-Lotta. Sie saß auf ihrer Schaukel in einem rot karierten Baumwollkleid. Sie schaukelte und aß eine Zimtwecke. Außerdem sang sie, denn sie war eine Dame, die viele Künste beherrschte.

»Es war einmal ein Mädchen, und das hieß Josefin, Josefin-fin-fin, Jose-Jose-Josefin.«

Sie hatte eine klare und liebliche Stimme, die man sehr gut bis zu Anders und Kalle hören konnte. Kalle starrte sehnsüchtig zu Eva-Lotta, während er Anders abwesend einen Bonbon anbot. Anders nahm einen ebenso abwesend und starrte ebenso sehnsüchtig Eva-Lotta an. Kalle seufzte. Er liebte Eva-Lotta ganz abgöttisch. Das tat Anders auch. Kalle hatte sich in den Kopf gesetzt, Eva Lotta als seine Braut heimzuführen, sobald es ihm gelungen war, genug Geld zu beschaffen, um einen Hausstand zu gründen. Das hatte Anders auch. Aber Kalle zweifelte nicht daran, dass sie ihn, Kalle, vorziehen würde! Ein Detektiv mit vielleicht so ungefähr vierzehn aufgeklärten Morden – das würde wohl etwas mehr ziehen als ein Lokomotivführer! Lokomotivführer! Das wollte Anders nämlich werden.

Eva-Lotta schaukelte und sang und sah aus, als ob sie überhaupt nicht wüsste, dass sie beobachtet wurde.

»Eva-Lotta!«, rief Kalle.

»Das einz'ge, was sie hatte, das war 'ne Nähmaschin, Nähmaschin-schin-schin, Nähma-Nähma-Nähmaschin«, sang Eva-Lotta unbekümmert weiter.

»Eva-Lotta!«, schrien Kalle und Anders gleichzeitig.

»Ach, ihr seid's!«, sagte Eva-Lotta sehr erstaunt. Sie sprang von der Schaukel und kam gnädig zum Zaun, der ihren Garten von Kalles trennte. Ein Brett fehlte – Kalle hatte es selbst herausgenommen. Eine ausgezeichnete Idee, die es möglich machte, sich ungehindert durch die Öffnung zu unterhalten und auch in Bäckermeisters Garten zu schlüpfen, ohne einen Umweg machen zu müssen.

Es war Anders' heimlicher Kummer, dass Kalle so nahe bei Eva-Lotta wohnte. Das war irgendwie ungerecht. Er selbst wohnte weit weg in einer anderen Straße in einem Zimmer mit Küche über Vaters Schuhmacherwerkstatt, zusammengedrängt mit seinen Eltern und kleinen Geschwistern.

»Eva-Lotta, willst du ein bisschen mit uns in die Stadt gehen?«, fragte Kalle.

Eva-Lotta schluckte mit Genuss den letzten Bissen von ihrer Zimtwecke hinunter.

»Kann ich machen«, sagte sie. Sie wischte einen Krümel von ihrem Kleid. Und dann gingen sie los.

Es war Samstag. Fredrik mit dem Fuß war bereits betrunken und stand wie gewöhnlich vor der Gerberei in einem Kreis von Zuhörern. Kalle und Anders und Eva-Lotta stellten sich dazu um zu hören, wie Fredrik von seinen Heldentaten erzählte, die er vollbracht hatte, als er als Bahnarbeiter in Nordschweden gewesen war.

Während Kalle zuhörte, schweiften seine Augen herum. Er hatte nicht einen Augenblick lang seine Pflicht vergessen. Nichts Verdächtiges? Nein, musste er zugeben, nichts Verdächtiges! Doch wie oft hatte man gelesen, dass vieles, was unschuldig aussah, genau das Gegenteil davon war. Auf alle Fälle muss man auf der Hut sein! Da kam zum Beispiel ein Mann mit einem Sack auf dem Rücken die Straße heraufgestiefelt.

»Nimm mal an«, sagte Kalle und stieß Anders in die Seite, »nimm mal an, dass der Sack voll mit gestohlenem Silber ist!«

»Nimm mal an, dass es *nicht* so ist«, sagte Anders ungeduldig, denn er wollte Fredrik mit dem Fuß zuhören. »Nimm mal an, dass du eines schönen Tages überschnappst mit all deinen Detektivideen.«

Eva-Lotta lachte. Und Kalle schwieg. Er war daran gewöhnt, nicht verstanden zu werden.

13

Schließlich kam die Polizei, auf die man schon gewartet hatte, um Fredrik mit dem Fuß zu holen. Es war üblich, dass er die Samstagnächte im Gefängnis zubrachte.

»Isses denn nich längst Zeit?«, sagte Fredrik vorwurfsvoll, als Wachtmeister Björk ihn freundlich am Arm nahm. »Da steht man hier eine Stunde und wartet! Haltet ihr keine Ordnung in dieser Stadt mit euren Strolchen?«

Wachtmeister Björk lachte und zeigte seine schönen weißen Zähne.

»Na, komm, jetzt gehen wir«, sagte er.

Die Zuhörerschar verlief sich. Kalle und Anders und Eva-Lotta gingen mit zögernden Schritten davon. Sie hätten gern etwas mehr von Fredriks Geschichten gehört.

»Wie schön die Kastanien sind«, sagte Eva-Lotta und betrachtete die lange Reihe Kastanienbäume, die die Hauptstraße säumten.

»Ja, sie sind hübsch, wenn sie blühen«, sagte Anders. »Sie sehen aus wie Kerzen.«

Alles war ruhig und still. Man konnte beinah fühlen, dass es Sonntag werden wollte. Hier und da sah man Leute in den Gärten sitzen und Abendbrot essen. Sie hatten sich schon den Arbeitsstaub abgewaschen und sonntäglich gekleidet. Sie redeten und lachten und sahen aus, als ob sie sich in ihren Gärtchen, wo die Obstbäume gerade in voller Blüte standen, sehr wohl fühlten.

Anders und Kalle und Eva-Lotta warfen begehrliche Blicke über jeden Gartenzaun, an dem sie vorbeigingen. Es hätte ja sein können, dass irgendeine freundliche Seele sie zu einem Butterbrot oder zu etwas anderem Guten einladen würde. Aber es sah nicht so aus.

»Wir müssen uns was einfallen lassen, was wir jetzt machen«, sagte Eva-Lotta.

In dem Augenblick hörte man irgendwo in der Ferne das schrille Pfeifen einer Lokomotive.

»Jetzt kommt der Sechsuhrzug«, sagte Anders.

»Ich weiß, was wir machen«, sagte Kalle. »Wir setzen uns hinter die Fliederhecke in Eva-Lottas Garten und legen ein Paket mit einer Schnur dran auf die Straße. Wenn jemand kommt und das Paket sieht und es nehmen will, dann ziehen wir an der Schnur. Die werden vielleicht Gesichter machen!«

»Ja, das scheint die richtige Beschäftigung für einen Samstagabend zu sein«, sagte Anders.

Eva-Lotta sagte nichts. Aber sie nickte zustimmend.

Ein Paket war schnell zurechtgemacht. Alles, was man brauchte, gab es ja in Viktor Blomquists Lebensmittelgeschäft.

»Es sieht aus, als ob was Interessantes drin wäre«, sagte Eva-Lotta zufrieden.

»Ja, nun wollen wir mal sehen, wer nach dem Bissen schnappt«, sagte Anders.

Das Paket lag auf dem Pflaster und sah sehr inhaltsreich und verlockend aus. Dass eine Schnur daran festgebunden war und dass die Schnur hinter der Fliederhecke des Bäckermeisters verschwand, war auf den ersten Blick nicht zu erkennen. Ein aufmerksamer Fußgänger hätte natürlich Kichern und Tuscheln hinter der Hecke hören können. Frau Petronella Apelgren, die Inhaberin des größten Fleischerladens der Stadt, die gerade die Straße heraufkam, war aber nicht so aufmerksam, dass sie etwas Verdächtiges gesehen oder gehört hätte. Doch das Paket sah sie. Sie bückte sich mit großer Mühe und streckte die Hand danach aus.

»Zieh!«, flüsterte Anders Kalle zu, der die Schnur hielt.

Und Kalle zog. Blitzschnell verschwand das Paket hinter der Fliederhecke. Und jetzt konnte Frau Apelgren das unterdrückte Gekicher nicht mehr überhören. Sie brach in einen Wortschwall aus. Die Kinder konnten nicht alles verstehen, was sie sagte, aber sie hörten, dass sie mehrere Male das Wort »Erziehungsanstalt« nannte als einen passenden Aufenthalt für missratene Kinder.

15

Hinter der Hecke war es nun ganz still. Nach einer letzten Schimpfkanonade ging Frau Apelgren brummend davon.

»Das war prima«, sagte Eva-Lotta. »Ich bin gespannt, wer jetzt kommt. Hoffentlich jemand, der sich genauso ärgert.«

Aber es schien, als ob die Stadt plötzlich ausgestorben wäre. Niemand kam und die drei hinter der Hecke waren nahe daran, das ganze Unternehmen aufzugeben.

»Nein, wartet, da kommt wieder jemand«, flüsterte Anders schnell.

Und da kam jemand. Er bog gerade um die Straßenecke und ging mit raschen Schritten direkt auf Bäckermeisters Gartenzaun zu, eine lange Gestalt in grauem Anzug, ohne Hut und mit einem großen Reisekoffer in der einen Hand.

»Achtung!«, flüsterte Anders, als der Mann vor dem Paket stehen blieb.

Und Kalle passte auf. Aber es half nichts. Man hörte den Mann einen leisen Pfiff ausstoßen und im nächsten Augenblick hatte er den Fuß auf das Paket gesetzt.

2. Kapitel

»Und wie heißt du, meine schöne junge Dame?«, fragte der Mann eine Weile später Eva-Lotta, die mit ihren beiden Begleitern hinter der Hecke hervorgekrochen war.

»Eva-Lotta Lisander«, sagte Eva-Lotta furchtlos.

»Das hab ich mir doch gedacht«, sagte der Mann. »Wir sind alte Bekannte, musst du wissen. Ich hab dich gesehen, als du so klein warst, dass du noch in der Wiege gelegen und gespuckt und den ganzen Tag geschrien hast.«

Eva-Lotta warf den Kopf zurück. Sie konnte nicht glauben, dass sie jemals so klein gewesen war.

»Wie alt bist du jetzt?«, fragte der Mann.

»Dreizehn Jahre«, sagte Eva-Lotta.

»Dreizehn Jahre! Und zwei Kavaliere hast du schon! Einen hellen und einen dunklen. Du scheinst die Abwechslung zu lieben«, sagte der Mann mit einem kleinen spöttischen Lachen.

Eva-Lotta warf noch einmal den Kopf zurück. Sie hatte es nicht nötig, sich Gemeinheiten von jemand anzuhören, den sie nicht kannte.

»Wer sind Sie denn?«, fragte sie.

»Wer ich bin? Ich bin Onkel Einar, ein Cousin von deiner Mutter, meine schöne junge Dame!« Er zog Eva-Lotta an ihren blonden Locken. »Und wie heißen deine Kavaliere?«

Eva-Lotta stellte Anders und Kalle vor und ein dunkler und ein blonder Schopf neigten sich in einer tadellosen Verbeugung.

»Nette Jungen«, sagte Onkel Einar anerkennend. »Aber heirate sie nicht! Heirate lieber mich«, fuhr er fort und stieß ein wieherndes Gelächter aus. »Ich werde ein Schloss für dich bauen, wo du den ganzen Tag herumlaufen und spielen kannst.«

»Sie sind ja viel zu alt für mich«, sagte Eva-Lotta schnippisch.

Anders und Kalle fühlten sich etwas überflüssig. Was war das eigentlich für eine klapprige Bohnenstange, die hier plötzlich einfach so auftauchte?

Personenbeschreibung – wollen mal sehen, dachte Kalle. Aus Prinzip merkte er sich das Aussehen aller unbekannten Personen, die ihm über den Weg liefen. Wer weiß, wie viele von ihnen wirklich anständige Menschen waren! Personenbeschreibung: braunes, hochgekämmtes Haar, braune Augen, zusammengewachsene Augenbrauen, gerade Nase, leicht vorstehende Zähne, kräftiges Kinn, grauer Anzug, braune Schuhe, kein Hut, brauner Reisekoffer, nennt sich Onkel Einar. Das war wohl alles. Nein – er hatte ja eine kleine rote Narbe auf der rechten Wange. Kalle merkte sich alle Einzelheiten. Und spöttisch wie kaum ein anderer, fügte er für sich selbst hinzu.

»Ist deine Mutter zu Hause, du kleiner Naseweis?«, fragte Onkel Einar.

»Ja, da kommt sie.«

Eva-Lotta zeigte auf eine Frau, die gerade durch den Garten kam. Sie hatte die gleichen lustigen blauen Augen und das gleiche blonde Haar wie Eva-Lotta.

»Habe ich das Vergnügen, wieder erkannt zu werden?« Onkel Einar verbeugte sich.

»Was in aller Welt – bist du es, Einar? Es ist wahrhaftig eine Weile her, seit man dich zuletzt gesehen hat. Wo kommst du her?« Frau Lisanders Augen waren ganz groß vor Überraschung.

»Vom Mond«, sagte Onkel Einar. »Um euch in eurem ruhigen Nest etwas aufzuheitern.«

»Er kommt gar nicht vom Mond«, sagte Eva-Lotta ärgerlich. »Er ist mit dem Sechsuhrzug gekommen.«

»Der gleiche alte Spaßmacher«, sagte Frau Lisander. »Aber warum hast du nicht geschrieben, dass du kommst?«

»Nein, kleine Cousine, schreibe niemals etwas, was du persönlich ausrichten kannst, das ist mein Wahlspruch. Du weißt, ich bin einer, der tut, was ihm gerade einfällt. Und jetzt fand ich, dass es schön wäre, eine Zeit lang Urlaub zu machen, und da erinnerte ich mich plötzlich, dass ich eine ungewöhnlich nette Cousine habe, die in einer ungewöhnlich netten kleinen Stadt wohnt. Willst du mich aufnehmen?«

Frau Lisander überlegte schnell. Es war nicht so leicht, stehenden Fußes Gäste aufzunehmen. Na ja, er konnte das Giebelzimmer haben.

»Und eine ungewöhnlich nette kleine Tochter hast du«, sagte Onkel Einar und kniff Eva-Lotta in die Wange.

»Aua, lass das«, sagte Eva-Lotta, »das tut ja weh!«

»Das sollte es auch«, sagte Onkel Einar.

»Ja, natürlich bist du willkommen«, sagte Frau Lisander. »Wie lange hast du Urlaub?«

»Nja, das ist noch nicht entschieden. Offen gesagt, ich habe die Absicht, bei meiner Firma aufzuhören. Ich überlege, ob ich ins Ausland gehe. In diesem Land hat man keine Zukunft. Hier treten alle auf der Stelle.«

»Das ist nicht wahr«, sagte Eva-Lotta aufgebracht. »Dieses Land ist das beste Land.«

Onkel Einar legte den Kopf auf die Seite und schaute Eva-Lotta an.

»Wie du gewachsen bist, kleine Eva-Lotta«, sagte er und ließ gleich darauf wieder sein wieherndes Gelächter hören. Eva-Lotta merkte schon, dass sie es herzlich verabscheute.

»Die Jungen können dir helfen«, sagte Frau Lisander mit einem Nicken zum Reisekoffer hin.

»Nee, nee, den trage ich lieber selbst«, sagte Onkel Einar.

In dieser Nacht wurde Kalle durch eine Mücke geweckt, die ihn in die Stirn gestochen hatte. Und da er nun sowieso wach war, hielt er es für klug nachzusehen, ob vielleicht einige Schurken und Banditen ihr verbrecherisches Spiel in der Nähe trieben. Zuerst sah er durchs Fenster auf die Hauptstraße hinaus. Da war alles öde und leer. Dann ging er ans andere Fenster und guckte durch die Gardine in Bäckermeisters Garten. Das Haus lag dunkel und schlafend zwischen blühenden Apfelbäumen. Nur im Giebelzimmer war Licht. Und gegen das Rollo zeichnete sich der dunkle Schatten eines Mannes ab.

»Onkel Einar, ph, wie blöd der ist«, sagte Kalle zu sich selbst.

Der dunkle Schatten wanderte hin und her, hin und her ohne Unterbrechung. Er war sicher eine unruhige Natur, der Onkel Einar!

Warum trabt er bloß so herum?, dachte Kalle und im nächsten Augenblick sprang er mit einem Satz in sein eigenes schönes Bett.

Schon um acht Uhr am Sonntagmorgen hörte er Anders' Pfeifen vor dem Fenster. Sie hatten ein gemeinsames Signal, Anders und er und Eva-Lotta. Kalle schlüpfte schnell in seine Sachen. Ein neuer, herrlicher Ferientag lag vor ihm, ohne Sorgen, ohne Schule und ohne andere Pflichten als die Erdbeeren zu gießen und ein Auge auf eventuelle Mörder in der Umgebung zu haben. Nichts davon war besonders anstrengend.

Das Wetter war strahlend. Kalle trank ein Glas Milch und aß ein Butterbrot und stürzte zur Tür, bevor seine Mutter dazu kam, auch nur die Hälfte der Ermahnungen vorzubringen, die sie ihm gleichzeitig mit dem Frühstück servieren wollte.

Jetzt kam es nur darauf an, Eva-Lotta herauszuholen. Aus irgendeinem Grund fanden Kalle und Anders es nicht ganz passend, hineinzugehen und direkt nach ihr zu fragen. Streng genommen war es ja nicht einmal passend, dass sie mit einem Mädchen spielten. Aber da war nichts zu machen. Alles war viel lustiger, wenn Eva-Lotta dabei war. Sie war übrigens nicht diejenige, die vor einem Spaß zurückscheute. Sie ging genauso drauflos und war genauso schnell wie irgendein Junge. Als der Wasserturm umgebaut wurde, war sie wie Anders und Kalle genauso hoch auf das Holzgerüst geklettert, und als Wachtmeister Björk sie bei ihrem Unternehmen entdeckte und ihnen zurief, dass es wohl am sichersten wäre, augenblicklich herunterzukommen, setzte sie sich ganz ruhig vorn auf ein Brett, wo jedem anderen schwindlig geworden wäre, und sagte lachend:

»Kommen Sie rauf und holen Sie uns!«

Sie hatte wohl nicht gedacht, dass Wachtmeister Björk sie beim Wort nehmen würde. Aber Wachtmeister Björk war der Beste im Sportklub, und er brauchte nicht viele Sekunden um zu Eva-Lotta heraufzukommen.

»Bitte deinen Vater, dass er dir ein Trapez kauft, an dem du rumklettern kannst«, sagte er. »Denn wenn du von dem runterfällst, hast du wenigstens eine kleine Chance dir nicht den Hals zu brechen.«

Dann packte er sie und kletterte mit ihr hinunter. Anders und Kalle hatten sich schon mit bemerkenswerter Geschwindigkeit hinunterbegeben. Seitdem mochten sie Wachtmeister Björk gern. Und – wie gesagt – sie mochten Eva-Lotta auch gern, ganz abgesehen davon, dass beide sie heiraten wollten.

»Denn das war ja wirklich mutig von ihr«, sagte Anders, »so etwas zu einem Polizisten zu sagen. Das hätten nicht viele Mädchen getan. Viele Jungen übrigens auch nicht!«

Und an dem dunklen Herbstabend, als sie vor dem Haus des giftigen Bürochefs, der immer so böse zu seinem Hund war, auf der Harzgeige spielten, da war Eva-Lotta vor seinem Fenster stehen geblieben und hatte mit ihrem Harzstück auf dem Draht herumgerieben, bis der Bürochef herausgelaufen kam und sie beinahe auf frischer Tat ertappt hätte. Aber Eva-Lotta war schnell über den Zaun geschossen und in die Bootsmannsgasse verschwunden, wo Anders und Kalle auf sie warteten. Nein, an Eva-Lotta war nichts auszusetzen, darüber waren sich Anders und Kalle einig.

Anders stieß einen neuen Pfiff aus in der Hoffnung, dass es Eva-Lotta drinnen hören würde. Das tat sie auch. Sie kam heraus. Aber zwei Schritte hinter ihr kam Onkel Einar.

»Darf dieser kleine artige Junge auch mitspielen?«, fragte er.

Anders und Kalle schauten ihn etwas verlegen an.

»Räuber und Gendarm zum Beispiel«, wieherte Onkel Einar. »Ich will am liebsten Räuber sein.«

»Ph!«, machte Eva-Lotta.

»Oder wollen wir zur Schlossruine gehen?«, schlug Onkel Einar vor. »Die gibt's doch wohl immer noch?«

Natürlich gab's die Schlossruine noch. Das war ja die größte Sehenswürdigkeit der Stadt, die sich alle Touristen ansehen sollten, noch bevor sie die Deckenmalereien in der Kirche gesehen hatten. Obwohl natürlich nicht so viele Touristen kamen. Die Ruine lag auf einer Anhöhe und schaute auf die kleine Stadt hinunter. Ein mächtiger Herr hatte einmal in vergangenen Zeiten dieses Schloss gebaut und nach und nach war in dessen Nähe eine Stadt entstanden. Die kleine Stadt blühte und gedieh immer noch, aber von dem früheren Schloss war nur noch eine schöne Ruine übrig.

Kalle und Anders und Eva-Lotta hatten nichts dagegen, zur Ruine zu gehen. Sie war einer ihrer liebsten Aufenthaltsorte. Man konnte in den alten Sälen Versteck spielen oder die Burg gegen anstürmende Feinde verteidigen.

Onkel Einar ging rasch den steilen Weg hinauf, der sich zur Ruine schlängelte. Kalle, Anders und Eva-Lotta trabten hinterher. Sie warfen sich von Zeit zu Zeit verstohlene Blicke zu und blinzelten viel sagend.

»Ich hätte Lust ihm Eimer und Schaufel zu geben, dann könnte er irgendwo für sich allein sitzen und damit spielen«, flüsterte Anders.

»Und du glaubst, dass er das tun würde?«, fragte Kalle. »Nee, du, wenn erwachsene Leute sich vornehmen mit Kindern zu spielen, dann kann sie nichts daran hindern, merk dir das!«

»Sie sind vergnügungssüchtig, daran liegt es«, entschied Eva-Lotta. »Aber da er Mamas Cousin ist, müssen wir wohl versuchen ein bisschen mit ihm zu spielen, sonst wird er bloß quengelig.« Eva-Lotta kicherte vergnügt.

»Das kann ja langweilig werden, wenn er lange Urlaub hat«, sagte Anders.

»Ach, er reist sicher bald ins Ausland«, meinte Eva-Lotta. »Du hast ja gehört, was er gesagt hat – in diesem Land hier kann man es nicht aushalten.«

»Ja, ich für meinen Teil werd ihm keine Träne nachweinen«, sagte Kalle.

Die Heckenrosen blühten in dichten Büschen rings um die ganze Ruine. Die Hummeln summten. Die Luft zitterte in der Wärme. Aber drinnen in der Ruine war es kühl. Onkel Einar sah sich zufrieden um.

»Schade, dass man nicht runter in den Keller gehen kann«, sagte Anders.

»Warum kann man das nicht?«, fragte Onkel Einar.

»Nee, sie haben eine dicke Tür davor gesetzt«, sagte Kalle. »Und die ist abgeschlossen. Da unten sind sicher viele Gänge und Kellerlöcher und es ist kalt und feucht und deswegen wollen sie nicht, dass man runtergeht. Der Bürgermeister hat bestimmt den Schlüssel.«

»Früher sind die Leute hingefallen und haben sich da unten die Beine gebrochen«, sagte Anders. »Und ein Kind hätte sich beinah verlaufen und deswegen darf jetzt niemand mehr runter. Aber das ist verdammt schade.«

»Wollt ihr gern runtergehen?«, fragte Onkel Einar. »Das ließe sich vielleicht machen.«

»Wie das denn?«, fragte Eva-Lotta.

»So!«, sagte Onkel Einar und zog einen kleinen Gegenstand aus der Tasche. Er beschäftigte sich eine Weile mit dem Schloss und gleich danach schwang die Tür quietschend in ihren Angeln. Die Kinder starrten voll Staunen abwechselnd Onkel Einar und die Tür an. Das war ja die reinste Zauberei.

»Wie hast du das gemacht, Onkel Einar? Darf ich mal sehen?«, fragte Kalle eifrig.

Onkel Einar hielt ihm den kleinen Metallgegenstand hin.

»Ist das – ist das ein Dietrich?«, fragte Kalle.

»Richtig geraten«, sagte Onkel Einar.

Kalle war überglücklich. Er hatte so oft von Dietrichen gelesen, aber er hatte noch nie einen gesehen.

»Darf ich den mal haben?«, fragte er.

Er durfte und er fühlte, dass dies ein großer Augenblick in seinem Leben war. Dann kam ihm ein Gedanke. Nach dem, was er gelesen hatte, waren es meist zwielichtige Typen, die Dietriche besaßen. Das erforderte eine Erklärung.

»Warum hast du einen Dietrich, Onkel Einar?«, fragte er.

»Weil ich keine geschlossenen Türen mag«, sagte Onkel Einar kurz.

»Wollen wir nicht runtergehen?«, fragte Eva-Lotta. »Ein Dietrich ist ja nicht die Welt«, fügte sie hinzu, als ob sie niemals etwas anderes getan hätte, als Schlösser mit dem Dietrich aufzumachen.

Anders war schon die ausgetretene Treppe, die in den Keller führte, hinuntergelaufen. Seine braunen Augen leuchteten vor Abenteuerlust. Das war spannend! Nur Kalle fand, dass ein Dietrich etwas Merkwürdiges war. Nein, aber alte Kerker, das war etwas! Mit einem bisschen Fantasie konnte man beinah das Rasseln der Ketten hören, mit denen man die armen Gefangenen vor vielen hundert Jahren hier unten gefesselt hatte.

»Hu, hoffentlich spukt es nicht«, sagte Eva-Lotta und stieg mit scheuen Seitenblicken die Treppe hinunter.

»Sei nicht allzu sicher«, sagte Onkel Einar. »Stell dir bloß vor, wenn ein altes, bemoostes Gespenst kommt und dich kneift. So zum Beispiel!«

»Au!«, schrie Eva-Lotta. »Kneif mich doch nicht! Jetzt krieg ich einen blauen Fleck auf dem Arm, das weiß ich.« Sie rieb wütend ihren Arm.

Kalle und Anders schnüffelten überall herum wie zwei Spürhunde.

»Wenn man hier so oft sein dürfte, wie man möchte«, sagte Anders begeistert. »Und alles kartografieren und sein Versteck hier haben könnte!« Er sah in die dunklen Gänge hinein, die sich nach allen Seiten hin verzweigten. »Hier könnten sie einen zwei Wochen lang suchen ohne auch nur eine Feder zu entdecken. Wenn man was ausgefressen hätte und sich verstecken müsste, dann wäre so ein Kerker ein großartiges Versteck!«

»Meinst du wirklich?«, fragte Onkel Einar.

Kalle ging herum und schnüffelte mit der Nase beinahe auf der Erde.

»Was machst du denn da?«, fragte Onkel Einar.

Kalle wurde etwas rot. »Ich wollte bloß mal sehen, ob noch Spuren von den Kerlen da sind, die hier gefangen gesessen haben.«

»Ach, seitdem sind ja so viele Menschen hier gewesen, du Blödmann«, sagte Eva-Lotta.

»Weißt du denn nicht, dass Kalle Detektiv ist, Onkel Einar?«

Anders' Stimme klang etwas belustigt und überlegen, als er das sagte.

»Du lieber Himmel, nein, das wusste ich nicht«, sagte Onkel Einar.

»Ja, wirklich, einer der besten, die es im Augenblick gibt.«

Kalle sah Anders wütend an.

»Das bin ich nicht«, sagte er. »Aber ich finde, es macht Spaß, sich damit zu beschäftigen. Mit Schurken, die im Gefängnis landen. Da ist doch nichts dabei!«

»Absolut nicht, mein Junge! Ich hoffe, du fängst bald einen ganzen Haufen, den du zusammenbinden und der Polizei schicken kannst.«

Onkel Einar wieherte. Kalle war wütend. Niemand nahm ihn ernst.

»Bilde dir nichts ein«, sagte Anders. »In dieser Stadt ist nie ein anderer Schurkenstreich vorgekommen, als dass Fredrik mit dem Fuß eines Sonntags in der Sakristei die Kollekte geklaut hat. Mehr nicht. Übrigens hat er sie am nächsten Tag zurückgebracht, als er wieder nüchtern war.«

»Und jetzt sitzt er immer über Samstag und Sonntag im Loch, damit er es nicht noch mal machen kann«, sagte Eva-Lotta lachend.

»Sonst hättest du dich in den Hinterhalt legen und ihn das nächste Mal auf frischer Tat ertappen können, Kalle«, sagte Anders. »Dann hättest du wenigstens *einen* erwischt!«

»Jetzt wollen wir aber nicht boshaft sein zu dem Herrn Meisterdetektiv«, sagte Onkel Einar. »Ihr werdet sehen, eines Tages kommt er groß raus und setzt einen fest, der eine Tafel Schokolade im Laden von seinem Vater geklaut hat.«

Kalle kochte vor Wut. Anders und Eva-Lotta mochten sich vielleicht über ihn lustig machen, aber kein anderer. Am allerwenigsten dieser grinsende Onkel Einar.

»Ja, kleiner Kalle«, sagte Onkel Einar, »du wirst sicher gut, wenn du fertig bist. – Nein, lass das sein!«

Das Letzte war an Anders gerichtet, der einen Bleistift hervorgeholt hatte und seinen Namen auf eine glatte Steinwand schreiben wollte.

»Warum denn?«, fragte Eva-Lotta. »Lasst uns unsere Namen und das Datum hinschreiben! Vielleicht kommen wir noch mal hierher, wenn wir ganz, ganz alt sind, fünfundzwanzig Jahre oder so. Das wäre doch lustig, wenn wir dann unsere Namen hier finden würden.«

»Ja, das würde uns an unsere verflossene Jugend erinnern«, sagte Anders.

»Na ja, macht, was ihr wollt«, sagte Onkel Einar.

Kalle maulte ein bisschen. Er wollte erst nicht mitmachen, aber schließlich besann er sich und bald standen alle drei Namen in einer ordentlichen Reihe da: Eva-Lotta Lisander, Anders Bengtsson, Kalle Blomquist.

»Willst du deinen Namen nicht auch hinschreiben?«, fragte Eva-Lotta.

»Du kannst Gift drauf nehmen, dass ich das nicht tu«, sagte Onkel

Einar. »Im Übrigen ist es hier kalt und feucht und das ist nicht gut für meine alten Knochen. Jetzt gehen wir wieder raus in die Sonne!«

»Und nun noch etwas«, fuhr er fort, als die Tür wieder hinter ihnen zugefallen war. »Wir sind *nicht* hier gewesen, versteht ihr? Kein Gerede!«

»Was? Dürfen wir nicht davon reden?«, fragte Eva-Lotta missvergnügt.

»Nein, meine schöne junge Dame! Das ist ein Staatsgeheimnis«, sagte Onkel Einar. »Und vergiss es nicht! Sonst kneif ich dich vielleicht wieder.«

»Wag das bloß nicht!«, sagte Eva-Lotta.

Die Sonne blendete sie, als sie aus dem dunklen Ruinengewölbe heraustraten, und die Wärme erschien ihnen beinah überwältigend.

»Soll ich mich mal ein bisschen bei euch beliebt machen?«, fragte Onkel Einar. »Soll ich euch zu Brause und Kuchen in den Konditoreigarten einladen?«

Eva-Lotta nickte gnädig.

»Manchmal hast du ganz vernünftige Ideen!«

Sie bekamen einen Tisch direkt am Geländer unten am Fluss. Man konnte den kleinen Barschen, die hungrig angeschwommen kamen und nah unter der Oberfläche warteten, Krümel zuwerfen. Ein paar Linden gaben einen angenehmen Schatten. Und als Onkel Einar eine große Platte Kuchen und drei Flaschen Brause bestellte, fing sogar Kalle an, seine Anwesenheit in der Stadt ganz erträglich zu finden. Onkel Einar wippte mit seinem Stuhl, warf den Fischen Krümel zu, trommelte mit den Fingern auf dem Tisch und pfiff ein bisschen. Und dann sagte er: »Esst, so viel ihr reinkriegt, aber beeilt euch! Wir können nicht den ganzen Tag hier sitzen.«

Wie komisch er ist, dachte Kalle. Er will nie lange bei einer Sache bleiben.

Und er war immer mehr davon überzeugt, dass Onkel Einar eine unruhige Natur war. Er selbst hätte wer weiß wie lange hier im Konditoreigarten sitzen und den Kuchen und die Fische und die Sonne und die Musik genießen mögen. Er konnte nicht verstehen, dass ein Mensch es so eilig haben konnte, von hier wegzukommen.

Onkel Einar sah auf seine Uhr.

»Um diese Zeit muss wohl schon die ›Stockholmer Zeitung‹ gekommen sein«, sagte er. »Du, Kalle, du bist jung und gesund, lauf zum Kiosk und hol mir eine!«

Klar, dass gerade ich laufen soll, dachte Kalle.

»Anders ist bedeutend jünger und gesünder«, sagte er.

»Wirklich?«

»Ja, er ist fünf Tage später als ich geboren. Wenn er natürlich auch nicht so diensteifrig ist wie ich«, sagte Kalle und fing die Geldmünze auf, die Onkel Einar ihm zuwarf.

»Aber dann will ich wenigstens ein bisschen reingucken«, sagte er zu sich, als er die Zeitung bekommen hatte. »Wenigstens die Überschriften. Und die Bildgeschichten.« Es war ungefähr wie immer. Erst eine ganze Menge über Atombomben und dann ein Haufen Politik, was keinen Menschen interessieren konnte. Und »Zusammenstoß zwischen Autobus und Zug«, »Brutaler Überfall auf einen alten Mann«, »Wütende Kuh verursacht Panik«, »Großer Juwelendiebstahl« und »Warum so hohe Steuern?«. Nichts besonders Spannendes, fand Kalle. Aber Onkel Einar griff eifrig nach der Zeitung. Er blätterte sie schnell durch, bis er zu der Seite kam, wo die letzten Neuigkeiten standen. Dort vertiefte er sich in einen Artikel, sodass er nicht hörte, als Eva-Lotta fragte, ob sie noch ein Stück Kuchen nehmen dürfe.

Was kann das sein, was ihn so furchtbar interessiert?, dachte Kalle. Er hätte sich gern hinter Onkel Einar gestellt, aber er war nicht sicher, ob Onkel Einar das gefallen würde. Offenbar war es nur *eine* Sache, die er las, denn er ließ die Zeitung liegen, als sie bald darauf gingen.

Auf der Hauptstraße trafen sie Wachtmeister Björk, der auf Streifengang war.

»Hallo, Onkel Björk!«, rief Eva-Lotta.

»Hallo«, sagte der Wachtmeister und legte die Hand an die Mütze. »Bist du noch nirgends runtergefallen und hast dir das Genick gebrochen?«

»Noch nicht ganz«, sagte Eva-Lotta. »Aber morgen will ich auf den Aussichtsturm im Stadtpark steigen, vielleicht wird es da was. Natürlich nur, wenn Sie nicht kommen und mich runterholen.«

»Ich will's versuchen«, sagte der Wachtmeister und grüßte noch einmal.

Onkel Einar kniff Eva-Lotta ins Ohr.

»Soso, du bist mit der Polizeimacht verbündet«, sagte er.

»Ach, lass das doch sein«, sagte Eva-Lotta. »Ist er übrigens nicht todschick?«

»Wer? Ich?«

»Ach was«, sagte Eva-Lotta. »Wachtmeister Björk natürlich!«

Vor einem Eisenwarengeschäft blieb Onkel Einar stehen.

»Auf Wiedersehen, Kinder«, sagte er. »Ich geh mal hier rein.«

»Schön«, sagte Eva-Lotta, als er verschwunden war.

»Ja, denn selbst wenn er uns zu Kuchen einlädt, es bringt doch keinen Spaß, wenn er die ganze Zeit dabei ist«, sagte Anders.

Dann vergnügten sich Anders und Eva-Lotta damit, von der Brücke in den Fluss zu spucken um zu sehen, wer es am weitesten konnte. Kalle beteiligte sich nicht. Er setzte sich plötzlich in den Kopf rauszukriegen, was Onkel Einar im Eisenwarengeschäft kaufte.

Reine Routinearbeit, sagte er sich. Aber man kann eine ganze Menge über einen Menschen erfahren, wenn man weiß, was er in einem Eisenwarengeschäft kauft. Wenn er ein elektrisches Bügeleisen kauft, dachte Kalle, dann ist er häuslich, und wenn er einen Schlitten kauft – ja, wenn er einen Schlitten kauft, dann ist er nicht ganz bei Trost! Bei den augenblicklichen Schneeverhältnissen dürfte er wirklich wenig Nutzen davon haben. Aber ich geh jede Wette ein, dass es kein Schlitten ist, den er da kaufen will.

Kalle stellte sich vor das Schaufenster und schaute in den Laden. Da drinnen stand Onkel Einar. Der Verkäufer war gerade dabei, etwas zu zeigen. Kalle legte die Hand über die Augen und versuchte zu sehen, was es war. Es war – es war eine Taschenlampe!

Kalle dachte nach, dass es nur so krachte. Wozu brauchte Onkel Einar eine Taschenlampe? Mitten im Sommer, wo es beinahe die ganze Nacht über hell war! Erst einen Dietrich und dann eine Taschenlampe? Was war es sonst, wenn nicht im höchsten Grade mystisch? Onkel Einar war eine im höchsten Grade mystische Person, entschied Kalle. Und er, Kalle Blomquist, war nicht der, der mystische Personen ohne Überwachung herumlaufen ließ. Onkel Einar würde sofort unter Kalle Blomquists besondere Aufsicht gestellt werden.

Plötzlich fiel ihm etwas ein. Die Zeitung! Wenn eine mystische Person so auffallend an etwas interessiert ist, was in der Zeitung steht, so ist auch das mystisch und bedarf näherer Untersuchung. Reine Routinearbeit!

Er lief zurück in den Konditoreigarten. Die Zeitung lag noch auf dem Tisch. Kalle nahm sie und steckte sie unter sein Hemd. Er wollte sie behalten. Selbst wenn er jetzt nicht herauskriegen konnte, was Onkel Einar so eifrig gelesen hatte, konnte sie später vielleicht einen Hinweis geben.

Meisterdetektiv Blomquist ging nach Hause und goss die Erdbeeren, sehr zufrieden mit sich selbst.

3. Kapitel

»Etwas muss passieren«, sagte Anders. »Wir können nicht den ganzen Sommer so rumhängen. Was wollen wir anfangen?« Er fuhr mit den Fingern durch sein dickes schwarzes Haar und sah nachdenklich aus.
»Fünf Öre für den, der eine Idee hat«, sagte Eva-Lotta.
»Zirkus«, sagte Kalle zögernd. »Wie wäre es, wenn wir einen Zirkus aufmachten?«
Eva-Lotta sprang vom Schaukelbrett runter.
»Die fünf Öre gehören dir! Wir wollen sofort anfangen!«
»Aber wo soll er stattfinden?«, fragte Anders.
»In unserem Garten – wo denn sonst?«, entschied Eva-Lotta.
Ja, Bäckermeisters Garten war für alles zu gebrauchen, warum sollte man da keinen Zirkus aufmachen können? Der gepflegte Teil des Gartens mit prunkenden Beeten und geharkten Wegen war vorm Wohnhaus. Aber hinter dem Haus, wo sich der Garten bis zum Fluss hinunterzog, wurde er nicht gepflegt. Und hier war er ein idealer Platz für alle Arten von Spielen. Da war ein Rasen mit kurzem Gras, der sich ausgezeichnet für Fußball und Krocket und alle möglichen anderen Sportübungen eignete.
Ganz in der Nähe lag die Bäckerei. Der wunderbare Duft von frisch gebackenem Brot hing daher ständig über diesem Teil des Gartens und mischte sich auf eine besonders angenehme Art mit dem Duft des Flieders. Wenn man sich lange genug in der Nähe der Bäckerei aufhielt, konnte es passieren, dass Eva-Lottas Vater seinen weißbemütz-

ten Kopf durch das offene Fenster steckte und fragte, ob man eine frische Zimtwecke oder einen Kopenhagener haben wollte.

Weiter unten am Fluss wuchsen ein paar alte Ulmen, die vorzüglich zum Herumklettern geeignet waren. Man konnte ohne Schwierigkeit bis in die Krone hinaufklettern und von da aus hatte man eine wunderbare Aussicht über die ganze Stadt. Man konnte den Fluss sehen, der sich wie ein silbernes Band zwischen den alten Häusern hindurchschlängelte, man sah die Gärten und die kleine, altertümliche Holzkirche und ganz weit weg die Anhöhe mit der Schlossruine.

Der Fluss bildete eine natürliche Grenze für den Garten. Eine knorrige Weide streckte sich weit über das Wasser. Man konnte oben in der Weide sitzen und angeln. Eva-Lotta und Anders und Kalle taten das oft. Eva-Lotta hatte natürlich immer den besten Sitzplatz.

»Der Zirkus muss vor der Bäckerei sein«, sagte Eva-Lotta. »Vor dem Giebel!«

Kalle und Anders nickten zustimmend.

»Wir leihen uns eine Plane«, sagte Anders. »Wir zäunen den Platz ein und stellen Bänke für die Zuschauer auf. Dann ist alles fertig.«

»Wie wäre es, wenn wir auch ein paar Zirkusnummern einüben würden?«, fragte Kalle sarkastisch. »Du, Anders, brauchst dich natürlich nur zu zeigen, damit die Leute finden, sie hätten was für ihr Geld gekriegt; du brauchst also keine besondere Clownnummer einzuüben. Aber wir müssen wohl auch ein paar Akrobatenkunststücke zeigen oder so was Ähnliches.«

»Ich werde reiten«, sagte Eva-Lotta eifrig. »Ich leih mir unser Brotwagenpferd aus. Das wird prima!« Sie warf den noch nicht vorhandenen Zuschauern Kusshände zu. »Kunstreiterin Eva-Charlotta, könnt ihr mich nicht sehen?«, fragte sie.

Kalle und Anders betrachteten sie voller Anbetung. Ja, sie konnten sie sehr gut sehen.

Mit Leib und Seele gingen die Zirkuskünstler ans Werk. Der von Eva-

Lotta vorgeschlagene Platz war ohne Zweifel der beste, den es gab. Der südliche Giebel der Bäckerei bildete einen geeigneten Hintergrund für die akrobatischen Nummern. Der feste, grasbewachsene Platz davor reichte sowohl für eine Arena als auch für die Zuschauer. Das Einzige, was sie brauchten, war ein Zelttuch, das die Arena von den Zuschauern trennte und das sie zur Seite ziehen konnten, wenn die Vorstellung anfing. Mehr Sorgen bereitete ihnen das Problem mit dem Umkleideraum für die Künstler. Aber Eva-Lottas flinkes Gehirn hatte eine Lösung gefunden. Über der Bäckerei war ein Bodenraum. Durch eine große Luke am südlichen Giebel konnte man Waren in diesen Bodenraum hineinbefördern, ohne dass man eine Treppe brauchte.

»Und wenn man etwas reinbefördern kann, dann kann man auch etwas rausbefördern«, sagte Eva-Lotta. »Und das, was rauskommt, das sind wir. Wir machen oben einen Strick fest und jedes Mal, wenn wir dran sind mit dem Auftritt, kommen wir in den Zirkus runtergerutscht. Wenn die Nummer zu Ende ist, schleichen wir uns vorsichtig raus, ohne dass die Zuschauer es merken, und laufen die Treppe rauf und bleiben auf dem Boden, bis es Zeit ist, wieder runterzurutschen. Das wird bombastisch, findet ihr nicht?«

»Ja, das wird bombastisch«, sagte Anders. »Wenn du dann das Pferd dazu kriegen könntest, auch am Strick runterzurutschen, dann wäre es noch bombastischer. Aber das scheint etwas schwieriger zu sein. Es ist bestimmt zahm und gutmütig, aber auch für ein Pferd gibt es Grenzen!«

»Wenn ich reiten soll, muss einer von euch Stallknecht sein und das Pferd zwischen den Zuschauern hindurch reinführen und es unter die Luke stellen, und dann – wups – komme ich direkt auf seinen Rücken runtergesaust.«

Sie fingen sofort mit den Vorbereitungen an. Kalle bekam von seinem Vater eine Plane, Anders radelte zu einem Holzplatz etwas außerhalb der Stadt und kaufte einen Sack Sägespäne, die in die Arena gestreut wurde. Der Strick wurde oben auf dem Boden festgemacht und die drei Zirkuskünstler übten sich im Rutschen, sodass sie fast alles andere vergaßen.

Mittendrin kam Onkel Einar angeschlendert.

»Sieh mal einer an, dass er einen ganzen Nachmittag allein zurechtkommen konnte!«, flüsterte Eva-Lotta den Jungen zu.

»Wer von euch bringt für mich einen Brief zur Post?«, rief Onkel Einar.

Die drei sahen einander an. Niemand hatte eigentlich Lust. Aber da erwachte Kalles Pflichtgefühl. Onkel Einar war eine mystische Person und die Korrespondenz mystischer Personen musste man überwachen.

»Ich gehe!«, rief er.

Eva-Lotta und Anders guckten ihn erstaunt an.

»Genau wie ein Pfadfinder, immer bereit«, sagte Onkel Einar.

Kalle nahm den Brief und ging los. Sobald er außer Sichtweite war, sah er auf die Adresse.

»Fräulein Lola Hellberg, Stockholm, p. r.«, stand da. »P. r.« bedeutete »poste restante«, das heißt: Der Adressat sollte selbst den Brief von der Post holen, das wusste Kalle.

Verdächtig, dachte er. Warum kann er nicht an ihre richtige Adresse schreiben?

Er holte ein Notizbuch aus seiner Hosentasche und schlug es auf. »Verzeichnis über verdächtige Personen« stand oben auf der einen Seite. Das Verzeichnis hatte früher eine ansehnliche Zahl von Personen umfasst. Aber Kalle hatte sich schweren Herzens genötigt gesehen, eine nach der anderen zu streichen, nachdem es ihm nicht gelungen war, etwas Verbrecherisches bei ihnen festzustellen. Im Augenblick gab es daher nur eine Person auf der Liste, und das war Onkel Einar. Sein Name war rot unterstrichen und darunter stand sehr genau seine Personenbeschreibung. Danach kam eine neue Rubrik: »Besonders verdächtige Umstände.« »Besitzt Dietrich und Taschenlampe«, stand da. Allerdings besaß Kalle selbst eine Taschenlampe, aber das war eine ganz andere Sache.

Mit einiger Mühe fischte er einen Bleistiftstummel aus seiner Tasche und auf einem Brett als Unterlage schrieb er folgenden Zusatz in sein Notizbuch: »Korrespondiert mit Fräulein Lola Hellberg, Stockholm, p. r.« Dann lief er zum nächsten Briefkasten und war in wenigen Sekunden zurück beim Zirkus »Kalottan«, wie das Zirkusunternehmen nach reiflicher Überlegung getauft worden war.

»Was bedeutet das?«, fragte Onkel Einar.

»Ka für Kalle, Lott für Eva-Lotta und An für Anders, das ist doch klar«, antwortete Eva-Lotta. »Übrigens darfst du nicht zusehen, wenn wir proben.«

»Das sind harte Gesetze«, sagte Onkel Einar. »Was soll ich den ganzen Tag anfangen?«

»Geh zum Fluss runter und angle«, schlug Eva-Lotta vor.

»Himmel! Willst du, dass ich einen Nervenzusammenbruch kriege?« Eine *sehr* unruhige Natur, dachte Kalle.

Eva-Lotta hatte jedoch kein Erbarmen. Sie jagte Onkel Einar mitleidlos fort. Und die Proben im Zirkus »Kalottan« wurden mit größter Energie aufgenommen.

Anders war der Stärkste und Geschickteste und daher war es nur recht und billig, dass er Zirkusdirektor wurde.

»Aber ich will auch etwas bestimmen«, sagte Eva-Lotta.

»Du bestimmst, wo es passt«, sagte Anders. »Bin ich Direktor, dann bin ich es.«

Der Zirkusdirektor hatte sich in den Kopf gesetzt, eine erstklassige Akrobatentruppe zu zeigen, und er zwang Kalle und Eva-Lotta, viele Stunden zu trainieren.

»So!«, sagte er schließlich zufrieden, als Eva-Lotta im blauen Turnanzug lachend und aufrecht mit einem Fuß auf seiner und dem anderen

Fuß auf Kalles Schulter stand. Die Jungen standen breitbeinig auf dem grünen Schaukelbrett, sodass Eva-Lotta fast zu hoch zu stehen kam. Aber sie wäre lieber gestorben als zuzugeben, dass sie ein etwas unbehagliches Gefühl in der Magengegend hatte, wenn sie hinuntersah.

»Es wäre toll, wenn du dich eine Weile auf die Hände stellen könntest«, presste Anders hervor, während er versuchte fest zu stehen. »Das gäbe Applaus!«

»Es wäre toll, wenn du auf deinem eigenen Kopf sitzen könntest«, sagte Eva-Lotta kurz. »Das würde noch mehr Applaus geben.«

Da ertönte ein furchtbares Geheul, ein unmenschlicher Laut wie von einem Wesen in höchster Not. Eva-Lotta stieß einen Schrei aus und machte einen lebensgefährlichen Sprung auf die Erde.

»Was ist das?«, fragte Eva-Lotta.

Alle drei stürzten aus dem Zirkus. Einen Augenblick später kam ein graues Knäuel auf sie losgefahren. Es war das Knäuel, das die schrecklichen Töne ausstieß. Und das Knäuel war Tusse, Eva-Lottas Katze.

»Tusse, o Tusse, was ist denn?«, keuchte Eva-Lotta. Sie nahm die Katze ohne sich darum zu kümmern, dass sie kratzte und biss. »Oh«, sagte Eva-Lotta, »jemand hat… Oh, das ist unheimlich fies! Jemand hat ihr das hier angebunden um sie zu Tode zu erschrecken.«

Am Schwanz der Katze war eine Schnur festgebunden und an der Schnur hing eine Blechdose, die bei jedem Sprung furchtbar schepperte. Eva-Lotta liefen die Tränen übers Gesicht.

»Wenn ich wüsste, wer das gemacht hat, dem würde ich…« Sie sah auf. Zwei Schritte von ihr entfernt stand Onkel Einar. Er lachte vergnügt.

»Ach, ach«, sagte er, »das war das Komischste, was ich je in meinem Leben gesehen habe.«

Eva-Lotta stürzte auf ihn zu. »Hast du das getan?«

»Was getan? Du großer Gott, wie die Katze springen konnte! Warum hast du die Dose abgemacht?«

Da stieß Eva-Lotta noch einen Schrei aus und stürzte sich auf ihn. Sie schlug ihn mit den Fäusten, wo sie ihn nur treffen konnte, während die Tränen weiter über ihre Backen herunterliefen.

»Das ist abscheulich, oh, das ist fies! Ich hasse dich!«

Da verstummte das lustige Gewieher. Onkel Einars Gesicht verwandelte sich eigentümlich. Es bekam einen gehässigen Ausdruck, der Anders und Kalle, die als unbewegliche Zuschauer dabeistanden, erschreckte. Onkel Einar packte Eva-Lotta hart am Arm und stieß beinahe zischend hervor: »Hör auf, Mädchen! Oder ich zerquetsch dir sämtliche Knochen im Leibe!«

Eva-Lotta holte tief und keuchend Luft. Ihre Arme fielen kraftlos unter Onkel Einars hartem Griff herunter. Sie starrte ihn erschrocken an. Er ließ sie los und strich sich etwas verlegen übers Haar. Dann lachte er und sagte:

»Was ist eigentlich los mit uns? Sind wir in einen Boxkampf geraten oder was? Ich glaube, du hast die erste Runde gewonnen, Eva-Lotta!«

Eva-Lotta gab keine Antwort. Sie nahm ihre Katze, drehte sich auf der Ferse um und ging hoch aufgerichtet davon.

4. Kapitel

Kalle konnte einfach nicht schlafen, wenn Mücken im Zimmer waren.
Jetzt hatte ihn wieder so ein Viech geweckt.

»Biest«, murmelte er. Er kratzte sich am Kinn, wo die Mücke ihn gestochen hatte. Dann sah er auf die Uhr. Gleich eins. Eine Zeit, wo alle
anständigen Menschen schlafen sollten.

Dabei fällt mir ein, dachte er, ob der Katzenquäler schon schläft?

Er tappte zum Fenster und schaute hinaus. Im Giebelzimmer war
Licht. Wenn er etwas mehr schlafen würde, wäre er vielleicht nicht so
unruhig, dachte Kalle. Und wenn er nicht so unruhig wäre, würde er
vielleicht etwas mehr schlafen.

Es war, als ob Onkel Einar ihn gehört hätte, denn in diesem Augenblick ging das Licht im Giebelzimmer aus. Kalle wollte gerade wieder
ins Bett kriechen, als plötzlich etwas eintrat, was ihn die Augen auf-
sperren ließ. Onkel Einar schaute vorsichtig aus dem offenen Fenster,
und als er sich davon überzeugt hatte, dass niemand in der Nähe war,
kletterte er auf die Feuerleiter hinaus und stand nach wenigen Augenblicken unten auf der Erde. Er hielt etwas unter dem einen Arm. Mit
raschen Schritten ging er zum Geräteschuppen neben der Bäckerei.

Zuerst standen Kalles Gedanken ganz still und er war so gelähmt vor
Staunen, dass er unfähig war etwas zu tun. Aber dann stürzte eine Flut
von Gedanken, Vermutungen und Fragen auf ihn ein. Er zitterte vor
Spannung und Glück. Endlich, endlich gab es jemanden, der wirklich
mystisch war, nicht nur auf den ersten Blick, sondern auch nach ein-

gehenderem Studium. Denn wenn etwas mystisch war, so war es dies: ein erwachsener Mensch, der mitten in der Nacht aus dem Fenster kletterte! Wenn er nicht dunkle Geschäfte vorgehabt hätte, hätte er ja die gewöhnliche Treppe benutzen können! Schlusssatz Nummer eins, sagte sich Kalle: Er will nicht, dass jemand im Haus hört, dass er ausgeht. Schlusssatz Nummer zwei: Er hat etwas Unheimliches vor – ach, ach, und hier stehe ich wie ein Rindvieh und tu nichts!

Kalle fuhr in seine Hosen in einer Geschwindigkeit, die einem Feuerwehrmann Ehre gemacht hätte. Er schlich so schnell und so leise wie möglich die Treppe hinunter, während er ein stilles Gebet sprach: Wenn bloß Mutter mich nicht hört!

Der Geräteschuppen! Warum war Onkel Einar dahin gegangen? Himmel, wenn er nun ein Werkzeug nehmen wollte, um damit Leute totzuschlagen! Kalle war sehr geneigt Onkel Einar als den Mörder zu betrachten, den er so lange gesucht hatte, einen Mr. Hyde, der auf Schandtaten ausging, sobald die Dunkelheit sich über die Stadt gesenkt hatte.

Die Tür zum Geräteschuppen war angelehnt. Aber Onkel Einar war verschwunden. Kalle schaute sich unschlüssig nach allen Seiten um. Da! Ein Stück weiter weg sah er eine dunkle Gestalt, die sich schnell entfernte. Aber dann bog die Gestalt um eine Straßenecke und war außer Sichtweite.

Nun kam Bewegung in Kalle. Er galoppierte in derselben Richtung los. Hier hieß es sich beeilen, wenn er ein schreckliches Verbrechen verhindern wollte! Während er rannte, fiel ihm plötzlich ein: Was konnte er eigentlich machen? Was wollte er zu Onkel Einar sagen, wenn er ihn eingeholt hatte? Oder – wenn nun er, Kalle, es war, der für Onkel Einars Missetat ausersehen war?

Sollte er zur Polizei gehen? Aber man konnte nicht gut zur Polizei gehen und sagen: »Dieser Mann hier ist mitten in der Nacht aus dem Fenster geklettert. Verhaften Sie ihn!« Es gab kein Gesetz, das jemanden hinderte, nächtelang zum Fenster hinaus- und hineinzuklettern, wenn er Lust dazu hatte. Es war nicht einmal verboten, einen Dietrich zu besitzen. Nein, die Polizei würde ihn bloß auslachen!

Übrigens – wo war Onkel Einar? Kalle konnte ihn nirgends entdecken. Er war wie vom Erdboden verschluckt. Na, da brauchte er sich keine Sorgen mehr zu machen. Aber es ärgerte ihn furchtbar, dass er die Spur verloren hatte. Selbst wenn er sich nicht auf einen offenen Kampf mit Onkel Einar einlassen wollte, so gehörte es natürlich zu seinen Pflichten als Detektiv, ihm nachzugehen und zu erkunden, was er vorhatte. Ein stiller, unauffälliger Zeuge, der später einmal vortreten und sagen konnte: »Herr Richter! In der Nacht zum 20. Juni kletterte der Mann, den wir jetzt auf der Anklagebank sehen, durch ein Fenster im obersten Stockwerk des Hauses von Bäckermeister Lisander hier in der Stadt, stieg die Feuerleiter hinunter, ging zu einem im Garten desselben Bäckermeisters gelegenen Geräteschuppen, und danach…« Ja, das war es gerade! Was machte er danach? Darüber würde Kalle niemals etwas berichten können. Onkel Einar blieb verschwunden.

Kalle machte sich missmutig auf den Heimweg. An einer Straßenecke stand Wachtmeister Björk.

»Was treibst du denn hier draußen mitten in der Nacht?«, fragte er.

»Haben Sie einen Mann vorbeigehen sehen, Onkel Björk?«, unterbrach Kalle ihn eifrig.

»Einen Mann? Nein, hier war außer dir kein Mensch zu sehen. Geh schleunigst nach Hause und ins Bett. Das würde ich auch tun, wenn ich dürfte!«

Kalle ging. Kein Mann war zu sehen gewesen! Nein, man wusste ja, wie viel die Polizei sah! Eine ganze Fußballmannschaft konnte vorbeikommen, ohne dass sie es merkte! Obwohl Kalle bei Wachtmeister Björk ja gern eine Ausnahme machen wollte. Er war sicher besser als andere Polizisten. Aber – »geh nach Hause und ins Bett«, hatte er gesagt! Ja, das wäre gerade das Richtige! Der Einzige, der wirklich die

Augen offen hatte, wurde öffentlich von der Polizei ermahnt ins Bett zu gehen! Kein Wunder, dass es so viele unaufgeklärte Verbrechen gab! Aber es schien tatsächlich nichts anderes übrig zu bleiben, als nach Hause und ins Bett zu gehen. Und das tat Kalle dann auch.

Am nächsten Tag wurden die Proben im Zirkus Kalottan fortgesetzt.
»Ist Onkel Einar schon aufgestanden?«, fragte Kalle Eva-Lotta.
»Weiß nicht. Und ich frag auch nicht danach. Aber ich hoffe, dass er den ganzen Vormittag schläft, damit Tusse ihre verhedderten Nerven wieder ordnen kann.«
Es dauerte jedoch nicht lange, bis Onkel Einar erschien. Er hatte eine große Tüte Schokoladenpralinen mit, die er Eva-Lotta zuwarf.
»Die Zirkusprimadonna braucht vielleicht etwas zur Stärkung!«
Eva-Lotta kämpfte einen harten Kampf mit sich. Sie liebte Schokoladenpralinen, ganz gewiss, aber die Loyalität mit Tusse verlangte ja, die Tüte mit einem gemessenen »Nein, danke« zurückzuwerfen.
Sie wog die Tüte in der Hand und dieses Gemessene wollte so schwer herauskommen. Wie wäre es, wenn sie ein Stück kostete und die Tüte dann zurückwarf? Und Tusse einen Fisch gab? Nein, das war kein guter Gedanke. Aber nun hatte sie so lange gezögert, dass die Gelegenheit für eine große Geste bereits versäumt war. Onkel Einar ging auf den Händen und einem Menschen in dieser Haltung eine Tüte Pralinen zurückzugeben gehört nicht gerade zu den leichtesten Dingen.
Eva-Lotta behielt die Tüte – sie wusste wohl, dass sie als Versöhnungsversuch gedacht war. Sie beschloss Tusse *zwei* Fische zu geben und Onkel Einar in Zukunft höflich, aber kalt zu behandeln.
»Bin ich nicht gut?«, fragte Onkel Einar, als er wieder auf die Füße gekommen war. »Kann ich nicht auch eine Anstellung beim Zirkus Kalottan bekommen?«
»Nein, Erwachsene dürfen nicht mitmachen«, sagte Anders in seiner Eigenschaft als Zirkusdirektor.

»Niemand versteht mich«, seufzte Onkel Einar. »Was sagst du, Kalle, findest du nicht, dass ich hart behandelt werde?«

Aber Kalle hörte nicht, was er sagte. Er starrte wie fasziniert auf einen Gegenstand, der aus Onkel Einars Tasche gefallen war, als er auf den Händen lief. Der Dietrich! Da lag er im Gras – Kalle hätte ihn nehmen können… Er beherrschte sich.

»Hart behandelt – wieso denn?«, fragte er und setzte seinen Fuß auf den Dietrich.

»Ich darf ja nicht mitspielen«, klagte Onkel Einar.

»Ätsch«, sagte Eva-Lotta.

Kalle war froh, dass die Aufmerksamkeit von ihm abgelenkt wurde. Er fühlte den Dietrich unter seinem nackten Fuß. Jetzt müsste er ihn aufheben und zu Onkel Einar sagen: »Du hast das hier verloren!« Aber er brachte es nicht über sich. Stattdessen steckte er den Dietrich unbemerkt in seine eigene Tasche.

»Auf die Plätze!«, rief der Zirkusdirektor. Und Kalle sprang aufs Schaukelbrett.

Ein hartes Leben ist das der Zirkuskünstler! Trainieren, immer nur trainieren! Die Junisonne brannte und der Schweiß rann den »Drei Desperados, die beste Akrobatentruppe Skandinaviens« herunter. So hatte Eva-Lotta sie auf den hübsch gemalten Plakaten genannt, die überall an den Hausecken der Umgebung angeklebt waren.

»Möchten die drei Desperados nicht eine Zimtwecke haben?«

Bäckermeister Lisanders freundliches Gesicht tauchte am Fenster der Bäckerei auf.

»Danke«, sagte der Zirkusdirektor. »Vielleicht später. Hungrige Hunde jagen am besten.«

»Das ist ja unerhört«, sagte Eva-Lotta. Die Pralinentüte war schon lange leer und sie hatte das Gefühl, als ob ihr Magen es auch wäre.

»Ja, wir können doch mal eine kleine Pause machen«, sagte Kalle und trocknete sich den Schweiß von der Stirn.

»Es hat wohl keinen Zweck, dass ich Zirkusdirektor bin, wenn ihr doch alles bestimmt.« Anders' Stimme klang knurrig. »Das sind schöne Desperados, muss ich sagen! Zimtwecken-Desperados müsste eigentlich auf den Plakaten stehen.«

»Essen muss man, sonst stirbt man«, sagte Eva-Lotta und lief in die Küche um Fruchtsaft zu holen.

Und als der Bäckermeister dann eine ganze Tüte voll mit frischen Zimtwecken durchs Fenster reichte, gab der Zirkusdirektor seinen Widerstand seufzend, aber im Stillen ganz zufrieden auf. Er tauchte die Zimtwecken in den Saft und aß mehr als die anderen. Bei ihnen zu Hause gab es selten Zimtwecken und es waren so viele, mit denen er teilen musste. Allerdings sagte der Vater ständig: »Jetzt sollt ihr mal Zimtwecken zu sehen bekommen!« Aber damit meinte er dann nie Kuchen, damit meinte er Prügel! Und da Anders fand, dass er genügend von dieser Ware bekommen hatte, hielt er sich so viel wie möglich von zu Hause fern. Ihm gefiel die Atmosphäre bei Kalle und Eva-Lotta besser.

»Dein Vater ist verdammt nett«, sagte Anders.

»Gibt's nicht so bald wieder«, gab Eva-Lotta zu. »Und lustig ist er auch. Er ist so furchtbar ordentlich, dass Mama sagt, das macht sie ganz kaputt. Und das Schlimmste für ihn sind Kaffeetassen mit abgeschlagenen Henkeln. Er sagt, dass Mama und ich und Frida nichts anderes machen als die Henkel von den Kaffeetassen abschlagen. Gestern hat er zwei Dutzend neue gekauft, und als er damit nach Hause kam, nahm er einen Hammer und schlug alle Henkel ab. ›Damit ihr euch die Mühe spart‹, sagte er, als er sie in die Küche brachte. Mama lachte dermaßen, dass sie Bauchschmerzen bekam.« Eva-Lotta nahm eine neue Zimtwecke. »Aber den Onkel Einar kann Vater nicht leiden«, setzte sie hinzu.

»Vielleicht schlägt er ihm auch bald mal was ab«, schlug Anders vor und hieb seine Zähne in eine Zimtwecke.

»Das kann man nicht wissen«, sagte Eva-Lotta. »Papa sagt, dass er ganz gewiss verwandtschaftliche Gefühle habe, aber wenn alle Cousinen und Vettern und Tanten und Onkel von Mama bei uns im Haus herumliefen, dann würde er sich wünschen, er säße in einer Einzelzelle in irgendeinem abgelegenen Gefängnis.«

»Ich glaube, da sollte Onkel Einar lieber sitzen«, sagte Kalle schnell.

»Haha, du hast natürlich herausgekriegt, dass es Onkel Einar war, der den Mord in Stockholm begangen hat, was?«

»Mach dich nur lustig«, sagte Kalle. »Ich weiß, was ich weiß.«

Anders und Eva-Lotta lachten.

Ja, was weiß ich denn eigentlich, dachte Kalle eine Weile später, als die Proben für heute zu Ende waren. Ich weiß überhaupt nichts – das ist alles, was ich weiß.

Er war missgestimmt. Aber da fiel ihm plötzlich der Dietrich ein. Er wurde ganz zapplig vor Spannung und Erwartung. Er hatte einen Dietrich in der Tasche und irgendwie musste er ihn ausprobieren. Alles, was er brauchte, war eine verschlossene Tür. Warum es nicht mit derselben Tür versuchen, die Onkel Einar geöffnet hatte? Die Tür zum Kellergeschoss in der Schlossruine!

Kalle überlegte nicht lange. Er rannte durch die Straßen und hoffte keinen Bekannten zu treffen, der sich ihm anschließen wollte. Und als er am Hochplateau angekommen war, rannte er den gewundenen Pfad mit einer solchen Geschwindigkeit hinauf, dass er erst eine Weile ausruhen musste, als er endlich vor der verschlossenen Tür stand, ehe er wieder normal atmen konnte. Seine Hand zitterte ein bisschen, als er den Dietrich in das Schloss steckte. Würde er es schaffen?

Zuerst sah es nicht so aus. Aber nachdem er es eine Weile versucht hatte, merkte er, dass das Schloss nachgab. So einfach war das also! Er, Kalle Blomquist, hatte eine Tür mit einem Dietrich geöffnet! Die Tür kreischte, als sie sich in ihren Angeln bewegte. Kalle zögerte einen Augenblick. Es schien ihm sehr unheimlich, allein in die dunklen Kellerregionen hinunterzugehen.

Natürlich war er zu keinem anderen Zweck hergekommen als den

Dietrich auszuprobieren, aber da der Zugang nun frei war, wäre er wohl ein Dummkopf, wenn er nicht die Gelegenheit wahrnähme noch einmal in den Keller zu gehen. Er stieg die Treppe hinunter und er empfand eine große Genugtuung bei dem Gedanken, dass er der einzige Junge in der ganzen Stadt war, der die Möglichkeit dazu hatte. Er würde wahrhaftig zum zweiten Mal seinen Namen an die Wand schreiben! Wenn er und Anders und Eva-Lotta wirklich noch einmal im Leben hier runterkommen sollten, dann würde er ihnen zeigen, dass sein Name an zwei Stellen auf der Wand stand. Was bedeutete, dass er zweimal hier gewesen war.

Dann sah er es! Es waren keine Namen an der Wand! Sie waren dick mit Bleistift durchgestrichen, sodass man nicht lesen konnte, was da gestanden hatte.

»Nein, jetzt schlägt's dreizehn!«, sagte Kalle laut vor sich hin. Waren es die Gespenster der Vergangenheit, denen die Schrift an der Wand nicht gefallen und die alle Spuren ausgelöscht hatten? Kalle schauderte. Aber konnte man sich ein Gespenst mit Bleistift vorstellen? Kalle musste sich sagen, dass das wenig wahrscheinlich war. Aber jemand hatte es jedenfalls getan!

»Dass ich es nicht sofort begriffen habe!«, flüsterte Kalle. Onkel Einar! Natürlich! Onkel Einar hatte versucht sie daran zu hindern, überhaupt ihre Namen hinzuschreiben, und Onkel Einar hatte sie ausgestrichen! Er wollte nicht, dass jemand, der eventuell in den Keller hinunterkam, erfuhr, dass sie dagewesen waren, so viel verstand Kalle. Aber wann hatte Onkel Einar das gemacht? Die Namen hatten bestimmt unversehrt an der Wand gestanden, als sie die Ruine verlassen hatten.

»Oh, bin ich blöd«, sagte Kalle. Heute Nacht natürlich! Onkel Einar war in der Nacht in der Schlossruine gewesen. Deswegen hatte er die Taschenlampe gekauft. Aber hatte er sich wirklich so viel Mühe gemacht, nur um ein paar Namen an der Wand auszustreichen? Kalle glaubte das nicht. Was hatte er im Geräteschuppen zu tun gehabt? Einen Bleistift holen, was? Kalle lachte höhnisch. Dann sah er sich um. Vielleicht entdeckte er noch andere Spuren von Onkel Einars Besuch.

Spärliches Licht fiel durch die Kellerlöcher, aber das reichte nicht aus um in alle Winkel und Ecken zu leuchten. Übrigens war es ja gar nicht sicher, dass Onkel Einar sich nur in dem Teil des Kellers aufgehalten hatte, der der Treppe am nächsten lag und wo die Kinder ihre Namen an die Wand geschrieben hatten. Das Kellergeschoss war groß. Dunkle Gänge verzweigten sich nach allen Seiten. Kalle hatte keine Lust sein Entdeckungsunternehmen tiefer hinein in die dunklen Gewölbe auszudehnen. Das würde auch keinen Zweck haben, da er keine Taschenlampe bei sich hatte.

Aber eins war sicher: Onkel Einar würde den Dietrich niemals zurückbekommen, das beschloss Kalle auf der Stelle. Natürlich widersetzte sich sein Gewissen ein wenig und meinte, dass man etwas, was einem nicht gehörte, nicht behalten dürfte, aber Kalle brachte diese Einwände bald zum Schweigen. Wozu brauchte Onkel Einar einen Dietrich? Wer weiß, welche Türen er damit zu öffnen beabsichtigte? Wenn Kalle mit seiner Auffassung Recht hatte, dass Onkel Einar eine zwielichtige Gestalt war, dann tat er ja nur ein gutes Werk, wenn er den Dietrich behielt. Und außerdem – es war allzu verlockend, ihn zu behalten. Anders und Eva-Lotta und er könnten ihr Hauptquartier im Kellergewölbe haben; sie würden alles untersuchen und vielleicht würden sie auch herauskriegen, was Onkel Einar hier gemacht hatte.

»Das Letztere entscheidet die Sache«, sagte Kalle entschlossen. Er wollte gerade gehen. Da sah er am Fuß der Treppe einen kleinen weißen Gegenstand. Er bückte sich schnell und hob ihn auf. Eine Perle war es, eine weiße, schimmernde Perle!

5. Kapitel

Kalle lag auf dem Rücken unter dem Birnbaum. Er wollte nachdenken und das ging am besten in dieser Stellung.

»Natürlich ist es möglich, dass die Perle schon seit Gustav Vasas Zeiten da gelegen hat, weil irgendeine nachlässige adlige Henne in den Keller gegangen ist, um eine Flasche Bier zu holen, und dabei ihre Perlenkette verloren hat«, sagte Meisterdetektiv Blomquist. »Aber ist das wahrscheinlich? Wenn man ein kriminalistisches Rätsel lösen soll«, fuhr er fort und drehte sich zur Seite, um seinem eingebildeten Zuhörer in die Augen sehen zu können, »muss man immer mit dem Wahrscheinlichen rechnen. Und« – der Meisterdetektiv schlug mit der Faust hart auf die Erde – »das Wahrscheinliche ist, dass die Perle *nicht* seit Gustav Vasas Zeiten da gelegen hat, denn dann wäre doch wohl vor mir schon einer da gewesen, der die Augen offen gehabt und sie gesehen hätte. Im Übrigen, wenn die Perle schon vorgestern bei unserem Besuch da gelegen hätte, hätte wohl ein aufgeweckter junger Mann wie ich sie sofort entdeckt. Besonders, da ich den Fußboden ganz genau untersucht habe. Jaja,« – er winkte seinem eingebildeten Zuhörer abwehrend mit der Hand zu, der offensichtlich seiner Bewunderung Ausdruck gab – »es ist reine Routinearbeit, nichts weiter! Was können wir also für einen Schluss daraus ziehen? Mit der allergrößten Wahrscheinlichkeit hat der so genannte Onkel Einar die Perle bei seinem nächtlichen Besuch in der Schlossruine verloren. Hab ich Recht?«

Der eingebildete Zuhörer machte anscheinend keine Einwände, denn

Meisterdetektiv Blomquist fuhr fort: »Nun ist die Frage: Hat man Onkel Einar mit einer Perlenkette geschmückt gesehen? Läuft er von Perlen und Edelsteinen glitzernd herum?« Der Meisterdetektiv ließ seine Hand mit einem entscheidenden Schlag auf die Erde fallen. »Gewiss nicht! Deswegen,« – er fasste seinen eingebildeten Zuhörer am Rockaufschlag – »wenn nun dieser Onkel Einar mit Perlen um sich wirft, so habe ich das Recht, dies als einen verdächtigen Umstand zu betrachten, nicht wahr?« Man hörte keinen Protest. »Doch«, fuhr der Meisterdetektiv fort, »gehöre ich nicht zu denen, die jemanden nur aufgrund von Indi … Indizien verurteilen. Die Sache muss untersucht werden und ich glaube behaupten zu können, dass ich der richtige Mann dafür bin.«

Hier überschwemmte ihn sein eingebildeter Zuhörer mit einer solchen Flut von schmeichelhaften Versicherungen, Herrn Blomquists Fähigkeit betreffend alles herauszukriegen, was immer es auch sein mochte, dass sogar Herr Blomquist fand, es ginge zu weit.

»Na, na, keine Übertreibungen«, sagte er mild. »Der beste Detektiv, den es jemals gegeben hat – das ist doch wohl etwas übertrieben. Lord Peter Wimsey ist ja auch nicht auf den Kopf gefallen.«

Er holte sein Notizbuch hervor. In der Rubrik »Besonders verdächtige Umstände« fügte er hinzu: »Stattet Schlossruine nächtlichen Besuch ab. Verliert Perlen.«

Er las sehr zufrieden alles durch, was er über Onkel Einar geschrieben hatte. Nun wünschte er sich nur noch eins in diesem Leben: Onkel Einars Fingerabdruck! Er hatte es den ganzen Vormittag versucht, stundenlang war er um sein Opfer herumgeschlichen. Er hatte das kleine Stempelkissen, das zu seiner Druckerei gehörte, auf die durchtriebenste Weise hingestellt, in der Hoffnung, dass Onkel Einar aus Versehen seinen Daumen erst auf das Stempelkissen und dann auf ein geeignetes Papier setzen würde. Aber merkwürdigerweise war Onkel Einar nicht in die Falle gegangen.

»Raffiniert natürlich!«, schnaubte Kalle. Es bliebe wahrscheinlich gar nichts anderes übrig als ihn zu chloroformieren und seinen Fingerabdruck zu nehmen, während er bewusstlos war.

»Hier liegst du, du Rindvieh, und die Vorstellung soll in einer Viertelstunde anfangen!«

Anders hing über dem Zaun und warf grimmige Blicke auf den behaglich ruhenden Kalle. Kalle fuhr in die Höhe. Es war nicht leicht, Detektiv und gleichzeitig Zirkuskünstler zu sein. Er kroch durch die Zaunöffnung und fiel an Anders' Seite in Laufschritt.

»Sind Leute gekommen?«, keuchte er.

»Und ob! Jeder Sitzplatz ist besetzt!«

»Dann sind wir wohl beinah reich?«

»Achtfünfzig«, sagte Anders. »Aber du hättest Eva-Lotta beim Kartenverkauf ablösen sollen, anstatt wie ein Pascha auf dem Rasen zu liegen.« Sie rannten die Treppe zum Bäckereiboden hinauf. Da stand Eva-Lotta und schaute durch den Spalt zwischen den geschlossenen Luken hindurch.

»Volles Haus«, sagte sie.

Kalle ging zu ihr und sah auch hinunter. Da saßen alle Kinder des Viertels und auch einige von auswärts. Auf der ersten Bank thronte Onkel Einar. An seiner Seite saßen Bäckermeister Lisander und seine Frau und auf der zweiten Bank sah Kalle seinen Vater und seine Mutter.

»Ich bin so nervös, dass die Beine unter mir nachgeben«, wimmerte Eva-Lotta. »Macht euch darauf gefasst, dass ich euch bei der Akrobatennummer auf den Kopf falle. Und das Brotwagenpferd ist schlechter Laune, sodass ich auch für meine Pferdedressur das Schlimmste fürchte.«

»Blamier uns bloß nicht«, sagte Anders.

»Es kann losgehen!«, rief Onkel Einar ungeduldig.

»Das bestimmen wohl wir, denke ich«, sagte der Zirkusdirektor brummig zu seinen Mithelfern. Aber er setzte jedenfalls seinen Zylinder oder vielmehr Bäckermeister Lisanders Zylinder auf, öffnete die Luke, nahm das Seil und schwang sich in die Arena hinunter. Eva-Lotta stieß einen schrillen Trompetenstoß aus und das Publikum applaudierte wohlwollend.

Währenddessen hatte Kalle sich die Treppe hinuntergeschlichen und das Brotwagenpferd geholt, das an einem Baum angebunden war. Vor den fröhlich überraschten Blicken des Publikums führte er das Tier zwischen den Zuschauerbänken herein. Der Zirkusdirektor nahm seinen Zylinder ab, verbeugte sich höflich, ergriff eine Peitsche, die an der Bäckereiwand gelehnt hatte, und knallte damit. Sowohl er wie das Publikum erwarteten, dass das Pferd nun einen raschen Trab um die Arena herum machen würde, aber es war nicht in Stimmung. Es glotzte nur einfältig das Publikum an. Der Zirkusdirektor knallte noch einmal mit der Peitsche und flüsterte deutlich hörbar für das Publikum: »Los, du dummes Vieh!«

Da beugte sich das Pferd hinunter und fraß einige Grashalme, die aus den Sägespänen hervorschauten. Vom Bäckereiboden hörte man Kichern. Es war die auf ihren Auftritt wartende Kunstreiterin, die ihre Heiterkeit nicht beherrschen konnte. Auch das Publikum amüsierte sich, besonders Onkel Einar und Eva-Lottas Mutter.

In diesem Augenblick griff der Stallknecht Kalle ein. Er nahm das Pferd am Zaum und führte es ganz einfach zur Luke. Eva-Lotta packte das Seil und machte sich zum entscheidenden Sprung auf den Pferderücken bereit. Aber da kam das Pferd in Fahrt. Es machte einen Satz, der einem richtigen Zirkuspferd Ehre gemacht hätte, und als Eva-Lotta am Seil heruntergerutscht kam, war kein Pferderücken zum Landen da. Sie blieb an der Leine hängen, kläglich mit den Beinen zappelnd, bis es Anders und Kalle gelungen war, das Pferd zurückzuholen. Eva-Lotta glitt auf seinen Rücken hinunter, warf dem Publikum Handküsse zu und versuchte so auszusehen, als ob ihr Beineschlenkern die einzig richtige Art aufzutreten für eine Zirkusprimadonna wäre. Anders knallte mit der Peitsche und das Pferd trottete artig in der Arena herum. Eva-Lotta klemmte ihre nackten Fersen in seine Seiten um es etwas anzufeuern, aber vergebens.

»Blödes Vieh«, schnaubte Eva-Lotta.

Aber das Pferd war auch für mündliche Überredungsversuche nicht empfänglich. Es war so gedacht gewesen, dass es in der Arena herumgaloppieren und durch seine lebhaften Sprünge das Urteil des Publikums irreführen sollte, sodass man nicht merkte, dass die Kunststücke, die Eva-Lotta auf dem Pferderücken ausführte, ziemlich einfach waren. Aber da das Pferd sich weigerte wirklich begeistert mitzumachen, war es unvermeidlich, dass die ganze Nummer etwas lahm wirkte.

Und dem hat man nun jahrelang Hafer gegeben, dachte Eva-Lotta bitter.

Schließlich knallte der wütende Zirkusdirektor einen Peitschenhieb direkt unter die Nase des Brotwagenpferdes hin, sodass es sich vor Schreck auf den Hinterbeinen aufrichtete. Das gab der Nummer einen höchst dramatischen Abschluss und erhöhte den Gesamteindruck bedeutend.

»Aber wenn die Akrobatennummer auch danebengeht«, sagte Anders hinterher oben auf dem Boden, »dann müssen wir das Eintrittsgeld zurückzahlen. Ein Zirkuspferd, das anfängt zu grasen, das ist unanständig! Jetzt fehlt bloß noch, dass Eva-Lotta während der Akrobatennummer Zimtwecken isst.«

Aber das tat Eva-Lotta nicht und »Die drei Desperados« hatten einen glänzenden Erfolg. Onkel Einar brach einen weißen Fliederzweig ab und überreichte ihn Eva-Lotta mit einer tiefen Verbeugung. Der Rest des Programms war nicht ganz auf dem gleichen hohen Niveau, aber die Clownnummer glückte sehr, ebenso Eva-Lottas Lied. Eigentlich wurden ja sonst keine Lieder im Zirkus vorgetragen, aber es war nötig

51

um das Programm aufzufüllen und Eva-Lotta hatte es selbst gedichtet. Es handelte meistens von Onkel Einar.

»Aber nein, Eva-Lotta«, sagte ihre Mutter, nachdem sie fertig war, »man darf doch älteren Menschen gegenüber nicht so anzüglich sein.«

»Doch, gegen Onkel Einar schon!«

Nach Schluss der Vorstellung lud Frau Lisander zum Kaffee in der Laube ein. Lebensmittelhändler Blomquist und Bäckermeister Lisander saßen abends oft in der Laube und sprachen über Politik. Mitunter erzählten sie auch Geschichten und dann setzten sich Eva-Lotta und Kalle und Anders dazu und hörten zu.

»Wirklich, ich glaube wahrhaftig, dass heute alle Kaffeetassen Henkel haben«, sagte der Bäckermeister. »Dann wird wohl bald die Welt untergehen. Wie ist das mit dir, Mia«, fragte er mit einem freundlichen Blick auf seine Frau, »hast du heute so viel zu tun gehabt, dass du keine Zeit hattest ein paar Kaffeetassen zu zerschlagen?«

Frau Lisander lachte unbekümmert und bot Frau Blomquist Napfkuchen an. Der Bäckermeister ließ seine üppige Gestalt auf einen Gartenstuhl sinken und warf einen forschenden Blick auf den Vetter seiner Frau.

»Wird es nicht langweilig, so herumzuhängen und nichts zu tun?«, fragte er.

»Ich hab keinen Grund zum Klagen«, sagte Onkel Einar. »Ich halte es auch ohne Arbeit aus. Wenn ich nur besser schlafen könnte.«

»Du kannst ein Schlafmittel von mir bekommen«, sagte Frau Lisander. »Ich habe noch etwas übrig von dem, was der Arzt verschrieben hat, als ich Schmerzen im Arm hatte.«

»Ich möchte wissen, ob Arbeit nicht besser wäre als ein Schlafmittel«, sagte der Bäckermeister. »Steh morgen früh um vier auf und hilf mir die Brote auszubacken, dann garantiere ich dir, dass du die nächste Nacht schläfst.«

»Danke, ich ziehe Schlaftabletten vor«, sagte Onkel Einar.

Meisterdetektiv Blomquist, der neben seiner Mutter an der anderen Seite des Tisches saß, dachte für sich: Eine gute Art, wenn man schlafen will, ist ruhig in seinem Bett zu liegen. Wenn man die ganze Nacht herumwandert, dann ist es ja wohl kein Wunder, dass man kein Auge zumachen kann. Aber wenn er ein Schlafmittel bekommt, dann wird er schon eindösen.

Anders und Eva-Lotta waren fertig mit Kaffeetrinken. Sie setzten sich auf den Rasen vor der Laube und bliesen auf Grashalmen, sehr zufrieden mit den fürchterlichen Tönen, die herauskamen. Kalle wollte sich gerade zu ihnen setzen. Er wusste, dass die Töne, die er selbst mit Hilfe eines Grashalmes hervorbringen konnte, das meiste in dieser Richtung übertrafen. Aber gerade da hatte er die Idee! Die strahlende und geniale Idee, eines Meisterdetektivs würdig!

Er nickte bestätigend. Ja, ja, gerade so musste es geschehen!

Er sprang auf, riss einen Grashalm ab und blies eine gellende und triumphierende Fanfare.

6. Kapitel

Natürlich war die Sache nicht ohne Risiko. Aber ein Detektiv muss etwas wagen. Will er das nicht, dann kann er sich ebenso gut den Detektivberuf aus dem Sinn schlagen und Wurstverkäufer oder sonst was werden. Kalle hatte keine Angst. Aber spannend war es, mächtig spannend.

Er hatte seinen Wecker auf zwei Uhr gestellt. Zwei Uhr war ein geeigneter Zeitpunkt. Wie lange dauerte es, bis ein Schlafmittel wirkte? Kalle wusste es nicht genau. Aber sicher würde Onkel Einar um zwei Uhr wie ein Murmeltier schlafen, Kalle konnte sich nichts anderes vorstellen. Und da sollte es passieren! Denn wenn man endlich eine »mystische Person« gefunden hat, *muss* man den Fingerabdruck der »Person« haben. Personenbeschreibung und Muttermal und all das ist sicher gut, aber nichts reicht an einen ehrlichen Fingerabdruck heran.

Kalle warf einen letzten Blick aus dem Fenster, bevor er ins Bett kroch. Die weißen Gardinen des gegenüberliegenden Fensters blähten sich leise im Abendwind. Da drinnen war Onkel Einar. Vielleicht nahm er gerade das Schlafmittel und legte sich ins Bett. Kalle rieb sich vor Aufregung die Hände. Das würde kein bisschen schwer werden. Viele, viele Male hatten Eva-Lotta und er und Anders diese Feuerleiter benutzt, zuletzt im Frühjahr, als sie eine Räuberhöhle auf Eva-Lottas Boden hatten. Und wenn Onkel Einar rausklettern konnte, dann konnte Kalle reinklettern!

»Um zwei Uhr passiert's, so wahr ich lebe!«

Kalle kroch in sein Bett und schlief augenblicklich ein. Er schlief unruhig und träumte, dass Onkel Einar ihn rund um den Bäckereigarten jagte. Kalle rannte wie um sein Leben, aber Onkel Einar kriegte ihn. Er packte Kalle hart am Genick und sagte: »Weißt du nicht, dass alle Detektive eine Blechbüchse am Schwanz festgebunden haben müssen, sodass man hört, wenn sie kommen?«

»Ja, aber ich hab gar keinen Schwanz«, verteidigte sich Kalle unglücklich.

»Ach, Unsinn, natürlich hast du einen Schwanz! Wie nennst du das denn sonst?«

Und als Kalle hinschaute, hatte er genau so einen Schwanz wie Tusse.

»So«, sagte Onkel Einar und band die Blechbüchse fest. Kalle machte einige Sprünge und die Blechbüchse klapperte ganz furchtbar.

Er war so unglücklich, dass er hätte weinen können. Was würden Anders und Eva-Lotta sagen, wenn er so angerasselt kam? Nie mehr würde er mit ihnen spielen können. Niemand wollte wohl gern mit jemand zusammen sein, der so einen Lärm machte. Da standen ja übrigens Anders und Eva-Lotta! Sie lachten ihn aus.

»So geht es mit Detektiven«, sagte Anders.

»Ist es wirklich wahr, dass alle Detektive Blechbüchsen am Schwanz haben müssen?«, fragte Kalle.

»Absolut«, sagte Anders. »Das steht im Gesetz.«

Eva-Lotta hielt sich die Ohren zu.

»Pfui Teufel, was für einen Krach du machst«, sagte sie. Kalle musste zugeben, dass der Lärm schlimmer denn je war. Das klapperte und klirrte – ach, wie das klirrte!

Kalle erwachte. Der Wecker! Donnerwetter, wie der klingelte! Kalle stellte ihn eiligst ab. Auf der Stelle war er hellwach. Gott sei Dank, er hatte keinen Schwanz! Es gibt vieles hier auf der Welt, wofür man dankbar sein muss. Aber jetzt schnell ans Werk!

Er lief zur Schreibtischschublade. Da lag das Stempelkissen. Er steckte es in die Tasche. Ein Stück Papier musste er auch haben. Dann war er fertig. Nie war er so vorsichtig die Treppe hinuntergeschlichen und er vermied die Stufen, von denen er wusste, dass sie knarrten.

»Alles ruhig, sagte der Dieb!«

Kalle fühlte sich richtig ausgelassen. Er presste seinen kleinen, dünnen Jungenkörper durch die Zaunöffnung und jetzt stand er im Bäckereigarten. Wie still alles war! Und wie der Flieder duftete! Und der Apfelbaum! Alles war ganz anders als am Tag. In allen Fenstern war es dunkel. Auch in Onkel Einars!

Es gab Kalle einen kleinen Stich, als er den Fuß auf die Feuerleiter setzte. Zum ersten Mal fühlte er ein bisschen Angst aufsteigen. War ein Fingerabdruck so viel Plage wert? Er wusste eigentlich nicht, wozu er diesen Fingerabdruck haben wollte. Aber – so überlegte er – Onkel Einar ist sicher ein Schurke, und von allen Schurken nimmt man Fingerabdrücke. Also los, Fingerabdruck genommen von Onkel Einar! Das ist reine Routinearbeit, redete sich der Meisterdetektiv aufmunternd zu und fing an die Feuerleiter hinaufzuklettern.

Wenn Onkel Einar nun aber hellwach im Bett sitzt und mich anstarrt, wenn ich den Kopf reinstecke, was sage ich dann? Kalles Bewegungen wurden etwas zögernd. 'n Abend, Onkel Einar, schönes Wetter heute Nacht! Ich mache nur einen kleinen Spaziergang die Leiter rauf und runter! – Nein, das ging nicht!

Hoffentlich hat Tante Mia ihm ein sehr starkes Schlafmittel gegeben, dachte Kalle und versuchte sich überlegen zu fühlen.

Aber trotzdem hatte er ungefähr ein Gefühl, als ob er seinen Kopf in eine Schlangengrube steckte, als er sich über das Fensterbrett schob. Es war dunkel im Zimmer, aber nicht so, dass man sich nicht hätte orientieren können. Kalle glich in diesem Augenblick einem kleinen ängstlichen und neugierigen Wiesel, das bereit war beim ersten Anzeichen von Gefahr zu entwischen.

Da stand das Bett. Man hörte tiefe Atemzüge aus der Richtung. Gott sei Dank, Onkel Einar schlief! Unendlich leise kroch Kalle über das Fensterbrett. Hin und wieder hielt er an um zu lauschen. Aber alles war ruhig.

Vielleicht hat sie ihm Rattengift gegeben, da er so fest schläft, dachte Kalle. Er legte sich platt auf den Bauch und schlängelte sich vorsichtig zu seinem Opfer hin. Reine Routinearbeit!

Was für ein Glück! Onkel Einars rechte Hand hing schlaff an der Bettkante herunter. Kalle brauchte sie nur zu nehmen und dann… Gerade da murmelte Onkel Einar etwas im Schlaf und warf seine Hand über das Gesicht.

Bum, bum, bum – Kalle fragte sich, ob eine Dampfmaschine im Zimmer versteckt sei. Aber es war nur sein Herz, das klopfte, als ob es Lust hätte herauszuspringen.

Indessen schlief Onkel Einar weiter. Jetzt lag die Hand auf der Bettdecke. Kalle öffnete den Deckel des Stempelkissens und vorsichtig, als ob er glühende Kohlen anfasste, nahm er Onkel Einars Daumen und drückte ihn gegen das Stempelkissen.

»Äh – puh«, sagte Onkel Einar.

Jetzt kam es darauf an, das Stück Papier hervorzuholen. Wo um alles in der Welt hatte er es gelassen? Das war ja reizend! Da lag sein Schurke mit Stempelfarbe am Daumen, alles war wie vorbereitet für ihn, und nun fand er das Papier nicht – ja, jetzt hatte er es! Da war es! In der Hosentasche! Mit großer Vorsicht drückte er Onkel Einars Daumen gegen das Papier.

Die Sache war in Ordnung. Er hatte den Fingerabdruck und er hätte nicht zufriedener sein können, wenn er eine weiße Maus bekommen hätte oder was sein Herz sonst am meisten begehrte.

Jetzt langsam zurückkriechen und sich über das Fensterbrett schwingen! Das war ja so einfach.

Ja, alles wäre sicher wie geplant gegangen, wenn Tante Mia nicht so ein Blumenfreund gewesen wäre. In der anderen Hälfte des Fensters, in der, die nicht offen war, stand eine kleine bescheidene Pelargonie. Kalle erhob sich vorsichtig aus seiner liegenden Stellung und… Einen Augenblick lang glaubte er, dass es ein Erdbeben oder eine andere Naturkatastrophe war, was diesen schrecklichen Lärm verursachte. Und es war doch nur ein armer, kleiner Blumentopf.

Kalle stand aufrecht am Fenster mit dem Rücken zu Onkel Einars Bett. Jetzt sterbe ich, dachte er, und das ist nur gut. Mit jeder Faser seines Wesens hörte und fühlte und begriff er, dass Onkel Einar aufgewacht war. Kein Wunder übrigens, dieser Blumentopf hatte wahrhaftig einen Krach gemacht, als ob alle Töpfe in einem Blumenladen runtergefallen wären.

»Hände hoch!«

Es war Onkel Einars Stimme, aber doch nicht seine Stimme. Sie klang, ja – sie klang wie Stahl.

Es ist immer am besten, einer Gefahr gerade ins Auge zu sehen. Kalle drehte sich um und blickte direkt in eine Revolvermündung. Ach, in der Fantasie hatte er es so viele, viele Male getan und es hatte ihm niemals etwas ausgemacht. Mit einem schnellen Schlag hatte er den Kerl überrumpelt, der auf ihn gezielt hatte, und mit einem »Nicht so eilig, bester Herr« hatte er ihm geschickt den Revolver entwunden.

In der Wirklichkeit ging es etwas anders zu. Kalle hatte wohl viele Male in seinem Leben Angst gehabt. Er hatte Angst gehabt, als der Hund vom Bankdirektor ihn einmal auf dem Marktplatz angefallen hatte und als er im Winter in ein Eisloch gefallen war, aber nie, niemals hatte er eine so lähmende, quälende Angst gefühlt wie in dieser Minute.

Mama, dachte er.

»Komm näher!«, sagte die Stahlstimme.

Wie kann man gehen, wenn man nur ein paar weiche Makkaroni hat, wo sonst die Beine sind? Er machte jedenfalls einen Versuch.

»Was in aller Welt – bist du es, Kalle?«

Der Stahl war aus Onkel Einars Stimme verschwunden, aber er fuhr streng fort: »Was machst du eigentlich hier mitten in der Nacht? Antworte!«

Hilfe, wimmerte Kalle innerlich. Wie soll ich es erklären?

In Stunden der höchsten Not hat man mitunter eine Eingebung, die einen retten kann. Kalle erinnerte sich, dass er vor einigen Jahren zu schlafwandeln pflegte. Er war nachts irgendwo herumspaziert, bis seine Mutter mit ihm zum Doktor gegangen war, der ihm ein Beruhigungsmittel verschrieben hatte.

»Na, Kalle?«, sagte Onkel Einar.

»*Wie* bin ich hierher gekommen?«, sagte Kalle. »Wie *bin* ich hierher gekommen? Ich habe doch wohl nicht wieder angefangen im Schlaf rumzulaufen? Ach, jetzt fällt mir ein, ich habe ja von dir geträumt, Onkel Einar (das ist ja wahr, dachte Kalle). Entschuldige vielmals, dass ich dich gestört habe.«

Onkel Einar hatte den Revolver weggesteckt. Er klopfte Kalle auf die Schulter.

»Jaja, mein lieber Meisterdetektiv«, sagte er. »Ich glaube, es sind deine Detektivideen, die dich im Schlaf herumwandern lassen. Bitte deine Mutter, dass sie dir etwas Brom gibt, bevor du schlafen gehst. Du wirst sehen, das hilft. Jetzt ist es wohl am besten, ich begleite dich hinaus.«

Onkel Einar ging mit ihm die Treppe hinunter und öffnete die Haustür. Kalle verbeugte sich. Eine Sekunde später schlüpfte er durch den Zaun, so schnell wie ein eingeseiftes Kaninchen.

»Ich bin klein, mein Herz ist rein…«, flüsterte er. Er fühlte sich wie ein Mensch, der eben aus schwerer Seenot gerettet worden ist. Seine Beine zitterten so merkwürdig. Er konnte sich gerade eben die Treppe hinaufschleppen, und als er in sein Zimmer kam, sank er aufs Bett und keuchte. »Ich bin klein, mein Herz ist rein…«, flüsterte er wieder. So saß er lange.

Ein gefährlicher Beruf, der Detektivberuf! Manche glauben, das sei reine Routinearbeit – so einfach ist das nicht! Stets und ständig wird man vor offene Revolvermündungen gestellt, ja, wahrhaftig!

Kalles Beine fingen langsam an sich wieder normal anzufühlen. Der lähmende Schreck war fort. Er steckte die Hand in die Hosentasche. Da lag das kostbare Papier. Kalle hatte keine Angst mehr. Er war glücklich. Ganz vorsichtig nahm er das kleine Stück Papier und legte es in die linke Schreibtischschublade. Da lagen schon der Dietrich und die Zeitung und die Perle. Eine Mutter, die ihre Kinder betrachtet, konnte keinen wärmeren Ausdruck in den Augen haben als Kalle, als er auf den Inhalt des Kastens blickte. Er verschloss ihn sorgfältig und steckte den Schlüssel ein. Dann nahm er sein Notizbuch hervor und schlug Onkel Einars Seite auf. Da war wieder ein kleiner Nachtrag nötig.

»Besitzt Revolver«, schrieb Kalle. »Schläft damit unter dem Kopfkissen.«

Um diese Jahreszeit frühstückte Familie Lisander auf der Veranda. Sie hatten gerade angefangen, als Anders und Kalle in der Nähe auftauchten um Eva-Lottas Aufmerksamkeit auf sich zu ziehen. Kalle wollte zu gern wissen, ob Onkel Einar etwas von seinem nächtlichen Besuch erwähnen würde. Aber Onkel Einar aß seine Hafergrütze, als ob nichts geschehen wäre.

»Ach, Einar, wie ärgerlich!«, sagte Frau Lisander plötzlich. »Ich hab ja gestern Abend vergessen dir das Schlafmittel zu geben!«

7. Kapitel

»Am meisten Spaß machen die Vorbereitungen«, hatte Anders unmittelbar nach der Zirkuspremiere festgestellt. Die Vorstellung selbst war sicher auch ganz spannend und lustig gewesen, aber es waren jedenfalls die Tage vorher, angefüllt mit Proben und intensiven Vorbereitungen, die im Gedächtnis blieben.

Die ehemaligen Zirkuskünstler liefen herum und wussten nicht recht, was sie anfangen sollten.

Kalle war derjenige, der am wenigsten eine Beschäftigung vermisste. Die Detektivtätigkeit gab seinen Tagen und mitunter auch seinen Nächten Inhalt. Seine Fahndungstätigkeit, die sich bisher nur auf Allgemeines gerichtet hatte, konzentrierte sich nun ganz auf Onkel Einar.

Anders und Eva-Lotta sagten oft, sie wünschten, dass Onkel Einar wieder abreisen möge, aber Kalle sah mit Schrecken dem Tag entgegen, da »sein« Schurke den Koffer packen und ihn ohne »mystische Person« zurücklassen würde, um die seine Gedanken kreisen konnten. Und es wäre doch sehr ärgerlich, wenn Onkel Einar verschwinden würde, ohne dass Kalle dahinter gekommen war, was für eine Art Verbrecher er eigentlich war. *Dass* er ein Verbrecher war, daran zweifelte Kalle nicht einen Augenblick. Gewiss hatten Kalles frühere Verbrecher sich nach und nach als durchaus ehrenhafte Menschen erwiesen oder man konnte ihnen jedenfalls keine Missetat nachweisen, aber diesmal war Kalle seiner Sache sicher.

»So viele Indizien – es muss stimmen, etwas anderes ist nicht möglich!«, versuchte er sich selbst zu überzeugen, wenn ihn hin und wieder Zweifel packten.

Aber Anders und Eva-Lotta interessierten sich kein bisschen für die Bekämpfung von Verbrechen. Sie liefen herum und langweilten sich. Doch glücklicherweise passierte es, dass Postdirektor Sixten eines Tages Anders »Weiberheld« nachrief, als Anders mit Eva-Lotta die Hauptstraße entlangkam, und das, obwohl im Augenblick Friedenszustand zwischen Sixtens und Anders' Bande herrschte. Offenbar langweilte sich Sixten auch und er wollte wohl aus diesem Grund die Streitaxt wieder ausgraben.

Anders blieb stehen. Eva-Lotta auch.

»Was hast du gesagt?«, fragte Anders.

»Weiberheld!« Sixten spuckte das Wort gleichsam aus.

»Aha«, sagte Anders. »Ich hatte gehofft, ich hätte mich verhört. Schade, dass ich dich bei dieser Hitze verprügeln muss!«

»Ach, das macht nichts«, sagte Sixten. »Ich kann ja hinterher ein Stück Eis auf deine Stirn legen. Wenn du dann noch lebst!«

»Wir treffen uns heute Abend auf der Prärie«, sagte Anders. »Geh nach Hause und bereite deine Mutter so schonend wie möglich vor.«

Sie trennten sich und Anders und Eva-Lotta gingen nach Hause und alarmierten, äußerst angeregt, Kalle. Da braute sich etwas zu einer Fehde zusammen, die sicher einen guten Teil ihrer Sommerferien vergolden würde.

Kalle war vollauf damit beschäftigt, Onkel Einar durch den Zaun zu beobachten, wie er wie ein unseliger Geist im Garten herumwankte.

Kalle wollte eigentlich nicht gestört werden. Aber trotzdem gefiel ihm die Mitteilung, dass Sixten die Streitaxt ausgegraben hatte. Sie setzten sich alle drei in Eva-Lottas Laube und diskutierten die Sache. Aber da tauchte Onkel Einar auf.

»Keiner spielt mit mir!«, jammerte er. »Was geht hier eigentlich vor?«

»Wir haben eine Prügelei vor«, sagte Eva-Lotta kurz. »Anders soll sich mit Sixten prügeln.«

»Und wer ist Sixten?«

»Einer der stärksten Jungen der Stadt«, sagte Kalle. »Anders kriegt sicher eine Tracht.«

»Ganz bestimmt«, gab Anders vergnügt zu.

»Soll ich mitkommen und dir helfen?«, schlug Onkel Einar vor.

Anders und Kalle und Eva-Lotta starrten ihn an. Glaubte er wirklich, sie würden es zulassen, dass sich ein Erwachsener in ihre Prügelei einmischte? Und alles verderben!

»Na, Anders, was sagst du zu meinem Vorschlag?«, fragte Onkel Einar. »Soll ich mitkommen?«

»Nee«, sagte Anders, unangenehm berührt davon, auf so etwas Dummes antworten zu müssen. »Nee, das wäre nicht anständig.«

»Nein, vielleicht nicht«, gab Onkel Einar zu und sah etwas beleidigt aus. »Obwohl es zweckmäßig wäre. Aber du bist wohl noch etwas zu jung um zu verstehen, was zweckmäßig ist. Das lernt man erst so nach und nach.«

»Ich hoffe, dass er niemals so was Albernes lernt«, sagte Eva-Lotta.

Da drehte sich Onkel Einar auf dem Absatz um und ging.

»Ich glaube, er ist tatsächlich böse«, sagte Eva-Lotta.

»Ja, sicher sind Erwachsene manchmal komisch, aber der da ist noch komischer als die meisten anderen«, sagte Anders kopfschüttelnd. »Er wird ja mit jedem Tag quengeliger und quengeliger.«

Jaja, wenn ihr wüsstet! dachte Kalle.

Die Prärie war eine große Gemeindewiese am Stadtrand. Sie war mit einer üppigen Buschvegetation bewachsen. Die Prärie gehörte den Kindern der Stadt. Hier lebte man Goldgräberleben in Alaska, streitbare Musketiere lieferten sich heftige Duelle, Lagerfeuer wurden in den felsigen Bergen entzündet, im afrikanischen Busch wurden Löwen geschossen, edle Ritter sprengten auf ihren stolzen Rossen heran,

raue Chicagogangster erhoben ohne Erbarmen ihre Maschinenpisto-
len – alles hing davon ab, welcher Film gerade im Kino der Stadt lief.
Im Sommer war das Kino geschlossen, aber man war trotzdem nicht
in Verlegenheit. Es gab meistens eine ganze Reihe privater Keilereien,
die ausgetragen werden mussten, und es war von Vorteil, auch friedliche Spiele auf die Prärie zu verlegen.

Dahin lenkten Anders, Kalle und Eva-Lotta in einem Zustand gespannter Erwartung ihre Schritte. Sixten mit seiner Bande war schon
da. Die Mitglieder der Bande hießen Benka und Jonte.

»Da kommt einer, dessen Herzblut ich sehen will!«, schrie Sixten und
fuchtelte lebhaft mit den Armen.

»Wer sind deine Sekundanten?«, fragte Anders, ohne sich um die
furchtbare Drohung zu kümmern. Seine Frage war mehr eine Form-
sache; er wusste ganz gut, wer die Sekundanten waren.

»Jonte und Benka!«

»Hier sind meine«, sagte Anders und zeigte auf Kalle und Eva-Lotta.

»Welche Waffen ziehst du vor?«, fragte Sixten ganz vorschriftsmäßig.
Alle waren sich darüber klar, dass keine anderen Waffen als die Fäuste
vorhanden waren, aber es machte immer einen guten Eindruck, die
Formen zu wahren.

»Die Handkoffer«, antwortete Anders ganz richtig, genau wie man es
erwartet hatte.

Und nun brach es los. Die vier Sekundanten standen in gebührendem
Abstand und verfolgten den Kampf mit so viel Einfühlungsvermögen,
dass ihnen der Schweiß herunterlief.

Von den Kämpfern sah man nur ein Gewirr von Armen und Beinen
und zerwühlten Haarschöpfen. Sixten war der Stärkere, aber Anders
war schnell und geschmeidig wie ein Eichhörnchen. Es gelang ihm
schon zu Anfang, ein paar ordentliche Volltreffer bei seinem Gegner
zu landen. Das hatte allerdings nur den Erfolg Sixten zu ungeheurer
Kampflust anzufeuern. Es sah schlimm aus für Anders. Eva-Lotta biss

sich auf die Lippen. Kalle warf ihr einen schnellen Seitenblick zu. Er hätte sich selbst so furchtbar gern für sie in den Kampf geworfen. Aber es war leider Anders, der das Glück gehabt hatte, von Sixten Weiberheld genannt zu werden.

»Heja, Anders!«, schrie Eva-Lotta aus vollem Herzen. Aber inzwischen war auch Anders wütend geworden und er ließ sich auf einen erbitterten Nahkampf ein, der Sixten zum Rückzug zwang.

Nach den Vorschriften sollte ein Duell dieser Art nicht mehr als zehn Minuten dauern. Benka stand mit der Uhr in der Hand da und die beiden Duellanten, die wussten, dass die Zeit kostbar war, gaben ihr Alleräußerstes um den Kampf zu gewinnen. Aber dann schrie Benka »Abbrechen!« und mit Aufwand all ihrer Selbstbeherrschung kamen Sixten und Anders seinem Befehl nach.

»Unentschieden«, sagte Benka.

Sixten und Anders schüttelten einander die Hände.

»Die Beleidigung ist abgewaschen«, sagte Anders. »Aber morgen werde ich dich beleidigen und dann können wir weitermachen.«

Sixten nickte zustimmend. »Das bedeutet Kampf zwischen der Weißen und der Roten Rose«, sagte er feierlich.

Sixten und Anders hatten ihre Banden nach einem hohen Vorbild aus der Geschichte Englands getauft.

»Ja«, sagte Anders feierlich, »nun herrscht Kampf zwischen der Weißen und der Roten Rose, und tausend und abertausend Seelen werden in den Tod gehen – hinein in die Nacht des Todes.« Diesen Satz hatte er auch der Geschichte entnommen und er fand, dass es seltsam schön klang, so herausgeschleudert nach beendetem Streit, während sich die Dämmerung auf die Prärie senkte.

Die Weißen Rosen – Anders, Kalle und Eva-Lotta – schüttelten ernsthaft Hände mit den Roten Rosen – Sixten, Benka und Jonte – und dann trennte man sich. Das Merkwürdige war, dass Sixten Eva-Lotta voll und ganz als würdigen Gegner und Repräsentanten für die Weiße

Rose akzeptierte, obwohl er glaubte einen guten Grund zu haben, Anders Weiberheld nachzurufen, als er mit Eva-Lotta die Straße entlanggekommen war.

Die drei Weißen Rosen gingen heimwärts. Besonders die Weiße Rose Kalle hatte es sehr eilig. Er hatte keine Ruhe, wenn er Onkel Einar nicht jederzeit unter Aufsicht hatte. Es ist genauso, als ob man ein Hausschwein zu hüten hätte, dachte Kalle.

Anders hatte Nasenbluten. Sixten hatte zwar gesagt, dass er sein »Herzblut« sehen wolle, aber ganz so gefährlich war es nicht geworden.

»Heute hast du ein gutes Match geschlagen«, sagte Eva-Lotta bewundernd.

»Na ja«, sagte Anders bescheiden und sah auf sein blutbeflecktes Hemd. Deswegen würde es sicher Krach geben, wenn er nach Hause kam. Am besten, er brachte es so schnell wie möglich hinter sich. »Wir treffen uns morgen«, sagte er und lief davon.

Kalle und Eva-Lotta gingen zusammen. Aber da fiel Kalle ein, dass seine Mutter ihn gebeten hatte eine Abendzeitung zu kaufen. Er nickte Eva-Lotta zu und ging allein zum Zeitungskiosk.

»Alle Abendzeitungen sind ausverkauft«, sagte die Dame im Kiosk. »Versuch es beim Hotelportier!«

Na ja, da blieb ihm wohl nichts anderes übrig. Vor dem Hotel traf Kalle Wachtmeister Björk. Kalle fühlte eine Welle kollegialer Sympathie für ihn. Gewiss war Kalle Privatdetektiv und Privatdetektive standen ja immer ein paar Stufen über den gewöhnlichen Polizisten, die sich meistens merkwürdig ungeschickt bei der Lösung selbst des einfachsten kriminalistischen Rätsels erwiesen, aber Kalle fühlte jedenfalls, dass es gemeinsame Bande zwischen ihm und Wachtmeister Björk gab. Sie waren beide für die Bekämpfung von Verbrechen in der Gesellschaft im Einsatz.

Kalle hatte große Lust, Wachtmeister Björk wegen der einen oder anderen Sache um Rat zu fragen. Sicher gab es keinen Zweifel daran, dass Kalle ein für sein Alter besonders hervorragender Kriminalist war, aber er war nun einmal nicht älter als dreizehn Jahre.

Meistens gelang es ihm, vor dieser Tatsache die Augen zu verschließen, und während seiner Detektivtätigkeit sah er sich selbst immer als reifen Mann mit scharfem, durchdringendem Blick, die Pfeife nachlässig im Mundwinkel, einen Mann, der mit »Herr Blomquist« angeredet und mit großer Ehrfurcht von den gesetzestreuen Mitgliedern der Gesellschaft behandelt wurde, während dagegen die verbrecherischen Elemente der Gesellschaft ihn mit tiefstem Schreck betrachteten. Aber gerade jetzt fühlte er sich nur als Dreizehnjähriger und er war geneigt zuzugeben, dass Björk eine ganze Menge Erfahrung besaß, die ihm selbst abging.

»'n Abend«, sagte Wachtmeister Björk.

»'n Abend«, sagte Kalle.

Der Wachtmeister warf einen forschenden Blick auf einen schwarzen Volvo, der vor dem Hotel parkte.

»Ein Stockholmer Auto«, sagte er.

Kalle stellte sich an seine Seite, die Hände auf dem Rücken. Eine ganze Weile standen sie still und betrachteten gedankenvoll die vereinzelten Abendspaziergänger, die über den Marktplatz gingen.

»Onkel Björk«, sagte Kalle plötzlich, »wenn man glaubt, dass ein Mensch ein Schurke ist, was macht man da?«

»Ihm eins aufs Maul geben«, sagte Wachtmeister Björk vergnügt.

»Ja, aber ich meine, wenn er ein Verbrechen begangen hat«, sagte Kalle.

»Ihn festnehmen natürlich«, sagte der Wachtmeister.

»Ja, aber wenn man es nur glaubt, es aber nicht beweisen kann«, beharrte Kalle.

»Ihn überwachen auf Teufel komm raus!« Wachtmeister Björk lächelte ein breites Lächeln. »Aha, du pfuschst mir also ins Handwerk!«, sagte er freundlich.

Ich pfusche gar nicht, dachte Kalle beleidigt. Niemand nahm ihn ernst.

»Tschüss, Kalle, jetzt muss ich mal zum Bahnhof runter. Mach inzwischen die Arbeit für mich!« Und damit ging Wachtmeister Björk.

Ihn überwachen, hatte er gesagt! Man kann doch nicht einen Menschen überwachen, der die ganze Zeit nur in einem Garten sitzt und sich selbst überwacht! Onkel Einar hatte überhaupt nichts vor. Er lag oder saß oder ging in Bäckermeisters Garten herum wie ein Tier in einem Käfig und wollte, dass Eva-Lotta und Anders und Kalle ihn unterhielten und ihm halfen die Zeit totzuschlagen. Ja, genau das – die Zeit totzuschlagen! Es sah nicht so aus, als ob Onkel Einar Urlaub hatte, es sah aus, als ob er wartete.

Aber auf was? Das krieg ich einfach nicht raus!, dachte Kalle und stieg die Treppe zum Hotel hinauf.

Der Portier war im Augenblick beschäftigt, sodass Kalle warten musste. Vor der Portierloge standen zwei Herren.

»Können Sie mir sagen, ob ein Herr Brane hier im Hotel wohnt?«, fragte der eine von ihnen. »Einar Brane?«

Der Portier schüttelte den Kopf.

»Sind Sie ganz sicher?«

»Ja, natürlich.«

Die zwei Männer sprachen leise miteinander.

»Und auch keiner, der Einar Lindeberg heißt?«, fragte der Wortführer. Kalle stutzte. Einar Lindeberg, das war ja, weiß Gott, Onkel Einar! Es ist immer angenehm, den Leuten mit Auskünften dienen zu können, und Kalle wollte gerade den Mund aufmachen und erzählen, dass Einar Lindeberg bei Bäckermeister Lisander wohnte, aber im letzten Augenblick schluckte er es hinunter und es kam nur ein zögerndes »Äh – hm« heraus.

Jetzt bist du nahe daran gewesen, eine Dummheit zu begehen, mein lieber Kalle, sagte er sich mit leisem Vorwurf. Wir wollen erst mal warten und sehen, wie das sich hier entwickelt.

»Nein, wir haben hier auch keinen Gast mit diesem Namen«, sagte der Portier bestimmt.

»Nicht? Ja, Sie wissen natürlich auch nicht, ob jemand, der Brane oder Lindeberg heißt, sich in letzter Zeit in der Stadt aufgehalten hat? Und irgendwo anders als hier im Hotel gewohnt hat, meine ich.«

Der Portier schüttelte wieder den Kopf.

»All right! Können wir ein Doppelzimmer bekommen?«

»Bitte sehr! Nummer 34 wird Ihnen sicher recht sein«, sagte der Portier höflich. »Es kann in zehn Minuten in Ordnung sein. Wie lange bleiben die Herren?«

»Das kommt darauf an! Ein paar Tage, nehme ich an.«

Der Portier legte den Herren das Fremdenbuch vor, damit sie ihre Namen eintragen konnten.

Und Kalle kaufte seine Abendzeitung. Er war merkwürdig aufgeregt.

»Es brennt, es brennt absolut!«, flüsterte er vor sich hin.

Es war ganz undenkbar, von hier fortzugehen, bevor er ein klares Bild von den Herren bekommen hatte, die nach Onkel Einar gefragt hatten. Er begriff sehr wohl, dass der Portier etwas erstaunt sein würde, wenn er, Kalle Blomquist, sich in die Hotelhalle setzte und die Zeitung läse, aber das war die einzige Möglichkeit. Kalle warf sich in einen der Ledersessel mit der Miene eines Großkaufmanns auf Geschäftsreisen und hoffte von ganzem Herzen, dass der Portier ihn nicht hinausschmeißen würde. Aber zum Glück musste der Portier ans Telefon und hatte keine Zeit Kalle seine Aufmerksamkeit zu widmen.

Kalle bohrte mit dem Zeigefinger zwei Löcher in die Zeitung und überlegte sich gleichzeitig, wie er seiner Mutter diesen merkwürdigen Eingriff in ihre Abendlektüre erklären sollte. Dann dachte er darüber nach, was das für zwei Männer sein mochten. Vielleicht Detektive? Detektive traten ja oft paarweise auf, wenigstens in Filmen. Wie wäre es, wenn er zu einem der beiden hinginge und ihn anredete: »Guten Abend, lieber Kollege!«

»Das wäre dumm, um nicht zu sagen idiotisch!«, beantwortete sich Kalle selbst seine Frage. Man soll niemals den Ereignissen vorgreifen. Oh, was für ein Glück man mitunter hat! Da kamen die beiden und setzten sich in die Sessel direkt Kalle gegenüber. Er konnte hier sitzen und sie durch die Zeitung anstarren, so viel er wollte.

Personenbeschreibung!, sagte sich der Meisterdetektiv. Reine Routinearbeit! Erst der eine… nee, wahrhaftig, es müsste verboten sein, so auszusehen!

Etwas so Unangenehmes hatte Kalle noch nie gesehen und er dachte im Stillen, dass der Verschönerungsverein der Stadt sicher gern bereit wäre einiges zu bezahlen, wenn dieser Kerl da sich außerhalb der Stadtmauern verziehen würde. Es war schwer zu entscheiden, was sein Gesicht so unangenehm machte, ob es die niedrige Stirn war, die allzu eng beieinander stehenden Augen, die dicke Nase oder der Mund, den ein eigentümlich schiefes Lächeln verunzierte.

Wenn das kein Schurke ist, dann bin ich der Erzengel Gabriel in Lebensgröße, dachte Kalle.

Der andere hatte nichts Aufsehenerregendes an sich, wenn man von einer fast krankhaften Blässe absah. Er war klein und blond. Er hatte sehr helle blaue Augen und einen unsteten Blick.

Kalle starrte die Männer so an, dass es ein Wunder war, dass seine Augen nicht aus den Gucklöchern hervorquollen. Auch seine Ohren lauschten aufs Äußerste gespannt. Die beiden sprachen eifrig miteinander, aber leider konnte Kalle nicht viel davon verstehen. Doch plötzlich sagte der Blasse mit etwas lauterer Stimme: »Davon kann keine Rede sein! Er muss sich hier in der Stadt aufhalten. Ich hab den Brief an Lola selbst gesehen. Auf dem Poststempel stand ganz deutlich Kleinköping.«

Lolas Brief! Lola! Lola Hellberg, wer denn sonst? Es bewegt sich in meinen kleinen grauen Gehirnzellen, konstatierte Kalle mit Genugtuung. Er selbst hatte den Brief an Lola Hellberg in den Briefkasten gesteckt – wer auch immer diese ehrenwerte Dame sein mochte. Und er hatte sie in seinem Notizbuch vermerkt.

Kalle versuchte beharrlich, etwas mehr von dem Gespräch der beiden Männer aufzuschnappen, aber es gelang ihm nicht. Gleich darauf kam der Portier und meldete, dass das Zimmer für die Herren bereit sei. Der Unangenehme und der Blasse erhoben sich und gingen. Und Kalle wollte das Gleiche tun.

Da sah er, dass die Portierloge leer war. Im Augenblick war niemand außer ihm in der Hotelhalle. Ohne lange zu überlegen schlug er das Fremdenbuch auf und schaute hinein. Der Unangenehme hatte sich zuerst eingeschrieben, das hatte er beobachtet. »Tore Krok, Stockholm« – das musste er sein! Und wie hieß der Blasse? »Ivar Redig, Stockholm«.

Kalle zog sein kleines Notizbuch hervor und trug sorgfältig Namen und Personenbeschreibung seiner neuen Bekannten ein. Er schlug auch Onkel Einars Seite auf und notierte: »Nennt sich wahrscheinlich manchmal Brane.«

Dann steckte er sich die Zeitung unter den Arm und verließ das Hotel, vergnügt einen Schlager pfeifend.

Und dann war da nur noch eine Sache – das Auto! Das musste ihnen gehören, man sah so selten Stockholmer Autos hier in der Stadt. Und wenn sie mit dem Sechsuhrzug gekommen wären, so hätten sie sich schon vor mehreren Stunden ein Hotelzimmer besorgt. Er notierte die Nummer und die übrigen Kennzeichen.

Dann besah er die Reifen. Sie waren ziemlich abgenutzt, außer dem rechten Hinterreifen. Das war ein funkelnagelneuer von der Gummifabrik Gislaved. Kalle machte eine kleine Skizze des Reifenmusters.

»Reine Routinearbeit«, sagte er und steckte das Notizbuch in seine Hosentasche.

8. Kapitel

Wie verabredet brach der Krieg der Rosen am nächsten Tag aus. Sixten fand in seinem Briefkasten einen Zettel, voll geschrieben mit den furchtbarsten Beleidigungen. »Die Richtigkeit des Obenstehenden wird von Anders Bengtsson bezeugt, dem Chef der Weißen Rose, dessen Schuhband zu lösen du nicht würdig bist«, stand darunter und unter lebhaftem Zähneknirschen rückte Sixten aus und suchte Benka und Jonte auf.

Die Weißen Rosen lagen in höchster Bereitschaft in Bäckermeisters Garten, den Angriff der Roten erwartend. Kalle saß hoch oben im Ahornbaum, von wo aus man Aussicht über die ganze Straße bis hinunter zur Villa des Postdirektors hatte. Er hatte das Auskundschaften übernommen, sowohl sein privates wie das der Weißen Rose.

»Ich habe eigentlich keine Zeit Krieg zu führen«, hatte er zu Anders gesagt. »Ich bin beschäftigt.«

»Nanu«, sagte Anders. »Ist wieder ein Kriminaldrama im Gang wie gewöhnlich? Ist Fredrik mit dem Fuß wieder dabei, sich die Kollekte anzueignen?«

»Ach, rutsch mir den Buckel runter!«, sagte Kalle. Er sah ein, dass es zwecklos war, Verständnis zu erwarten. Und er kletterte folgsam auf den Baum, wie es ihm befohlen worden war. Unbedingter Gehorsam gegen den Chef gehörte zu den Geboten der Weißen Rose.

Dass Kalle zum Kundschafter bestimmt worden war, hatte indessen den Vorteil, dass er gleichzeitig Onkel Einar überwachen konnte, während er Ausschau nach den Roten Rosen hielt. Der saß im Augenblick auf der Veranda und half Tante Mia Erdbeeren abzuzupfen. Das heißt, nachdem er zehn Stück geputzt hatte, steckte er sich eine Zigarette an, setzte sich auf das Verandageländer und baumelte mit den Beinen, neckte Eva-Lotta ein bisschen, als sie vorbeilief auf dem Weg zum Hauptquartier der Weißen Rose, und sah im übrigen aus, als ob er sich langweile.

»Hast du nicht bald genug, so herumzusitzen?«, hörte Kalle Tante Mia fragen. »Ich finde, du solltest einen Spaziergang in die Stadt machen oder mit dem Rad zum Baden fahren oder irgend so was. Übrigens ist ja jeden Abend Tanz im Hotel – dass du da nicht hingehst!«

»Danke für deine Fürsorge, liebe Mia«, sagte Onkel Einar. »Aber ich finde es hier im Garten so schön, dass ich nicht das geringste Bedürfnis nach einer Beschäftigung habe. Hier kann ich richtig ausspannen und meine Nerven erholen. Ich fühle mich ruhig und harmonisch, seitdem ich hier bin.«

Ruhig und harmonisch – ph!, dachte Kalle. Er ist ungefähr so harmonisch wie eine Schlange im Ameisenhaufen. Er kann wohl deswegen nachts nicht schlafen, weil er so furchtbar ruhig und harmonisch ist und einen Revolver unter dem Kopfkissen hat.

»Wie lange bin ich eigentlich schon hier?«, fragte Onkel Einar. »Die Tage vergehen so schnell, dass man ganz die Übersicht verliert.«

»Am Samstag werden es vierzehn Tage.«

»Du lieber Himmel, nicht länger? Mir kommt es vor, als ob ich schon einen Monat hier wäre. Jaja, ich muss wohl bald daran denken abzureisen.«

»Noch nicht, noch nicht«, wimmerte Kalle leise oben im Ahornbaum. »Erst *muss* ich herauskriegen, warum du hier herumsitzt und dich wie ein Hase im Gebüsch verkriechst.«

Kalle war so von dem Gespräch auf der Veranda gefesselt, dass er ganz vergaß, dass er als Kundschafter für die Weiße Rose Dienst tat. Er

73

wurde von einer flüsternden Beratung draußen auf der Straße in die Wirklichkeit zurückgerufen. Da standen Sixten und Benka und Jonte und versuchten durch den Zaun zu gucken. Sie sahen Kalle oben im Ahorn nicht.

»Eva-Lottas Mutter und irgend so ein Vogel sitzen auf der Veranda«, rapportierte Sixten. »Wir können also nicht durch die große Gartentür gehen. Wir machen eine Umgehung über die Flussbrücke und überrumpeln sie von der Flussseite her. Sie sind sicher in ihrem Hauptquartier auf dem Bäckereiboden.«

Die Roten verschwanden wieder. Kalle stieg eiligst vom Baum herunter und rannte zur Bäckerei, wo Anders und Eva-Lotta sich die Wartezeit damit vertrieben, an dem Seil hinunterzurutschen, das noch seit den Zirkustagen da hing.

»Die Roten kommen!«, schrie Kalle. »Sie kommen gleich über den Fluss!«

Dort, wo der Fluss durch den Bäckereigarten floss, war er nicht mehr als zwei Meter breit. Eva-Lotta hatte ein Brett da unten liegen, das man bei Bedarf als »Zugbrücke« benutzen konnte. Das war eine ziemlich unsichere Brückenverbindung, aber wenn man schnell und gleichmäßig lief, geschah es nur selten, dass man ins Wasser fiel. Und selbst wenn es passierte, beschränkte sich das Unglück meistens nur auf nasse Hosen, da das Wasser hier nicht sehr tief war.

Die Weißen beeilten sich bereitwillig die Zugbrücke auszulegen und dann krochen sie ruhig hinter das Erlengebüsch am Flussufer.

Sie brauchten nicht lange zu warten. Mit wachsender Begeisterung beobachteten sie, wie die Roten auf der entgegengesetzten Seite auftauchten, vorsichtig nach ihren verborgenen Feinden spähend.

»Ha, die Zugbrücke ist heruntergelassen!«, schrie Sixten. »Zum Kampf! Der Sieg ist unser!«

Er stürzte auf den Steg, Benka auf den Fersen. Das war der Augenblick, auf den Anders gewartet hatte. Wie ein Blitz schoss er hervor und gerade bevor Sixten auf dem trockenen Land Fuß gefasst hatte, tippte er ein kleines bisschen an das Brett. Mehr war nicht nötig.

»So ist es Pharao auch ergangen, als er durch das Rote Meer wollte!«, schrie Eva-Lotta dem planschenden Sixten aufmunternd zu.

Dann rannten die Weißen, so schnell ihre Füße sie trugen, zur Bäckerei hinauf, während Sixten und Benka unter lautem Rachegeschrei an Land krochen. Anders, Kalle und Eva-Lotta nutzten die kostbaren Sekunden aus, um sich auf dem Bäckereiboden zu verbarrikadieren. Die Tür zur Treppe wurde sorgfältig geschlossen und das Seil hochgezogen. Dann stellten sie sich vor die offene Bodenluke und warteten auf ihre Feinde. Feldgeschrei kündigte ihre Ankunft an.

»Bist du sehr nass geworden?«, fragte Kalle teilnahmsvoll, als Sixten auftauchte.

»Ungefähr so naß, wie du immer hinter den Ohren bist«, sagte Sixten.

»Kommt ihr freiwillig raus oder sollen wir euch ausräuchern?«, schrie Jonte.

»Ach, ihr werdet doch wohl raufklettern und uns holen können«, sagte Eva-Lotta. »Macht es euch was aus, wenn wir euch dabei etwas siedendes Pech hinter die Hemdenkragen gießen?«

Im Laufe der Jahre hatte es viele Kämpfe zwischen den Weißen und den Roten Rosen gegeben. Unter den Mitgliedern der beiden Banden herrschte aber nicht die geringste Feindschaft. Im Gegenteil, sie waren die allerbesten Freunde und ihre Kämpfe waren für sie alle nichts anderes als ein lustiges Spiel.

Es gab keine bestimmten Regeln, wie die Kriegführung gehandhabt werden sollte. Man hatte nur ein Ziel: die gegnerische Seite so viel wie möglich zu ärgern und dafür waren fast alle Mittel erlaubt, außer natürlich Eltern und andere außenstehende Personen hineinzuziehen. Sich des Hauptquartiers des Gegners zu bemächtigen, zu spionieren und zu überraschen, Geiseln zu nehmen, grässliche Drohungen auszustoßen und ehrenrührige Briefe zu schreiben, die »heimlichen Papiere« des Gegners zu stehlen und selbst eine große Menge davon herzustellen, sodass es für den Gegner etwas zu klauen gab, kostbare Aktenstücke quer durch die Linien des Feindes zu schmuggeln – all das waren wichtige Bestandteile, die zum Krieg der Rosen gehörten. Im Augenblick fühlten die Weißen sich grenzenlos überlegen.

»Bewegt euch ein bisschen«, sagte Anders höflich. »Ich will gerade mal spucken!«

Die Roten zogen sich knurrend hinter die Hausecke zurück und versuchten vergebens die Tür zur Treppe zu öffnen.

Aber das Siegesglück hatte den Chef der Weißen übermütig gemacht.

»Grüßt die Roten und sagt ihnen, dass ich fünf Minuten Urlaub für ein Naturbedürfnis genommen habe«, sagte er und rutschte am Seil hinunter. Er hatte sich ausgerechnet, dass er das kleine Haus mit dem Herzen in der Holztür erreichen würde, bevor die Roten entdeckten, dass er den Boden verlassen hatte. Seine Berechnung schlug nicht fehl. Er verschwand im Häuschen und schloss sich ordentlich ein. Aber er hatte nicht an den Rückzug gedacht. Hinter der Hausecke stand Sixten und sein Gesicht bekam einen beinahe verklärten Schimmer, als ihm aufging, wo er seinen Feind hatte. Er brauchte ungefähr zwei Sekunden, um hinzurennen und den Haken außen an der Tür einzuhängen, und das triumphierende Gelächter, in das er danach ausbrach, war das unheilverkündendste, das Eva-Lotta und Kalle seit langem gehört hatten.

»Unser Chef muss aus seiner schrecklichen Gefangenschaft befreit werden«, sagte Eva-Lotta bestimmt.

Die Roten tanzten im Freudenrausch einen Kriegstanz.

»Die Weiße Rose hat sich ein neues Hauptquartier beschafft«, grinste Sixten. »Danach wird die Rose schöner duften denn je.«

»Bleib hier und beschimpf sie«, sagte Eva-Lotta zu Kalle. »Dann will ich sehen, was ich machen kann.«

Es gab noch eine Treppe vom Boden, aber sie führte nicht ins Freie.

Sie führte direkt in die Bäckerei hinunter. Hier hatte Eva-Lotta nun eine gute Möglichkeit hinauszugelangen, ohne dass die Gegner es merkten. Sie lief durch die Bäckerei, nahm sich im Vorbeigehen ein paar Kekse und verschwand durch die Tür am anderen Ende des Gebäudes. Dann machte sie ein Umgehungsmanöver und nach langen Umwegen schaffte sie es, sich auf den Zaun hinter dem Toilettenhäuschen zu hieven ohne von den Roten beobachtet zu werden.

Mit einem langen Stock bewaffnet kroch sie auf das Dach des Häuschens. Anders hörte, dass über seinem Kopf etwas vorging, und das sandte ihm einen Hoffnungsstrahl in seiner kläglichen Lage.

In der Zwischenzeit war Kalle voll damit beschäftigt, Beschimpfungen gegen Sixten und seine Kumpane auszustoßen, um ihre Aufmerksamkeit auf den Boden zu lenken. Nun kam ein unendlich spannender Augenblick, als Eva-Lotta den Stock hinunterstreckte um den Haken hochzuangeln. Wenn die Roten sich in diesem Augenblick umdrehten, war alles verloren. Kalle beobachtete mit Spannung jede von Eva-Lottas Bewegungen und er brauchte seine ganze Selbstbeherrschung, um mit den Beschimpfungen fortzufahren.

»Läusepudel seid ihr!«, sagte er gerade, als Eva-Lottas Versuche mit Erfolg gekrönt wurden. Anders fühlte, dass die Tür nachgab und er machte einen Sturmlauf von hundert Metern zu einer der alten Ulmen. Dank vieljähriger Übung brauchte er nur einen Augenblick, um sich auf den Baum zu schwingen, und als die Roten erbittert über die Flucht sich wie eine Koppel Bluthunde unter dem Baum drängten, schrie er, er wolle den ersten, der sich in den Baum hinaufwagte, so zusammenschlagen, dass seine eigene Mutter ihn nicht wieder erkennen würde.

Im letzten Augenblick erinnerte sich Sixten an Eva-Lotta. Sie war gerade dabei, sich in Sicherheit zu bringen. Aber es sollte sich bald zeigen, dass sie die Freiheit ihres Chefs auf Kosten ihrer eigenen erkauft hatte. Die Roten umringten das Toilettenhäuschen und Eva-Lotta fiel wie eine reife Frucht in ihre ausgestreckten Hände, als sie auf den Zaun hinunterklettern wollte.

»Schnell, bringt sie hinüber in unser Hauptquartier!«, schrie Sixten.

Eva-Lotta wehrte sich mit dem Mut einer Löwin, aber Benkas und Jontes harte Fäuste zwangen sie bald sich zu unterwerfen. Die Weißen beeilten sich ihr zu Hilfe zu kommen.

Kalle rutschte das Seil hinunter und Anders tat einen lebensgefährlichen Satz von der Ulme. Aber während Jonte und Benka Eva-Lotta zum Fluss hin knufften und stießen, hielt Sixten die Verfolger mit Abwehrkämpfen auf, sodass die Roten mit ihrer Kriegsgefangenen ungestört den »Wallgraben« erreichten. Die sich wild sträubende Eva-Lotta über die »Zugbrücke« zu befördern war natürlich ein Ding der Unmöglichkeit. Deswegen knuffte Benka sie ohne weiteres ins Wasser, wobei er selbst und Jonte hinterherplumpsten.

»Keinen Widerstand, denn dann müssten wir dich ertränken«, sagte Jonte.

Die Drohung hinderte Eva-Lotta jedoch nicht im mindesten sich mit allen Kräften zu wehren und es bereitete ihr große Genugtuung, dass es ihr gelang, Benka und Jonte ein paar Mal unterzutauchen. Ja, natürlich wurde sie auch mit untergetaucht, aber das verringerte ihre Befriedigung nicht.

Oben auf der Böschung ging der Kampf mit unverminderter Stärke weiter. Der Lärm war so groß, dass Bäckermeister Lisander sich veranlasst sah seine Teigtröge zu verlassen, um nachzusehen, was vorging. Er wanderte gemächlich zum Fluss hinunter und kam gerade zurecht, als seine Tochter ihren wassertriefenden Kopf nach einem Besuch unter der Oberfläche hervorstreckte. Benka und Jonte ließen Eva-Lotta los und warfen dem Bäckermeister einen schuldbewussten Blick zu. Auch der Kampf oben auf der Böschung endete. Der Bäckermeister schaute sein Kind nachdenklich an und stand eine Weile still.

»Wie ist es, Eva-Lotta, kannst du Hundepaddeln?«

»Klar«, sagte Eva-Lotta, »ich kann alle Schwimmarten.«

»Aha! Ja, das wollte ich bloß wissen«, sagte der Bäckermeister und ging gelassen wieder zur Bäckerei zurück.

Die Rote Rose hatte ihr Hauptquartier in der Garage, die zur Villa des Postdirektors gehörte. Es stand gerade kein Auto darin, weshalb Sixten den Raum für sich mit Beschlag belegt hatte. Hier hatte er seine Angelrute und seinen Fußball, sein Fahrrad, Pfeil und Bogen, seine Schießscheibe und alle Geheimpapiere und Akten der Roten Rose. Hier wurde die pitschnasse Eva-Lotta eingesperrt, aber Sixten bot ihr ritterlich seinen Trainingsoverall an. »Edelmut gegenüber den Besiegten, das ist mein Wahlspruch«, sagte er.

»Pah, ich bin nicht die Bohne besiegt«, sagte Eva-Lotta. »Ich werde bald befreit. Bis dahin können wir ja Scheibenschießen üben.« Dagegen hatten die Gefangenenwärter nichts einzuwenden.

Anders und Kalle saßen noch am Fluss und hielten düsteren Kriegsrat. Es kränkte sie, dass es ihnen nicht gelungen war, Sixten zu übermannen, sodass man die Gefangenen hätte austauschen können.

»Ich schleich mich hin und kundschafte sie aus«, sagte Anders. »Du setzt dich in den Ahorn und hältst Ausschau für den Fall, dass sie auf die Idee kommen sollten wieder hierher zurückzukehren. Verteidige das Hauptquartier bis zum letzten Mann! Und solltest du überwältigt werden, so verbrenn erst alle Geheimpapiere!«

Kalle sah ein, dass es schwer sein würde, allen Befehlen in ihrem ganzen Ausmaß nachzukommen, aber er machte keine Einwände.

Ein vortrefflicher Aussichtspunkt, der Ahornbaum! Man saß da richtig bequem in einer Astgabel, gut versteckt durch das Laub, und hatte einen Überblick über den vorderen Teil von Bäckermeisters Garten und die Straße in ihrer ganzen Ausdehnung bis zu der Ecke, wo sie auf die Kleine Straße traf.

Kalle fühlte sich ganz erfrischt durch die ausgefochtenen Kämpfe, aber gleichzeitig hatte er ein schlechtes Gewissen. Er wusste, dass er seine

Pflicht gegen die Gesellschaft vernachlässigt hatte. Wenn nicht der Krieg der Rosen dazwischengekommen wäre, dann hätte er schon am frühen Morgen vor dem Hotel gestanden und die beiden Herren überwacht, die gestern Abend angekommen waren. Das würde ihn vielleicht der Lösung des Rätsels einen Schritt näher gebracht haben.

Onkel Einar schlenderte auf dem Gartenweg unten hin und her, hin und her… Er sah nicht den Beobachter im Ahorn, sodass Kalle ihn in aller Ruhe betrachten konnte. Jede Bewegung, die er machte, verriet Ungeduld und Missvergnügen. Sein Gesicht hatte einen solchen Ausdruck von Rastlosigkeit und Unlust, dass er Kalle beinahe Leid tat. Man sollte wohl doch etwas mehr mit ihm spielen, dachte Kalle plötzlich teilnahmsvoll.

Vor dem Zaun war die Straße menschenleer. Kalle sah auch zum Postdirektorhaus hinunter. Von daher konnte er den Angriff erwarten. Aber keine Roten Rosen waren zu sehen. Kalle warf einen Blick nach der anderen Seite zur Hauptstraße. Da kam jemand. Das waren – ja wahrhaftig, sie waren es! Da waren die Kerle – wie hießen sie doch gleich? Krok und Redig! Kalle spannte sich sofort wie eine Stahlfeder. Sie kamen immer näher. Gerade als sie an der Gartentür vorbeigingen, entdeckten sie Onkel Einar. Und er entdeckte sie!

Es war abscheulich, das mit anzusehen, fand Kalle. Wie in diesem Augenblick alle Farbe aus Onkel Einars Gesicht verschwand! Wenn er tot gewesen wäre, hätte er nicht weißer sein können. Und eine Ratte, die plötzlich sieht, dass sie in einer Falle gefangen ist, konnte nicht einen solchen Ausdruck von Todesangst haben wie Onkel Einar, als er an der Gartentür stand. Einer der beiden Männer fing an zu reden. Es war der kleine Blasse, Redig. Seine Stimme klang unbeschreiblich weich und zart. »Sieh mal einer an, da haben wir ja Einar«, sagte er. »Unseren lieben alten Einar!«

9. Kapitel

Kalle fühlte, wie es ihm kalt über den Rücken lief. Es war diese Stimme, die das verursachte. Oberflächlich war sie so weich, aber sie klang, als ob sich etwas sehr Unangenehmes und Gefährliches dahinter verberge.

»Du scheinst dich nicht besonders zu freuen uns zu sehen, alter Freund«, flötete die weiche Stimme.

Onkel Einar hielt sich mit zitternden Händen an der Gartentür fest.

»Doch«, sagte er, »ja, natürlich freue ich mich. Aber ihr kommt so unerwartet.«

»Wirklich?« Der Blasse lachte. »Ja, du hast vergessen uns deine Adresse zu hinterlassen, als du getürmt bist. Reine Zerstreutheit natürlich! Zum Glück hast du einen Brief an Lola mit einem einigermaßen deutlich lesbaren Poststempel geschrieben. Und Lola ist ein verständiges Mädchen. Die gehört nicht zu denen, die mit etwas hinter dem Berg halten, wenn man nur ein ernstes Wort mit ihnen redet.«

Onkel Einar atmete heftig. Er beugte sich über die Gartentür zu dem Blassen vor.

»Was hast du mit Lola gemacht, du…?«

»Nur mit der Ruhe!« Die weiche Stimme unterbrach ihn. »Reg dich nicht auf! Ruhe, Erholung und Entspannung soll man im Urlaub haben. Denn das hier ist wohl ein kleiner Urlaubsausflug, soweit ich verstehe?«

»Ja, ja«, sagte Onkel Einar. »Ich bin hierher gefahren, um mich ein bisschen auszuruhen.«

»Das versteh ich! Du hast in der letzten Zeit hart gearbeitet, was?« Die ganze Zeit über führte der blasse Ivar Redig das Wort. Der, den Kalle den Unangenehmen nannte, stand nur still da und lächelte, aber es war nicht das, was Kalle unter einem freundlichen Lächeln verstand. Wenn ich dem in einer einsamen Straße begegnete, würde ich Angst bekommen, dachte Kalle. Aber es ist die Frage, ob es nicht noch schlimmer wäre, dem Blassen – Ivar Redig – zu begegnen.

»Worauf willst du eigentlich hinaus, Artur?«, fragte Onkel Einar. Artur – er heißt doch Ivar, dachte Kalle. Aber Schurken und Banditen – die haben ja wohl immer mehrere Namen.

»Du weißt verdammt gut, worauf ich hinauswill«, sagte der Blasse, und seine Stimme klang jetzt etwas härter. »Komm mit auf eine kleine Autotour, dann können wir die Sache besprechen.«

»Ich hab nichts mit euch zu besprechen«, sagte Onkel Einar heftig. Der Blasse kam einen Schritt näher. »Wirklich nicht?«, fragte er mild. Was war das, was er in der Hand hielt? Kalle musste sich vorbeugen, um besser sehen zu können. »Nee, nu schlägts ein«, flüsterte er. Diesmal war es Onkel Einar, der vor einer Revolvermündung stand. Eigentümliche Gewohnheiten haben manche Leute! Laufen wochentags mit einem Revolver herum!

Der Blasse ließ seine Hand zärtlich über das glänzende Metall gleiten, bevor er weitersprach: »Wenn du es dir etwas besser überlegt hast, kommst du doch wohl mit?«

»Nein«, rief Onkel Einar. »Nein! Ich hab nichts mit euch zu besprechen. Macht, dass ihr wegkommt, sonst…«

»Sonst rufst du die Polizei, was?« Die beiden Männer vor der Gartentür lachten. »Ach nein, lieber Einar, das lässt du schön sein! Dir ist wohl ungefähr genauso viel wie uns daran gelegen, die Polizei hineinzuziehen.«

Der Blasse lachte wieder, ein merkwürdig unheimliches Lachen. »Sieh mal einer an, wie gut du dir das ausgedacht hast, lieber Einar! Eine kurze Zeit Urlaub im tiefsten Inkognito hier, bis sich die schlimmste Aufregung gelegt hat. Viel schlauer, als wenn du versucht hättest, sofort ins Ausland zu entwischen. Verständiger Bursche!« Er schwieg einen Augenblick. »Aber du bist doch etwas zu pfiffig gewesen«, fuhr er fort und jetzt war die Stimme nicht mehr weich. »Es lohnt sich niemals, seine Kumpel hintergehen zu wollen. Viele, die das versucht haben, haben in jungen Jahren dran glauben müssen. So war es nicht gemeint, dass drei die Arbeit machen und einer die ganze Pinke für sich behält!«

Der Blasse beugte sich über die Gartentür und betrachtete Onkel Einar mit einem so hasserfüllten Gesichtsausdruck, dass Kalle oben in seinem Baum zu schwitzen begann. »Weißt du, wozu ich Lust hätte?«, sagte er. »Ich hätte Lust, dir eine Kugel in den Bauch zu jagen, so wie du hier gehst und stehst, du langes, feiges Stinktier!«

Onkel Einar schien die Fassung wiederzugewinnen. »Und wozu soll das gut sein?«, sagte er. »Willst du so gern wieder ins Kittchen zurück? Knall mich ab und in fünf Minuten hast du die Polente hier. Was gewinnst du damit? Du glaubst doch wohl nicht, dass ich alles mit mir herumtrage? Nein, tu das kleine Spielzeug da lieber weg« – er zeigte auf den Revolver – »und lass uns vernünftig miteinander reden. Wenn ihr euch anständig benehmt, bin ich vielleicht bereit zu teilen.«

»Dein Edelmut übersteigt alle Grenzen«, höhnte der Blasse. »Du bist bereit zu teilen! Schade, dass du etwas zu spät auf diese glänzende Idee gekommen bist! Ganz und gar zu spät! Denn siehst du, lieber Einar, jetzt sind *wir* es, die nicht teilen wollen! Du kriegst eine kleine Weile Bedenkzeit – seien wir großzügig und sagen wir fünf Minuten – und dann übergibst du uns den ganzen Batzen. Ich hoffe in deinem eigenen Interesse, dass du verstanden hast, was ich gesagt habe.«

»Und wenn ich es nicht verstanden habe? Ich hab es nicht hier, und wenn du mich ins Jenseits beförderst, wird ganz bestimmt niemand da sein, der dir helfen kann, es zu finden.«

»Einar, alter Freund, du glaubst doch wohl nicht, dass ich von gestern bin? Es gibt Mittel, Leute, die keine Vernunft annehmen wollen, zu zwingen, feine Mittel! Ich weiß, was du jetzt denkst. Ich weiß das ebenso gut, als ob ich direkt in deinen verfaulten Schädel reingucken könnte. Du glaubst, du kannst uns noch einmal betrügen! Du glaubst, du kannst uns mit deinem Geschwätz von Teilung aufhalten, und dann verdrückst du dich in aller Stille und schüttelst den Staub der Heimaterde von deinen Füßen, bevor wir es verhindern können! Aber ich will dir was sagen! Wir *werden* dich daran hindern, und zwar auf eine Weise, die du niemals vergessen wirst! Wir bleiben hier in der Stadt, Tjomme und ich. Und du sollst mal sehen, wie oft du uns treffen wirst. Jedesmal, wenn du versuchst, vor diese Gartentür zu gehen, wirst du deine lieben alten Freunde treffen. Und irgendwann haben wir wohl mal Gelegenheit, ungestört miteinander zu reden – meinst du nicht?«

Das ist richtig so, wie es immer in Büchern steht – ein Unheil verkündendes Lächeln, dachte Kalle und betrachtete nachdenklich das Gesicht des Blassen. Er beugte sich vor um besser sehen zu können und im selben Augenblick knackte ein kleiner Zweig. Onkel Einar schaute sich um um festzustellen, woher der Laut gekommen war, und Kalle wurde es eiskalt vor Schreck.

Wenn sie mich bloß nicht entdecken! Bloß nicht! Denn dann werde ich bestimmt liquidiert.

Er begriff, dass seine Situation äußerst gefährlich werden konnte, wenn man ihn entdeckte. Es war nicht anzunehmen, dass ein Mann vom Kaliber des Blassen viel Mitleid mit einem Zeugen haben würde, der das Gespräch der letzten zehn Minuten mit angehört hatte. Zum Glück schien keinem der drei Männer viel daran gelegen zu sein, näher zu untersuchen, wer die kleine Unterbrechung verursacht hatte.

Kalle atmete erleichtert auf. Sein Herz war wieder an seinen normalen

Platz zurückgesunken, als er plötzlich etwas entdeckte, was es ihm wieder mit einem Satz in den Hals fahren ließ.

Unten auf der Straße kam jemand. Eine kleine Gestalt in einem knallroten, viel zu großen Trainingsoverall. Es war Eva-Lotta. Sie schwenkte fröhlich ein nasses Kleid in der Hand und pfiff ihr Lieblingslied: »Es war einmal ein Mädchen und das hieß Josefin.«

»Wenn sie mich bloß nicht bemerkt«, wimmerte Kalle. »Bloß nicht! Wenn sie ›Hallo, Kalle!‹ ruft, dann bin ich erledigt.«

Eva-Lotta kam näher.

Klar, dass sie mich entdeckt. Klar, dass sie zu unserm Kundschafterplatz raufguckt! Ach, ach, warum bin ich bloß hier raufgeklettert!

»Hallo, Onkel Einar«, sagte Eva-Lotta.

Onkel Einar freute sich immer, wenn er Eva-Lotta sah. Aber jetzt sah er nahezu verklärt aus.

»Gut, dass du kommst, kleine Eva-Lotta«, sagte er. »Ich wollte gerade reingehen und sehen, ob deine Mama das Mittagessen fertig hat. Komm, wir gehen zusammen.« Er winkte den beiden vor der Gartentür zu. »Auf Wiedersehen, Jungs«, sagte er. »Ich muss jetzt leider gehen.«

»Auf Wiedersehen, lieber alter Einar«, sagte der Blasse. »Wir treffen uns wieder, da kannst du sicher sein.«

Eva-Lotta sah Onkel Einar fragend an. »Willst du nicht deine Freunde bitten mit reinzukommen und mit uns zu essen?«

»Nein, weißt du, ich glaube nicht, dass sie Zeit haben.«

Onkel Einar nahm Eva-Lottas Hand.

»Ein andermal, kleines Fräulein«, sagte der Unangenehme.

Jetzt... jetzt kommt es drauf an, dachte Kalle, als Eva-Lotta am Ahorn vorbeiging. O Gott!

»Es war einmal ein Mädchen und das hieß Josefin.« Eva-Lotta sang und warf gewohnheitsgemäß einen Blick zur Gabelung im Ahornbaum hinauf, dem Kundschafterplatz der Weißen Rose. Kalle sah direkt in ihre lustigen blauen Augen.

Viele Jahre hatte man den Krieg der Rosen mitgemacht. Man hatte auch an einer Menge furchtbarer Fehden zwischen Indianern und Bleichgesichtern teilgenommen. Man hatte als alliierter Spion während des Weltkrieges Dienst getan. Und man hat zwei Sachen gelernt: sich nicht überraschen lassen und den Mund halten, wenn es nötig ist. Da sitzt ein Verbündeter im Ahorn, aber er hält warnend den Finger vor den Mund und seine ganze Miene ist ein einziges: Sei still!

Eva-Lotta ging mit Onkel Einar weiter.

»Das einz'ge, was sie hatte, das war 'ne Nähmaschin, Nähmaschin-schin-schin, Nähma-Nähma-Nähmaschin.«

10. Kapitel

»Was halten Sie von diesem bemerkenswerten Gespräch, Herr Blomquist?«

Kalle lag auf dem Rücken unter dem Birnbaum in seinem eigenen Garten und es war sein eingebildeter Zuhörer, der ihn interviewte.

»Tja«, sagte Herr Blomquist. »Vor allen Dingen ist klar, dass wir es in diesem Kriminaldrama nicht nur mit einem Schurken zu tun haben, sondern mit drei. Und ich warne Sie, junger Mann (der eingebildete Zuhörer war besonders jung und unerfahren), ich warne Sie! In der nächsten Zukunft wird viel passieren. Es wäre am klügsten, sich abends zu Hause aufzuhalten. Das hier wird sicher ein Kampf auf Leben und Tod, und jemand, der es nicht gewohnt ist, mit dem Abschaum der Menschheit umzugehen, der kann sich die Nerven dabei leicht vollständig ruinieren.«

Herr Blomquist selbst war ja so daran gewöhnt, mit dem Abschaum der Menschheit umzugehen, dass sein Nervensystem widerstandsfähig genug war. Er nahm die Pfeife aus dem Mund und fuhr fort: »Sie verstehen: Diese beiden Herren, Krok und Redig – ja, ich brauche Ihnen wohl nicht zu sagen, dass das natürlich nicht ihre richtigen Namen sind –, also diese beiden feinen Burschen werden Onkel Einar, hm, Einar Lindeberg oder Brane, wie er sich mitunter auch nennt, ordentlich einheizen. Offen gesagt – sein Leben ist in Gefahr!«

»Und welchen Standpunkt werden Sie, Herr Blomquist, in diesem Streit vertreten?«, fragte der Zuhörer voller Respekt.

»Den Standpunkt der menschlichen Gesellschaft, junger Mann! Wie immer! Selbst wenn es um mein Leben gehen sollte!« Der Meisterdetektiv lächelte wehmütig. Im Interesse der menschlichen Gesellschaft hatte er sich schon tausend Toden ausgesetzt, sodass einmal mehr oder weniger keine Rolle spielte. Seine Gedanken gingen weiter. »Aber ich möchte zu gern wissen, was sie von Onkel Einar haben wollen«, sagte er zu sich selbst. Und jetzt war er nicht mehr Herr Blomquist, sondern nur Kalle, ein sehr verwirrter kleiner Kalle, der fand, dass das alles ziemlich unheimlich war.

Da fiel ihm plötzlich die Zeitung ein! Diese Zeitung, die Onkel Einar gleich nach seiner Ankunft gekauft hatte, als sie im Garten der Konditorei saßen! Sie lag sicher verwahrt in Kalles linker Schreibtischschublade. Aber Kalle hatte sich nicht die Mühe gemacht, sie näher zu studieren. »Ein unverzeihlicher Fehler«, wies er sich selbst zurecht und sprang auf. Er erinnerte sich, dass Onkel Einar sich auf die Seite mit den »Letzten Neuigkeiten« gestürzt hatte. Jetzt kam es nur darauf an herauszukriegen, was ihn so interessiert hatte.

»Neuer Atombombenversuch« – kaum! »Brutaler Überfall auf einen alten Mann« – kann es vielleicht das sein? Nein, hier stand ja, dass es zwei junge zwanzigjährige Männer gewesen waren, die einen älteren Herrn überfallen hatten, weil er ihnen keine Zigaretten geben wollte. Da war Onkel Einar sicher nicht mit dabei gewesen.

»Großer Juwelendiebstahl auf Östermalm« – Kalle stieß einen Pfiff aus und überflog in rasender Eile die Notiz.

»Ein großer Juwelendiebstahl fand in der Nacht zum Samstag in einer Wohnung in der Banérstraße statt. Die Wohnung, die einem bekannten Stockholmer Bankier gehört, stand während der Nacht leer, weshalb die Diebe ganz ungestört vorgehen konnten. Es wird vermutet, dass sie sich Zutritt verschafft haben, indem sie die Küchentür mit einem Dietrich öffneten. Die Juwelen im Wert von ungefähr hunderttausend Kronen waren in einem Geldschrank verwahrt, der im Lauf der Nacht, wahrscheinlich zwischen zwei und vier Uhr, aus der Wohnung entfernt wurde. Er wurde am Samstagnachmittag in einem Wald, dreißig Kilometer nördlich der Stadt, gesprengt und seines Inhaltes beraubt wieder gefunden.

Die Einbruchskommission der Kriminalpolizei, die am Samstagmorgen alarmiert wurde, hat noch keine Spur von den Tätern. Man nimmt an, dass mindestens zwei oder noch mehr Personen an dem Coup beteiligt sind, den man als einen der frechsten Diebstähle bezeichnet, die bis jetzt in unserem Land verübt worden sind. Die Kriminalpolizei hat alle Polizeistationen benachrichtigt und an allen Häfen und Grenzübergängen Extrabewachung angeordnet, da man vermutet, dass die Täter sich ins Ausland begeben müssen, um das gestohlene Gut veräußern zu können. Unter den gestohlenen Gegenständen befindet sich ein außerordentlich kostbares Platinarmband mit Brillanten, eine große Anzahl Brillantringe, eine Brosche, bestehend aus vier großen Diamanten in Goldfassung, ein Perlenkollier aus orientalischen Perlen und ein schwerer antiker Hängeschmuck aus Gold mit Smaragden.«

»Ich Rindvieh, ich großes, siebenfaches Rindvieh«, sagte Kalle. »Dass ich das nicht begriffen habe! Lord Peter Wimsey und Hercule Poirot hätten das schon längst herausgehabt! Das braucht man weiß Gott ja nur mit Verstand zu lesen!« Er nahm die Perle in die Hand. Wie konnte man erkennen, ob eine Perle orientalisch war?

Ein Gedanke traf ihn plötzlich wie ein Keulenschlag. »Ich trage es nicht mit mir herum«, hatte Onkel Einar gesagt. Nein, natürlich nicht! Und er, Kalle Blomquist, wusste, wo das alles war, das Armband und die Brillanten und Smaragde und das Platin und wie das Zeug sonst noch hieß. In der Schlossruine natürlich! Natürlich in der Schlossruine! Onkel Einar wagte nicht, es bei sich in seinem Zimmer zu haben. Er musste es an einer sicheren Stelle verstecken. Und der Keller in der Schlossruine war ein guter Platz, da kam nie jemand hin.

Die Gedanken überstürzten sich in Kalles Kopf. Er musste zur Ruine gehen und versuchen all die Kostbarkeiten zu finden, bevor Onkel Einar dazu kam, sie von dort wegzuholen! O Gott, er musste ja auch Onkel Einar und die beiden anderen beschatten, sodass er sie im geeigneten Augenblick verhaften konnte! Wo sollte er die Zeit für das alles hernehmen? Noch dazu mitten im Krieg der Rosen!

Nein, er konnte die Sache ohne Mithelfer nicht bewältigen. Nicht einmal Lord Peter Wimsey wäre allein damit fertig geworden. Er musste Anders und Eva-Lotta einweihen und sie um ihre Hilfe bitten. Sie verhöhnten ihn zwar dauernd wegen seiner Detektivtätigkeit, aber diesmal war es etwas anderes.

Eine kleine innere Stimme sagte Kalle, dass er in diesem Fall seine Mithelfer bei der Polizei suchen sollte, und er wusste, dass die Stimme Recht hatte. Aber wenn er nun zur Polizei ginge und alles erzählte – würden sie ihm glauben? Würden sie ihn nicht auslachen, wie es Erwachsene immer taten? Kalle hatte allzu traurige Erfahrungen bei früheren Versuchen in der Detektivbranche gemacht. Keiner wollte glauben, dass man etwas ausrichten konnte, wenn man erst dreizehn Jahre alt war. Nein, er wollte lieber warten, bis er noch mehr Indizien hatte. Vorsichtig legte Kalle die Perle in den Schubkasten zurück. Schau, da hatte er ja auch Onkel Einars Fingerabdruck! Wer weiß, wann er ihm zustatten kommen würde. Kalle war froh, dass er so umsichtig gewesen war, sich den zu verschaffen.

»Die Polizei hat noch keine Spur von den Tätern«, hatte in der Zeitung gestanden. Nee, nee, das war ja das Übliche! Aber vielleicht war es ihr wenigstens gelungen, sich einige Fingerabdrücke am Tatort zu sichern! Fingerabdrücke! Wenn ein Einbrecher schon früher mit der Polizei in Konflikt geraten war, dann befanden sich seine Fingerabdrücke im Polizeiregister und dann brauchte man sie nur mit denen zu vergleichen, die man am Tatort gefunden hatte, und die Sache war klar! Dann konnte man im Handumdrehen sagen: »Diesen Einbruch hat Fredrik mit dem Fuß begangen!« Natürlich nur, wenn es Fredriks Fingerabdrücke waren, die man fand. Es konnte jedoch auch sein, dass von dem, der den Einbruch verübt hatte, keine Fingerabdrücke im Polizeiregister waren und dann machte die Sache schon weniger Spaß. Aber hier saß nun Kalle mit dem Abdruck von Onkel Einars Daumen auf einem Stück Papier, einem sehr deutlichen und guten Abdruck. Und langsam entwickelte sich ein Gedanke in ihm. Man könnte ja der armen Polizei etwas auf die Sprünge helfen, da sie »noch keine Spur von den Tätern hatte«. Wenn es sich wirklich um den Einbruch in der Banérstraße handelte, an dem Onkel Einar beteiligt war – seiner Sache absolut sicher war Kalle natürlich nicht, aber die Indizien wiesen darauf hin –, dann würde die Stockholmer Polizei vielleicht gern das kleine Stück Papier mit Onkel Einars Daumenabdruck haben wollen. Kalle holte Papier und Federhalter hervor. Und dann schrieb er: »An die Kriminalpolizei Stockholm«.

Er kaute eine Weile am Federhalter. Jetzt kam es darauf an, sich so auszudrücken, dass sie glaubten, es sei ein Erwachsener, der den Brief geschrieben hatte. Sonst warfen sie den Brief wahrscheinlich in den Papierkorb, die Dummköpfe! Kalle schrieb weiter:

»Wie den Zeitungen zu entnehmen ist, scheint ein Einbruch in der Banérstraße daselbst gewesen zu sein. Nachdem Sie sich vielleicht ein paar Fingerabdrücke gesichert haben, schicke ich hiermit einen dito in der Hoffnung, dass er mit einem von Ihren übereinstimmt. Weitere Aufklärungen liefert gratis und franko

Karl Blomquist, Privatdetektiv
Adr.: Hauptstraße 14, Kleinköping.«

Er zögerte etwas, bevor er »Privatdetektiv« hinschrieb. Aber da die Stockholmer Polizei ihn ja niemals sehen würde, konnte sie ebenso gut glauben, dass der Brief von Herrn Blomquist, Privatdetektiv, geschrieben worden war und nicht von Kalle, dreizehn Jahre alt.

»So«, sagte Kalle und klebte den Briefumschlag zu.
Und jetzt schnell zu Anders und Eva-Lotta.

11. Kapitel

Anders und Eva-Lotta saßen auf dem Dachboden der Bäckerei, dem Hauptquartier der Weißen Rose. Das war ein wunderbar gemütlicher Aufenthaltsort. Außer als Hauptquartier diente die alte Bodenkammer auch als Warenlager und als Sammelstelle für allerlei ausgediente Möbel. Da stand eine weiße Kommode, die kürzlich aus Eva-Lottas Zimmer verwiesen worden war, alte Stühle standen zusammengedrängt in einer Ecke, auch ein übel mitgenommener Esstisch war da, auf dem man bei Regenwetter Pingpong spielen konnte. Aber jetzt hatten Anders und Eva-Lotta keine Zeit für Pingpong. Sie waren eifrig damit beschäftigt, »heimliche Urkunden« herzustellen. Als sie fertig waren, legte Anders sie in einen Blechkasten, der das kostbarste Eigentum der Weißen Rose war. Da waren Erinnerungen an frühere Kriege der Rose verwahrt, Friedensverträge, heimliche Karten, Steine mit merkwürdigen Zeichen und eine ganze Menge anderer Sachen, die für den Uneingeweihten wie Plunder aussahen. Aber für die Mitglieder der Weißen Rose bestand der Inhalt des Kastens aus lauter Kleinodien, für die man bereit war Leben und Blut zu opfern. Der Chef trug Tag und Nacht den Schlüssel des Kästchens an einer Schnur um den Hals.

»Wo steckt eigentlich Kalle?«, fragte Anders und legte ein neu angefertigtes Dokument in den Kasten.

»Er saß vor einer Weile noch im Ahorn«, sagte Eva-Lotta.

Im selben Augenblick kam Kalle angerannt.

»Hört auf damit«, keuchte er. »Wir müssen sofort mit den Roten Frieden schließen. Schlimmstenfalls müssen wir bedingungslos kapitulieren.«

»Bist du verrückt geworden?«, sagte Anders. »Wir haben ja eben erst angefangen.«

»Das hilft nichts. Wir müssen uns um wichtigere Sachen kümmern. Eva-Lotta, hast du Onkel Einar furchtbar gern?«

»Gern haben?«, sagte Eva-Lotta. »Warum sollte ich ihn denn so furchtbar gern haben?«

»Ja, er ist ja doch der Cousin von deiner Mutter!«

»Was das angeht – ich glaub nicht, dass Mama ihn gern hat«, sagte Eva-Lotta. »Und da brauch ich ja auch nicht besonders entzückt von ihm zu sein. Aber warum fragst du?«

»Dann bist du nicht böse, wenn ich dir sage, dass Onkel Einar ein Verbrecher ist?«

»Na, nu hör auf, Kalle«, sagte Anders. »Es *war* Fredrik mit dem Fuß, der die Kollekte geklaut hat, nicht Onkel Einar!«

»Halt's Maul! Lies das hier, bevor du dich äußerst«, sagte Kalle und gab ihm die Zeitung. Anders und Eva-Lotta lasen die Notiz »Großer Juwelendiebstahl auf Östermalm«.

»Und jetzt hört mal zu«, sagte Kalle.

»Fühlst du dich sonst ganz gesund?«, fragte Anders teilnahmsvoll. Er wies mit dem schmutzigen Zeigefinger auf eine andere Notiz: »›Wütende Kuh verursacht Panik.‹ Glaubst du nicht, dass das auch Onkel Einar gewesen sein kann?«

»Halt's Maul, sage ich. Eva-Lotta, du hast die beiden Kerle gesehen, die vor der Gartentür gestanden und eben mit Onkel Einar gesprochen haben? Das waren seine Mittäter, und Onkel Einar hat sie irgendwie betrogen. Sie nennen sich Krok und Redig und sie wohnen im Hotel. Und die Juwelen sind in der Schlossruine.« Die Worte sprudelten nur so aus Kalle heraus.

»In der Schlossruine? Du hast doch gesagt, dass sie im Hotel wohnen?«, sagte Anders.

»Krok und Redig, ja! Aber die Juwelen, du Rindvieh, das sind ja Smaragde und Platin und Diamanten! Himmel, wenn ich daran denke, Juwelen für beinahe hunderttausend Kronen da unten im Keller!«

»Woher weißt du das?«, fragte Anders äußerst zweifelnd. »Hat Onkel Einar das gesagt?«

»Etwas kann man sich auch selbst zusammenreimen«, sagte Kalle. »Wenn man ein Kriminalrätsel lösen will, muss man immer mit dem Wahrscheinlichen rechnen.«

Das war Meisterdetektiv Blomquist, der eben mal seine Nase reingesteckt hatte, aber er verschwand bald wieder und zurück blieb Kalle, eifrig gestikulierend und fürchtend, dass er die anderen beiden nicht würde überzeugen können. Es dauerte eine ganze Weile. Aber schließlich gelang es ihm. Nachdem er alles erzählt und über seine Beobachtungen Bericht erstattet hatte, über seinen nächtlichen Besuch bei Onkel Einar, den Perlenfund in der Ruine und das Gespräch, das er oben im Ahornbaum belauscht hatte, war sogar Anders beeindruckt.

»Wahrhaftig, der Junge wird Detektiv, wenn er groß ist«, sagte er anerkennend. Dann begannen seine Augen zu leuchten. »Du liebe Zeit, was für Zukunftsaussichten! Für den Krieg der Rosen haben wir jetzt keine Zeit.«

»Aha, jetzt weiß ich es«, sagte Eva-Lotta. »Das ist der Grund, weshalb ich die Keksdosen nicht in Ruhe lassen kann. Ich bin ein Langfinger, genau wie Onkel Einar. So ist das, wenn man mit einem Verbrecher verwandt ist. Aber aus dem Haus muss er und das sofort! Stellt euch vor, der klaut die Silberbestecke!«

»Du musst dich noch eine Weile gedulden«, sagte Kalle. »Übrigens hat er an wichtigere Sachen zu denken als an Silberbestecke, das kannst du mir glauben. Er ist in einer schrecklichen Klemme, denn Krok und Redig bewachen ihn wie ihren Augenstern.«

»Also deswegen hat er sich nach dem Essen hingelegt! Er hat gesagt, er ist krank.«

»Du kannst dich darauf verlassen, er hat sich wirklich krank gefühlt«, sagte Anders. »Aber jetzt müssen wir vor allen Dingen mit den Roten Frieden schließen. Du, Eva-Lotta, kannst die Parlamentärfahne hissen und hingehen und die Sache ins Reine bringen. Die werden natürlich glauben, dass wir verrückt geworden sind.«

Eva-Lotta band gehorsam ein weißes Taschentuch an einen Stock und marschierte zu Sixtens Garage, wo ihr Angebot bedingungsloser Kapitulation sowohl mit Verwunderung als auch mit Missvergnügen entgegengenommen wurde.

»Seid ihr krank?«, fragte Sixten. »Jetzt, wo wir gerade so schön in Gang gekommen sind!«

»Wir ergeben uns bedingungslos«, sagte Eva-Lotta. »Ihr habt gewonnen. Aber wir werden euch bald wieder beleidigen und dann rappelt's im Karton!«

Sixten setzte widerwillig einen Friedensvertrag mit äußerst harten Bedingungen für die Weißen auf: Sie sollten bei Auszahlung des wöchentlichen Taschengeldes auf die Hälfte verzichten, zwecks Einkaufs von gemischten Bonbons für die Roten. Wenn sie einem der Roten auf der Straße begegneten, sollten sich die Weißen außerdem dreimal tief verbeugen und sagen: »Ich weiß, dass ich nicht würdig bin, denselben Boden zu betreten wie du, o Herr!«

Eva-Lotta unterzeichnete den Vertrag im Auftrag der Weißen, drückte dem Chef der Roten feierlich die Hand und rannte zum Bäckereiboden zurück. Als sie durch die Gartentür lief, konnte sie nicht vermeiden einen von Onkel Einars »Freunden« zu sehen, der gegenüber auf dem Bürgersteig stand.

»Der Wachtdienst ist in vollem Gang«, rapportierte sie.

»Das hier wird sicher ein Krieg, der besser ist als der Krieg der Rosen«, sagte Anders zufrieden. »Du, Kalle, was wollen wir jetzt machen?«

Obwohl Anders sonst der Chef war, sah er ein, dass er sich in diesem speziellen Fall Kalle unterordnen musste.

»Vor allen Dingen die Juwelen finden! Wir müssen zur Schlossruine. Aber einer muss zu Hause bleiben und Onkel Einar und die andern beiden überwachen.«

Kalle und Anders sahen Eva-Lotta auffordernd an.

»Auf keinen Fall!«, sagte Eva-Lotta sofort. »Ich will mitgehen und die Juwelen suchen. Außerdem liegt Onkel Einar im Bett und tut so, als ob er krank wäre. Es wird also nichts passieren, während wir weg sind.«

»Wir legen eine Streichholzschachtel vor seine Tür«, schlug Kalle vor. »Wenn sie noch genauso daliegt, wenn wir nach Hause kommen, dann wissen wir, dass er nicht weg gewesen ist.«

»Mit Hacke und mit Spaten, so ziehn wir fröhlich aus«, sang Anders, als sie eine Weile später die schmale Treppe zur Ruine hinaufliefen.

»Wenn wir jemand treffen, sagen wir, dass wir nach Regenwürmern graben wollen«, sagte Kalle.

Aber sie trafen niemand und die Ruine lag einsam und verlassen da wie immer. Es war kein anderer Laut zu hören als das Summen der Hummeln.

Plötzlich fiel Anders etwas ein. »Wie in aller Welt sollen wir in den Keller runterkommen? Du hast ja gesagt, dass die Juwelen dort sein müssen, Kalle. Wie bist *du* damals reingekommen, als du die Perle gefunden hast?«

Das war Kalles großer Augenblick. »Ja, wie pflegt man durch geschlossene Türen zu kommen?«, sagte er überlegen und holte den Dietrich hervor.

Das imponierte Anders mehr, als er eigentlich zugeben wollte. »Kreuzdonnerwetter!«, sagte er, und Kalle fasste das als Kompliment auf.

Die Tür bewegte sich in ihren Angeln – der Durchgang war frei. Und wie eine Koppel Jagdhunde stürzten Kalle, Anders und Eva-Lotta die Treppe hinunter.

Nachdem sie zwei Stunden gegraben hatten, legte Anders den Spaten fort.

»Ja, jetzt sieht der Fußboden wie ein besseres Kartoffelfeld aus. Aber ich habe niemals irgendwo so wenig Diamanten gesehen wie hier. Woran das nun liegen mag!«

»Du kannst doch wohl nicht erwarten, dass wir sie sofort finden!«, sagte Kalle. Aber auch er war entmutigt. Sie hatten jeden Zoll des Fußbodens in dem großen Kellerraum, der unter der Treppe lag, umgegraben. Dies war der eigentliche Keller. Aber von da aus zweigten lange, dunkle, zum Teil eingefallene Gänge ab, die in Krypten, Gewölbe und Gefängnishöhlen führten. Diese Gänge sahen nicht so besonders verlockend aus, aber es war natürlich möglich, dass Onkel Einar aus reiner Vorsicht seinen Schatz irgendwo weiter hinten im Keller vergraben hatte. Und da konnten sie ein ganzes Jahr danach suchen. Wenn er ihn überhaupt in der Schlossruine versteckt hatte. In Kalle kam leiser Zweifel auf.

»An welcher Stelle hast du die Perle gefunden?«, fragte Eva-Lotta.

»Dort, bei der Treppe«, sagte Kalle. »Aber da haben wir ja alles umgegraben.«

Eva-Lotta sank gedankenvoll auf die unterste Treppenstufe nieder. Die Steinplatte, die die unterste Treppenstufe bildete, war offenbar nicht befestigt, denn sie wackelte etwas, als sie sich darauf setzte. Eva-Lotta schoss wieder hoch.

»Das ist ja wohl nicht möglich...«, begann sie und griff mit eifrigen Händen um die Steinplatte. »Sie ist lose, seht doch bloß!«

Zwei Paar Arme kamen ihr zu Hilfe. Die Steinplatte wurde zur Seite geschoben und eine Menge Kellerasseln krochen schnell nach allen Seiten davon.

»Grab hier!«, sagte Kalle aufgeregt zu Anders. Anders nahm den Spaten und stieß ihn mit aller Kraft da in die Erde, wo die Steinplatte gelegen hatte. Er stieß auf Widerstand.

»Das ist natürlich ein Stein«, sagte Anders und er zitterte etwas, als er seinen Finger in die Erde steckte um nachzufühlen. Aber es war kein Stein. Es war… Anders betastete den Gegenstand mit erdigen Händen – es war ein Blechkasten. Er hob ihn hoch – es war genau der gleiche wie der Reliquienschrein der Weißen Rose.

Kalle brach das atemlose Schweigen.

»Das ist ein Ding!«, sagte er. »Er hat unsern Kasten geklaut, der Gauner!«

Anders schüttelte den Kopf. »Nein, das ist nicht unsrer. Den hab ich vor einer Weile mit meinen eigenen Händen abgeschlossen.«

»Aber es ist genau der Gleiche«, sagte Eva-Lotta.

»Dann – hat er ihn im Eisenwarengeschäft gekauft, gleichzeitig mit der Taschenlampe«, sagte Kalle. »Sie haben solche Kästen im Eisenwarengeschäft.«

»Ja, da haben wir unseren auch gekauft«, sagte Eva-Lotta.

»Mach ihn auf, bevor ich durchdrehe«, sagte Kalle.

Anders befühlte den Kasten. Er war verschlossen. »Ob der gleiche Schlüssel für all diese Blechkästen passt?« Er riss den Schlüssel hervor, der an einer Schnur um seinen Hals hing.

»Oh«, sagte Eva-Lotta. »Oh!«

Kalle atmete, als ob er lange gerannt war. Anders steckte den Schlüssel hinein und drehte um. Er passte.

»Oh«, sagte Eva-Lotta. Und als Anders den Deckel hob: »Nein, nein – das ist ja… das ist ja wie in Tausendundeiner Nacht!«

»Ja, so sieht das also aus – Smaragde und Platin«, sagte Kalle andächtig. Da lag alles genau so, wie es in der Zeitung gestanden hatte. Broschen und Ringe und Armbänder und ein zerrissenes Perlenkollier mit Perlen, ganz genau wie die, die Kalle gefunden hatte.

»Hunderttausend Kronen!«, flüsterte Anders. »Junge, das ist ja fast unheimlich!«

Eva-Lotta ließ die Juwelen zwischen ihren Fingern durchgleiten. Sie nahm ein Armband und streifte es über ihren Arm und sie steckte eine Diamantbrosche an ihr blaues Baumwollkleid. Sie steckte einen Ring an jeden ihrer zehn Finger und so geschmückt stellte sie sich vor die kleine Luke, durch die Sonnenlicht hereinströmte. Es glänzte und funkelte um sie herum.

»Oh, wie wunderbar! Seh ich nicht aus wie die Königin von Saba? Wenn ich wenigstens einen einzigen kleinen Ring hätte!«

»Frauen, guck dir das an!«, sagte Anders.

»Wir haben jetzt keine Zeit für so was«, sagte Kalle. »Wir müssen schnell von hier weg. Stellt euch vor, Onkel Einar kommt plötzlich auf die Idee, sich hierher zu schleichen und den Schrein auszugraben! Stellt euch vor, er kommt jetzt gleich! Das wäre ungefähr ebenso angenehm, wie einem bengalischen Tiger zu begegnen, was?«

»Ich würde den Tiger vorziehen«, sagte Anders. »Aber Onkel Einar wagt nicht auszugehen, wie du weißt. Denn Krok und Redig stehen da und lauern ihm auf.«

»Jedenfalls«, sagte Kalle, »müssen wir sofort zur Polizei.«

»Polizei!« Anders' Stimme drückte höchstes Missvergnügen aus. »Du denkst doch wohl nicht, dass wir die Polizei reinziehen wollen, jetzt, wo es gerade interessant wird!«

»Das hier ist kein Krieg der Rosen«, sagte Kalle nüchtern. »Wir müssen augenblicklich zur Polizei gehen. Die Schurken müssen verhaftet werden, das musst du doch begreifen!«

Anders kratzte sich hinterm Ohr. »Könnten wir sie nicht in eine Falle locken und dann zur Polizei sagen: Hier, bitte schön, habt ihr drei prima Banditen, die wir für euch gefangen haben!«

Kalle schüttelte den Kopf. Ach, wie viele Male hatte der Meisterdetektiv Blomquist nicht auf eigene Faust Dutzende von schweren Verbrechern unschädlich gemacht! Aber Meisterdetektiv Blomquist war die eine Person und Kalle die andere. Und mitunter war Kalle ein praktischer und verständiger junger Mann.

»Wie du willst!« Anders beugte sich widerwillig der Sachkenntnis, die Kalle immerhin auf kriminalistischem Gebiet repräsentierte.

»Aber dann«, sagte Eva-Lotta, »wollen wir mit Björk sprechen. Er und niemand anders soll uns helfen. Dann wird er danach vielleicht Oberwachtmeister!«

Anders betrachtete das Resultat der stundenlangen Graberei. »Was wollen wir damit machen? Kartoffeln setzen oder alles wieder zuschaufeln?«

Kalle meinte, dass es wohl am klügsten wäre, die Spuren ihres Besuches im Keller notdürftig zu verwischen.

»Aber beeil dich«, sagte er. »Es macht mich ganz nervös, hier zu stehen und einen Blechkasten mit hunderttausend Kronen in den Händen zu halten. Ich will so schnell wie möglich weg von hier.«

»Wie wollen wir es mit dem Kasten machen?«, fragte Eva-Lotta. »Wir können doch nicht einfach so mit ihm angeschleppt kommen. Wo wollen wir ihn verstecken, bis wir mit Björk gesprochen haben?«

Nachdem man eine Weile beratschlagt hatte, wurde beschlossen, dass Anders den kostbaren Kasten ins Hauptquartier der Weißen Rose auf dem Bäckereiboden bringen sollte, während Kalle und Eva-Lotta losgingen um Wachtmeister Björk aufzusuchen.

Anders zog sein Hemd aus und wickelte es um den Kasten. Nur in Hosen, mit dem Spaten in der einen Hand und dem in das Hemd eingewickelten Kasten in der anderen, trat er den Rückzug an. »Die glauben sicher, dass ich Regenwürmer ausgegraben habe, wenn ich jemand treffe«, sagte er hoffnungsvoll.

Kalle schlug die Tür zu. »Etwas ist schade«, sagte er.

»Was denn?«, fragte Eva-Lotta.

»Dass wir nicht sehen können, was Onkel Einar für ein Gesicht macht, wenn er kommt, um den Kasten zu holen.«

»Ja, das wäre fünfundzwanzig Öre wert!«

Auf der Polizeiwache herrschte Ruhe und Frieden. Ein Wachtmeister saß da und löste Kreuzworträtsel, als ob es keine Verbrechen in der Welt gäbe. Aber es war nicht Björk.

»Ist Wachtmeister Björk zu sprechen?« Kalle verbeugte sich höflich.

»Er ist auf Dienstreise und kommt morgen zurück. Aber weißt du ein mythologisches Wunder mit acht Buchstaben?« Der Wachtmeister biss in den Bleistift und sah Kalle an.

»Nein, ich komme wegen einer ganz anderen Angelegenheit«, sagte Kalle.

»Ja, wie gesagt, Björk kommt morgen wieder. Aber einen weiblichen Krieger mit sieben Buchstaben?«

»Eva-Lotta«, sagte Kalle. »Ach nein, das sind acht Buchstaben! Danke, wir kommen morgen wieder!«

Kalle zog Eva-Lotta mit sich hinaus. »Man kann über solche Sachen nicht mit einem Hanswurst reden, der sich nur für mythologische Wunder interessiert«, sagte er.

Eva-Lotta war derselben Meinung. Sie einigten sich, dass es wohl kein Risiko wäre, mit der Anzeige bis zum nächsten Tag zu warten. Onkel Einar lag ja in sicherem Gewahrsam in seinem Bett.

»Und da steht Krok vor dem Uhrengeschäft«, flüsterte Kalle Eva-Lotta zu. »Hast du je im Leben so eine Visage gesehen?«

»Das ist fein, dass die Schurken sich gegenseitig bewachen«, sagte Eva-Lotta. »Das ist genauso, wie das Sprichwort sagt: Wenn die Unschuld schläft, halten Engel Wache!«

Kalle befühlte seine Armmuskeln. »Aber morgen, Eva-Lotta! Da geht es um Leben und Tod!«

12. Kapitel

Der Tag versprach ungewöhnlich heiß zu werden. Die Levkojen auf dem Beet in Bäckers Garten ließen schon am Morgen die Köpfe hängen. Nicht ein Lüftchen bewegte sich und sogar Tusse zog es vor, im Schatten auf der Veranda zu bleiben, wo Frida gerade dabei war, den Frühstückstisch zu decken. Eva-Lotta kam angelaufen, nur mit dem Nachthemd bekleidet, noch mit dem Muster des Kopfkissens auf der Wange.

»Wissen Sie, Frida, ob Onkel Einar schon wach ist?«

Frida sah geheimnisvoll aus.

»Frag lieber, ob er eingeschlafen ist! Gerade das ist er eben nicht! Ich will dir was sagen, Eva-Lotta: Herr Lindeberg hat heute Nacht gar nicht in seinem Bett gelegen.«

Eva-Lotta riss die Augen auf. »Wie meinen Sie das, Frida? Wie können Sie das denn wissen?«

»Ja, ich war drin und wollte ihm Rasierwasser bringen. Und da war das Zimmer leer und das Bett war genauso, wie ich es gestern Abend zurechtgemacht hatte, nachdem er fortgegangen war. Gegen Abend, da wurde er nämlich wieder gesund.«

»Ist er gestern Abend ausgegangen? Als ich schon im Bett war?« Eva-Lotta wurde so eifrig, dass sie Fridas Arm ergriff.

»Ja, ja doch! Wahrscheinlich wegen des Briefes, den er bekommen hat. Himmel, ich hab ja Salz und Zucker vergessen!«

»Was für ein Brief, Frida? Nein, gehen Sie nicht! Was war das für ein Brief?« Eva-Lotta schüttelte Fridas Arm.

»Schrecklich, wie neugierig du bist, Eva-Lotta! Ich weiß nicht, was das für ein Brief war. Ich lese nämlich andrer Leute Briefe nicht. Aber vor der Gartentür standen zwei Männer, als ich gestern Abend vom Milchholen kam. Und die haben mich gebeten, Herrn Lindeberg einen Brief zu geben, und das hab ich natürlich getan und da war er auf einmal gesund. So war das!«

Eva-Lotta brauchte eine Minute um sich anzuziehen und ungefähr ebenso viel Zeit um zu Kalle rüberzurennen. Anders war schon da.

»Was sollen wir machen? Onkel Einar ist verschwunden! Und wir haben ihn noch nicht verhaftet!«

Die Nachricht schlug ein wie ein Blitz.

»Hab ich mir das nicht gleich gedacht?«, sagte Anders wütend. »Das ist genauso wie damals im Frühjahr, als ich den Hecht am Haken hatte und er sich im letzten Augenblick losriss!«

»Ruhe! Besinnung!«, mahnte Kalle – ja, das war eigentlich Meisterdetektiv Blomquist, der ein kleines Gastspiel gab. »Methodische Arbeit, das ist das einzig Vernünftige! Wir wollen erst mal eine Haussuchung bei Lindeberg – ich meine, Onkel Einar – vornehmen!«

Der Ordnung halber kontrollierte Kalle, ob keiner der Herren Krok und Redig auf dem Bürgersteig Posten stand. Der Wachtdienst hatte offenbar aufgehört.

»Das Bett unberührt, der Reisekoffer noch hier«, summierte Kalle, nachdem sie sich in Onkel Einars Zimmer geschlichen hatten. »Es sieht so aus, als ob er zurückkommen wollte. Aber das kann natürlich auch eine Finte sein.«

Anders und Eva-Lotta setzten sich auf die Bettkante und schauten düster vor sich hin.

»Nein, er kommt sicher nie wieder«, sagte Eva-Lotta. »Aber die Juwelen haben wir wenigstens gerettet.«

Kalle schnüffelte mit Stielaugen im Zimmer herum. Der Papierkorb natürlich! Reine Routinearbeit! Da lagen ein paar leere Zigarettenschachteln, einige abgebrannte Streichhölzer und eine alte Zeitung. Und dann ein ganzer Haufen winziger Papierfetzen!

Kalle stieß einen Pfiff aus. »Jetzt wollen wir Puzzle spielen«, sagte er. Er sammelte die kleinen Papierfetzen und legte sie vor sich auf den Schreibtisch. Anders und Eva-Lotta rückten interessiert näher.

»Glaubst du, dass das der Brief sein kann?«, fragte Eva-Lotta.

»Das werden wir gleich sehen!« Kalle hantierte mit den Papierfetzen – er bekam hier ein Wort und da ein Wort zusammen.

Es *war* der Brief. Bald hatte er sein Puzzlespiel fertig. Drei Köpfe beugten sich eifrig darüber und lasen:

»Einar, alter Freund!

Wir haben uns die Sache überlegt, Tjomme und ich. Wir wollen teilen! Allerdings hast du dich wie ein Schwein benommen und wenn wir nur ein bisschen mehr Zeit hätten, dann würden wir bestimmt alles aus dir rausquetschen. Aber, wie gesagt, wir teilen! Das ist für uns alle das Beste, besonders für dich. Ich hoffe, dass du das begreifst. Aber merk dir: keine Tricks! Versuchst du noch mal uns zu begaunern, dann bist du fertig mit diesem Erdenleben, darauf geb ich dir mein Wort! Reines Spiel diesmal! Wir warten auf dich vor der Gartentür. Beeil dich und bring den Kram mit, dann verschwinden wir sofort.

Artur.«

»Aha, die Schurken haben sich wieder zusammengetan«, sagte Kalle. »Aber nach dem Kram können sie lange suchen!«

»Ich möchte wissen, wo sie jetzt sind«, sagte Anders. »Ob sie vielleicht schon aus der Stadt abgehauen sind? Ich kann mir denken, dass sie wütend sind wie Hornissen.«

»Und wie die sich den Kopf darüber zerbrechen werden, wer die Juwelen weggeholt hat!« Eva-Lotta sah sehr zufrieden aus bei dem Gedanken.

»Wollen wir zur Ruine raufschleichen und nachsehen, ob sie noch hier sind und suchen? Wenn ja, dann hetzen wir augenblicklich die Polizei auf sie«, sagte Anders. Doch jetzt fiel ihm etwas ein. »Aber wie können sie in den Keller kommen, wenn Onkel Einar seinen Dietrich nicht mehr hat?«

»Ach, solche Kerle wie Krok und Redig sind sicher von Kopf bis Fuß mit Dietrichen behängt, das kannst du dir doch denken«, sagte Kalle. Er sammelte sorgfältig alle Papierfetzen zusammen und legte sie in eine Zigarettenschachtel, die er in seine Tasche steckte. »Das ist ein Indiz – versteht ihr?«, sagte er erklärend zu Anders und Eva-Lotta.

Es war drückend heiß in der Sonne. Anders, Kalle und Eva-Lotta keuchten. Sie wagten nicht den gewöhnlichen Weg wie sonst zu benutzen um zur Ruine hinaufzugehen, weil sie nicht riskieren wollten, die drei Juwelendiebe zu treffen.

»Das wäre wirklich unangenehm«, sagte Kalle. »Sie könnten uns verdächtigen und das wäre das Schlimmste, was uns passieren kann. Denn der Redig sieht nicht so aus, als ob er dulden würde, dass jemand sich in seine Angelegenheit mischt.«

»Nee, ich glaub nicht, dass sie noch da sind«, sagte Anders. »Ich glaub, die haben's mit der Angst zu tun gekriegt, als sie sahen, dass die Juwelen weg waren. Wenn Onkel Einar sie nicht auf eine falsche Spur geführt hat!«

Es war mühsam, den steilen Abhang hinaufzuklettern. Aber es war notwendig, wenn man nicht den Weg benutzen wollte. Man musste klettern und kriechen und sich am Gebüsch festhalten und sich gegen Steine stemmen. Und warm war es, schrecklich warm! Eva-Lotta bekam Hunger. Sie hatte keine Zeit gehabt etwas zu essen, bevor sie von zu Hause fortging, sie hatte nur ein paar Zimtwecken in ihre Kleidertasche gesteckt.

Da lag die Ruine. Es war einer der Vorteile, wenn man nicht den Weg benutzte, dass man oben hinter der Ruine ankam und sich anschleichen und vorsichtig um die Ecke sehen konnte, ob sich etwas Gefährliches zeigte. Aber alles war ruhig. Die Hummeln summten wie immer, die Heckenrosen dufteten wie immer, die Tür zum Keller war verschlossen wie immer.

»Was hab ich gesagt! Sie sind weg! Dass wir sie nicht gestern Abend verhaftet haben, wird mich bis an mein Lebensende ärgern«, sagte Anders.

»Wir müssen in den Keller runter und sehen, ob wir Spuren von ihnen finden«, sagte Kalle und holte den Dietrich hervor.

»Du gehst mit dem Dietrich um wie der schlimmste Einbrecher«, sagte Anders voller Bewunderung, als sich die Tür öffnete.

Alle drei drängten sich gleichzeitig die Treppe hinunter. Im selben Augenblick hörte man einen gellenden Schrei, der die ganze Ruine erfüllte. Wer schrie, das war Eva-Lotta. Und weshalb schrie sie? Da lag jemand auf dem Fußboden. Onkel Einar lag dort. Seine Hände waren auf den Rücken gebunden und fest zusammengeschnürt. Seine Beine waren mit starken Stricken gefesselt. Und in seinen Mund war ein Taschentuch gestopft.

Der erste Impuls der Kinder war, die Flucht zu ergreifen. Onkel Einar war ja jetzt ihr Feind, das war ihnen klar. Aber ihr Feind war in seinem jetzigen Zustand vollständig wehrlos. Er starrte sie mit blutunterlaufenen Augen an. Kalle ging hin und befreite ihn von dem Taschentuch. Onkel Einar stöhnte. »Oh, diese Lumpen, was die mit mir gemacht haben! Himmel, meine Arme! Nehmt mir die Stricke ab!«

Eva-Lotta wollte zu ihm hin. Aber Kalle hielt sie auf. »Einen Augenblick«, sagte er. Er sah äußerst verlegen aus. »Entschuldige, Onkel Einar, aber wir müssen wohl erst die Polizei holen.« Er fand, dass es etwas ganz Unerhörtes war, dass er es wagte, so etwas zu einem Erwachsenen zu sagen.

Onkel Einar fluchte einen langen Fluch. Dann stöhnte er wieder. »Ach so, euch habe ich das kleine Vergnügen hier zu verdanken! Das hätte ich mir denken können. Meisterdetektiv Blomquist!« Es war unangenehm, sein Stöhnen mit anzuhören. »Zum Teufel, steht nicht da und glotzt!«, schrie er. »Holt doch die Polizei, ihr Schnüffler! Ihr könntet mir wenigstens etwas Wasser geben!«

Anders lief, so schnell ihn seine Beine trugen, hinauf zu dem alten Brunnen auf dem Burghof. Da gab es klares, frisches Wasser und eine große eiserne Kelle, aus der man trinken konnte.

Onkel Einar trank, als ob er niemals vorher in seinem Leben Wasser gesehen hätte, als Anders die Kelle an seinen Mund führte. Aber dann fing er wieder an zu jammern.

»Oh, meine Arme!«

Das war mehr, als Kalle aushalten konnte. »Wenn du fest versprichst, dass du nicht versuchst abzuhauen, dann können wir vielleicht den Strick von deinen Armen losmachen.«

»Ich verspreche, was ihr wollt«, sagte Onkel Einar.

»Und im Übrigen hat es keinen Zweck, es zu versuchen, denn wenn einer von uns zur Polizei geht, dann sind wir immer noch zwei, die Wache halten. Und deine Beine sind ja gebunden.«

»Dein Beobachtungsvermögen verdient alles Lob«, sagte Onkel Einar. Es gelang Anders, wenn auch mit etwas Mühe, den Strick zu lösen, mit dem Onkel Einars Arme festgeschnürt waren. Als der Strick gelockert war, schienen die Schmerzen noch stärker zu sein als vorher, denn Onkel Einar saß eine ganze Weile da und wiegte seinen Oberkörper hin und her und jammerte.

»Wie lange hast du hier so gelegen?«, fragte Eva-Lotta und ihre Stimme zitterte.

»Seit gestern Abend, meine schöne junge Dame«, sagte Onkel Einar. »Und das dank eurer Einmischung.«

»Ja, das ist unangenehm«, sagte Kalle. »Entschuldige, bitte, aber jetzt müssen wir die Polizei holen!«

»Könnten wir nicht über die Sache reden?«, fragte Onkel Einar. »Wie zum Teufel habt ihr es übrigens fertig gebracht, die ganze Geschichte auszuschnüffeln? Na egal, wie, aber es ist klar, dass ihr die Juwelen genommen habt und es ist vor allen Dingen das Wichtigste, dass sie wieder zum Vorschein kommen. Herr Meisterdetektiv, könnten Sie nicht einen armen Sünder um unserer alten Freundschaft willen freilassen?«

Die Kinder standen stumm da.

Onkel Einar wandte sich an Eva-Lotta. »Du willst doch nicht, dass einer aus der Familie im Gefängnis landet?«

»Wenn man etwas verbrochen hat, dann muss man auch seine Strafe haben«, sagte Eva-Lotta.

»Das Einzige, was wir machen können«, sagte Kalle, »ist, die Polizei zu holen. Willst du gehen, Anders?«

»Ja«, sagte Anders.

»Verdammte Gören!«, schrie Onkel Einar. »Hätte ich euch bloß die Hälse umgedreht, solange noch Zeit war!«

Anders nahm die Treppe in ein paar Sprüngen. Und jetzt schnell durch die Tür! Aber da stand jemand im Weg. Zwei waren es, die da standen und den Türeingang versperrten. Der eine, der mit dem blassen Gesicht, hielt einen Revolver in der Hand.

13. Kapitel

»Ich glaube, wir sind mitten in ein Familienfest geraten!« Der Blasse lachte. »Der Kinderfreund Einar im Kreise seiner Lieben! Das ist so reizend, dass man es fotografieren und in die Zeitung setzen sollte. Missversteh mich nicht, lieber Einar, ich meine nicht unter Polizeinachrichten. Es gibt ja andere Veröffentlichungen!«
Er machte eine Pause und betrachtete seinen Revolver.
»Wie schade, dass wir gestört haben«, fuhr er fort. »Wenn wir noch etwas gewartet hätten, wärst du bald durch deine kleinen Freunde befreit worden und dann wäre es dir vielleicht etwas leichter als gestern Abend gefallen, den Kram zu finden.«
»Artur, hör mich an!« sagte Onkel Einar. »Ich schwöre, dass...«
»Geschworen hast du gestern Abend genug«, unterbrach ihn der Blasse. »Wenn du Lust hast zu sagen, wo du das Zeug versteckt hast, dann kannst du den Mund aufmachen. Bis dahin – halt's Maul. Und bis dahin wirst du wie eine Weinflasche liegend aufbewahrt. Ich hoffe, deine kleinen Freunde haben nichts dagegen, dass ich dir die Arme wieder festbinde? Und du bist wohl nicht allzu hungrig und durstig, alter Junge? Denn ich kann dir leider nichts anderes geben als dieses Taschentuch, an dem du bis auf weiteres kauen kannst. Bis du Vernunft angenommen hast!«
»Artur«, rief Onkel Einar ganz verzweifelt, »du *musst* mich anhören! Weißt du, wer es an sich genommen hat? Ja, diese Brut hier hat es!« Er zeigte auf die Kinder. »Und sie waren gerade dabei, die Bullen zu ho-

len, als ihr reinkamt. Himmel, ich hätte nie gedacht, dass ich mich mal freuen würde, dich und Tjomme zu sehen! Aber gerade jetzt kommt ihr wie gerufen.«

Es blieb eine Weile still. Das blasse Gesicht mit den unsteten Augen wandte sich den Kindern zu. Kalle bekam das Gefühl, dass eine unerhörte Gefahr bevorstand. Das war etwas anderes und viel unheimlicher als damals, als er vor Onkel Einars Revolver gestanden hatte.

Der Unangenehme, der Tjomme genannt wurde, brach das Schweigen. »Vielleicht sagt er ausnahmsweise doch mal die Wahrheit, Artur!«

»Schon möglich«, antwortete Artur, »das werden wir bald heraushaben.«

»Lass mich mit den Bälgern reden«, sagte Onkel Einar. »Ich werde schon aus ihnen rausquetschen, was wir wissen wollen.«

Anders, Kalle und Eva-Lotta wurden eine Spur blasser. Kalle hatte Recht gehabt, das hier war etwas anderes als der Krieg der Rosen.

»Artur«, sagte Onkel Einar, »wenn du endlich eingesehen hast, dass ich nicht mehr versuche euch hinters Licht zu führen, dann siehst du wohl auch ein, dass wir jetzt mehr denn je zusammenhalten müssen. Schneide das hier auf« – er zeigte auf den Strick um seine Beine – »und lass uns die Sache in Ordnung bringen. Ich habe das Gefühl, dass es höchste Zeit für uns ist, von hier wegzukommen!«

Artur ging ohne ein Wort zu ihm hin und schnitt den Strick durch. Onkel Einar erhob sich mit Mühe und rieb seine schmerzenden Glieder. »Das war die längste Nacht, die ich jemals erlebt habe«, sagte er. Sein Freund Artur lächelte – ein boshaftes Lächeln! – und Tjomme ließ ein glucksendes Lachen hören.

Onkel Einar ging zu Kalle und fasste ihn unters Kinn. »Wie war das, Herr Meisterdetektiv, wolltest du nicht die Polizei holen lassen?«

Kalle antwortete nicht. Das Spiel war verloren und er wusste es.

»Ich will dir sagen, Artur«, fuhr Onkel Einar fort, »diese Kinder hier sind unglaublich verständig. Es sollte mich sehr wundern, wenn sie

nicht nett und bescheiden dem Onkel Einar erzählen würden, wo die Juwelen sind, deren Versteck sie tatsächlich herausgeschnüffelt haben.«
»Wir haben sie nicht hier und wir sagen nicht, wo sie sind«, sagte Anders trotzig.
»Hört mich mal an, Kinderchen«, sagte Onkel Einar. »Diese beiden netten Onkels, die ihr hier seht, haben sich gestern Abend geirrt. Sie haben geglaubt, dass ich weiß, wo die Juwelen sind und nicht sagen wollte, wo ich sie versteckt habe. Und deshalb haben sie mir eine Nacht lang Zeit gegeben darüber nachzudenken. Und, wie gesagt, das war die längste Nacht, die ich je erlebt habe. In den Nächten ist es hier im Keller ganz dunkel, kohlschwarz und auch kalt. Und man schläft so schlecht, wenn Arme und Beine festgebunden sind. Und dann kriegt man Hunger und Durst, das kann ich euch versichern. Bestimmt ist es angenehmer, zu Hause bei Mama zu schlafen, was, Eva-Lotta?«
Eva-Lotta sah Onkel Einar an und sie hatte genau den gleichen Ausdruck in ihren Augen wie damals, als er ihre geliebte Tusse gequält hatte.
»Herr Meisterdetektiv«, fuhr Onkel Einar fort, »wie würde es dir gefallen, eine Nacht – oder sagen wir: zwei Nächte – hier in der Ruine zu verbringen? Oder vielleicht sogar all deine zukünftigen Nächte?«
Kalle fühlte einen kleinen, unheimlichen Schreck über seinen Rücken kriechen.
»Wir haben es eilig«, unterbrach Artur Redig. »Diese ganze Geschichte ist schon allzu sehr in die Länge gezogen worden. Hört zu, Kinder! Ich bin kinderlieb, das bin ich bestimmt; aber Kinderchen, die es sich in den Kopf gesetzt haben, gleich zur Polente zu laufen, für die hab ich nichts übrig. Wir sind gezwungen, euch hier in den Keller einzuschließen. Aber es hängt von euch ab, ob ihr wieder lebendig hier rauskommt oder nicht. Entweder rückt ihr mit den Juwelen raus und dann braucht ihr nicht länger als eine oder vielleicht zwei Nächte hier

zu bleiben. Sobald wir in Sicherheit sind, schreibt euer lieber Onkel Einar und berichtet, wo ihr seid.« Er machte eine Pause. »Oder aber ihr wollt *nicht* sagen, wo ihr die Juwelen versteckt habt. Und da würden mir eure lieben Mütter so Leid tun, dass ich gar nicht wage daran zu denken.«

Anders und Kalle und Eva-Lotta wagten auch nicht daran zu denken. Kalle sah die beiden anderen fragend an. Anders und Eva-Lotta nickten zustimmend. Da war nichts anderes zu machen. Sie mussten erzählen, wo der Blechkasten war.

»Na, Herr Meisterdetektiv«, sagte Onkel Einar aufmunternd.

»Werden wir bestimmt rausgelassen, wenn wir es sagen?«, fragte Kalle.

»Selbstverständlich«, sagte Onkel Einar. »Traust du Onkel Einar nicht, mein Junge? Ihr braucht nur so lange zu bleiben, bis wir einen etwas gemütlicheren Ort als diese Stadt hier gefunden haben. Ich werde sogar Onkel Artur bitten euch nicht festzubinden, und da könnt ihr es richtig nett hier haben.«

»Der Blechkasten steht in der weißen Kommode auf dem Bäckereiboden«, sagte Kalle und es sah aus, als ob es ihn eine unerhörte Anstrengung kostete, die Worte herauszukriegen. »Da, wo der Zirkus Kalottan war.«

»Ausgezeichnet«, sagte Onkel Einar.

»Bist du sicher, dass du weißt, wo das ist, Einar?«, fragte Artur Redig.

»Absolut! Und da kannst du sehen, Artur, dass es am klügsten für uns alle ist zusammenzuhalten. Keiner von euch kann auf den Bäckereiboden gehen ohne Misstrauen zu erwecken, aber ich kann es!«

»All right!«, sagte Artur. »Wir müssen jetzt los.« Er betrachtete die Kinder, die stumm nebeneinander dastanden. »Ich hoffe, ihr habt die Wahrheit gesagt! Ehrlich währt am längsten, meine jungen Freunde, das ist ein guter Wahlspruch im Leben. Habt ihr gelogen, dann kommen wir nach einer Weile wieder und dann wird es unangenehm, sehr unangenehm!«

»Wir haben nicht gelogen«, sagte Kalle und sah ihn wütend von der Seite an.

Jetzt kam Onkel Einar auf ihn zu. Kalle weigerte sich seine ausgestreckte Hand zu sehen.

»Leb wohl, Herr Meisterdetektiv«, sagte er. »Ich glaube, es wäre am klügsten, die Kriminalistik in Zukunft an den Nagel zu hängen. Übrigens: Kann ich meinen Dietrich wiederhaben? Denn das warst doch du, der ihn mir weggenommen hat?«

Kalle steckte die Hand in die Hosentasche und holte den Dietrich hervor. »Es gibt wohl allerlei, was du auch besser an den Nagel hängen solltest, Onkel Einar«, sagte er mürrisch.

Onkel Einar lachte. »Leb wohl, Anders, und danke für die schöne Zeit. Leb wohl, Eva-Lotta! Du bist ein liebes Kind, das habe ich immer gefunden. Grüß deine Mama, falls ich keine Zeit mehr haben sollte mich von ihr zu verabschieden.« Er ging mit seinen zwei Kumpanen die Treppe hinauf. An der Tür drehte er sich um und winkte. »Ich verspreche euch, dass ich bestimmt schreiben und berichten werde, wo ihr seid. Wenn ich es nur nicht vergesse!« Die schwere Tür schlug mit einem Krach zu.

14. Kapitel

»Es ist meine Schuld«, sagte Kalle nach einem, wie es schien, endlosen Schweigen. »Es ist absolut meine Schuld. Ich hätte euch nicht in diese Geschichte mit hineinziehen sollen. Und vielleicht auch nicht mich selbst.«

»Ach was, Schuld«, sagte Eva-Lotta. »Du konntest doch nicht ahnen, dass die Sache so laufen würde.«

Es wurde wieder still – unheimlich still. Es war, als ob die Außenwelt nicht mehr existierte. Es gab nur diesen Keller hier mit der unerbittlich verschlossenen Tür.

»Es ist ein Jammer, dass Björk gestern nicht da war«, sagte Anders schließlich.

»Red nicht davon«, sagte Kalle.

Dann sagte eine Zeit lang niemand mehr etwas. Man dachte. Und alle dachten wohl ungefähr das Gleiche. Alles war fehlgeschlagen. Die Juwelen waren verloren, die Diebe würden ins Ausland entkommen. Aber in diesem Augenblick wog all das leicht gegen die Tatsache, dass sie hier eingesperrt waren und nicht herauskommen konnten und dass sie nicht wussten, ob sie überhaupt jemals wieder herauskommen würden. Dieser furchtbare Gedanke war nicht zu Ende zu denken. Wenn nun Onkel Einar einfach nicht schrieb? Im Übrigen – wie lange braucht ein Brief vom Ausland? Und wie lange kann man ohne Essen und Trinken leben? Und war es nicht so, dass es für diese Banditen am besten war, wenn die Kinder für immer hier unten im Keller blieben?

Es gab ja auch im Ausland Polizei und wenn die Kinder erzählten, wer die Diebe waren, konnten Onkel Einar und seine Kumpane sich nicht so sicher fühlen, wie es der Fall wäre, wenn Kalle und Anders und Eva-Lotta niemals Gelegenheit haben würden, ihre Namen zu verraten.

»Ich werde schreiben, wenn ich es nur nicht vergesse« – das war das Letzte, was Onkel Einar gesagt hatte, und das klang Unheil verkündend.

»Ich habe drei Zimtwecken«, sagte Eva-Lotta und steckte die Hand in ihre Kleidertasche. Das war immerhin ein kleiner Trost.

»Dann werden wir bis zum Nachmittag nicht den Hungertod erleiden«, sagte Anders. »Wir haben auch noch eine halbe Kelle Wasser übrig.«

Drei Zimtwecken und eine halbe Kelle Wasser! Und dann?

»Wir müssen um Hilfe schreien«, sagte Kalle. »Vielleicht kommt ein Tourist um sich die Ruine anzusehen.«

»Ich erinnere mich, dass im vorigen Sommer zwei Touristen hier waren«, sagte Anders. »Warum sollte da nicht heute einer kommen?«

Sie stellten sich an die kleine Luke, durch die ein Sonnenstrahl hereinfiel.

»Eins, zwei, drei – jetzt!«, kommandierte Anders.

»Hilfe – – H-i-l-f-e!«

Die Stille hinterher war noch fühlbarer als vorher.

»Nach Gripsholm und Alvastra und wer weiß wohin, da fahren sie hin«, sagte Anders bitter. »Aber um diese Ruine kümmert sich kein Mensch.«

Nein, kein Tourist hörte ihren Notruf und auch sonst niemand. Die Minuten vergingen und wurden zu Stunden.

»Wenn ich zu Hause wenigstens gesagt hätte, dass ich zur Ruine gehe«, sagte Eva-Lotta. »Dann wären sie wohl irgendwann hergekommen um uns zu suchen.«

Sie verbarg ihr Gesicht in den Händen. Kalle schluckte ein paar Mal und stand auf. Es war nicht auszuhalten, still dazusitzen und Eva-Lotta anzusehen. Die Tür – gab es keine Möglichkeit, sie kaputtzuschlagen? Man brauchte sie nur anzusehen um festzustellen, wie zwecklos ein Versuch sein würde.

Kalle bückte sich um etwas aufzuheben, was neben der Treppe lag. Es war Onkel Einars Taschenlampe. Die hatte er vergessen – was für ein Glück! Bald würde es Nacht werden, dunkle, kalte Nacht – es war ein Trost zu wissen, dass man die Dunkelheit für ein paar Augenblicke vertreiben konnte, wenn man wollte. Eine Batterie reichte ja nicht ewig, aber man konnte wenigstens leuchten um zu sehen, wie spät es war. Nicht dass es irgendeine Bedeutung hatte, ob es drei oder vier oder fünf war – bald würde nichts mehr etwas bedeuten. Kalle fühlte eine dumpfe Verzweiflung in sich aufsteigen. Er wanderte umher, »ein Raub düsterer Gedanken«, wie es immer in Büchern steht. Alles war besser, als dazusitzen und zu warten. Alles war besser. Es wäre sogar besser zu versuchen die dunklen Irrgänge zu erforschen, die in die inneren Regionen des Kellers führten.

»Anders, du hast einmal gesagt, du wolltest den ganzen Keller erforschen und kartografieren und wir könnten ihn zu unserem Hauptquartier machen. Warum nicht jetzt die Gelegenheit wahrnehmen?«

»Hab ich wirklich so was Dummes gesagt? Ich muss an dem Tag wohl einen Sonnenstich gehabt haben. Wenn ich bloß raus könnte, dann weiß ich einen, der niemals mehr seinen Fuß in die Nähe dieser alten Bruchruine setzt!«

»Ich möchte aber doch wissen, wo diese Gänge hinführen«, sagte Kalle. »Vielleicht ist es nicht ausgeschlossen, dass es noch einen anderen Ausgang gibt, den niemand kennt!«

»Ja, und es ist nicht ausgeschlossen, dass ein Haufen Archäologen heute Nachmittag kommt und uns ausgräbt! Das ist genauso wahrscheinlich.«

Eva-Lotta sprang auf. »Aber wenn wir hier still sitzen, werden wir bald verrückt«, sagte sie. »Ich finde, wir sollten tun, was Kalle sagt. Die Taschenlampe haben wir ja, mit der wir leuchten können.«

»Meinetwegen gern«, sagte Anders. »Aber wollen wir nicht erst essen? Drei Zimtwecken sind in jedem Fall nur drei Zimtwecken, ganz gleich, wie wir es machen.«

Eva-Lotta gab jedem einen Zimtwecken und alle drei aßen schweigend. Es war ein eigentümliches und unheimliches Gefühl zu denken, dass es vielleicht das letzte Mal in ihrem Leben war, dass sie etwas aßen. Sie spülten die Zimtwecken mit dem Wasser hinunter, das noch in der Kelle war. Dann fassten sie einander an den Händen und traten den Weg ins Dunkel an. Kalle ging voran und leuchtete mit der Taschenlampe.

Genau im selben Augenblick bremste ein Auto vor der Polizeiwache der kleinen Stadt. Zwei Männer sprangen heraus, zwei Polizisten. Sie gingen eilig hinein, wo sie von Wachtmeister Björk empfangen wurden. Er sah etwas erstaunt aus über den unerwarteten Besuch. Die zwei Männer stellten sich vor: »Kriminalkommissar Stenberg, Kriminalpolizist Santesson von der Stockholmer Kriminalpolizei.« Dann sagte der Kriminalkommissar schnell: »Kennen Sie hier in der Stadt einen Privatdetektiv mit Namen Blomquist?«

»Privatdetektiv Blomquist?« Wachtmeister Björk schüttelte den Kopf. »Hab ich nie gehört!«

»Das ist merkwürdig«, fuhr der Kriminalkommissar fort. »Er wohnt Hauptstraße 14. Sehen Sie selbst!«

Der Kriminalkommissar zog einen Brief hervor, den er Björk reichte. Wenn Kalle dabei gewesen wäre, hätte er den Brief wieder erkannt. »An die Kriminalpolizei Stockholm« stand zuoberst. Und die Unterschrift war ganz richtig »Karl Blomquist, Privatdetektiv«.

Wachtmeister Björk fing an zu lachen. »Das kann niemand anders sein als mein Freund Kalle Blomquist. Privatdetektiv, ja, ich danke! Er ist ungefähr zwölf oder dreizehn Jahre alt, der Privatdetektiv!«

»Aber Menschenskind, wie können Sie es erklären, dass er uns einen Fingerabdruck schicken konnte, der genau mit dem übereinstimmt, den wir nach dem Einbruch in der Banérstraße Anfang Juni gefunden haben? Der große Juwelendiebstahl, Sie wissen doch! Und wem gehört dieser Fingerabdruck? Genau das möchte die Stockholmer Kriminalpolizei vor allen Dingen gerade jetzt wissen. Das ist nämlich der einzige Anhaltspunkt, den wir haben. Wir sind uns vollkommen darüber klar, dass es mehrere Personen gewesen sein müssen, die den schweren Geldschrank von der Stelle rücken konnten, aber nur einer hat Fingerabdrücke hinterlassen. Die anderen haben offenbar Handschuhe getragen.«

Wachtmeister Björk fing an nachzudenken. Er erinnerte sich an Kalles vorsichtige Fragen, als sie sich kürzlich auf dem Marktplatz getroffen hatten. »Was macht man, wenn man weiß, dass ein Mensch ein Verbrecher ist, es aber nicht beweisen kann?« Wie es nun auch zugegangen sein mochte, offenbar war Kalle Blomquist den Tätern des großen Juwelendiebstahls auf die Spur gekommen.

»Ich weiß keinen anderen Rat, als dass wir sofort hinfahren und Kalle selbst fragen«, sagte Wachtmeister Björk.

»Ja, und das schneller als schnell«, sagte der Kriminalkommissar.

»Hauptstraße 14«, sagte der Kriminalpolizist und setzte sich ans Steuer. Das Polizeiauto sauste davon.

Die Roten Rosen langweilten sich erbärmlich. Was war das aber auch für eine Art von den Weißen, sich zu ergeben und Frieden zu schließen, gerade als der Kampf so viel versprechend begonnen hatte? Was in aller Welt hatten sie eigentlich vor, dass sie freiwillig auf so ein Vergnügen verzichteten?

»Ich glaube, wir gehen zu ihnen und versuchen sie ein bisschen zu beleidigen«, sagte Sixten. »Dann nehmen sie vielleicht Vernunft an.«

Benka und Jonte fanden den Vorschlag gut.

Aber das Hauptquartier der Weißen lag verlassen da.

»Wo mögen sie bloß sein?«, fragte Jonte.

»Wir warten auf sie«, sagte Sixten. »Einmal müssen sie ja wiederkommen.«

Worauf sich die Roten auf dem Bäckereiboden bequem einrichteten. Da waren eine ganze Menge alte Illustrierte, mit denen sich die Weißen die Zeit vertrieben, wenn schlechtes Wetter war. Auch allerlei Spiele waren da und der ausgezeichnete Tisch, auf dem man Pingpong spielen konnte. An Zerstreuungen fehlte es also nicht.

»Verdammt feines Hauptquartier«, sagte Benka.

»Ja«, sagte Sixten, »ich wünschte, ich hätte in meiner Garage Platz für einen Pingpongtisch.«

Sie spielten Pingpong, und zwischen den einzelnen Runden rutschten sie am Seil runter und kletterten wieder rauf und lasen die Comics in den Illustrierten und es machte ihnen gar nichts aus, dass die Weißen durch Abwesenheit glänzten.

Sixten stand an der offenen Luke und hatte das Seil in der Hand. Sieh mal an, da kommt ja der Kerl, der mit Eva-Lotta verwandt ist – wie heißt er doch gleich? Onkel Einar! Gott, hat der es eilig!, dachte Sixten. Jetzt sah Onkel Einar hinauf und erblickte Sixten. »Suchst du Eva-Lotta?«, fragte er einen Augenblick später.

»Ja«, sagte Sixten. »Wissen Sie, wo sie ist?«

»Nein«, sagte Onkel Einar, »das weiß ich nicht.«

»Ach so«, sagte Sixten und rutschte am Seil runter.

Onkel Einar sah zufrieden aus. Sixten fing wieder an raufzuklettern.

»Willst du wieder da rauf?«, fragte Onkel Einar.

»Ja«, sagte Sixten und kletterte mit schnellen Griffen weiter. Er hatte eine Eins minus im Turnen und das sah man.

»Was willst du da oben?«, fragte Onkel Einar.

»Auf Eva-Lotta warten«, sagte Sixten.

Onkel Einar ging eine Weile auf und ab. »Wenn ich es mir richtig überlege«, rief er zu Sixten hinauf, »fällt mir ein, dass Eva-Lotta und die Jungen heute einen Ausflug machen wollten. Sie werden wohl nicht vor dem Abend zurückkommen.«

»Soso«, sagte Sixten und rutschte am Seil runter.

Onkel Einar sah zufrieden aus. Sixten ergriff das Seil und fing wieder an raufzuklettern.

»Hast du nicht gehört, was ich gesagt habe?«, fragte Onkel Einar ungeduldig. »Eva-Lotta kommt den ganzen Tag nicht nach Hause.«

»Soso«, sagte Sixten. »Das ist schade.« Er kletterte weiter.

»Was willst du denn da oben?«, rief Onkel Einar.

»Comics angucken«, sagte Sixten.

Onkel Einar sah nicht mehr eine Spur zufrieden aus. Er ging ungeduldig auf und ab. »Du da oben«, rief er nach einer Weile. »Willst du dir eine Krone verdienen?«

Sixten steckte den Kopf aus der Luke. »Ja, natürlich. Wie denn?«

»Lauf ins Zigarrengeschäft am Marktplatz und kauf mir eine Schachtel Lucky Strike!«

»Gern«, sagte Sixten und rutschte am Seil runter. Onkel Einar gab ihm einen Fünfkronenschein.

Sixten nahm die Beine in die Hand und verschwand. Und jetzt sah Onkel Einar zufriedener aus als je zuvor.

Da steckte Benka seinen Kopf durch die Luke, der prächtige kleine Benka mit den blonden Locken und der lustigen Stupsnase. Niemand hätte Anlass gehabt, beim Anblick eines so netten Kerlchens zu fluchen. Aber Onkel Einar fluchte – einen langen Fluch!

Nach einer Weile kam Sixten zurück. In der einen Hand hatte er eine große Tüte. Er gab Onkel Einar die Zigaretten und rief zu den Roten hinauf: »Seht mal, ich hab bei Eva-Lottas Vater Zimtwecken für die ganze Krone gekauft und er ist ja nie geizig. Jetzt haben wir so viel zu essen, dass es den ganzen Tag reicht, da brauchen wir nicht nach Hause zu gehen.«

Da fluchte Onkel Einar einen noch längeren Fluch still vor sich hin und ging mit langen Schritten davon.

Und die Roten sahen Comics an und spielten Pingpong und aßen Zimtwecken und rutschten das Seil runter und kletterten wieder rauf und es machte ihnen gar nichts aus, dass die Weißen durch Abwesenheit glänzten.

»Glaubt ihr, dass der Kerl da ganz richtig im Kopf ist?«, fragte Sixten, als Onkel Einar zum vierten Mal vor der Bäckerei auftauchte. »Was läuft er hier rum wie ein ängstliches Huhn? Kann er sich nicht eine nützlichere Beschäftigung suchen?«

Die Stunden vergingen. Und die Roten spielten Pingpong und besahen Bilder und rutschten das Seil runter und kletterten wieder rauf und aßen noch mehr Zimtwecken und machten sich nicht eine Spur daraus, dass die Weißen durch Abwesenheit glänzten.

15. Kapitel

Dunkel, Dunkel überall! Hier und da sickert ein Lichtstreifen durch eine Luke. Noch leuchtet die Taschenlampe und das ist auch nötig! Es ist schwer, vorwärts zu kommen. Mitunter liegen große Steine da und versperren den Weg. Es ist feucht und glatt und kalt. Nicht auszudenken, dass man die Nacht hier verbringen soll! Viele Nächte!

Anders und Kalle und Eva-Lotta haben einander an den Händen gefasst. Kalle leuchtet an den Steinwänden entlang, wo die Feuchtigkeit hervordringt.

»Die Ärmsten, die früher mal hier eingesperrt waren!«, sagt Eva-Lotta. »Viele Jahre vielleicht!«

»Aber die bekamen wenigstens was zu essen«, knurrt Anders. Eine kleine Zimtwecke hält nicht lange vor und er ist schon wieder sehr hungrig. Um diese Zeit essen sie zu Hause Mittag!

»Heute sollte es bei uns Fleischklößchen geben«, seufzt Eva-Lotta.

Kalle sagt nichts. Er ist wütend auf sich selbst, dass er sich jemals auf diese Detektivarbeit eingelassen hat. Sie hätten jetzt zu Hause auf dem Bäckereiboden sitzen können, sie hätten mit den Roten Krieg führen können, sie hätten Rad fahren und baden und Fleischklößchen zu Mittag essen können und alles mögliche andere. Anstatt hier in Dunkel und Elend herumzulaufen. Und man kann nicht einmal wagen daran zu denken, wie das enden soll!

»Das Beste ist, wir gehen wieder zum Ausgangspunkt zurück«, sagt Eva-Lotta. »Jetzt haben wir sicher alles gesehen, was zu sehen ist und es ist überall das Gleiche, den ganzen Weg lang. Dunkel und unheimlich überall.«

»Wir wollen bloß noch diesen Gang zu Ende gehen«, schlägt Anders vor. »Dann können wir wieder umkehren.«

Eva-Lotta hatte Unrecht. Es ist nicht überall das Gleiche. Dieser Gang endet mit einer Treppe. Und eine Treppe bedeutet eine Verbindung zwischen zwei Stockwerken. Es ist eine kleine, schmale Wendeltreppe, deren Steinstufen durch viele Füße abgenutzt sind.

Anders und Kalle und Eva-Lotta stehen ganz still. Sie können ihren Augen nicht trauen. Kalle leuchtet mit der Taschenlampe. Dann rennt er die Treppe hinauf. Aber die Treppe ist oben zugenagelt. Es soll niemand in den Keller hinunterkommen. Und offenbar auch nicht hinauf. Kalle wünscht, dass er mit dem Kopf durch das Holz könnte, sodass die Splitter flögen.

»Wir müssen raus! Wir *müssen* raus, sage ich!« Anders ist vollkommen wild. »Ich halte es nicht eine Minute länger aus!«

Er hebt einen großen Stein auf. Kalle hilft ihm.

»Eins, zwei, drei – jetzt!«, kommandiert Anders. Das Holz kracht. Noch einmal! »Du wirst sehen, es geht, Kalle!« Anders keucht förmlich vor Aufregung.

Ein Glück, dass das Holz nicht so dick ist. Ein letztes Mal mit voller Kraft! Peng – die Holzsplitter fliegen nach allen Seiten. Es macht keine Mühe, das Zeug wegzuräumen. Anders reckt den Kopf und stößt ein Freudengeheul aus. Die Treppe führt zum Erdgeschoss der Ruine.

»Kalle und Eva-Lotta, kommt!«, ruft er.

Aber Kalle und Eva-Lotta sind schon gekommen. Sie stehen da und starren zum Licht, zur Sonne hinauf, als ob es ein großes Wunder wäre.

Eva-Lotta rennt zur Fensteröffnung. Da unten liegt die stille Stadt. Sie kann den Fluss sehen und den Wasserturm und die Kirche. Und dort, weit weg, sieht sie das rote Dach der Bäckerei. Da lehnt sie sich gegen die Steinwand und fängt laut an zu weinen.

Mädchen sind schon komisch, denken Anders und Kalle. Vorhin, im Keller unten, da hat sie nicht geweint, aber jetzt, wo alle Gefahr vorbei ist, da läuft sie über wie ein Springbrunnen.

Ungefähr um diese Zeit haben die Roten alle Comics durchgesehen und sie haben keine Lust mehr, Pingpong zu spielen. Im übrigen soll bald ein Fußballmatch auf der Prärie stattfinden.

»Nee, jetzt warten wir nicht länger«, sagt Sixten. »Ich glaube, sie sind nach Amerika ausgewandert. Kommt, wir hauen ab!« Sie rutschen am Seil runter, Sixten und Benka und Jonte und marschieren auf Eva-Lottas Steg über den Fluss. Und nun bekommt Onkel Einar endlich die Gelegenheit, auf die er schon so viele Stunden gewartet hat.

Ein schwarzer Volvo parkt einige hundert Meter weiter auf der Straße. Zwei Männer sitzen darin, zwei ungeduldige und nervöse Männer. Sie haben so lange hier in der Hitze gesessen. Die Stunden sind vorangeschlichen und in gleichmäßigen Zwischenräumen war ihr alter Freund Einar mit dem Bericht gekommen: »Die Brut ist immer noch da! Ja, was soll ich machen? Ich kann ihnen doch nicht gut die Hälse umdrehen, so gern ich auch möchte!«

Aber jetzt endlich kommt Einar, beinahe im Laufschritt. Er trägt etwas unter dem Jackett. »Alles klar«, flüstert er und springt rein.

Tjomme tritt das Gaspedal voll durch und der Volvo braust mit höchster Geschwindigkeit davon. Die drei im Auto haben keinen anderen Gedanken, als so schnell wie möglich die kleine Stadt hinter sich zu lassen. Sie sehen nur vorwärts, sie sehen nur den Weg, der sie zu Reichtum und Freiheit und Unabhängigkeit führen soll. Wenn sie einen Blick zur Seite geworfen hätten, dann hätten sie vielleicht drei Kinder gesehen, Anders und Kalle und Eva-Lotta, die gerade um die Straßenecke bogen und mit Staunen und Entsetzen ihren verschwindenden Feinden nachstarrten.

16. Kapitel

»Du Unglücksrabe, wo bist du gewesen?«, fragte Lebensmittelhändler Blomquist. »Und was hast du gemacht? Hast du schon wieder Fensterscheiben kaputtgeschlagen?«
Zum hundertsten Male war der Lebensmittelhändler vor die Tür gegangen und hatte nach seinem Sprössling ausgespäht. Und jetzt endlich sah er ihn an der Straßenecke, zusammen mit Anders und Eva-Lotta und ging ihm entgegen.
»Papa, lass mich los! Ich muss sofort zur Polizei!«
»Das weiß ich«, sagte sein Vater. »Die Polizei sitzt bei uns zu Hause und wartet auf dich. Das wird kein Spaß für dich werden, Kalle!«
Kalle begriff nicht, warum die Polizei auf ihn wartete. Aber es genügte ihm, *dass* sie wartete. Und er lief, wie er niemals vorher in seinem jungen Leben gelaufen war. Anders und Eva-Lotta folgten ihm. Da saß Wachtmeister Björk auf dem grünen Schaukelbrett. Gott segne ihn! Und neben ihm zwei andere Polizisten.
»Verhaftet sie, verhaftet sie!«, schrie Kalle. »Beeilt euch!«
Björk und die beiden andern sprangen auf. »Wo! Wen?«
»Die Juwelendiebe!« Kalle war so aufgeregt, dass er kaum die Worte herausbringen konnte. »Sie sind eben im Auto weggefahren! Um Himmels willen, beeilt euch!«
Er brauchte es nicht zweimal zu sagen. Lebensmittelhändler Blomquist kam gerade die Straße entlanggetrabt, gerade noch rechtzeitig um zu sehen, wie Kalle und seine beiden Kameraden von drei Polizis-

ten in das Polizeiauto getrieben wurden. Herr Blomquist fasste sich an den Kopf. Der Sohn in so jungen Jahren verhaftet, das war ja schrecklich! Der einzige Trost war, dass das Mädchen vom Bäcker offenbar nicht eine Spur besser war! Und der Schuhmacherjunge auch nicht.

Das Polizeiauto sauste mit einer Geschwindigkeit nordwärts, die die gesetzestreuen Bürger der kleinen Stadt entrüstet die Köpfe schütteln ließ. Kalle, Anders und Eva-Lotta saßen hinten mit Kommissar Stenberg. Sie wurden zur Seite gedrückt, je nachdem, wie das Auto die Kurven nahm. Eva-Lotta fragte sich, wie viel man an einem einzigen Tag aushalten konnte, ohne dass man ohnmächtig wurde. Kalle und Anders redeten beide gleichzeitig, bis der Kommissar sagte, dass er nur einen zur Zeit hören wollte. Kalle gestikulierte wild und rief mit gellender Stimme:

»Einer ist blass, und einer sieht unheimlich aus und einer ist Onkel Einar, aber der Blasse ist eigentlich unheimlicher als der Unheimliche und Onkel Einar ist auch unheimlich.«

Der Kommissar sah etwas verwirrt aus.

»Der Blasse nennt sich Ivar Redig, aber er heißt sicher Artur, und den Hässlichen nennen sie Tjomme, aber vielleicht heißt er Krok, und Onkel Einar hat zwei Namen, Lindeberg und Brane und er schläft mit einem Revolver unter dem Kopfkissen und er hat die Juwelen unter der Treppe in der Schlossruine vergraben und als ich einen Fingerabdruck von ihm genommen hatte, da fiel der Blumentopf runter – Pech, was? – und da hat er mit dem Revolver auf mich gezielt und dann saß ich im Ahornbaum und hab gehört, wie Tjomme und Redig ihm mit dem Tod drohten und dann haben sie ihn im Keller in der Schlossruine gefesselt, weil er so dumm war, mit ihnen hinzugehen, aber da waren die Juwelen schon weg, wir haben sie nämlich auf dem Bäckereiboden versteckt, aber jetzt haben sie sie leider wieder, denn sie haben uns im Keller eingeschlossen und Himmel, so viele Gänge, wie da sind, aber raus sind wir gekommen, ja, jetzt wissen Sie alles, aber fahrt um Himmels willen schneller!«

Der Kommissar sah nicht so aus, als ob er alles wüsste, aber er dachte, dass man die Einzelheiten wohl später klären könnte.

Der Kriminalpolizist sah auf den Tacho. Der zeigte jetzt hundert Kilometer in der Stunde und er wagte nicht noch schneller zu fahren, obwohl Kalle meinte, dass es zu langsam ginge.

»Eine Abzweigung, Kommissar, nach rechts oder links?« Er bremste das Auto, dass es schleuderte. Anders und Kalle und Eva-Lotta bissen sich in den Daumen vor Nervosität über die Verzögerung.

»Ärgerlich«, sagte der Kommissar. »Wachtmeister Björk, Sie kennen doch die Straßen hier. Welche, glauben Sie, können sie genommen haben?«

»Das kann man unmöglich sagen«, antwortete Björk. »Ganz gleich, welchen Weg sie nehmen, sie werden immer die Autobahn zum Kontinent erreichen.«

»Einen Augenblick«, sagte Kalle und stieg aus dem Auto. Er nahm sein Notizbuch aus der Hosentasche und ging zum linken Weg. Er besah aufmerksam die Erde. »Sie sind diesen Weg hier gefahren!«, schrie er voller Eifer.

Björk und der Kommissar waren auch ausgestiegen.

»Woher weißt du das?«, fragte der Kommissar.

»Ja, ihr Auto hat auf dem rechten Hinterrad einen neuen Reifen aus Gislaved und ich hab das Muster abgezeichnet. Sehen Sie hier!« Er zeigte auf einen deutlichen Abdruck in dem losen Schotter. »Genau das Gleiche!«

»Du bist sehr pfiffig«, sagte der Kommissar, während sie zum Auto zurückrannten.

»Reine Routinearbeit«, sagte Meisterdetektiv Blomquist. Aber dann fiel ihm ein, dass er viel lieber nur Kalle sein wollte. »Ach, das war mir gerade so eingefallen«, fügte er ganz bescheiden hinzu.

Die Fahrt war jetzt beinahe lebensgefährlich. Niemand sagte etwas. Aller Augen starrten nach vorn. Sie rutschten um eine Kurve.

»Da!«, rief Wachtmeister Björk. Hundert Meter vor ihnen war ein Auto.

»Das ist es«, sagte Kalle. »Ein Auto mit einem Stockholmer Kennzeichen! Schwarzer Volvo!«

Der Kriminalpolizist Santesson versuchte das Äußerste aus dem Wagen herauszuholen. Aber der schwarze Volvo jagte vorwärts und behielt seinen Vorsprung. Man sah ein Gesicht durch die hintere Fensterscheibe heraussehen. Sie hatten offenbar begriffen, dass ihnen Verfolger auf den Fersen waren.

Es dauert sicher nur noch ein paar Minuten, bis ich ohnmächtig werde, dachte Eva-Lotta. Ich war noch nie ohnmächtig.

Hundertzehn Stundenkilometer! Jetzt kam das Polizeiauto langsam, aber sicher dem schwarzen Volvo näher.

»Legt euch hin, Kinder!«, schrie der Kommissar plötzlich. »Sie schießen!« Er drückte die drei Kinder auf den Boden des Autos nieder. Es war höchste Zeit. Eine Kugel kam pfeifend durch die Windschutzscheibe.

»Björk, Sie haben die bessere Position, nehmen Sie meinen Revolver und geben Sie den Schweinehunden Antwort.« Der Kommissar reichte seinen Revolver dem Kollegen nach vorn.

»Die schießen, pfui Teufel, wie die schießen«, flüsterte Kalle unten auf dem Fußboden.

Wachtmeister Björk streckte den Arm aus dem Seitenfenster hinaus. Er war nicht nur ein guter Sportler, er war auch ein guter Schütze. Er zielte sorgfältig auf den rechten Hinterreifen des Volvo. Der Volvo hatte jetzt nicht mehr als fünfundzwanzig Meter Abstand. Der Schuss ging los und eine Sekunde später schleuderte der schwarze Volvo und landete im Graben. Das Polizeiauto fuhr hin und hielt danebenan.

»Jetzt schnell, bevor sie aus der Karre raus können!«, schrie der Kommissar. »Ihr bleibt liegen, Kinder!«

Im nächsten Augenblick hatten die Männer von der Polizei den verbeulten Volvo umringt.

Nichts in dieser Welt hätte Kalle dazu kriegen können, liegen zu bleiben. Er *musste* sich aufrichten und zusehen.

»Onkel Björk und der, der am Steuer saß, zielen auf das Auto«, berichtete er Anders und Eva-Lotta. »Und der dicke Kommissar reißt die Autotür auf – Junge, wie die aufeinander losgehen! Jetzt kommt Redig, er hat auch seinen Revolver – peng – jetzt bekommt er einen Schlag von Onkel Björk, sodass er den Revolver verliert, hört bloß – Mensch, ist das gut –, und da ist Onkel Einar, aber er hat keinen Revolver, er haut bloß um sich, aber jetzt, jetzt legen sie dem Kerl tatsächlich Handschellen an und auch dem Redig. Aber wo ist Tjomme? Jetzt ziehen sie ihn raus. Er ist sicher ohnmächtig geworden. Ach, ist das spannend! Und jetzt, tatsächlich…«

»Hör auf«, sagte Anders. »Wir haben schließlich Augen im Kopf, wir können selbst sehen!«

Der Kampf war zu Ende. Da standen Onkel Einar und der Blasse vor dem Kommissar. Tjomme lag daneben auf der Erde.

»Was sehe ich!«, sagte der Kommissar. »Ist das nicht Artur Berg? Das ist wirklich eine freudige Überraschung!«

»Die Freude ist ganz und gar auf Ihrer Seite«, sagte der Blasse mit einem bösen Blick.

»Das kann man wohl sagen«, meinte der Kommissar. »Was sagst du dazu, Santesson, wir haben Artur Berg erwischt!«

Man muss ein gutes Gedächtnis haben, wenn man alle Namen behalten will, dachte Kalle.

»Kalle, komm mal her!«, rief der Kommissar. »Es freut dich sicher, dass es uns gelungen ist, einen der gefährlichsten Verbrecher zu fangen, die es in unserem Land gibt, und das haben wir dir zu verdanken!«

Sogar Artur Berg zog die Augenbrauen etwas hoch, als er Kalle, Anders und Eva-Lotta erblickte.

»Ich hätte meiner ersten Eingebung folgen und die Bande da niederschießen sollen«, sagte er ruhig. »Es lohnt sich nicht, Menschenfreund zu sein. Das bringt einem bloß Ärger.«

Tjomme schlug die Augen auf.

»Und hier haben wir noch einen alten Bekannten und treuen Polizeikunden! Wie war das, Tjomme, haben Sie nicht gesagt, dass Sie ein anständiger Kerl werden wollten, als wir uns das letzte Mal trafen?«

»Ja«, sagte Tjomme, »aber ich wollte mir erst ein bisschen Startkapital verschaffen. Es kostet Geld, Herr Kommissar, wenn man anständig sein will.«

»Und Sie!« Der Kommissar wandte sich an Onkel Einar. »Ist es das erste Mal, dass Sie sich auf solche Wege begeben haben?«

»Ja«, sagte er. Dann sah er Kalle wütend an. »Ich bin jedenfalls bis jetzt noch nie geschnappt worden! Und ich hätte es auch diesmal geschafft, wenn nicht dieser Meisterdetektiv gewesen wäre! Meisterdetektiv Blomquist!« Er presste etwas hervor, was wohl ein Lächeln darstellen sollte.

»Und jetzt wollen wir sehen, wo wir das Diebesgut haben, Santesson! Ich vermute, es liegt im Auto. Schauen Sie mal nach.«

Ja, da war der Blechkasten!

»Wer hat den Schlüssel?«, fragte der Kommissar. Onkel Einar reichte ihn widerstrebend hin. Alle standen in gespannter Erwartung da. »Jetzt wollen wir mal sehen«, sagte der Kommissar und drehte den Schlüssel um.

Der Deckel sprang auf. Zuoberst lag ein Stück Papier. »Geheime Urkunde der Weißen Rose« stand mit großen Buchstaben da. Der Kommissar sperrte den Mund auf vor Erstaunen. Das taten die anderen auch, nicht zuletzt Onkel Einar und seine beiden Kumpane. Artur Berg warf Onkel Einar einen hasserfüllten Blick zu.

Der Kommissar wühlte in dem Kasten. Aber da lag nichts anderes als Papier, Steine und allerlei anderer Kram.

Eva-Lotta fing als Erste an zu lachen, ein lautes, übermütiges Lachen. Das war das Signal für Kalle und Anders. Sie brachen in Gelächter aus, sie lachten, ja, sie lachten derartig, dass sie sich bogen, alle drei. Sie lachten, bis sie wimmerten und sich den Bauch halten mussten.

»Was ist denn nur mit den Kindern los?«, fragte der Kommissar verwirrt. Dann wandte er sich an Artur Berg: »Ach so, ihr habt das Diebesgut schon beiseite schaffen können! Aber das werden wir auch noch aus euch rausholen!«

»Das – das – das braucht nicht rausgeholt zu werden«, brachte Anders mühsam hervor, während er vor Lachen hickste. »Ich weiß, wo es ist. Es ist im untersten Kommodenschubfach auf dem Bäckereiboden.«

»Aber wo haben sie das hier her?«, fragte der Kommissar und zeigte auf den Blechkasten.

»Aus dem *obersten* Schubfach!«

Eva-Lotta hatte plötzlich aufgehört zu lachen. Sie war am Grabenrand zusammengesunken.

»Ich glaube wahrhaftig, das Mädchen ist ohnmächtig geworden«, sagte Björk und hob Eva-Lotta auf. »Das ist ja auch kein Wunder.«

Da schlug Eva-Lotta mühsam ihre blauen Augen auf. »Nein, das ist kein Wunder«, flüsterte sie. »Ich habe heute noch nichts weiter gegessen als eine Zimtwecke.«

17. Kapitel

Meisterdetektiv Blomquist lag auf dem Rücken unter dem Birnbaum. Ja, er war jetzt Meisterdetektiv und nicht nur Kalle. Das stand sogar in der Zeitung, die er in der Hand hatte. »Meisterdetektiv Blomquist« stand da als Überschrift und darunter war sein Bild. Es stellte ganz gewiss nicht den reifen Mann mit den scharfgeschnittenen Zügen und dem durchdringenden Blick dar, wie man es hätte erwarten können. Das Gesicht, das einem aus der Zeitung entgegenblickte, war auffallend Kalle-ähnlich, aber da war nichts zu machen.

Eva-Lotta und Anders waren auch abgebildet, nur etwas weiter unten.

»Haben Sie bemerkt, junger Mann«, fragte Herr Blomquist seinen eingebildeten Zuhörer, »dass die ganze erste Seite nur von diesem kleinen Fall mit den gestohlenen Juwelen handelt, den aufzuklären mir kürzlich gelungen ist, als ich gerade ein bisschen Zeit hatte?«

O ja, das hatte sein eingebildeter Zuhörer wohl bemerkt und er konnte seiner Bewunderung nicht genug Ausdruck geben. »Da haben Sie wohl eine ordentliche Belohnung bekommen, Herr Blomquist?«, vermutete er.

»Tja«, sagte Herr Blomquist, »natürlich bekam ich einen ordentlichen Haufen Moneten – hm, ich meine, selbstverständlich bekam ich eine nicht unbeträchtliche Summe Geld, aber das habe ich mit Fräulein Lisander und Herrn Bengtsson geteilt, die mir bei den Fahndungsarbeiten keine geringe Hilfe geleistet haben. Um die Wahrheit zu sagen: Wir konnten uns zehntausend Kronen teilen, die Bankier Östberg uns als Belohnung zur Verfügung gestellt hat.«

Sein eingebildeter Zuhörer schlug vor Staunen die Hände zusammen.

»Na ja«, sagte Herr Blomquist und zupfte mit überlegener Miene an einem Grashalm, »immerhin, zehntausend Kronen sind auch Geld. Aber ich will Ihnen sagen, junger Mann, ich arbeite nicht des schnöden Goldes wegen. Ich habe ein einziges Ziel: die Bekämpfung des Verbrechens in unserer Gesellschaft. Hercule Poirot, Lord Wimsey und der Unterzeichnete, ja, wir bleiben weiterhin auf dem Posten und haben nicht die Absicht zuzulassen, dass die Kriminalität die Oberhand gewinnt.«

Der eingebildete Zuhörer bemerkte ganz richtig, dass die Gesellschaft den Herren Poirot, Wimsey und Blomquist für ihre aufopfernde Arbeit im Dienste des Guten zu großem Dank verpflichtet sei.

»Bevor wir uns trennen, junger Mann«, sagte der Meisterdetektiv und nahm die Pfeife aus dem Mund, »eins will ich Ihnen sagen: Verbrechen lohnt sich nicht! Ehrlich währt am längsten, das hat sogar Artur Berg einmal zu mir gesagt. Und ich hoffe, er sieht es jetzt ein, wo er nun sitzt. Jedenfalls hat er viele Jahre Zeit darüber nachzudenken. Und dann – Onkel Einar! –, hm, Einar Lindeberg, ein so junger Mann schon auf der schiefen Bahn! Möge seine Strafe ihm zur Besserung gereichen! Denn – wie ich schon sagte – Verbrechen lohnt sich nicht!«

»Kalle!!« Eva-Lotta steckte den Kopf durch die Zaunöffnung. »Kalle, warum liegst du hier und starrst in die Luft? Komm rüber! Anders und ich wollen in die Stadt.«

»Leben Sie wohl, junger Mann«, sagte Meisterdetektiv Blomquist. »Fräulein Lisander ruft nach mir, und – nebenbei gesagt – sie ist die junge Dame, mit der ich die Ehe einzugehen beabsichtige.«

Sein eingebildeter Zuhörer beglückwünschte Fräulein Lisander zur Wahl ihres Gatten.

»Fräulein Lisander weiß natürlich noch nichts davon«, sagte der Meisterdetektiv wahrheitsgemäß und hüpfte auf einem Bein zum Zaun, wo das besagte Fräulein mit Herrn Bengtsson auf ihn wartete.

Es war Samstagabend. Alles atmete tiefsten Frieden, als Kalle, Anders und Eva-Lotta die Hauptstraße entlanggeschlendert kamen. Die Kastanien waren schon längst verblüht, aber in den kleinen Gärten prunkten Rosen und Levkojen und Löwenmaul.

Die drei gingen zur Gerberei hinunter. Fredrik mit dem Fuß war schon betrunken und stand da und wartete auf Wachtmeister Björk. Kalle, Anders und Eva-Lotta blieben eine Weile stehen um Fredriks Geschichten aus seinem Leben mit anzuhören. Aber dann gingen sie weiter zur Prärie hinaus.

»Seht mal, da sind Sixten und Benka und Jonte«, sagte Anders plötzlich und seine Augen fingen an zu blitzen. Kalle und Eva-Lotta hielten sich noch näher an ihren Chef. Und die Weißen marschierten direkt auf die Roten zu.

Nun trafen sie sich. Gemäß dem Friedensvertrag hätte der Chef der Weißen sich jetzt dreimal vor den Roten verbeugen sollen und sagen: »Ich weiß, dass ich nicht würdig bin, denselben Boden zu betreten wie du, o Herr!« Der rote Chef sah den weißen auch besonders herausfordernd an. Da öffnete der weiße Chef seinen Mund, er sprach und sagte: »Rotzbengel!«

Der rote Chef sah zufrieden aus. Er ging jedoch entrüstet einen Schritt zurück. »Das bedeutet Kampf!«, sagte er.

»Ja«, sagte der weiße Chef und schlug sich dramatisch an die Brust. »Jetzt herrscht Kampf zwischen der Weißen und der Roten Rose und tausend und abertausend Seelen werden in den Tod gehen – hinein in die Nacht des Todes.«

Kalle Blomquist
lebt
gefährlich

1. Kapitel

»Du bist ja nicht normal«, sagte Anders. »Du kannst einfach nicht normal sein. Liegst da herum und träumst!«

Der, der nicht normal sein sollte, sprang hastig aus dem Gras auf und blinzelte unter einem flachsgelben Haarschopf gekränkt auf die beiden am Zaun.

»Lieber, kleiner, süßer Kalle«, sagte Eva-Lotta, »du wirst dich noch wund liegen, wenn du nicht endlich damit aufhörst, unter dem Birnbaum zu liegen und zu glotzen – jeden Tag, den ganzen Sommer lang.«

»Ich lieg aber nicht den ganzen Tag rum und glotze«, sagte Kalle verärgert.

»Nein, Eva-Lotta, nun übertreib mal nicht«, meinte Anders. »Erinnerst du dich nicht an den Sonntag Anfang Juni – da lag Kalle nicht ein einziges Mal unterm Birnbaum. Er war den ganzen Tag lang nicht Detektiv. Diebe und Mörder waren unbewacht und konnten tun und lassen, was sie wollten.«

»Natürlich, jetzt erinnere ich mich«, sagte Eva-Lotta. »Die Diebe und Mörder hatten ja tatsächlich Anfang Juni einen ungestörten Sonntag.«

»Haut ab!«, brummte Kalle.

»Genau das wollten wir«, gab Anders zu. »Aber wir wollten dich mithaben. Natürlich nur, wenn du glaubst, dass die Mörder eine Stunde ohne Aufsicht auskommen.«

»Oh, das können sie sicher nicht«, stichelte Eva-Lotta. »Die müssen gehütet werden wie Babys.«

137

Kalle seufzte. Es war hoffnungslos, absolut hoffnungslos. Meisterdetektiv Blomquist – das war er. Und er verlangte Achtung vor seiner Tätigkeit. Aber bekam er, was er verlangte? Bestimmt nicht von Anders und Eva-Lotta. Dabei hatte er doch nachweislich im vorigen Sommer drei Juwelendiebe festgesetzt – er ganz allein! Klar, Anders und Eva-Lotta hatten ihm nachher dabei geholfen, aber es war doch er, Karl Blomquist, gewesen, der durch Scharfsinn und Beobachtungsgabe den Schurken auf die Spur gekommen war.

Damals hatten Anders und Eva-Lotta begriffen, dass er wirklich ein Detektiv war, der seinen Beruf verstand; aber nun machten sie sich wieder über ihn lustig, als wäre das alles nie gewesen. Als gäbe es überhaupt keine Verbrecher auf der Welt, die beobachtet werden müssten. Als wäre er ein Blödmann, der den Kopf voller Hirngespinste hatte.

»Letzten Sommer wart ihr ziemlich stolz«, sagte er und spuckte verdrießlich ins Gras. »Damals, als wir die Juwelendiebe festsetzten, hat sich niemand über Meisterdetektiv Blomquist beklagt.«

»Es beklagt sich auch jetzt niemand über dich«, meinte Anders. »Aber du begreifst doch wohl, dass so was einmal passiert und nie wieder. Seit siebenhundert Jahren gibt es diese Stadt nun und bis heute hat es, soviel ich weiß, keine anderen Verbrecher gegeben als gerade deine Juwelendiebe. Das ist jetzt ein Jahr her. Du aber liegst noch immer unterm Birnbaum und wälzt Kriminalprobleme. Gib's auf, kleiner Kalle, gib's auf! Glaub mir, für die nächste Zeit kommen keine Schurken mehr zum Vorschein, selbst wenn du sie mit der Lupe suchst.«

»Alles hat seine Zeit, das weißt du doch«, sagte Eva-Lotta. »Strolche jagen hat seine Zeit und Hackfleisch aus den Roten machen hat seine Zeit.«

»Ach ja, um Hackfleisch ging es«, sagte Anders begeistert. »Die Rote Rose hat wieder den Krieg erklärt. Benka hat vor einer Weile ihre

Kriegserklärung gebracht. Lies selbst!« Er zog ein großes Plakat aus der Tasche und gab es Kalle. Und Kalle las:

»Krieg! Krieg!
An den wahnsinnigen Chef der verbrecherischen Brut, die sich ›Die Weiße Rose‹ nennt.
Hiermit tun wir kund und zu wissen, dass es in ganz Schweden keinen Bauern gibt, der ein Schwein hat, das auch nur andeutungsweise so dumm ist wie der Chef der Weißen Rose. Das erwies sich, als dieser Abschaum der Menschheit gestern auf dem Großen Markt dem hochherzigen und allgemein geachteten Chef der Roten Rose entgegentrat. Fiel es da doch besagtem Abschaum nicht ein, zur Seite zu gehen, sondern erfrechte er sich in seiner gräulichen Dummheit nicht noch, unsern edlen, hochberühmten Chef zu schubsen und dabei in widerliche Schmähungen auszubrechen! Diese Schmach kann nur mit Blut abgewaschen werden. Nun herrscht Kampf zwischen der Roten Rose und der Weißen Rose und tausend und abertausend Seelen werden in den Tod gehen – hinein in die Nacht des Todes.
                    Sixten,
                    Edelmann und Chef der Roten Rose«

»Und jetzt«, sagte Anders, »wollen wir ihnen eins auf die Rübe geben. Machst du mit?«
Kalle grinste zufrieden. Der Krieg der Rosen, der mit kurzen Unterbrechungen nun schon seit Jahren tobte, war nicht etwas, wovon man sich freiwillig ausschloss. Das gab Spannung und Inhalt für die Sommerferien, die sonst vielleicht etwas eintönig gewesen wären. Rad fahren und baden, Erdbeerbeete begießen, Besorgungen machen für Vaters Lebensmittelgeschäft, angelnd am Fluss sitzen, in Eva-Lottas Garten Ball spielen – das alles reichte nicht die Tage auszufüllen. Die Sommerferien waren ja so lang.

Ja, Sommerferien waren glücklicherweise lang. Und sie waren die beste Erfindung, die jemals gemacht worden war, fand Kalle. Seltsam zwar, sich vorzustellen, dass Erwachsene so was erdacht hatten. Da ließen sie einen tatsächlich so einfach zehn Wochen lang im Sonnenschein herumlaufen, ohne dass man sich über den Dreißigjährigen Krieg oder so etwas den Kopf zerbrechen musste. Man konnte sich stattdessen mit dem Krieg der Rosen beschäftigen und das war viel schöner.

»Ob ich mitmache? Musst du das überhaupt fragen?«

So dünn gesät, wie die Verbrecher in letzter Zeit waren, da konnte sich Meisterdetektiv Blomquist ruhig etwas Urlaub gönnen um seine Freizeit der höheren Kriegführung zu widmen und zu sehen, was die Roten diesmal wieder ausgeheckt hatten.

»Ich glaube, ich mach mich erst mal auf einen kleinen vorbereitenden Kundschaftergang«, sagte Anders.

»Tu das«, sagte Eva-Lotta. »Und wir starten dann in etwa einer halben Stunde. Ich will nur erst die Messer schleifen.«

Das hörte sich imponierend und gefährlich an. Anders und Kalle nickten zustimmend mit dem Kopf. Ja, Eva-Lotta war schon ein Krieger, auf den man sich verlassen konnte! Die Messer, die geschliffen werden sollten, waren freilich nur Bäckermeister Lisanders Brotmesser – aber trotzdem! Eva-Lotta hatte ihrem Vater versprochen ihm beim Schleifen zu helfen, bevor sie wegging. In der brennenden Julisonne den schweren Schleifstein zu drehen war schon eine schweißtreibende Arbeit. Aber es erleichterte ein wenig, wenn man sich vorstellte, dass das, womit man sich abrackerte, notwendige Waffen für den Krieg der Rosen waren.

»Tausend und abertausend Seelen werden in den Tod gehen – hinein in die Nacht des Todes«, murmelte Eva-Lotta vor sich hin, während sie am Schleifstein stand und drehte, dass ihr der Schweiß von der Stirn tropfte.

»Was sagst du?«, fragte Bäckermeister Lisander und sah vom Schleifstein auf.

»Nichts.«

»Das war wohl genau das, was ich gehört habe«, sagte der Bäckermeister und fuhr prüfend mit dem Finger über die Schneide eines Brotmessers. »Du kannst laufen!«

Und Eva-Lotta lief. Sie schlüpfte durch den Zaun, der ihren Garten von Kalles trennte. An einer Stelle fehlte ein Brett. Solange sich Menschen entsinnen konnten, fehlte dort das Brett und es würde dort fehlen, solange Eva-Lotta und Kalle etwas zu sagen hatten. Sie brauchten diese Abkürzung.

Es konnte passieren, dass Lebensmittelhändler Blomquist, der ein ordentlicher Mann war, zu Bäckermeister Lisander, wenn sie an Sommerabenden in der Laube des Bäckermeisters saßen, sagte: »Hör mal, Freund, wir sollten vielleicht den Zaun in Ordnung bringen. Sieht ziemlich verkommen aus, finde ich.«

»Ach, wir warten lieber, bis die Kinder so groß geworden sind, dass sie in der Öffnung stecken bleiben«, erwiderte der Bäckermeister dann. Aber Eva-Lotta war immer noch, obwohl sie ausdauernd Kuchen aß, dünn wie ein Stock und es machte ihr absolut keine Schwierigkeiten, durch die enge Öffnung zu schlüpfen.

Von der Straße war ein Pfiff zu hören. Anders, Chef der Weißen Rose, war von seinem Kundschaftergang zurückgekehrt. »Sie halten sich in ihrem Hauptquartier auf«, schrie er. »Vorwärts zu Kampf und Sieg!«

Kalle hatte seinen Platz unter dem Birnbaum wieder bezogen, als Eva-Lotta zum Schleifstein und Anders auf seinen Kundschaftergang verschwunden waren. Er benutzte die kurze Atempause, bevor der Krieg der Rosen ausbrach, zu einem wichtigen Gespräch.

Ja, er hatte ein Gespräch, obwohl kein lebendes Wesen in der Nähe zu sehen war. Meisterdetektiv Blomquist sprach mit seinem eingebildeten

Zuhörer. Seit Jahren schon hatte er diesen lieben Begleiter. Oh, das war ein wunderbarer Mensch, dieser Zuhörer! Er behandelte den berühmten Detektiv mit der Hochachtung, die er so sehr verdiente und so selten bekam, am allerwenigsten von Anders und Eva-Lotta. Gerade jetzt saß er, andächtig auf jedes Wort lauschend, zu des Meisters Füßen.

»Herr Bengtsson und Fräulein Lisander sind von wahrhaft beklagenswerter Interesselosigkeit gegenüber den Verbrechen in unserer Gemeinde«, versicherte Herr Blomquist und sah seinem eingebildeten Zuhörer ernst in die Augen. »Eine kleine Ruhepause nur – und sie verlieren alle Wachsamkeit. Sie verstehen nicht, dass gerade die Ruhe gefährlich ist.«

»Tatsächlich?«, sagte der eingebildete Zuhörer und sah ganz verdattert aus.

»Die Ruhe ist trügerisch«, fuhr der Meisterdetektiv mit Nachdruck fort. »Diese kleine friedliche Stadt, diese strahlende Sommersonne, diese idyllische Ruhe – bah! Von einer Minute zur anderen kann sich das alles verändern. Ganz plötzlich kann das Verbrechen seinen düsteren Schatten auf uns werfen!«

Der eingebildete Zuhörer stöhnte. »Herr Blomquist, Sie erschrecken mich«, flüsterte er und warf scheue Blicke um sich, als wollte er sehen, ob das Verbrechen nicht schon hinter einer Ecke lauerte.

»Überlassen Sie das alles nur mir«, sagte der Meisterdetektiv. »Machen Sie sich keine Sorgen. Ich wache.«

Jetzt konnte der eingebildete Zuhörer kaum noch sprechen, so gerührt und dankbar war er. Seine gestammelten Dankesworte wurden außerdem durch Anders' Kriegsruf vom Zaun her unterbrochen: »Vorwärts zu Kampf und Sieg!«

Als hätte ihn eine Biene gestochen, fuhr Meisterdetektiv Blomquist in die Höhe. Man durfte ihn nicht noch einmal unter dem Birnbaum finden.

»Leben Sie wohl!«, rief er dem eingebildeten Zuhörer zu und hatte dabei selbst das Gefühl, als wäre es ein Abschied für ziemlich lange. Der Krieg der Rosen würde ihm wohl kaum Zeit lassen, im Gras zu liegen und über Kriminalität zu diskutieren. Und das war eigentlich gut. Ehrlich gesagt: Es war schon ein Kreuz, in dieser Stadt Verbrecher fangen zu müssen. Ein ganzes Jahr seit dem letzten Mal – kann man sich das überhaupt vorstellen? Nein, der Krieg der Rosen war ihm wirklich herzlich willkommen.

Sein eingebildeter Zuhörer sah ihm lange und ängstlich nach.

»Leben Sie wohl!«, rief der Meisterdetektiv noch einmal. »Ich bin nun eine Weile zum Militärdienst einberufen. Aber keine Sorge. Ich kann mir nicht vorstellen, dass gerade jetzt irgendetwas Besonderes passieren wird.«

Ich kann mir nicht vorstellen... Diesmal hat sich der Herr Meisterdetektiv geirrt, der eigentlich über die Sicherheit der Stadt wachen sollte! Da läuft er nun, fröhlich pfeifend, und seine nackten braunen Füße patschen auf dem Gartenweg, wie er Anders und Eva-Lotta entgegensaust. Ich kann mir nicht vorstellen! Kann mir nicht vorstellen... Da läuft der Meisterdetektiv!

2. Kapitel

»In dieser Stadt gibt es nur eine Straße und eine Querstraße«, pflegte Bäckermeister Lisander den Leuten zu erzählen, die aus einer anderen Gegend zu Besuch hierher kamen. Und der Bäckermeister hatte Recht. Hauptstraße und Kleine Straße, das war alles, was es gab – und den Großen Markt natürlich. Der Rest waren winzige kopfsteingepflasterte, bucklige Gassen und Straßenstummel, die zum Fluss hinunterführten oder auch ganz plötzlich aufhörten vor einem baufälligen alten Haus, das mit dem Recht des Alters dort stand und den Weg versperrte und sich eigensinnig jeder modernen Stadtplanung widersetzte. Gewiss fand sich am Stadtrand die eine oder andere moderne Villa in einem schön gepflegten Garten; aber das waren Ausnahmen. Die meisten Gärten waren wie der des Bäckermeisters: wild gewachsen mit alten knorrigen Apfel- und Birnbäumen und verwilderten Grasflächen, die nie gemäht wurden. Auch die Häuser ähnelten meist dem des Bäckermeisters: große Holzkästen, die ein Baumeister längst vergangener Zeit in wildem Schönheitsrausch mit ganz unerwarteten Vorsprüngen, Türmchen und Zinnen geschmückt hatte.
Eine schöne Stadt war es also, streng genommen, nicht, aber sie war von altmodischer, gemütlicher Ruhe. Und eigentlich war sie von einer gewissen Schönheit, jedenfalls an einem warmen Julitag wie diesem, wenn in allen Gärten die Rosen, Levkojen und Pfingstrosen blühten und wenn die Linden in der Kleinen Straße ihre Wipfel im Flüsschen spiegelten, das so nachdenklich in seinem Bett dahinfloss.

Kalle und Anders und Eva-Lotta, die gerade am Ufer des Flusses entlang dem Hauptquartier der Roten Rose entgegentrabten, fragten auch nicht viel danach, ob ihre Stadt schön war oder nicht. Sie wussten nur, dass sie einen ausgezeichneten Kriegsschauplatz im Krieg der Rosen abgab. Da konnte man in schmalen, winkligen Gassen die Verfolger abschütteln, Zäune gab es zum Überspringen und Dächer, auf die man klettern, Holzschuppen, in denen man sich verbarrikadieren konnte, und außerdem noch tausendundeine Gelegenheit sich zu verstecken. Solange eine Stadt diese außerordentlichen Vorzüge besaß, brauchte sie nicht schön zu sein. Es war vollauf genug, dass die Sonne schien und die Pflastersteine sich unter den nackten Füßen so warm und behaglich anfühlten. Das war wie Sommer im ganzen Körper. Der leicht modrige Geruch vom Fluss, der sich ab und zu mit verirrtem Rosenduft aus irgendeinem Garten mischte, war auch angenehm und sommerlich. Und die Eisbude hinten an der Straßenecke verschönerte das Stadtbild gerade genug, fanden Kalle und Anders und Eva-Lotta. Mehr Schönheit war hier gar nicht nötig.

Sie kauften sich jeder ein Eis und liefen weiter die Straße entlang. Hinten von der Flussbrücke her kam ihnen Wachtmeister Björk langsam patrouillierend entgegen. Seine Uniformknöpfe blitzten im Sonnenschein.

»Hallo, Onkel Björk«, rief Eva-Lotta.

»Hallo«, erwiderte der Wachtmeister. »Hallo, Meisterdetektiv«, setzte er noch hinzu und legte Kalle freundlich den Arm um den Nacken. »Heute keine neuen Fälle?«

Kalle sah ärgerlich aus. Onkel Björk war doch wohl damals dabei gewesen und hatte die Früchte von Kalles Verbrecherjagd im vorigen Sommer geerntet. Er brauchte nun wirklich keine faulen Witze zu machen.

»Nein, heute keine neuen Fälle«, antwortete Anders für Kalle. »Alle Diebe und Mörder haben den Befehl bekommen, ihre Arbeit bis morgen aufzuschieben. Kalle hat nämlich heute keine Zeit für sie.«

»Nein, heute wollen wir den Roten Rosen die Ohren abschneiden«, sagte Eva-Lotta und lächelte Wachtmeister Björk freundlich an. Sie konnte ihn gut leiden.

»Eva-Lotta, manchmal hab ich so das Gefühl, als müsstest du etwas mädchenhafter sein«, sagte Wachtmeister Björk und sah bekümmert auf die schlanke, sonnenverbrannte Amazone, die da an der Bordsteinkante stand und versuchte, mit dem gekrümmten großen Zeh eine Zigarettenkippe aufzuheben. Es glückte und mit kräftigem Schwung schleuderte sie die Kippe in den Fluss.

»Mädchenhafter? Ja, montags«, versicherte Eva-Lotta und ein helles, strahlendes Lachen lag auf ihrem Gesicht. »Hej, Onkel Björk, nun müssen wir aber flitzen!«

Wachtmeister Björk schüttelte den Kopf und wanderte weiter.

Wenn man über die Brücke ging, wurde man einer schweren Versuchung ausgesetzt. Natürlich konnte man auf die allgemein übliche Weise hinübergehen. Aber da gab es Geländer, recht schmale Geländer. Und wenn man über die Brücke ging, indem man über diese Geländer balancierte, hatte man ein Weilchen einen angenehmen Kitzel in der Magengrube. Es *konnte* ja passieren, dass man runterfiel. Gewiss, es war trotz ausführlicher Versuche noch nie geschehen, aber ganz sicher war man ja nicht. Und wenn auch das Ohrenabschneiden der Roten Rosen eine recht dringende Angelegenheit war, fanden sowohl Kalle als Anders und Eva-Lotta doch, dass immer noch etwas Zeit für einen kleinen Balanceakt übrig sein musste. Es war natürlich verboten; aber Wachtmeister Björk war schon verschwunden und auch sonst war kein Mensch zu sehen.

Doch, einer war zu sehen. Gerade als sie zielstrebig auf die Geländer geklettert waren und das angenehm kitzelnde Gefühl im Magen sich wieder einzustellen begann, kam auf der anderen Seite der Brücke der alte Gren angetrottet. Aber um ihn kümmerte man sich nicht. Der alte

Gren blieb vor den Kindern stehen, seufzte wie gewöhnlich und sagte in seiner üblichen abwesenden Art: »Ja, ja, die glücklichen Spiele der Kindheit. Die glücklichen, unschuldigen Spiele der Kinder. Ja, ja!«
Das sagte der alte Gren immer. Die Kinder ahmten ihn manchmal nach. Selbstverständlich nie so, dass er es hören konnte. Aber wenn Kalle aus Versehen den Fußball genau in Vater Blomquists Schaufensterscheibe schoss oder Anders vom Fahrrad fiel und dabei mit dem Gesicht mitten in einem Brennnesselgestrüpp landete, konnte es sein, dass Eva-Lotta seufzte und sagte: »Ja, ja, die glücklichen Spiele der Kindheit. Ja, ja.«
Sie erreichten glatt das andere Ende der Brücke. Auch diesmal wieder war keiner ins Wasser gefallen. Anders sah sich um, ob sie jemand beobachtet hatte. Die Kleine Straße aber war nach wie vor leer. Nur der alte Gren ging dort ganz hinten. Seinen trottenden Gang konnte man nicht verwechseln.
»Ich kenn niemand, der so komisch geht wie Gren«, sagte Anders.
»Gren ist durch und durch komisch«, meinte Kalle. »Aber vielleicht wird man komisch, wenn man so allein ist.«
»Der Ärmste«, sagte Eva-Lotta. »Stellt euch vor, in solch einer alten Bruchbude wohnen zu müssen und keinen Menschen zu haben, der für einen aufräumt oder mal Essen kocht und so.«
»Tja, Aufräumen ist ja nicht unbedingt wichtig«, fand Anders nach kurzem Überlegen. »Ich hätte nichts dagegen, wenn ich ein Weilchen allein wäre. Dann würde wenigstens niemand meine Modellbauflugzeuge anrühren.«
Für einen, der wie Anders mit vielen kleinen Geschwistern auf engstem Wohnraum zusammenleben musste, war es kein übler Gedanke, ein ganzes Haus für sich zu haben.
»Ach, du würdest in einer Woche wunderlich werden«, sagte Kalle, »noch wunderlicher, als du jetzt schon bist, meine ich. Genauso wunderlich wie Gren.«

»Papa kann diesen Gren nicht leiden«, rief Eva-Lotta. »Er sagt, Gren ist ein Wucherer!«

Weder Anders noch Kalle wussten, was ein Wucherer ist, aber Eva-Lotta erklärte es schon:

»Papa sagt, ein Wucherer ist so einer, der Geld ausleiht – an Leute, die es nötig haben.«

»Ja, aber das ist doch nett von ihm«, sagte Anders.

»Nein, das ist es nicht«, sagte Eva-Lotta. »Das ist so – verstehst du… Nimm doch mal an, du musst dir fünfundzwanzig Öre leihen, du brauchst die fünfundzwanzig Öre unbedingt für irgendetwas.«

»Für ein Eis«, schlug Kalle vor.

»Du nimmst mir das Wort aus dem Mund. Ich fühl direkt, wie ich es unbedingt brauche!«, bestätigte Anders.

»Na ja, dann gehst du eben zu Gren«, sagte Eva-Lotta, »oder zu irgendeinem anderen Wucherer. Und der gibt dir dann die fünfundzwanzig Öre…«

»Tut er das wirklich?«, fragte Anders, völlig überwältigt von dieser Möglichkeit.

»Klar. Aber du musst dich verpflichten, sie in einem Monat zurückzuzahlen«, sagte Eva-Lotta. »Und es reicht nicht, wenn du ihm fünfundzwanzig Öre zurückgibst. Du musst ihm fünfzig Öre geben.«

»Auf keinen Fall!«, empörte sich Anders. »Warum muss ich das?«

»Kindchen«, sagte Eva-Lotta, »hast du denn in der Schule noch nie Prozentrechnen gehabt? Gren will Prozente für sein Geld haben. Kapier das doch endlich!«

»Aber er kann sich doch wohl etwas mäßigen«, meinte Kalle.

»Das tun die Wucherer aber nun mal nicht«, sagte Eva-Lotta. »Die mäßigen sich nicht. Die nehmen immer zu viele Prozente. Und im Gesetzbuch steht, dass man das nicht darf. Ja, und deshalb kann Papa den Gren nicht leiden.«

»Aber warum sind die Leute denn so vernagelt, dass sie Geld von

Wucherern leihen?«, fragte Kalle verwundert. »Können die sich das Geld für ihr Eis nicht woanders borgen?«

»Dummchen«, sagte Eva-Lotta. »Vielleicht geht es nicht nur um fünfundzwanzig Öre für ein Eis, sondern um Tausende von Kronen. Da gibt es vielleicht Menschen, die *müssen* durchaus fünftausend Kronen haben und gerade jetzt in dieser Sekunde und kein Mensch ist da, der sie ihnen borgen will. Keiner, nur so ein Wucherer wie Gren.«

»Jetzt pfeifen wir auf Gren«, sagte Anders, der Chef der Weißen Rose. »Vorwärts zu Kampf und Sieg!«

Da lag das Haus des Postdirektors und im Garten dahinter ein Schuppen, der als Garage diente. Als Garage und als Hauptquartier der Roten Rose. Denn Postdirektors Sixten war der Chef dieser streitsüchtigen Bande.

Augenblicklich schien die Garage verlassen und leer. Schon von weitem konnte man sehen, dass ein weißes Plakat an die Tür genagelt war. Es wäre ein Leichtes gewesen, durchs Gartentor zur Garage zu spazieren und zu lesen, was auf dem Plakat stand. Aber so ging man nicht vor im Krieg der Rosen. Es könnte eine Falle sein. Vielleicht lagen die Roten Rosen drinnen in ihrem verrammelten Hauptquartier auf der Lauer, bereit, sich auf die Arglosen zu stürzen, die sich in die Nähe wagten.

Der Chef der Weißen Rose gab seinen Truppen Anweisung: »Kalle, du schleichst an der Hecke entlang, bis du hinter dem Hauptquartier außer Sicht für den Feind bist. Dann hinauf aufs Dach! Schaff sie herbei, die Bekanntmachung, tot oder lebendig!«

»Die Bekanntmachung – tot oder lebendig? Was meinst du damit?« fragte Kalle.

»Halt den Schnabel«, sagte Anders. »*Du* sollst tot oder lebendig sein, kapierst du das nicht? Eva-Lotta, du liegst hier still hinter der Hecke und spähst. Wenn du irgendeine Gefahr für Kalle merkst, pfeifst du unser Signal.«

»Und du? Was willst du machen?«, fragte Eva-Lotta.

»Ich geh rein und frage Sixtens Mutter, ob sie weiß, wo Sixten ist«, antwortete Anders.

Sie setzten sich in Bewegung. Kalle hatte das Hauptquartier schnell erreicht. Auf das Dach zu gelangen war kein Kunststück. Das hatte Kalle schon oft geschafft. Man brauchte sich nur durch die Hecke zu zwängen und auf die Mülltonne zu klettern, die hinter der Garage stand. Er kroch über das Dach, ungemein leise, damit der Feind ihn nicht hören konnte. Im tiefsten Innern wusste Kalle ganz genau, dass die Garage leer war. Das wusste auch Eva-Lotta – vor allen Dingen Anders, der zu Postdirektors hineingegangen war um nach Sixten zu fragen. Aber der Krieg der Rosen hatte seine besonderen Regeln. Und deshalb kroch Kalle über das Dach, als sei es ein lebensgefährliches Unternehmen. Und deshalb lag Eva-Lotta hinter der Hecke und verfolgte jede seiner Bewegungen, gespannt wie ein Tiger, jederzeit bereit, einen Warnpfiff auszustoßen, wenn es wider Erwarten nötig sein sollte.

Anders kam zurück. Sixtens Mutter wusste nicht, wo sich ihr geliebter Junge gerade aufhielt.

Kalle beugte sich vorsichtig über die Dachkante und nachdem er sich ordentlich gestreckt hatte, gelang es ihm, das Plakat von der Tür zu reißen. Dann kehrte er auf demselben Weg genauso leise zurück. Eva-Lotta hielt Wache bis zuletzt.

»Gut gemacht, mein Tapferer«, sagte Anders anerkennend, als Kalle ihm das Plakat übergab. »Wollen doch mal sehen.«

Sixten, »Edelmann und Chef der Roten Rose«, hatte die bemerkenswerte Bekanntmachung verfasst. Aber für einen Edelmann war die Sprache merkwürdig saftig, musste man zugeben. Von einem Edelmann hätte man wohl mit Recht etwas Vornehmeres erwarten können.

»Ihr widerlichen Läusepudel, ja genau das seid ihr, ihr Weißen Rosen, die ihr mit eurer stinkenden Anwesenheit diese Stadt verpestet! Hiermit tun wir euch kund und zu wissen, dass wir, die noblen Edelmänner der Roten Rose, uns auf das Schlachtfeld der Prärie begeben haben. Kommt sofort dorthin, damit wir das ekelhafte Unkraut, das sich Weiße Rose nennt, ausrotten und dessen Asche auf Johannssons Misthaufen streuen können, wohin es schon lange gehört. Kommt nur, Läusepudel!!«

Niemand, der diese herzlichen Worte las, hätte glauben können, dass die Roten und Weißen Rosen in Wahrheit die allerbesten Freunde waren. Abgesehen von Kalle und Eva-Lotta kannte Anders keinen anständigeren Kameraden als Sixten, höchstens noch Benka und Jonte, auch sie beide prächtige Rote Rosen. Und wenn Sixten und Benka und Jonte in dieser Stadt jemand hoch und heilig anerkannten, so waren das die widerlichen Läusepudel Anders, Kalle und Eva-Lotta.

»Das war das«, sagte Anders, als er die Bekanntmachung vorgelesen hatte. »Auf in die Prärie! Vorwärts zu Kampf und Sieg!«

3. Kapitel

Es war gut, dass es die Prärie gab, gut für die Generationen von Kindern, die dort gespielt hatten, so lange sie sich erinnern konnten. Alten, rechtschaffenen Familienvätern wurde es weich ums Herz, wenn sie sich an die Indianerspiele der Kindheit auf der Prärie erinnerten. Die Kinder späterer Zeiten hatten großen Nutzen davon. Wenn Kalle an einem Abend mit zerrissenem Hemd nach einer besonders lebhaften Schlacht nach Hause kam, dann sagte Lebensmittelhändler Blomquist nicht allzu viel, denn er erinnerte sich an ein Hemd, das an einem Frühlingsabend vor ungefähr dreißig Jahren auf der Prärie zerrissen wurde. Und selbst wenn Frau Lisander gewünscht hätte, ihre Tochter würde sich ein bisschen mehr mit gleichaltrigen Mädchen abgeben, statt mit den Jungen draußen auf der Prärie herumzutoben, so lohnte es sich doch nicht, wenn sie Einwände erhob. Denn dann sah der Bäckermeister sie listig an und sagte: »Hör mal, Maria, als du klein warst, welches Mädchen trieb sich damals wohl am meisten auf der Prärie herum?«

Die Prärie war eine große Gemeindewiese, die direkt am Stadtrand lag. Sie war mit kurzem Schafgras bewachsen, so einem Gras, über das mit nackten Füßen zu laufen besonders Spaß macht. Im Frühling leuchtete es saftig grün. Dann war die ganze Prärie ein gewelltes grünes Meer mit gelben Farbklecksen von üppig blühendem Huflattich. Aber die Sommersonne hatte ihr Werk vollbracht und jetzt lag die Prärie braun und vertrocknet da. Kalle, Anders und Eva-Lotta, die eilig der freundlichen Aufforderung von Sixten gefolgt waren, starrten mit von der Sonne geblendeten Augen über das Schlachtfeld und versuchten ihre Feinde zu entdecken. Aber die Roten Rosen waren nicht zu sehen. Große Teile der Prärie waren mit Haselsträuchern und Wacholderbüschen bewachsen, zwischen denen sich ein schleichender Ritter der Roten Rose leicht verstecken konnte.

Die Weißen ließen ihr entsetzliches Kriegsgeschrei ertönen und drangen in die Büsche ein. Sie durchsuchten jedes Gestrüpp, aber kein Feind wurde gefunden. Sie suchten weiter, bis sie den äußersten Rand der Prärie, dicht beim Herrenhof, erreicht hatten, aber es nutzte nichts.

»Was soll der Quatsch?«, sagte Anders. »Sie sind ja nicht zu finden.«

Da ertönte in der Stille der Prärie ein schneidendes, höhnisches Gelächter aus drei Kehlen.

»Jetzt aber!«, sagte Eva-Lotta und sah sich unruhig um. »Ich glaube fast, sie sind im Herrenhof.«

»Ja, sie sind bestimmt da drinnen«, sagte Kalle und seine Stimme war voller Bewunderung.

Am Rand der Prärie stand zwischen zitternden Espen ein altes Haus. Das war der Herrenhof. Ein vornehmes altes Haus aus dem achtzehnten Jahrhundert, das einst bessere Tage gesehen hatte. Und dort guckten nun aus einem Fenster an der Rückseite drei triumphierende Jungengesichter heraus.

»Wehe dem, der sich dem neuen Hauptquartier der Roten Rose nähert!«, schrie Sixten.

»Wie in aller Welt seid ihr…«, sagte Anders.

»Ja, das möchtet ihr wohl wissen«, höhnte Sixten. »Die Tür war offen. Ganz einfach, nicht?«

Der Herrenhof war lange Jahre unbewohnt gewesen und sehr verfallen. Es war beabsichtigt, ihn zu restaurieren und in den Stadtpark zu versetzen um ein Heimatmuseum daraus zu machen. So hatten es die

Stadtverordneten vor langer Zeit beschlossen. Aber das Geld für diesen Zweck sollte auf freiwilliger Basis gesammelt werden und das ging langsam. Währenddessen verfiel das Haus mehr und mehr. Bisher war es verschlossen und vor den Kindern der Stadt sicher gewesen. Wenn nun die morschen Türen die Eindringlinge nicht mehr zurückhalten konnten, war es wohl höchste Zeit, dass die Stadtverordneten so schnell wie möglich eingriffen, solange es noch die Spur von einem Heimatmuseum gab. Denn dem Gepolter nach zu urteilen vollführten die Roten da drinnen in den getäfelten Räumen aus dem achtzehnten Jahrhundert nicht gerade pietätvolle Sprünge. Die alten Dielenbretter quietschten angstvoll unter ihren lebenslustigen Füßen, die sich hastig und unvorsichtig in wilden Freudensprüngen durch das neue Hauptquartier bewegten.

»Wir werden die Läusepudel gefangennehmen und hier einsperren und sie vor Hunger verschmachten lassen!«, schrie Sixten entzückt.

Seine vorgesehenen Opfer liefen erwartungsvoll ihrem Schicksal entgegen. Und die Roten versuchten nicht sie zu hindern. Sixten hatte nämlich beschlossen, das obere Stockwerk, das leichter zu verteidigen war, unter Einsatz von Blut und Leben zu halten. Dort hinauf führte eine stattliche Treppe und mitten auf der Treppe standen die Roten und gaben mit kriegerischen Gebärden zu verstehen, dass nichts ihnen lieber sei, als sich auf den Feind zu stürzen.

Die Weißen gingen forsch zum Angriff über. Die Stadtväter hätten sich die Haare gerauft, wenn sie den Krach und Donner hätten hören können, der entstand, als die beiden streitenden Heere aufeinander prallten. Ihr angehendes Museum zitterte in allen Fugen und die zierlichen Holzgeländer der Treppe bogen sich. Wildes Geheul stieg zu der schönen Stuckdecke empor. Und der Chef der Weißen Rosen rutschte rückwärts die Treppe mit einem Krach hinunter, der die Geister der Vergangenheit, wenn es nun welche gab, noch mehr erbleichen lassen und sie ängstlich in einer Ecke zusammendrängen würde.

154

Das Kriegsglück wechselte. Entweder trieben die Weißen ihre Gegner fast die ganze Treppe hinauf oder sie befanden sich selbst unter dem ungeheuren Druck von oben in ungeordnetem Rückzug zum Erdgeschoss. Nachdem der Kampf gut und gern eine halbe Stunde hin und her gewogt hatte, sehnten sich alle Parteien nach etwas Abwechslung. Die Weißen zogen sich einen Augenblick zurück um den letzten rasenden Angriff vorzubereiten. Da gab Sixten seinen Truppen schnell einen leisen Befehl. Sekunden später verließen die Roten ohne Vorwarnung ihren Standort auf der Treppe und zogen sich blitzschnell in das obere Stockwerk zurück. Dort gab es viele Möglichkeiten, arglistig in Zimmern und Wandschränken zu verschwinden. Das wussten Sixten und seine Getreuen; denn sie hatten das Haus vorher gründlich untersucht. Als nun Anders, Kalle und Eva-Lotta die Treppe heraufgestürmt kamen, waren die Roten Rosen wie weggeblasen. Sie hatten den Vorsprung von wenigen Sekunden ausgenutzt. Gerade jetzt waren sie hinter einer geschickt verborgenen Tapetentür verschanzt und beobachteten durch einen Spalt die hastige Beratung der Weißen, die genau davor standen.

»Schwärmt aus«, sagte der Weiße Chef. »Sucht den Feind, in welchem Loch er auch, um sein Leben zitternd, liegen mag. Macht kurzen Prozess mit ihm, wenn ihr ihn findet.«

Die Roten Rosen hinter der Tür hörten es voller Genugtuung. Sixtens Auge glitzerte zufrieden im Türspalt. Aber davon wussten die Weißen nichts. »Schwärmt aus«, hatte der Chef der Weißen gesagt. Etwas Dümmeres hätte er sich nicht ausdenken können. Das besiegelte sein Schicksal. Er selbst setzte sich unmittelbar danach in Bewegung und schwärmte aus, das heißt, er verschwand hinter einer Ecke.

Kaum war er außer Sicht, schlichen Kalle und Eva-Lotta in der entgegengesetzten Richtung davon. Dort war eine Tür, die sie öffneten. Sie fanden ein schönes sonniges Zimmer und obwohl sie deutlich sahen, dass keine Feinde darin waren, gingen sie auf jeden Fall hinein und gönnten sich eine kleine Kriegspause um aus dem Fenster zu gucken. Das aber erwies sich als ein absoluter Fehlgriff. Sie kehrten gerade noch rechtzeitig zur Tür zurück um zu hören, wie außen ein Schlüssel im Schloss umgedreht wurde. Sie hörten auch das rohe Lachen des Roten Chefs und seine gräulichen Triumphworte:

»Ha, ihr Läusepudel, nun hat euer letztes Stündlein geschlagen! Hier kommt ihr lebend nicht mehr raus!« Und dann Benkas gellende Stimme: »Nein, hier dürft ihr hocken, bis ihr Moos ansetzt. Aber wir können euch ja mal besuchen kommen. Heiligabend zum Beispiel.« Und Jonte: »Ja, macht euch keine Sorgen. Wir kommen Heiligabend. Was wollt ihr zu Weihnachten haben?«

»Eure Köpfe auf einer Bratenplatte!«, schrie Eva-Lotta von innen.

»Und garniert, wie man Schweinsköpfe immer garniert«, half Kalle nach.

»Unverschämt bis zum letzten Augenblick«, sagte der Rote Chef traurig zu seinen Waffenbrüdern. Dann wurde seine Stimme lauter und er rief seinen Gefangenen zu: »Adieu, ihr Läusepudel. Schreit, wenn ihr Hunger habt. Dann kommen wir und rupfen etwas Gras für euch.« Danach wandte er sich an Benka und Jonte und rieb sich zufrieden die Hände. »Und nun, meine tapferen Waffengefährten: Irgendwo in diesem Haus befindet sich in diesem Augenblick eine kleine erbärmliche Ratte, die sich Chef der Weißen Rose nennt. Einsam und wehrlos! Sucht sie! Sucht sie, sage ich!«

Die Roten taten ihr Bestes. Auf Zehenspitzen schlichen sie den langen Flur entlang, der sich über den ganzen ersten Stock zog. Sie spähten vorsichtig in alle Räume. Sie legten sich auf die Lauer vor Tapetentüren. Und sie wussten, wo immer sich der Chef der Weißen Rose befand, er musste sich der furchtbaren Gefahr bewusst sein, die ihm drohte. Seine Verbündeten waren eingesperrt. Er war allein gegen drei, die vor Lust glühten ihn zu erwischen. Denn den Chef der Gegner zu fangen, das war im Krieg der Rosen ein einzigartiges Bravourstück.

Der Weiße Chef hatte sich gut versteckt. Wie die Roten auch herumschnüffelten, sie fanden nicht so viel wie eine Feder von ihm. Bis Sixten plötzlich ein schwaches Knarren über seinem Kopf hörte.

»Er ist oben auf dem Boden«, flüsterte er.

Nun ging alles sehr schnell. Wohl stand Anders kampfbereit auf dem Boden und warnte in den höchsten Tönen jeden, der noch nicht sein Testament gemacht hatte, in seine Nähe zu kommen; aber es half nichts. Sixten, der für sein Alter außergewöhnlich groß und stark war, ging an die Spitze, Benka und Jonte halfen nach Bedarf und bald wurde Anders, wild zappelnd, die Treppe hinuntergeführt, einem unbekannten Schicksal entgegen.

Kalle und Eva-Lotta schrien ihm durch die verschlossene Tür tröstende Worte zu:

»Wow i ror kok o mom mom e non bob a lol dod u non dod ror e tot tot e non dod i choch!«, schrien sie. »Wir kommen bald und retten dich«, hieß das in der Geheimsprache der Weißen Rosen.

Etwas Besseres, die Roten zu reizen, gab es nicht. Sie hatten lange versucht, hinter das Geheimnis dieser Sprache zu kommen, die die Weißen bis zur Vollendung beherrschten und so wahnsinnig schnell sprechen konnten, dass es für den Uneingeweihten wie ein vollkommenes Kauderwelsch klang. Weder Sixten noch Benka oder Jonte hatten etwas in dieser Sprache Geschriebenes gesehen. Sonst hätten sie bestimmt keine Schwierigkeiten gehabt das Rätsel zu lösen. Jeder Konsonant wurde verdoppelt und ein o dazwischen eingefügt. So wurde zum Beispiel aus Kalle »Kok a lol lol e« und aus Anders »A non dod e ror sos«.

Eva-Lotta hatte diese Sprache, die so genannte Räubersprache, von ihrem Vater »geerbt«. Der Bäckermeister hatte eines Abends rein zufällig davon gesprochen, wie er und seine Spielkameraden in ihrer Jugend auf diese Weise geredet hatten, wenn sie wollten, dass niemand verstand, was sie sagten. Eva-Lottas Vater war einigermaßen erstaunt gewesen über die wilde Begeisterung seiner Tochter für die Räubersprache. Ein ähnliches Entzücken hatte er jedenfalls nie bei ihr bemerkt, wenn es sich um unregelmäßige deutsche Verben oder dergleichen handelte. Trotzdem hatte er den ganzen Abend mit Eva-Lotta geübt und am nächsten Tag schon konnte sie ihre neue Weisheit an Kalle und Anders weitergeben.

Den Weißen den Schlüssel zu ihrer Geheimsprache zu entreißen war eines der Kriegsziele der Roten. Ein anderes und noch wichtigeres war, den Großmummrich zurückzuerobern. »Großmummrich« war der Achtung gebietende Name für einen recht unbedeutenden Gegenstand. Der Großmummrich war einfach ein Stein, ein eigentümlich geformter Stein, den Benka einmal gefunden hatte. Mit etwas gutem Willen konnte man sich einbilden, dass der Stein wie ein Mann geformt war, wie ein nachdenklicher kleiner Mann, der ähnlich wie ein Buddha dasaß und seinen Nabel betrachtete. Die Roten Rosen hatten ihn sofort zu ihrem speziellen Talisman erklärt und schrieben ihm eine Reihe außerordentlicher Eigenschaften zu.

Es dauerte nicht lange, bis die Weißen Rosen herausgefunden hatten, dass es eine erhabene Pflicht war, den Großmummrich zu besitzen. Die heftigsten Kämpfe hatten schon um den Großmummrich stattgefunden. Es mag unglaubhaft klingen, dass einem kleinen Stein so große Bedeutung beigemessen wurde. Aber warum sollten die Roten Rosen ihren Großmummrich nicht ebenso lieben wie beispielsweise die Schotten ihren Krönungsstein und genauso in Aufruhr geraten, wenn die Weißen ihn voller Tücke entwendet hatten, wie die Schotten, als die Engländer den Krönungsstein nach Westminster Abbey gebracht hatten?

Es war eine traurige Wahrheit, dass die Weißen zur Zeit den Großmummrich besaßen und an einem unbekannten Ort versteckt hielten. Es wäre natürlich leicht gewesen, ihn so zu verstecken, dass keine menschliche Macht an ihn herangekonnt hätte. Aber zu den erstaunlichen Regeln, die im Krieg der Rosen galten, gehörte auch die Pflicht, dass diejenigen, die den Großmummrich gerade in ihrer Hand hatten, dem Gegner zumindest einen Anhaltspunkt über den derzeitigen Aufbewahrungsort des Kleinods gaben. Der Anhaltspunkt konnte ein Lageplan sein, ein schwer deutbarer und teilweise irreführender, oder ein Bilderrätsel, einfach auf einen Zettel geschmiert. Dieser Fingerzeig musste in einer dunklen Nacht in einen Briefkasten des Feindes gesteckt werden, der dann unter Aufbietung seines ganzen Scharfsinns herausfinden konnte, dass der Großmummrich in einem leeren Krähennest in der Ulme, die in der nördlichsten Friedhofsecke wuchs, versteckt war oder unter einer Dachsparre auf Schuhmachermeister Bengtssons Holzspeicher lag.

Zur Zeit befand er sich an keiner der genannten Stellen. Zur Zeit befand er sich an einem ganz anderen Platz. Und einer der Hauptgründe für das neue Auflodern der Kämpfe der Rosen an diesem heißen Julitag war, dass die Roten so gern wissen wollten, wo dieser Platz nun eigentlich war. Mit dem Chef der Weißen als Geisel war es sicher leicht, diesen Platz zu erfahren.

»Wir kommen bald und retten dich!«, hatten sie geschrien, Eva-Lotta und Kalle. Ihr Chef konnte diese Aufmunterung bestimmt gut brauchen. Denn er wurde von starken Armen zur Folter geschleppt. Wegen des Großmummrich und wegen der Geheimsprache.

»I choch vov e ror ror a tot e non i choch tot sos«, versicherte der Weiße Chef laut und heroisch, als man ihn an der Tür vorbeiführte, hinter der seine Waffengefährten gefangen waren.

»Warte nur, bald hast du ausgerort«, sagte Sixten drohend und packte ihn noch fester am Arm. »Wir werden es schon aus dir herauspressen, was das bedeutet. Keine Sorge!«

»Sei standhaft! Sei stark!«, schrie Kalle.

»Halt aus! Halt aus! Wir kommen bald«, unterstützte ihn Eva-Lotta. Und durch die Tür hörten sie die letzten stolzen Worte ihres Chefs:

»Lang lebe die Weiße Rose!« Und dann: »Lass meinen Arm los! Ich folge auf Ehrenwort! Ich bin bereit, meine Herren!«
Danach hörten sie nichts mehr. Das große Schweigen senkte sich über ihr Gefängnis. Der Feind hatte das Haus verlassen – und ihren Chef hatte er mitgenommen.

4. Kapitel

Sicher hatten die Roten angedeutet, Kalle und Eva-Lotta könnten bleiben, wo sie wären, bis Moos auf ihnen wüchse. Aber das war nicht wörtlich gemeint. Auch im Krieg der Rosen musste man gewisse Rücksichten auf das beschwerliche und störende Element, das Eltern genannt wurde, nehmen. Natürlich war es höchst ärgerlich, wenn edle Krieger sich gezwungen sahen, ihren Kampf auf dem Höhepunkt abzubrechen um nach Hause zu gehen und Koteletts und Rhabarbergrütze zu essen. Aber Eltern waren nun einmal der Meinung, Kinder müssten Mahlzeiten einhalten. Es war eine stillschweigende Vereinbarung im Krieg der Rosen, dass man sich diesen albernen Elternwünschen zu fügen habe. Tat man es nicht, bestand die Gefahr bedeutend ernsterer Störungen in der Kriegführung. Eltern besaßen ein grenzenlos schlechtes Unterscheidungsvermögen. Sie konnten leicht gerade an dem Abend ein Ausgehverbot verhängen, der ausschlaggebend für eine Schlacht um den Großmummrich war. Eltern wussten im Großen und Ganzen erschreckend wenig über Großmummriche, wenn auch eine Kindheitserinnerung an die Prärie manchmal wie ein zufälliger Lichtstrahl ihren verdunkelten Verstand erleuchtete.

Wenn also die Roten mit Anders loszogen und Kalle und Eva-Lotta im leeren Zimmer eines unbewohnten Hauses einsperrten um sie dort Hungers sterben zu lassen, so bedeutete das folglich nur, dass sie ungefähr zwei Stunden, nämlich bis gegen sieben Uhr, schmachten mussten. Um sieben Uhr stand ein nahrhaftes Abendbrot auf dem Tisch beim Lebensmittelhändler Blomquist, beim Bäckermeister Lisander und in all den andern Familien in der Stadt. Rechtzeitig vor diesem kritischen Stundenschlag würde Sixten entweder Benka oder Jonte schicken, um in aller Stille den Eingeschlossenen die Tür wieder zu öffnen. Darum sahen Kalle und Eva-Lotta dem Hungertod mit unerschütterlicher Ruhe ins Auge. Aber es war eine Schmach, auf diese schändliche Weise eingesperrt worden zu sein. Außerdem bedeutete es einen niederschmetternden Punktsieg für die Roten. Und dieser Vorsprung war, nachdem sie auch den Weißen Chef gefangen und abgeführt hatten, in Wahrheit katastrophal. Nicht einmal der Großmummrich in der Hand der Weißen konnte ihn ausgleichen.

Eva-Lotta sah den Fortziehenden verbittert aus dem Fenster nach. »Ich möchte wissen, wohin sie ihn führen«, sagte sie.

»Natürlich in Sixtens Garage«, antwortete Kalle und fügte hinzu: »Wenn man doch nur eine Zeitung hätte!«

»Eine Zeitung?«, fragte Eva-Lotta irritiert. »Sollen wir jetzt Zeitung lesen, wo wir versuchen müssen hier rauszukommen?«

»Du hast ja Recht«, sagte Kalle. »Wir müssen hier raus. Deshalb möchte ich ja auch eine Zeitung haben.«

»Glaubst du, da steht etwas drin über die beste Art, an Hauswänden hinunterzuklettern?« Eva-Lotta beugte sich aus dem Fenster, um den Abstand zum Boden zu schätzen. »Wir brechen uns natürlich den Hals«, fuhr sie fort. »Aber es hilft nichts.«

Kalle stieß einen zufriedenen Pfiff aus. »Die Tapete! Daran hatte ich nicht gedacht. Die genügt.«

Rasch riss er einen Fetzen von der herabhängenden Tapete ab. Eva-Lotta sah ihm verwundert zu. Kalle bückte sich und schob das große Papierstück durch die fingerbreite Ritze unter der Tür. »Reine Routinearbeit«, murmelte er und holte sein Taschenmesser heraus. Das kleinste und dünnste Messer klappte er auf und stocherte vorsichtig damit im

Schlüsselloch herum. Man hörte ein Klirren auf der anderen Seite der Tür. Es war der Schlüssel, der dort zu Boden fiel. Kalle zog die Tapete wieder herein und richtig, darauf lag der Schlüssel. »Wie gesagt, reine Routinearbeit«, sagte der Meisterdetektiv, damit andeutend, dass seine Tätigkeit als Detektiv es eben mit sich brachte, jeden Tag verschlossene Türen auf die eine oder andere knifflige Art zu öffnen.

»O Kalle, du bist unschlagbar!«, stellte Eva-Lotta bewundernd fest. Kalle schloss auf. Sie waren frei. »Aber wir wollen nicht gehen, ohne die Rötlichen um Verzeihung zu bitten«, sagte Kalle. Er fischte einen Bleistiftstummel aus seiner inhaltsreichen Hosentasche und reichte ihn Eva-Lotta. Und sie schrieb auf die Rückseite der Tapete:

»An die Hohlköpfe der Roten Rose!
Eure Moosanpflanzungsversuche sind kläglich gescheitert. Genau fünf Minuten und dreiunddreißig Sekunden haben wir gewartet, dass etwas sprießen würde.
Jetzt warten wir nicht länger. Ihr kleinen Rotznasen, wusstet ihr noch nicht, dass Weiße Rosen durch Wände gehen können?«

Sie schlossen das Fenster sorgfältig und hängten den Fensterhaken ein. Dann schlossen sie die Tür von außen ab und ließen den Schlüssel im Schloss stecken. Den Abschiedsbrief hängten sie an den Türgriff.

»Das wird ihnen etwas zu denken geben: das Fenster von innen und die Tür von außen verschlossen! Die werden sich wundern, wie wir herausgekommen sind«, sagte Eva-Lotta und schnurrte vor Begeisterung.

»Ein Punkt für die Weiße Rose«, sagte Kalle und lachte.

Anders war nicht in Sixtens Garage. Die Garage lag still und leer da wie vorher. Sixtens Mutter war dabei, im Garten Wäsche aufzuhängen.

»Wissen Sie, wo Sixten ist?«, fragte Eva-Lotta.

»Hm, vor einer halben Stunde war er noch hier«, sagte die Frau Postdirektor, »mit Benka, Anders und Jonte.«

Es war klar, die Roten hatten ihren Gefangenen an einen Platz gebracht, der sicherer war. Aber wohin? Die Antwort befand sich dicht
bei ihnen. Kalle sah sie zuerst. Im Gras stand ein Finnenmesser, die
scharfe Spitze bohrte sich durch einen kleinen Zettel. Es war Anders'
Messer. Kalle und Eva-Lotta erkannten es sofort. Und auf dem Zettel
stand ein einziges Wort: »Jonte«.

Dem Weißen Chef war es offenbar gelungen, in einem unbewachten
Augenblick diese knappe Mitteilung für seine Waffenbrüder zu hinterlassen.

Kalle legte die Stirn in tiefsinnige Falten. »Jonte«, sagte er, »das kann
nur eins bedeuten: Anders sitzt zu Haus bei Jonte gefangen.«

»Ja, was dachtest du denn sonst, was es bedeuten könnte?«, höhnte
Eva-Lotta. »Wenn er wirklich bei Jonte ist, so ist es natürlich schlauer,
auch ›Jonte‹ zu schreiben und nicht etwa zum Beispiel ›Benka‹.«

Darauf sagte Kalle kein Wort.

Jonte wohnte in dem Teil der Stadt, der Rowdyberg genannt wurde.
Es waren nicht gerade die Vornehmsten, die dort in kleinen Hütten
wohnten. Aber Jonte erhob auch gar nicht den Anspruch, zu den Vornehmen der Stadt zu gehören. Er war vollauf zufrieden mit der baufälligen Wohnung seiner Familie, die aus Stube und Küche im Erdgeschoss und einer kleinen Kammer unter dem Dach bestand. Letztere
war nur im Sommer bewohnbar. Im Winter war es dort zu kalt. Aber
im Juli herrschte in der Bodenkammer eine Hitze wie unter den Blei-
dächern von Venedig und deshalb war dort der beste Platz für ein
Verhör. Jonte hatte das alleinige Verfügungsrecht über die Bodenkammer. Hier schlief er auf einem einfachen Zeltbett, hier hatte er ein selbst
gebautes Regal aus Kistenbrettern, wo er seine Detektivromane und
die Briefmarkensammlung oder was ihm sonst kostbar war, aufbe-

wahrte. Kein König konnte in seinem Palast zufriedener sein als Jonte in seiner Kammer, wo die warme Luft stillstand und die Fliegen an der Decke summten.

Hierher hatten die Roten Anders gebracht. Glücklicherweise waren Jontes Eltern gerade heute außerhalb der Stadt in ihrem kleinen Schrebergarten. Sie hatten zu essen mitgenommen und würden so bald nicht nach Hause kommen. Jonte sollte für sich selber sorgen und sich Wurst und Kartoffeln braten, falls er Hunger bekam.

Und weil Sixtens Mutter direkt vor dem Hauptquartier der Roten Rose ihre Wäsche aufhängte und weil es so wunderbar elternfrei bei Jonte zu Hause war, hatte Sixten den großartigen Einfall gehabt, das peinliche Verhör in Jontes Kammer stattfinden zu lassen.

Kalle und Eva-Lotta beratschlagten. Selbstverständlich könnten sie die Hilfsexpedition sofort starten. Nach einigem Überlegen fanden sie es jedoch besser, damit noch ein bisschen zu warten. Es wäre dumm gewesen, sich ausgerechnet jetzt den Roten zu zeigen. Bald war Abendbrotzeit. Bald würde Sixten Benka oder Jonte zum Herrenhof schicken. Bald würde dort entweder Benka oder Jonte stehen und ganz verstört sein wegen der rätselhaften Flucht von Kalle und Eva-Lotta. Das war ein Gedanke voll tiefer Süße. Es wäre schade gewesen, einen so großen Triumph zu zerstören.

Kalle und Eva-Lotta beschlossen die Rettungsaktion bis nach dem Abendbrot zu verschieben. Sie wussten ja, dass Anders Urlaub auf Ehrenwort bekommen würde, um nach Hause zu gehen und Abendbrot zu essen. Und nichts war doch wohl peinlicher für eine Rettungsexpedition, als in dem Augenblick am Unglücksplatz zu erscheinen, wenn der zu Rettende sich gerade auf eigene Faust nach Hause begeben hatte, um Abendbrot zu essen.

»Und im Übrigen«, meinte Kalle, »wenn man jemand beobachten will, der in einer Wohnung gefangengehalten wird, soll man es dann tun, wenn es dunkel wird und die Leute Licht anmachen. Bevor sie die

Jalousien runterlassen. Das weiß jeder, der nur die geringste Ahnung von Kriminalistik hat.«

»Jonte hat keine Jalousien«, stellte Eva-Lotta fest.

»Um so besser«, sagte Kalle.

»Aber wie sollen wir durch ein Fenster im Dach beobachten?«, fragte Eva-Lotta. »Ich hab zwar sehr lange Beine, aber…«

»Man merkt, dass du noch nie Kriminalistik studiert hast. Was zum Beispiel, glaubst du, macht wohl die Kriminalpolizei in Stockholm? Wenn die eine Wohnung, drei Treppen hoch, beobachten wollen, weil dort Verbrecher wohnen, dann verschaffen sie sich Zutritt zu einer Wohnung auf der gegenüberliegenden Straßenseite, am besten vier Treppen hoch, damit sie etwas über den Verbrechern sind. Und dann stehen die Polizisten da mit ihren Ferngläsern und sehen haargenau zu den Verbrechern hinein, bevor die die Jalousien runterlassen.«

»Wenn ich Verbrecher wäre, würde ich zuerst die Jalousie runterlassen und dann Licht anmachen«, sagte die praktisch veranlagte Eva-Lotta. »Übrigens, was meinst du, zu welcher Wohnung sollen wir uns Zutritt verschaffen, um Jonte zu beobachten?«

Darüber hatte Kalle noch nicht nachgedacht. Für die Kriminalbeamten in Stockholm war es bestimmt einfacher, sich Zutritt zu einer Wohnung zu verschaffen. Sie brauchten ja nur ihre Polizeiausweise vorzuzeigen. Aber es war kaum anzunehmen, dass es hier für Kalle und Eva-Lotta genauso einfach sein würde.

Außerdem stand gegenüber von Jontes Haus gar kein Haus. Da war der Fluss. Aber es war ein Haus dicht daneben. Das Haus vom alten Gren. Eine Baracke von zwei Stockwerken. Gren hatte seine Tischlerwerkstatt zu ebener Erde und hauste selbst in der Wohnung im ersten Stock. Sollte man sich nicht »Zutritt verschaffen« können zu Grens Wohnung?, meinte Kalle. Einfach reingehen zu ihm und artig fragen, ob man nicht ein Fenster beschlagnahmen könne um eine Kleinigkeit zu beobachten? Kalle sah selbst ein, wie dumm dieser Gedanke war.

166

Außerdem hatte er auch noch einen Haken. Zwar standen die Häuser von Jonte und Gren mit den Giebeln zueinandergekehrt, aber gerade auf der Seite zu Jonte hin war bei Gren im oberen Stockwerk kein Fenster.

»Ich habe eine Idee!«, rief Eva-Lotta. »Wir klettern bei Gren aufs Dach, das ist die einzige Möglichkeit.«

Kalle sah sie voller Bewunderung an. »Für jemand, der noch nie in seinem Leben Kriminalistik studiert hat, ist diese Idee wirklich gut«, sagte er dann.

Ja, Grens Dach, das war die Lösung. Es war im Verhältnis zu Jontes Dachstubenfenster gerade hoch genug. Und Jonte hatte keine Jalousien. Sie würden einen großartigen Beobachtungsplatz haben. Frohen Herzens gingen Kalle und Eva-Lotta nach Hause – zum Abendbrot.

5. Kapitel

Der Abend war dunkel und still, als sie einige Stunden später über den Rowdyberg schlichen. Die kleinen Holzbaracken drängten sich dicht aneinander. Etwas von der Hitze des Julitages hing noch zwischen den Häuserreihen. Es war warm, ganz Rowdyberg ruhte in einer warmen, weichen Dunkelheit. Ab und zu wurde sie vom Licht eines kleinen Fensters erleuchtet oder von einer Tür, die an diesem Sommerabend offen stand. Und die Dunkelheit war voller Düfte. Der Geruch nach Katzen, gebratenem Hering und Kaffee mischte sich mit dem betäubenden Duft von blühendem Jasmin und genauso betäubenden Düften von einer Mülltonne, die schon vor langer Zeit hätte geleert werden müssen. Es war ganz still. Die Gassen lagen verlassen da. Die Bewohner des Rowdyberges führten kein Nachtleben außer Haus. Sie hatten sich in ihre eigenen vier Wände zurückgezogen und genossen die Geborgenheit und Erholung nach der Arbeit des Tages in ihren erbärmlichen Küchen, wo der Kaffeetopf auf der Herdplatte brodelte und die Pelargonien auf den Fensterbänken blühten.

Wer jetzt einen Abendspaziergang über den Rowdyberg machte, lief nicht Gefahr, einem lebenden Wesen zu begegnen.

»Hier ist es still wie in einem Grab«, fand Kalle. Und er hatte Recht. Nur hin und wieder hörte man Stimmengemurmel hinter einem der erleuchteten Fenster. In der Ferne bellte ein Hund, doch er verstummte bald. Irgendwo war jemand, der spielte zögernd eine kleine Melodie auf der Ziehharmonika, aber es war nur ein Versuch und danach war die Stille noch tiefer als zuvor.

Aber bei Jonte ging es lebhaft zu. In seiner Bodenkammer war es hell und schrille Jungenstimmen tönten aus dem offenen Fenster. Kalle und Eva-Lotta stellten mit Befriedigung fest, dass das Verhör offenbar in vollem Gange war. Sicher spielte sich dort oben ein spannendes Drama ab und Kalle und Eva-Lotta waren fest entschlossen, diesem Drama vom besten Platz aus, dem Gren'schen Dach, beizuwohnen.

»Wir müssen nur noch rauf aufs Dach«, sagte Eva-Lotta forsch.

Ja, mehr war nicht nötig.

Kalle lief noch einmal ums Haus um die Möglichkeiten zu untersuchen. Ärgerlich – bei Gren war noch Licht. Warum konnten alte Leute abends nicht schlafen gehen, sie, die den Schlaf doch so nötig hatten! Wie sollte man sonst einigermaßen ungestört auf ihrem Dach herumspazieren? Aber es half nichts. Ungestört oder nicht – auf das Dach mussten sie.

Es war gar nicht so schwer. Der alte Gren hatte nämlich freundlicherweise eine Leiter an den einen Giebel des Hauses gestellt. Zwar stand die Leiter dicht neben Grens Fenster, dem Fenster, das erleuchtet war, und das Fenster stand offen hinter einem zur Hälfte herabgelassenen Rollo. Und es war nicht sicher, ob Gren besonders entzückt sein würde, wenn er den Kopf aus dem Fenster stecken und zwei Weiße Rosen sehen würde, die gerade dabei waren, auf sein Dach zu klettern. Aber im Krieg der Rosen durfte man sich durch derartige Bagatellen nicht stören lassen. Unbeirrt musste man den Weg der Pflicht gehen, auch wenn er über Grens Dachfirst führte.

»Geh du zuerst«, sagte Eva-Lotta ermunternd. Das tat Kalle. Vorsichtig, ganz vorsichtig begann er die Leiter hinaufzuklettern. Eva-Lotta folgte ihm schnell und leise. Kritisch wurde es ja erst, wenn sie auf gleicher Höhe mit dem erleuchteten Fenster im oberen Stockwerk waren.

169

»Gren hat Besuch«, flüsterte Kalle Eva-Lotta zu. »Ich höre, wie sie miteinander sprechen.«

»Steck den Kopf rein und bitte für uns um ein Stück Kuchen«, schlug Eva-Lotta vor und kicherte zufrieden über ihren guten Vorschlag.

Aber Kalle fand ihn wohl nicht so lustig. Er setzte seinen Weg zum Dach fort, so schnell er konnte. Auch Eva-Lotta hatte es eilig, als sie an dem geöffneten Fenster vorbeimusste.

Ja, Gren hatte Besuch, man konnte es deutlich hören. Kuchen wurde aber nicht serviert. Jemand stand mit dem Rücken zum Fenster, jemand, der mit tiefer Stimme aufgeregt sprach. Eva-Lotta konnte zwar nur einen Teil von dem Betreffenden sehen, da die Jalousie ja zur Hälfte herabgelassen war; aber sie sah, dass Grens Besuch dunkelgrüne Gabardinehosen anhatte. Und dann hörte sie seine Stimme.

»Ja, ja, ja«, sagte die Stimme ungeduldig. »Ich *werde* es versuchen. Ich *werde* bezahlen. Damit ich endlich aus dieser Hölle rauskomme!«

Darauf hörte sie Grens weinerliche Greisenstimme: »Das haben Sie schon oft gesagt. Jetzt kann ich aber nicht länger warten. Verstehen Sie – ich muss mein Geld haben!«

»Sie werden es bekommen, sage ich.« Es war der Fremde, der nun wieder sprach. »Wir treffen uns am Mittwoch. An der gewohnten Stelle. Bringen Sie meinen Revers mit, nein, alle verdammten Reverse, jeden einzelnen. Ich werde sie alle einlösen. Es muss endlich Schluss damit sein.«

»Regen Sie sich doch nicht so auf. Sie verstehen doch, dass ich mein Geld haben muss«, antwortete Gren beruhigend.

»Blutsauger!«, sagte der Fremde und man hörte, dass er es auch so meinte.

Eva-Lotta kletterte schnell weiter. Kalle wartete, auf dem Dachfirst sitzend, auf sie.

»Die da unten hatten Krach wegen Geld«, erklärte Eva-Lotta.

»Sicher gings wieder um diese Prozente«, vermutete Kalle.

»Ich möchte wissen, was ein Revers ist«, sagte Eva-Lotta nachdenklich. Dann aber unterbrach sie sich hastig. »Ach, ist ja ganz egal! Komm, Kalle!«

Um in die Nähe von Jontes Fenster zu gelangen, mussten sie quer über das Dach zur gegenüberliegenden Seite balancieren. Und ziemlich unheimlich war es dort unter einem dunklen Himmel ohne freundliche Sterne, die ihren gefährlichen Weg etwas aufhellten. Nichts zum Festhalten als den Schornstein, und der bot nur kurz Halt, als sie die Hälfte des Weges hinter sich hatten, und nur widerwillig ließen sie ihn los, um ihren gefahrvollen Balanceakt fortzusetzen. Ihr Mut wurde belohnt durch den Anblick, der sich ihnen in Jontes Kammer bot. Da saß ihr Chef auf einem Stuhl, umringt von den Roten Rosen, die mit den Armen fuchtelten und ihn anschrien. Er aber schüttelte nur stolz den Kopf.

Eva-Lotta und Kalle legten sich platt auf den Bauch und bereiteten sich auf ein genussreiches Stündchen vor. Sie konnten alles, was dort drüben vor sich ging, hören und sehen. Welch ein Triumph! Welch ein Erfolg! Ihr Chef sollte nur wissen, dass die Rettung so nahe war. Nur zwei Meter von ihm entfernt lagen seine Getreuen, bereit, Blut und Leben für ihn zu opfern.

Eine Kleinigkeit nur war noch zu klären. Wie sollte die Befreiung vor sich gehen? Es war sicher gut und schön, Blut und Leben opfern zu wollen, aber wie sollte das geschehen? Quer über eine zwei Meter breite Kluft.

»Irgendetwas wird uns schon einfallen«, sagte Kalle voller Zuversicht und legte sich, so bequem, wie es die Umstände erlaubten, zurecht.

Bei Jonte wurde das Verhör fortgesetzt. »Gefangener, ich gebe dir eine letzte Chance, dein elendes Leben zu retten«, sagte Sixten und riss unsanft an Anders' Arm. »Wo habt ihr den Großmummrich versteckt?«

»Vergeblich erkundigst du dich!«, antwortete Anders. »Seit undenklichen Zeiten halten die Weißen Rosen ihre mächtige Hand über den Großmummrich. Nie werdet ihr ihn finden, darauf kannst du Gift nehmen«, setzte er weniger feierlich hinzu.

Kalle und Eva-Lotta nickten draußen auf ihrem Aussichtsposten stumm Beifall. Sixten, Benka und Jonte aber sahen richtig verärgert aus.

»Wir müssen ihn über Nacht in meiner Garage einsperren, damit er weich wird«, sagte Sixten.

»Haha«, sagte Anders. »Wie Kalle und Eva-Lotta, was? Die sind auch innerhalb von fünf Minuten getürmt, wie ich gehört habe. Genauso werde ich türmen.«

Die Roten Rosen wurden etwas nachdenklich. Es blieb ein Rätsel, wie es Kalle und Eva-Lotta geschafft hatten, aus ihrem Gefängnis zu entkommen. Es wirkte beinahe unnatürlich. Anders gegenüber aber tat man ungerührt.

»Bild dir bloß nicht ein, dass du ein Ausbrecherkönig bist«, sagte Sixten. »Wo wir dich einsperren, da bleibst du auch. Zuerst aber möchten wir von dir noch etwas über diese Geheimsprache wissen. Du bekommst Strafnachlass, wenn du uns die Lösung gibst.«

»Bestimmt nicht«, sagte Anders.

»Sei doch nicht so bockig«, versuchte Sixten. »Du kannst doch wohl *etwas* sagen. Meinen Namen zum Beispiel. Wie heiße ich in eurer Sprache?«

»Kok non a lol lol kok o pop pop«, sagte Anders bereitwillig und lachte ironisch vor sich hin, um Sixten zu zeigen, dass es eine schreckliche Beleidigung war. So verlockend es auch war, zu übersetzen wagte er nicht – sonst hätte er den Schlüssel zur Räubersprache preisgegeben. Daher lachte er nur noch einmal ironisch und draußen auf dem Dach stimmten seine Bundesgenossen herzlich ein. Es hätte dem Chef Freude gemacht, wenn er es gewusst hätte. So aber waren er und die Roten vorläufig noch ohne Wissen, dass sie Publikum hatten.

Sixten knirschte in ohnmächtiger Wut mit den Zähnen. Für die Roten

172

fing es an peinlich zu werden und dieses Lolen und Koken, das sie nicht begriffen, reizte sie bis zur Weißglut. Den Chef der Weißen Rosen hatten sie zwar gefangen; aber jetzt wussten sie nicht, was sie mit ihm machen sollten. Geheimnisse wollte er nicht verraten und die ritterlichen Rosen ließen sich unter keinen Umständen dazu herab, körperliche Gewalt anzuwenden um Geständnisse zu erzwingen. Gewiss prügelten sie sich oft, dass die Haare flogen; doch das geschah nur in ehrlichem Kampf draußen auf dem Schlachtfeld. Sich aber drei gegen einen auf einen wehrlosen Gefangenen stürzen, das gab es einfach nicht.

War der Gefangene übrigens so wehrlos? Er saß da und dachte selbst über die Sache nach. Und als er zu Ende gedacht hatte, rutschte er plötzlich und unerwartet vom Stuhl und machte einen Satz zur Tür in einem verzweifelten Versuch, sich in die Freiheit zu retten. Aber der Versuch missglückte kläglich. Innerhalb einer Sekunde klammerten sich drei Paar harte Jungenarme um ihn und er wurde energisch zum Stuhl zurückgeführt.

»Das hast du dir so gedacht«, sagte Sixten. »So leicht geht das auch nicht. Du bist frei, wenn ich es will, keine Minute eher. Und das dauert vielleicht noch ein paar Jahre. Übrigens – wo habt ihr den Großmummrich gelassen?«

»Ja, wo habt ihr den Großmummrich gelassen?«, fragte Jonte und pikte Anders auffordernd in die Seite. Anders kicherte los und krümmte sich wie ein Wurm. Er war nämlich äußerst kitzlig.

Als Sixten das sah, verklärte ein Lächeln sein Gesicht. Er war ein Edelmann der Roten Rose und pflegte seine Gefangenen nicht zu quälen. Wer aber hatte gesagt, dass man sie nicht kitzeln durfte? Versuchsweise stach er spielerisch mit dem Zeigefinger in Anders' Magengrube. Es glückte über alles Erwarten. Anders prustete los wie ein Flusspferd und krümmte sich doppelt und dreifach. Nun kam Leben in die Roten. Alle auf einmal warfen sie sich über ihr Opfer. Und der arme Weiße Chef stöhnte, winselte und hatte einen Schluckauf vor Lachen.

»Wo habt ihr den Großmummrich gelassen?«, fragte Sixten noch einmal und tastete prüfend zwischen den Rippen von Anders herum.

»Oh… oh… oh… oh…«, keuchte Anders.

»Wo habt ihr den Großmummrich gelassen?« Benka kitzelte ihn zielstrebig unter der Fußsohle.

Die Antwort war neues Gelächter.

»Wo habt ihr den Großmummrich gelassen?«, sagte Jonte und stach fragend in Anders' Kniekehle.

»Ich… gebe… auf…«, winselte Anders. »Draußen auf der Prärie… beim Herrenhof… geht den… kleinen Weg…«

»Und weiter?«, fragte Sixten und hielt seinen Zeigefinger warnend in Bereitschaft.

Aber es gab kein »Weiter«. Es geschah etwas völlig Unerwartetes. Man hörte einen scharfen Knall – und dann lag Jontes Kammer in wahrhaft ägyptischer Finsternis da. Die Glühbirne unter der Decke, die einzige Beleuchtung von Jontes Kammer, war in tausend Stücke zersprungen. Der Weiße Chef war genauso verblüfft wie die Roten. Er kam nur schneller wieder zu sich. Im Schutz der Dunkelheit glitt er wie ein Aal zur Tür und verschwand hinaus in die Sommernacht. Er war frei.

Oben auf dem Dach steckte Kalle nachdenklich sein Katapult wieder in die Hosentasche.

»Ich werde Geld aus meinem Sparschwein nehmen und eine neue Birne für Jonte kaufen«, sagte er reumütig. Beschädigung von fremdem Eigentum war etwas, was einem edlen Ritter der Weißen Rose schlecht anstand und für Kalle war deshalb vollkommen klar, dass er den Schaden ersetzen musste.

»Aber du verstehst doch wohl, dass ich es tun musste«, sagte er zu Eva-Lotta.

Eva-Lotta nickte zustimmend. »Unbedingt notwendig«, beruhigte sie ihn. »Unser Chef war in großer Gefahr. Und der Großmummrich auch. Es war also wirklich nötig.«

174

Bei Jonte drinnen hatten sie inzwischen eine Taschenlampe hervorge-kramt. Mit Verbitterung stellten die Roten fest, dass ihr Gefangener entwischt war.

»Er ist weg!«, schrie Sixten und raste zum Fenster. »Welcher ver-dammte Läusepudel hat die Lampe zerschossen?«

Er hätte nicht zu fragen brauchen. Die Sünder standen, zwei schwarze schmale Silhouetten, auf dem Dach gegenüber. Die Silhouetten zogen sich rasch zurück. Sie hatten soeben Anders' Pfeifsignal gehört und verstanden, dass er frei war. Nun sausten sie in lebensgefährlicher Ge-schwindigkeit über den Dachfirst. Es kam darauf an, sich in Sicherheit zu bringen, bevor die Roten unten waren um sie in Empfang zu neh-men. Sie liefen ohne zu zögern im Dunkeln den Dachfirst entlang und bewegten sich mit der Leichtigkeit und Geschmeidigkeit, die ein wil-des und glückliches Leben ihren jungen, furchtlosen Körpern ge-schenkt hatte. Sie erreichten die Leiter und kletterten in rasender Eile abwärts. Eva-Lotta zuerst, dicht hinterdrein Kalle. An Gren dachten sie überhaupt nicht mehr. Ihre Gedanken waren bei den Roten. Grens Fenster war dunkel. Der Fremde schien gegangen zu sein.

»Beeil dich, ich hab's eilig«, flüsterte Kalle Eva-Lotta beschwörend zu. Da schoss Grens Jalousie mit einem Knall in die Höhe und der Alte sah aus dem Fenster. Das geschah so unerwartet und erschreckte sie so furchtbar, dass Kalle plötzlich den Halt verlor. Er plumpste unten auf die Erde und beinah hätte er Eva-Lotta mit sich gerissen.

»So eilig hast du es nun doch wieder nicht«, sagte Eva-Lotta spöttisch. Sie hielt sich krampfhaft an der Leiter fest, um nicht auch noch hinun-terzufallen, und wandte dabei Gren ein bittendes Gesicht zu.

Gren aber sah mit seinen traurigen Greisenaugen auf Kalle, der am Boden lag und nach Luft schnappte, und sagte mit seiner traurigen Greisenstimme: »Ja, ja, die glücklichen Spiele der Kindheit. Die glück-lichen, unschuldigen Spiele der Kindheit. Ja, ja!«

175

6. Kapitel

Eva-Lotta und Kalle hatten keine Zeit Gren zu erklären, warum sie seine Leiter benutzten, und er selbst schien nichts sonderlich Bemerkenswertes oder Unnatürliches daran zu finden. Wahrscheinlich sah er ein, dass die glücklichen, unschuldigen Spiele der Kindheit es ab und zu erforderlich machten, hier und dort in der Nachbarschaft auf Leitern herumzuklettern. Kalle und Eva-Lotta verabschiedeten sich hastig und liefen davon, so schnell sie konnten. Aber Gren schien es nicht zu bemerken. Er seufzte nur still in sich hinein und ließ das Rollo herunter.

In der dunklen Gasse hinter Grens Haus vereinigten sich die drei Ritter der Weißen Rose. Sie drückten sich die Hände und der Chef sagte: »Gut gemacht, ihr Tapferen!«

Dann aber galt es zu fliehen. Schon hörte man am andern Ende der Gasse einen Lärm, der an Stärke zunahm. Das waren die Roten, die endlich zur Besinnung gekommen waren und nach Rache schrien.

Um diese Zeit waren die Bewohner des Rowdyberges schon zu Bett gegangen und eingeschlafen. Nun schossen sie schlaftrunken und aufgescheucht aus dem Schlummer hoch. War es die Wilde Jagd, die dort draußen vorüberraste? Ach, es waren nur drei edle Ritter der Weißen Rose, die mit gewaltigen Sprüngen über das Kopfsteinpflaster der Gasse setzten. Und fünfzig Meter hinter ihnen taten drei gleich edle Ritter der Roten Rose dasselbe. Deren Sprünge waren nicht minder gewaltig und deren gellende und giftige Schreie hatten eine Tragweite,

176

die kaum von der modernsten Feuerwehrsirene erreicht wurde, wenn sie am lautesten zu hören war.

Zu Anfang hielten die Weißen Rosen ihren Vorsprung. Sie sausten um die Hausecken, dass ihnen die Ohren wackelten, und sie lächelten zufrieden, wenn sie weit hinter sich Sixten laut verkünden hörten, was ihnen blühte, wenn er sie erwischte.

Kalle fühlte ein wildes Entzücken, als er so durch die Dunkelheit lief. Das war ein Leben – oh, fast so spannend wie Verbrecher fangen. Verbrecher fangen konnte man nur in der Fantasie. In Wirklichkeit gab es sicher keine, so wie es zur Zeit hier aussah. Aber das hier war Wirklichkeit: das Getrampel der Füße der Verfolger hinter ihm, Anders' und Eva-Lottas keuchende Atemzüge, das holprige Straßenpflaster unter seinen Sohlen, die dunklen kleinen Gassen und die düster lockenden Höfe und Schlupfwinkel, wo man sich verstecken konnte – ja, das alles zusammen war herrlich und es würde eine spannende Jagd werden.

Das Allerschönste aber war zu spüren, wie genau sein Körper ihm gehorchte, wie schnell seine Beine sich bewegten und wie leicht sein Atem ging. So hätte er die ganze Nacht laufen können. Er fühlte sich kräftig genug, einer ganzen Koppel von Bluthunden zu entkommen, wenn es nötig sein sollte.

Ihm fiel ein, dass es noch spannender wäre, allein gejagt zu werden. Dann könnte man seine Verfolger noch mehr reizen und auf die eine oder andere Weise noch kühner manövrieren.

»Versteckt euch«, sagte er schnell zu Anders und Eva-Lotta. »Ich leg sie rein.«

Anders fand diesen Vorschlag großartig. Alle Möglichkeiten, die Roten anzuführen, waren herzlich willkommen. Als sie die nächste Ecke erreicht hatten, tauchten deshalb Anders und Eva-Lotta blitzschnell in einem Torweg unter und blieben dort still, wenn auch heftig atmend, stehen. Es dauerte einige Sekunden, bis die Roten um die Ecke kamen. Sie liefen so nahe an Anders und Eva-Lotta vorbei, dass sie sie beinahe hätten anfassen können. Eva-Lotta musste sich beherrschen, um nicht ihre Hand nach Sixtens mohrrübenrotem Haarschopf aus-zustrecken, als er vorbeilief. Aber die Roten merkten nichts und rann-ten ohne zu überlegen weiter.

»Die kann man so leicht reinlegen wie kleine Kinder«, sagte Anders. »Waren wohl noch nie im Kino. Da könnten sie sehen, wie man so was macht.«

»Aber für Kalle wird's schwer«, sagte Eva-Lotta und horchte nach-denklich auf das Geräusch der laufenden Füße, das sich in der Dun-kelheit entfernte. »Drei böse rote Füchse, die ein armes, kleines weißes Kaninchen hetzen«, fügte sie hinzu, plötzlich ganz erfüllt von Mitleid. Eine Weile dauerte es, bis die Roten bemerkten, dass ihnen ein Teil ihrer Beute entging, und da war es zu spät zum Umkehren. Das Ein-zige, was sie tun konnten, war, ihre Jagd auf Kalle fortzusetzen.

Und niemand kann behaupten, dass sie nicht ihr Äußerstes gaben. Sixten lief wie ein Besessener und während er lief, schwor er sich hoch und heilig, dass, wenn Kalle diesmal seinem Schicksal entgehen sollte, er, Sixten, sich einen roten Vollbart stehen lassen würde als äußeres Zeichen von Trauer und Niederlage. Er dachte allerdings nicht weiter darüber nach, wie er es anstellen sollte, den Bart auf seinem glatten Jungengesicht zum Sprießen zu bringen – er lief und lief.

Das tat Kalle auch. Hin und her in den Gassen des ganzen Rowdyber-ges und dabei schlug er die raffiniertesten Haken. Nie war sein Vor-sprung so groß, dass er seine Verfolger abschütteln konnte. Vielleicht wollte er es auch nicht. Sie folgten ihm dicht auf den Fersen und er genoß es die ganze Zeit, sie sich so nahe zu halten, dass es gefährlich schien.

Es war überall still. Aber durch diese Stille hörte er plötzlich das Ge-räusch eines Automotors, der irgendwo in der Nähe angelassen wur-de. Das wunderte Kalle, denn Autos waren eine Seltenheit auf dem

Rowdyberg. Wäre der Meisterdetektiv nur nicht so mit dem Krieg der Rosen beschäftigt gewesen und hätte er nicht die Horde von Roten Rosen an den Fersen gehabt, so hätte er sicherlich versucht einen Schimmer von dem Auto zu erwischen. Denn man konnte nie aufmerksam genug sein, wenn es um ungewöhnliche Erscheinungen ging, das hatte er seinem eingebildeten Zuhörer oft genug eingeschärft. Leider war der Meisterdetektiv jetzt, wie gesagt, »zum Militärdienst« einberufen und er stürmte blindlings weiter, nur schwach an dem Auto interessiert, das sich offenbar entfernte und verschwand.

Sixten fing an ungeduldig zu werden. Er hetzte Jonte, der den Schulrekord über hundert Meter hielt; er sollte einen günstigen Augenblick abpassen und versuchen, Kalle den Weg abzuschneiden und ihn in Sixtens wartende Arme zu treiben.

Und der günstige Augenblick kam. Es gab an einer Stelle eine Sackgasse und da nahm Jonte seine Chance wahr: In diese Richtung sollte Kalle abbiegen. So geschah es, dass Kalle plötzlich in seinem Lauf abgestoppt wurde durch Jonte, der wie aus dem Nichts vor ihm auftauchte. Er wagte nicht sich durchzuschlagen, denn selbst wenn es geklappt hätte, würde es doch so viele kostbare Sekunden kosten, dass Sixten und Benka es geschafft hätten, Jonte zu Hilfe zu kommen. Er befand sich zwischen zwei Feuern und er musste sich schnell entscheiden, was er tun würde.

»Jetzt aber«, schrie Sixten aus weniger als zehn Schritt Entfernung, »jetzt bist du dran, jetzt knallt's, glaub ich!«

»Denkste«, sagte Kalle und schwang sich im letzten Bruchteil einer Sekunde über den Zaun, der die Straße zur einen Seite abgrenzte.

Er landete in einem dunklen Hof und schnell wie ein aufgescheuchter Troll rannte er quer hinüber. Die Roten waren ihm auf den Fersen! Er hörte, wie es plumpste, als sie über den Zaun sprangen. Aber er blieb nicht stehen um zu horchen. Er war zu sehr damit beschäftigt, nach einer Gelegenheit auszuspähen, wie er wieder auf die Straße hinauskommen konnte, ohne über den Zaun klettern zu müssen. Denn wie der Besitzer dieses Zaunes auch heißen mochte – er hatte auf jeden Fall eine absolut falsche Einstellung zu dem Krieg zwischen den Weißen und Roten Rosen. Sonst hätte er seinen Zaun bestimmt nicht mit einem so widerlichen Stacheldraht versehen.

»Lieber Himmel, was tue ich nur?«, flüsterte Kalle ratlos vor sich hin. Zeit zum Überlegen hatte er nicht. Was immer geschehen sollte, es musste augenblicklich geschehen. Er kroch schnell hinter eine Mülltonne und hockte dort mit klopfendem Herzen. Vielleicht gab es den Schatten einer Möglichkeit, dass ihn die Roten nicht entdeckten. Aber sie waren ganz in seiner Nähe. Sie flüsterten halblaut miteinander und suchten, suchten nach ihm in der Dunkelheit.

»Über den Zaun kann er nicht geklettert sein«, sagte Jonte. »Sonst wäre er am Stacheldraht hängengeblieben. Das weiß ich genau – ich hab Erfahrung, weil ich's selbst mal versucht hab.«

»Der einzige Ausgang aus dem Hof ist dort durch den Flur von dem Haus da«, sagte Sixten.

»Die Veranda der alten Karlsson – pass bloß auf!«, sagte Jonte, der den Rowdyberg und seine Bewohner durch und durch kannte. »Die alte Karlsson ist wie eine giftige Spinne – nimm dich vor der in Acht!«

Was ist schlimmer, dachte Kalle hinter seiner Tonne, von den Roten oder von der Karlsson geschnappt zu werden? Das möchte ich zu gern wissen.

Die Roten suchten weiter.

»Ich bin sicher, dass er immer noch nah hier irgendwo auf dem Hof ist«, behauptete Benka. Er schnüffelte überall herum und schließlich entdeckte er Kalles Schatten hinter der Mülltonne.

Benkas Jubelschrei, wild, aber gedämpft, erweckte neues Leben in Sixten und Jonte. Noch mehr: erweckte es auch bei Frau Karlsson! Besagte Dame war schon seit geraumer Zeit durch eigenartiges Gepolter in ihrem Hinterhof beunruhigt worden und sie war nicht gewillt, eigenartiges Gepolter in ihrem Hinterhof zu dulden, wenn sich dagegen etwas tun ließ.

Zu diesem Zeitpunkt hatte Kalle sich dafür entschieden, dass alles besser war, als von den Roten gefangen genommen zu werden, und sei es ein ausgewachsener Hausfriedensbruch bei der auf dem Rowdyberg am meisten gefürchteten Person. Er entwischte mit einigen Millimetern Zwischenraum Sixtens greifenden Fäusten und setzte mit einem Hechtsprung in Frau Karlssons Veranda, um auf dem Weg auf die Straße zu gelangen. Aber jemand kam ihm in der Dunkelheit entgegen. Und dieser Jemand war niemand anders als Frau Karlsson! Sie war in persönlicher Angelegenheit unterwegs: Sie wollte dem geheimnisvollen Gepolter ein Ende bereiten, egal, ob Ratten oder Einbrecher oder Seine Majestät der König selbst die Urheber waren. Frau Karlsson war nämlich der Meinung, dass auf diesem Hinterhof kein anderer berechtigt war, geheimnisvoll zu poltern, als nur sie selbst.

Als Kalle wie ein aufgeschreckter Hase angesaust kam, war Frau Karlsson allerdings so überrascht, dass sie ihn vor Erstaunen glatt an sich vorbeiließ. Aber ihm auf den Fersen folgten Sixten und Benka und Jonte und sie alle landeten in Frau Karlssons ausgebreiteten Armen. Sie presste sie fest an sich und schrie mit der Stimme eines Feldwebels: »Aha, solche Strolche rennen hier herum! Auf meinem Grund und Boden! Das geht zu weit! Das geht entschieden zu weit!«

»Verzeihung«, sagte Sixten, »wir wollten nur…«

»Was wolltet ihr nur?«, schrie Frau Karlsson. »Was wolltet ihr nur… nur auf meinem Hof – was?«

Mit einiger Mühe gelang es ihnen, sich aus ihrer erstickenden Umarmung zu befreien. »Wir wollten nur…«, stammelte Sixten. »Wir wollten… Wir haben uns verlaufen… Es war so dunkel, ja!« Und damit rannten sie weiter, ohne Auf Wiedersehen zu sagen.

»So! Versucht es nur noch einmal, euch auf meinem Hof zu verlaufen!«, rief ihnen Frau Karlsson nach. »Dann werd ich euch die Polizei auf den Hals hetzen, damit ihr es wisst!«

Aber die Roten Rosen hörten nichts mehr. Sie waren schon weit weg draußen auf der Straße. Wo war jetzt Kalle? Sie blieben stehen und horchten. In einiger Entfernung hörten sie das leichte Tapp-Tapp seiner Füße und stürzten eilig hinterher.

Zu spät entdeckte Kalle, dass er wieder in einer Sackgasse war. Diese kleine Straße endete ja unten am Fluss – daran hätte er denken müssen! Natürlich konnte er sich ins Wasser stürzen und ans andere Ufer schwimmen, aber das brachte unnötigen Ärger wegen der nassen Kleider mit sich, wenn man nach Hause kam. Er wollte wenigstens erst alle anderen noch möglichen Auswege probieren.

Fredrik mit dem Fuß! Das war der rettende Gedanke. Fredrik mit dem Fuß wohnt in dem kleinen Haus. Er wird mich sicher verstecken, wenn ich ihn darum bitte. Fredrik mit dem Fuß war der gutmütigste Strolch der Stadt und ein großer Gönner der Weißen Rosen. Genau wie die anderen etwas heruntergekommeneren Strolche der Stadt wohnte er auf dem Rowdyberg und offenbar war er noch nicht schlafen gegangen, denn es schien Licht aus seinem Fenster. Ein Auto stand vor der Tür.

Kalle wunderte sich. Merkwürdig, wie viele Autos heute Abend auf dem Rowdyberg waren! Ob es dieses war, das er vorhin gehört hatte? Viel Zeit zum Überlegen blieb ihm aber nicht. Schon hörte er, wie seine Feinde die Straße entlanggaloppiert kamen. Er besann sich also nicht mehr lange, sondern riss Fredriks Tür auf und stürzte hinein.

»Guten Abend, Fredrik«, begann er eilig, unterbrach sich aber sofort. Fredrik war nicht allein. Er lag in seinem Bett und bei ihm saß Doktor Forsberg und fühlte Fredriks Puls. Und Doktor Forsberg, der Arzt der Stadt, war niemand anders als Benkas Vater.

»'n Abend, Kalle«, sagte Fredrik mit dem Fuß matt. »Hier liegt ein fremder Fredrik. Elend und schlechter als schlecht. Sterbe sicher bald. Du solltest nur mal hören, wie es in meinem Bauch rumort.«

Bei anderer Gelegenheit wäre es Kalle ein Vergnügen gewesen zu hören, wie es in Fredriks Bauch rumorte, aber im Augenblick war es das nicht. Doktor Forsberg schien ein wenig nervös wegen der Unterbrechung und Kalle konnte verstehen, dass er mit Fredrik allein sein wollte, wenn er ihn untersuchte. Es blieb ihm anscheinend nichts anderes übrig, als sich erneut in die Gefahren der Straße zu stürzen.

Kalle hatte die Intelligenz der Roten unterschätzt. Sie rechneten sich sofort aus, dass er zu Fredrik geflitzt sein musste, und nun kamen sie eilends hinterher. Benka war der erste. »Ha, du Läusepudel, hab ich dich endlich auf frischer Tat ertappt?«, schrie er.

Doktor Forsberg wandte sich um und sah direkt in das erhitzte Gesicht seines Sohnes. »Sprichst du mit mir?«, fragte er.

Benka blieb vor Staunen der Mund offen stehen – und er antwortete nicht.

»Handelt es sich um eine Art Stafettenlauf durch Fredriks Krankenzimmer«, fuhr Doktor Forsberg fort, »oder warum rennst du so spät noch herum?«

»Ich… ich… ich wollte nur sehen, ob du einen Krankenbesuch machst«, sagte Benka endlich.

»Ja, ich mache einen Krankenbesuch«, versicherte ihm sein Vater. »Du hast also tatsächlich, wie du sagtest, den Läusepudel auf frischer Tat ertappt. Aber jetzt ist er fertig und du gehst mit ihm nach Hause.«

»Nein… aber… Papa!«, schrie Benka in höchster Verzweiflung.

Doktor Forsberg schloss in aller Ruhe seine Tasche und griff sodann mild, aber fest in Benkas helles Kraushaar.

»Komm nun, mein Kleiner«, sagte er. »Gute Nacht, Fredriksson. Vorläufig sterben Sie noch nicht. Das kann ich Ihnen versprechen.«

Während des ganzen Gesprächs hatte Kalle abseits gestanden und über sein Gesicht legte sich ein Lächeln, das langsam breiter und brei-

183

ter wurde. Was für eine Blamage für Benka, was für eine großartige Blamage! Genau in die Arme seines Vaters zu laufen! Von Papa nach Hause geführt zu werden wie ein Baby! Gerade jetzt, wo er Kalle schnappen wollte. Das sollte Benka im Krieg der Rosen noch oft unter die Nase gerieben kriegen. »Komm nun, mein Kleiner« – mehr brauchte man gar nicht zu sagen.

Und als Benka von starken Vaterarmen unerbittlich zur Tür geführt wurde, erkannte er all dies in seinem ganzen entsetzlichen Ausmaß. Oh, er würde ganz bestimmt einen »Leserbrief« an die Ortszeitung senden: »Muss man Eltern haben?« Gewiss, er hatte Vater und Mutter ehrlich gern. Aber mit dieser unwahrscheinlichen Sicherheit, mit der Eltern stets im unpassendsten Augenblick auftauchten, konnten sie ja das friedlichste Kind zur Verzweiflung bringen.

Sixten und Jonte kamen schnaubend die Straße entlang und Benka flüsterte ihnen zu: »Er ist dort drinnen.«

Dann wurde Benka zu dem wartenden Auto geführt – warum, ach, warum hatte er es nicht vorher gesehen? – und Sixten und Jonte starrten ihm nach, die Augen voller Mitleid.

»Armer Kerl«, sagte Jonte und seufzte tief.

Dann aber war keine Zeit mehr für Mitleid und Seufzen. Dreifaches Weh über die Weißen Rosen, die sie immer noch zum Narren hielten! Kalle musste erwischt werden und das sofort! Sixten und Jonte flitzten hinein zu Fredrik. Dort aber war kein Kalle zu sehen.

»Hallo, Sixten! Hallo, kleiner Jonte«, sagte Fredrik schwach. »Ihr solltet nur hören, wie es in meinem Bauch rumort. Krank und schlechter als schlecht…«

»Fredrik, hast du Kalle Blomquist gesehen?«, unterbrach ihn Sixten.

»Kalle? Ja, der war eben noch hier. Er ist aus dem Fenster gesprungen«, sagte Fredrik und lächelte verschmitzt.

So, der Schurke war aus dem Fenster gesprungen! Richtig, Fredriks beide Fenster waren geöffnet, denn Doktor Forsberg hatte gefunden, es müsse mal gelüftet werden, und die schmutzigen, einstmals weißen Gardinen flatterten im Abendwind.

»Komm, Jonte!«, schrie Sixten aufgeregt. »Hinterher! Es geht um Sekunden!« Und mit einem Hechtsprung warf sich jeder aus einem Fenster. Es ging, wie gesagt, um Sekunden.

Im nächsten Moment hörte man Geplantsche und Gebrüll. Nicht einmal Jonte, der doch auf dem Rowdyberg geboren war, erinnerte sich daran, dass die Rückwand von Fredriks Haus direkt an den Fluss grenzte.

»Kalle, komm jetzt raus«, sagte Fredrik matt, »damit du hören kannst, wie es in meinem Bauch rumort.« Und Kalle kletterte aus dem Wandschrank, vor Vergnügen zitternd. Er lief zum Fenster und beugte sich hinaus.

»Seid ihr sicher, dass ihr schwimmen könnt?«, rief er. »Oder soll ich euch Korkwesten holen?«

»Es genügt, wenn du uns deinen Korkschädel runterschmeißt!« Sixten war wütend und spuckte einen kräftigen Wasserstrahl in Kalles lachendes Gesicht. Kalle wischte sich unbekümmert das Wasser ab und sagte: »Scheint mollig warm zu sein in der Brühe. Ich finde, ihr solltet eine lange, stärkende Schwimmstunde einlegen.«

»Nee, kommt rein zu mir«, rief Fredrik matt. »Kommt rein. Dann könnt ihr hören, wie es in meinem Bauch rumort.«

»Hej, ich hau jetzt ab«, rief Kalle.

»Ja, hau nur ab, möglichst dahin, wo der Pfeffer wächst«, sagte Jonte bitter und nahm Kurs auf einen Steg in der Nähe. Die Jagd war zu Ende. Sixten und Jonte wussten das wohl.

Kalle sagte Fredrik gute Nacht und lief dann auf frohen und leichten Füßen nach Hause zu Eva-Lotta. Im Garten lag die Bäckerei, in der Bäckermeister Lisander täglich die Brote und Brötchen und Kuchen backte, die die Bewohner der Stadt gut in Form hielten. Oben auf dem Boden der Bäckerei hatte die Weiße Rose ihr bekanntes Hauptquartier. Um hinaufzugelangen musste man an einem Seil hochklettern, das aus einer Luke am Giebel hing. Selbstverständlich gab es auch eine Treppe, die hinauf zum Boden führte, aber ein Ritter der Weißen Rose konnte sich anständigerweise nicht eines so simplen Weges bedienen. Kalle kletterte also pflichtgemäß am Seil hoch und als Anders und Eva-Lotta ihn hörten, steckten sie eifrig die Köpfe durch die offene Bodenluke.

»Aha, du hast es geschafft«, sagte Anders zufrieden.

»Ja, wartet's nur ab, gleich werdet ihr hören«, sagte Kalle.

Eine Taschenlampe warf ihren dürftigen Schein über das Hauptquartier, wo allerlei Plunder sich an den Wänden drängte. In diesem Schein saßen die drei Weißen Rosen mit gekreuzten Beinen und genossen die Geschichte von Kalles wundersamer Rettung.

»Gut gemacht, mein Tapferer«, lobte Anders, als Kalle fertig war.

»Für den ersten Kriegstag hat die Weiße Rose tadellos abgeschnitten, finde ich«, sagte Eva-Lotta.

Da hörte man eine Frauenstimme: »Eva-Lotta, wenn du nicht augenblicklich hereinkommst und zu Bett gehst, schicke ich Papa, damit er dich holt.«

»Ja, ja, Mama, ich komme«, antwortete Eva-Lotta und ihre treuen Mitkämpfer erhoben sich um zu gehen.

»Also, wir sehen uns dann morgen«, sagte Eva-Lotta und lachte zufrieden in sich hinein. »Die Rötlichen dachten, sie könnten den Großmummrich erwischen, hahaha!«

»Da haben sie sich aber schön in den Finger geschnitten«, meinte Kalle.

»Siehe, in dieser Nacht, da bekamen sie nichts«, sagte Anders und ließ sich würdevoll am Seil herab.

7. Kapitel

Ob es auf der Welt einen Platz gibt, der noch schläfriger, ruhiger und an Sensationen ärmer ist als diese kleine Stadt?, dachte Frau Lisander. Aber wie sollte auch in einer solchen Hitze etwas passieren?

Sie schlenderte langsam zwischen den Marktständen umher und wählte zerstreut unter den Waren, die dort für die Beschauer ausgebreitet lagen. Es war Markttag und viele Menschen waren auf den Straßen und dem Markt und eigentlich hätte die ganze Stadt vor Leben und Treiben bersten müssen. Aber das tat sie nicht. Sie döste genau wie immer vor sich hin. Das Wasser im Springbrunnen vor dem Rathaus rieselte schläfrig und leise aus dem Rachen der Bronzelöwen, und die Bronzelöwen sahen auch schläfrig aus. Die Musik im Konditoreigarten unten am Fluss spielte schläfrig und leise eine Art Nachtmusik – mitten am hellen Vormittag. Die Spatzen, die zwischen den Tischen heruntergefallene Kuchenkrümel aufpickten, machten hin und wieder kleine träge Hüpfer, aber auch sie sahen schläfrig aus.

Alles schläfrig hier, dachte Frau Lisander.

Die Leute mochten sich kaum rühren. Sie standen in Gruppen auf dem Marktplatz zusammen und unterhielten sich gelangweilt und wenn sie zufällig einige Schritte gehen mussten, dann geschah das langsam und zögernd. Daran war natürlich die Wärme schuld.

Denn es war wirklich warm an diesem letzten Mittwoch im Juli. Frau Lisander würde sich immer daran als den heißesten Tag erinnern, den sie je erlebt hatte. Der ganze Monat war übrigens trocken und brennend heiß gewesen und es schien, als ob der Juli entschlossen war, gerade heute seinen eigenen Rekord zu brechen, bevor seine Zeit ganz um war.

»Es scheint, als wolle es ein Gewitter geben«, sagten die Leute zueinander. Und viele der Landbewohner, die mit Pferdewagen in die Stadt gekommen waren, beschlossen, früher als gewöhnlich nach Hause zu fahren, um nicht in ein Unwetter zu geraten.

Frau Lisander kaufte einen Rest Herzkirschen von einem Bauern, der es eilig hatte wegzukommen. Sie steckte die Tüte in ihr Netz, sehr zufrieden mit ihrem billigen Einkauf. Als sie gerade weitergehen wollte, kam Eva-Lotta angehüpft und versperrte ihr den Weg.

Endlich ein Mensch, der nicht schläfrig aussieht!, dachte Frau Lisander. Sie betrachtete ihre kleine Tochter zärtlich und fing in ihrem Blick alle Einzelheiten auf: das fröhliche Gesicht, die munteren blauen Augen, das blonde zerzauste Haar und die langen braun gebrannten Beine, die unter einem hellen, frisch gebügelten Sommerkleid hervorsahen. »Ich sehe, dass Frau Lisander Kirschen gekauft hat«, sagte Eva-Lotta. »Ist es wohl möglich, dass Fräulein Lisander eine Hand voll kriegt?«

»Aber gern, Fräulein Lisander«, sagte ihre Mutter. Sie öffnete die Tüte und Eva-Lotta nahm sich Hände voll von den gelbroten duftenden Kirschen.

»Wo willst du übrigens hin?«, fragte Frau Lisander.

»Das darfst du nicht wissen«, sagte Eva-Lotta und spuckte einen Kern aus. »Geheimer Auftrag! *Ungeheuer* geheimer Auftrag!«

»Aha! Na, sieh nur zu, dass du rechtzeitig zum Mittagessen zurück bist.«

»Für wen hältst du mich eigentlich?«, fragte Eva-Lotta. »Ich bin noch nie zu einem Mittagessen zu spät gekommen seit dem Tag meiner Taufe, als ich den Milchbrei versäumte.«

Frau Lisander lächelte sie an. »Ich hab dich lieb«, sagte sie.

Eva-Lotta nickte bestätigend zu dieser selbstverständlichen Tatsache und setzte ihren Rundgang über den Markt fort. Kirschkerne markierten ihren Weg.

Die Mutter stand noch einen Augenblick da und sah ihr nach. Und auf einmal hatte sie ein ängstliches Gefühl in der Herzgegend. Du lieber Gott, wie schmal war der Nacken des Mädchens! Sie sah irgendwie so klein und hilflos aus. Es war wirklich nicht allzu lange her, seit sie ihren Milchbrei gegessen hatte und nun lief sie da herum mit »geheimen Aufträgen«! War das richtig? Sollte man nicht etwas besser auf sie achten? Frau Lisander seufzte und ging langsam heimwärts. Sie hatte das Gefühl, dass die Wärme sie bald verrückt machen würde, und da war es doch wohl besser, sich im Schutz des Hauses aufzuhalten.

Eva-Lotta litt gar nicht unter der Hitze. Sie genoss sie genauso, wie sie das Treiben in den Straßen und den Saft der herrlichen Kirschen genoss, der durch ihre Kehle rann. Es war Markttag und sie mochte Markttage gern. Ja, wenn sie genau nachdachte, mochte sie alle Tage – außer denen, wo sie Handarbeiten in der Schule hatten. Aber jetzt waren ja Sommerferien!

Sie bummelte langsam über den Markt und die Kleine Straße hinunter zum Fluss, am Konditoreigarten vorbei und weiter zur Brücke. Eigentlich hatte sie nicht viel Lust, sich vom Zentrum der Ereignisse zu entfernen; aber da war der geheime Auftrag und der musste ausgeführt werden. Der Chef hatte ihr nämlich befohlen, den Großmummrich zu holen und an einen günstigeren Platz zu bringen. Bei dem peinlichen Verhör hatte Anders ja *beinahe* verraten, wo der Großmummrich lag. Und man konnte wetten, dass die Roten jeden Quadratmillimeter Boden untersuchen würden – dort unten am kleinen Pfad hinter dem Herrenhaus. Da aber bislang noch kein Triumphgeschrei von ihnen zu hören gewesen war, schien es wohl sicher, dass der Großmummrich noch immer dort war, wo ihn die Weißen hingelegt hatten. Oben auf einem großen Stein, genau neben dem Pfad, dort lag er gut sichtbar in einer kleinen Vertiefung des Steins.

Eigentlich war es ja schändlich einfach, ihn zu finden, meinte Anders. Es war nur eine Frage der Zeit, wann die Roten ihre Krallen um das kostbare Kleinod schlagen würden. Da aber heute Markt war, durfte man annehmen, dass Sixten, Benka und Jonte unten auf dem Rummelplatz hinter der Eisenbahnstation am Karussell und der Schießbude festklebten. Heute hatte Eva-Lotta die Chance, den Großmummrich ungestört von seinem nunmehr recht unsicheren Aufbewahrungsplatz holen zu können. Der Chef hatte auch schon den neuen Platz für das Kleinod bestimmt: oben in der Schlossruine bei dem Brunnen im Burghof. Das bedeutete, Eva-Lotta sollte in der drückenden Gewitterschwüle zuerst den langen Weg über die Prärie traben, dann wieder zurück quer durch die ganze Stadt und danach den steilen Pfad zur Ruine empor, die in ansehnlicher Höhe über der Stadt und genau entgegengesetzt vom Herrenhof lag. Tatsächlich, man musste schon ein sehr ergebener Ritter der Weißen Rose sein um sich derartiger Mühsal ohne Murren zu unterziehen. Und Eva-Lotta *war* ergeben.

Warum wurde übrigens ausgerechnet Eva-Lotta dieser Auftrag erteilt? Hätte der Chef nicht Kalle schicken können? Nein, denn ein verständnisloser Vater hatte aus Kalle an diesem wichtigen Tag einen Laufburschen und Aushilfsverkäufer für das Lebensmittelgeschäft gemacht. Denn heute kamen die Bauern in die Stadt um ihre Vorräte an Einmachzucker, Kaffee und Salzheringen zu ergänzen. Hätte da der Chef der Weißen Rose nicht selbst gehen können? Nein, denn der Chef musste seinen Vater in der Schuhmacherwerkstatt vertreten. Es gefiel dem Schuhmachermeister Bengtsson nicht, an Markttagen zu arbeiten und dadurch den Tag zu entweihen. An solchen Tagen nahm er sich frei und »feierte«. Deshalb konnte er aber nicht die Werkstatt schließen. Jemand könnte doch kommen und Schuhe bringen, jemand könnte kommen und Schuhe abholen, obwohl Markttag war. Und deshalb hatte er seinem Sohn fest versprochen, ihn grün und blau zu schlagen, wenn er sich unterstehen würde, auch nur fünf Minuten aus der Werkstatt zu entweichen.

Eva-Lotta, ergebener Ritter der Weißen Rose, ist es also, die den Auftrag bekommen hat, den geheimen und heiligen Auftrag, den verehrten Großmummrich von einem Versteck in das andere zu überführen. Das ist nicht irgendein Auftrag, das ist eine rituelle Handlung, eine Mission. Was macht es da schon, dass die Sonne verzehrend über der Prärie brennt und schwarzblaue Wolken sich am Horizont zusammenzuziehen beginnen? Was macht es da schon, dass man nicht am Marktleben teilnehmen kann, dass man »das Zentrum der Ereignisse« verlassen muss – denn das tat sie doch, als sie bei der Brücke abbog und den Weg zur Prärie nahm...

Tat sie das? Nein, das Zentrum der Ereignisse liegt nicht immer dort, wo das Markttreiben ist. An diesem Tag liegt das Zentrum der Ereignisse ganz woanders. Und Eva-Lotta wandert gerade jetzt auf ihren nackten braunen Beinen genau hinein.

Diese Wolken fangen an, wirklich drohend auszusehen. Blauschwarz, hässlich – sie machen einem geradezu ein bisschen Angst. Eva-Lotta geht langsam, denn hier draußen auf der Prärie ist es so heiß, dass die Luft zittert.

Hu, die Prärie ist so groß und weit – es dauert ja eine Ewigkeit hinüberzukommen! Aber Eva-Lotta ist nicht die einzige, die in der brennenden Sonne herumläuft. Sie freut sich fast, als sie weit vor sich den alten Gren entdeckt. Kein Zweifel, dass das Gren ist. Niemand trottet so wie er. Gren ist, wie es scheint, auch auf dem Weg zum Herrenhof. Sieh an, jetzt biegt er in den kleinen Pfad, der zwischen den Haselnusssträuchern entlangführt, und Eva-Lotta verliert ihn aus den Augen. Du großer Nebukadnezar, er ist doch wohl nicht etwa auch hinter dem Großmummrich her! Eva-Lotta grinst bei diesem Gedanken. Dann aber blinzelt sie aufmerksam durch den Sonnendunst. Von der anderen

Seite kommt noch jemand, jemand, der gewiss nicht aus der Stadt sein kann, weil er an dem Weg auftaucht, der sich am Herrenhof vorbei ins flache Land hineinschlängelt. Ach, das ist bestimmt der in der grünen Gabardinehose! Klar, heute ist ja Mittwoch. Heute wollte er doch »seine Reserven einlösen« oder was er damals gesagt hat, nein, seine »Reverse«, so hießen die Dinger.

Eva-Lotta überlegt, wie es wohl sein mag, wenn man Reverse einlöst. O ja, Wucherei und Ähnliches, das ist sicher sehr verwickelt. Mit was für Blödsinn sich große Menschen beschäftigen! »Wir treffen uns an der gewohnten Stelle«, hatte er gesagt, der Gabardinejunge. Hier ist das also, hier draußen. Muss es aber durchaus neben dem Großmummrich sein, wie? Gibt es keine anderen Sträucher, wo die beiden sich treffen können um zu wuchern? Nein, anscheinend nicht. Jetzt verschwinden auch die Gabardinehosen zwischen den Sträuchern.

Eva-Lotta geht noch langsamer. Sie hat keine sonderliche Eile und es ist wohl besser, wenn der Junge erst in Ruhe und Frieden seine Reverse einlösen kann, bevor sie den Großmummrich holt. Sie geht für ein Weilchen in den Herrenhof, während sie wartet, und schnüffelt ein wenig in den Winkeln herum. Bald wird der Herrenhof vielleicht wieder Kriegsschauplatz sein und dann ist es gut, hier Bescheid zu wissen.

Sie sieht aus einem Fenster an der Rückseite. Oh, der ganze Himmel ist schwarz! Die Sonne ist verschwunden und von ferne ist ein drohendes Grollen zu hören. Die ganze Prärie sieht so unheimlich und verlassen aus. Sie muss sich beeilen, sie muss den Großmummrich holen und sehen, dass sie hier wegkommt.

Und sie läuft zur Tür hinaus, sie läuft, so schnell sie kann, sie biegt in den kleinen Pfad zwischen den Haselsträuchern, sie hört die ganze Zeit das drohende Gewitter grollen, sie läuft weiter, läuft... nein, jetzt hält sie plötzlich verwirrt an. Sie ist jemandem genau in die Arme gelaufen, der von der entgegengesetzten Seite kam und es ebenso eilig hatte wie sie. Zuerst sieht sie nur die dunkelgrüne Gabardinehose und das weiße Hemd. Dann schaut sie auf und in sein Gesicht. Oh, was für ein Gesicht! So bleich, so voller Angst – kann ein großer Kerl wirklich solche Angst vor dem Gewitter haben? Eva-Lotta hat fast Mitleid mit ihm.

Aber es scheint, als wolle er gar nichts von ihr wissen. Er wirft ihr einen schnellen Blick zu, er sieht erschrocken und böse zugleich aus, und jetzt beeilt er sich auf dem schmalen Pfad an ihr vorbeizukommen.

Eva-Lotta mag es nicht, dass man sie auf diese Art ansieht – als sei sie etwas Lästiges. Sie ist es gewohnt, dass die Gesichter aufleuchten, wenn die Leute sie sehen. Und sie will nicht, dass der Kerl verschwindet, ohne dass sie ihm irgendwie klargemacht hat, dass sie ein freundlicher Mensch ist und wie ein solcher behandelt werden möchte.

»Verzeihung, wie spät ist es?«, fragt sie deshalb höflich, nur um etwas zu sagen und um zu zeigen – ja, dass sie doch eigentlich gut erzogene Menschen sind, auch wenn sie zufällig zwischen den Büschen aufeinander gestoßen sind.

Der Mann zuckt zusammen und bleibt unwillig stehen. Zuerst scheint es so, als wolle er ihre Frage nicht beantworten, aber dann sieht er doch auf seine Armbanduhr und murmelt undeutlich: »Viertel vor zwei.« Dann läuft er weiter. Eva-Lotta sieht ihm nach. Sie bemerkt, dass eine Menge Papier aus seiner Hosentasche herausragt, aus einer seiner dunkelgrünen Gabardinehosentaschen.

Dann ist er weg. Aber da liegt ein weißes, zerknittertes Papier auf dem Weg. Er hat es in der Eile verloren. Eva-Lotta hebt es auf und liest neugierig. »Revers« steht ganz zuoberst darauf. Aha, so sehen also die Reverse aus, hoho, haha! Lohnt es sich, darum so ein Theater zu machen?

Dann kracht es, kracht entsetzlich und Eva-Lotta zuckt vor Schreck zusammen. Eigentlich hat sie keine Angst vor Gewitter. Aber jetzt, gerade jetzt, hier draußen, ganz allein auf der Prärie! Alles wirkt plötzlich so unbehaglich. Zwischen den Sträuchern hier ist es so dunkel. Und in der Luft selbst liegt etwas Unheimliches, etwas Unheilverkündendes. Ach, wenn sie doch nur erst zu Hause wäre! Sie muss sich beeilen, furchtbar beeilen!

Aber zuerst der Großmummrich! Ein Ritter der Weißen Rose tut seine Pflicht und wenn ihm auch das Herz bis in den Hals hinauf schlägt. Nur noch einige Schritte sind es bis zu dem Stein. Bloß noch an den Büschen vorbei.

Eva-Lotta rennt...

Zuerst kommt es nur wie ein Wimmern über ihre Lippen. Sie steht ganz still da und schaut und wimmert leise vor sich hin. Vielleicht, oh, vielleicht träumt sie alles nur. Vielleicht liegt da gar nichts – nichts Zusammengesunkenes – dort – neben dem Stein.

Dann schlägt sie die Hände vors Gesicht, dreht sich um und läuft und seltsame schreckliche Laute kommen aus ihrer Kehle. Sie rennt, obwohl die Beine unter ihr zittern. Sie hört nicht den Donner und spürt nicht den Regen, der auf sie herunterrauscht, spürt nicht die Haselnusszweige, die ihr ins Gesicht peitschen. Sie rennt, wie man im Traum rennt, um unbekannten Gefahren hinter sich zu entkommen. Über die Prärie. Über die Brücke. Durch die bekannten Straßen, die plötzlich leer und verlassen im Regenguss liegen.

Zu Hause! Zu Hause! Endlich! Sie stößt die Gartentür auf. Dort in der Bäckerei ist Vater. Dort steht er an seinen Blechen in seinem weißen Bäckeranzug. Er ist groß und ruhig wie immer und man wird mehlig, wenn man nur in seine Nähe kommt. Vater ist immer derselbe, wenn die Welt auch sonst hässlich und verändert ist, wenn es auch unmöglich geworden ist, in ihr weiterzuleben. Wild wirft sich Eva-Lotta in seine Arme, presst sich an ihn, schlingt ihre Arme um seinen Hals, ganz fest, ganz fest, versteckt ihr tränenüberströmtes Gesicht an seiner Schulter und wimmert leise:

»Papa! Hilf mir! Der alte Gren…«

»Kindchen, Kleines, was ist mit dem alten Gren?«

Und noch leiser, fast erstickt: »Er liegt draußen auf der Prärie – tot.«

8. Kapitel

War das die Stadt, die so schläfrig war, so ruhig und so still?

Jetzt nicht mehr. Innerhalb einer Stunde hatte sich alles verändert. In der ganzen Stadt summte es wie in einem Bienenkorb, Polizeiautos fuhren hin und her, Telefone klingelten, die Leute redeten und rätselten herum und waren aufgeregt und wunderten sich und fragten Wachtmeister Björk, ob es wahr sei, dass man den Mörder schon gefasst habe. Und sie schüttelten bekümmert die Köpfe und sagten: »Ja, ja, dass es dem armen alten Gren einmal so schlecht ergehen würde…« Oder: »Ja, ja, es wurde so allerhand über ihn gemunkelt… kein Wunder… Aber trotzdem… eine entsetzliche Sache!«

Große Scharen neugieriger Menschen strömten hinaus zur Prärie. Das ganze Gebiet um den Herrenhof war inzwischen durch die Polizei abgesperrt worden. Da kam niemand durch. Mit erstaunlicher Geschwindigkeit hatte die Staatspolizei ihre Leute an den Tatort gebracht. Die Untersuchung war in vollem Gang. Alles wurde fotografiert, jeder Meter Boden wurde untersucht, jede Beobachtung protokolliert. Gab es Spuren des Mörders, Fußspuren oder andere? Nein, nichts! Wenn es jemals welche gegeben hatte, waren sie durch den heftigen Regen zerstört worden. Es fand sich nichts, nicht mal eine weggeworfene Zigarettenkippe. Der Gerichtsarzt, der die gerichtsmedizinische Untersuchung der Leiche vornahm, stellte fest, dass Gren durch einen Schuss in den Rücken getötet worden war. Die Brieftasche und die Uhr wurden bei dem Ermordeten gefunden. Ein Raubmord schien es nicht zu sein.

Der Kriminalkommissar hatte versucht »die Kleine, die das Verbrechen entdeckt hatte«, zu sprechen; aber Doktor Forsberg ließ es nicht zu. Sie hatte einen Schock und brauchte Ruhe. Der Kommissar war über diese Verzögerung enttäuscht; aber er musste sich dem ärztlichen Verbot fügen. Doktor Forsberg konnte ihm allerdings erzählen, dass das Mädchen geweint und mehrere Male gesagt habe: »Er hat eine grüne Gabardinehose an.« Sie konnte damit nur den Mörder meinen. Aber man konnte doch wohl nicht den Fahndungsdienst über das ganze Land in Bewegung setzen – nur wegen eines Paars grüner Gabardinehosen. War es wirklich der Mörder gewesen, den das Mädchen gesehen hatte – da war der Kommissar nicht so sicher –, dann hatte er seine grüne Hose schon längst gegen eine andere getauscht. Trotzdem ließ der Kommissar sämtliche Polizeistationen benachrichtigen, man solle alle grünen Gabardinehosen, die irgendwie verdächtig waren, im Auge behalten.

Im Übrigen gab es alle möglichen Routinearbeiten zu erledigen. Man konnte nur hoffen, das Mädchen möge sich schnell wieder so weit erholen, dass es verhört werden konnte.

Eva-Lotta lag im Bett ihrer Mutter an dem sichersten Platz, den sie sich denken konnte. Doktor Forsberg war bei ihr gewesen und sie hatte ein Pulver bekommen, damit sie »ohne böse Träume« schlafen könne. Außerdem hatten Vater und Mutter versprochen, jeder auf einer Seite des Bettes zu sitzen – die ganze Nacht über.

Und dennoch – wild jagten sich die Gedanken in ihrem Kopf. Oh, wäre sie doch nie zum Herrenhof gegangen! Jetzt war alles zu Ende. Nie mehr würde es etwas Schönes in der Welt geben. Wie konnte noch etwas schön sein, wenn Menschen sich so Böses antaten? Gewiss, sie hatte vorher schon gewußt, dass solche Dinge passieren konnten; aber sie hatte es nicht so wie jetzt gewußt. Ach, wie oft hatten sie und Anders Kalle geärgert und von Mördern geredet, als sei es etwas Lustiges und Komisches, etwas, worüber man Witze machen konnte. Es war entsetzlich, jetzt daran zu denken. Nie mehr würde sie so etwas mitmachen. So etwas durfte man nicht einmal zum Spaß sagen. Damit forderte man vielleicht das Böse heraus, sodass es dann in Wirklichkeit geschah. Oh, daran zu denken, dass es womöglich ihre Schuld war, dass Gren... dass Gren... Nein, sie wollte nicht daran denken. Aber sie wollte ein anderer Mensch werden. Ja, ja, das wollte sie. Sie wollte etwas mädchenhafter werden, wie Onkel Björk gesagt hatte. Nie mehr wollte sie bei einem Krieg der Rosen mitmachen. Denn war nicht gerade der Krieg der Rosen die Ursache, dass sie in all dies hineingeraten war – all dies, an das man nicht denken durfte, wenn einem der Schädel nicht platzen sollte?

Nein, für sie sollte Schluss sein mit dem Krieg. Sie wollte nie mehr spielen. Nie mehr! Oh, wie sie sich langweilen würde!

Tränen stiegen ihr aufs Neue in die Augen und sie nahm die Hand der Mutter.

»Mama, ich fühl mich so alt«, sagte sie und weinte. »Ich fühl mich beinah wie fünfzehn.«

Dann schlief sie ein. Aber bevor sie in die barmherzige Bewusstlosigkeit sank, überlegte sie noch ein wenig, was wohl Kalle jetzt denken mochte. Kalle, der jahrelang Mörder gejagt hatte! Was tat er wohl, wenn wirklich einer auftauchte?

Meisterdetektiv Blomquist erfuhr davon, als er hinter seines Vaters Ladentisch dabei war, zwei Salzheringe für einen Kunden in eine Zeitung zu wickeln. In dem Augenblick nämlich kam Frau Karlsson vom Rowdyberg durch die Tür gesegelt, zum Platzen gefüllt mit Neuigkeiten und berstend vor Sensationslust. Und innerhalb von zwei Minuten war der ganze Laden ein kochender Topf, in dem es von Fragen und Ausrufen und Grauen brodelte. Jeder Verkauf stockte. Alle im Laden drängten sich um Frau Karlsson. Und sie plapperte und erzählte, dass der Speichel spritzte. Alles, was sie wusste, und mehr dazu.

Meisterdetektiv Blomquist, er, der über die Sicherheit der Stadt wachen sollte, stand hinter dem Ladentisch und hörte zu. Er sagte nichts. Er fragte nichts. Er war wie versteinert. Als er genug gehört hatte, schlich er sich unbemerkt hinaus in den Lagerraum und sank auf eine leere Kiste.

Lange saß er da. Sprach er vielleicht mit seinem eingebildeten Zuhörer? Das wäre doch jetzt angebracht gewesen. Nein, das tat er nicht. Er sprach überhaupt nicht. Aber er dachte an das eine und das andere. Kalle Blomquist, dachte er, du bist ein Wicht, ein lächerlicher kleiner Wicht. Das bist du haargenau! Meisterdetektiv – nicht viel mehr wert als meine alten Pantoffeln! Hier können die verabscheuungswürdigsten Verbrechen geschehen; aber du stehst ruhig hinterm Ladentisch und wickelst Salzheringe ein. Weiter so, nur weiter so, dann tust du doch wenigstens *etwas* Nützliches!

Da saß er nun, den Kopf in die Hände gestützt, düster grübelnd. Ach, warum hatte er nur gerade heute im Geschäft sein müssen! Sonst hätte Anders sicher ihn an Stelle von Eva-Lotta geschickt. Und dann wäre er es gewesen, der das Verbrechen entdeckt hätte. Oder wer weiß – vielleicht wäre er so rechtzeitig gekommen, dass er es verhindert hätte? Dann hätte er den Verbrecher unter vielen guten Ermahnungen hinter Schloss und Riegel gebracht. So wie er es immer tat.

Aber mit einem tiefen Seufzer erinnerte er sich, dass er es nur in der Fantasie »immer so tat«. Und dann begriff Kalle erst richtig, was geschehen war. Er begriff es mit einem Ruck, der ihm die Lust nahm, weiterhin Meisterdetektiv zu spielen. Das hier war kein Fantasiemord, den man so elegant aufklären und mit dem man vor einem eingebildeten Zuhörer prahlen konnte. Das hier war eine erschreckende, hässliche, widerliche Wirklichkeit, die ihn fast krank machte. Er verachtete sich zwar dafür, aber es war Tatsache, dass er froh war, aufrichtig froh, dass er heute nicht an Eva-Lottas Stelle gewesen war. Arme Eva-Lotta!

Ohne jemand um Erlaubnis zu bitten verließ er das Geschäft. Er fühlte, er musste zu Anders gehen um mit ihm zu sprechen. Zu versuchen, mit Eva-Lotta zu sprechen war aussichtslos, das war ihm klar, denn Frau Karlsson hatte gejammert, dass die Bäckerstochter ganz durcheinander sei. »Der Doktor ist bei ihr« – das wusste zu diesem Zeitpunkt die ganze Stadt.

Anders dagegen wusste gar nichts. Er saß in der Schuhmacherwerkstatt und las »Die Schatzinsel«. Seit dem frühen Vormittag war kein Mensch bei ihm gewesen und das war ein Glück! Anders befand sich nämlich im Augenblick, umringt von bösartigen Piraten, auf einer Insel in der Südsee und hatte für Schuhsohlen gar kein Interesse.

Als Kalle die Tür ohne vorherige Warnung aufstieß, starrte ihn Anders daher an, als fürchte er, der einbeinige John Silver käme herein. Er war freudig überrascht, als er begriff, dass es nur Kalle war. Er sprang von seinem Dreibein auf und schmetterte unbeschwert:

»Fünfzehn Gespenster auf des toten Mannes Kiste –
Johoho und die Flasche voll Rum.«

Kalle schauderte. »Schweig«, sagte er, »schweig, sag ich!«
»Das sagt der Musiklehrer auch immer, wenn ich anfange zu singen«, bestätigte Anders friedfertig.

Kalle sah aus, als ob er etwas sagen wollte, aber Anders kam ihm zuvor. »Hast du gehört, ob Eva-Lotta schon den Großmummrich geholt hat?«

Kalle sah ihn vorwurfsvoll an. Wie viel Blödsinn würde Anders noch von sich geben, bevor Kalle dazu kam zu berichten? Wieder nahm Kalle einen Anlauf, aber auch jetzt hinderte Anders ihn. Er hatte zu lange still sitzen müssen und jetzt sprudelte die Redelust in ihm. Er nahm die »Schatzinsel« und hielt sie Kalle unter die Nase.

»Junge, Junge, das ist ein Buch«, sagte er. »Das ist spannend, irrsinnig spannend! Mensch, damals hätte man leben sollen! Was für Abenteuer! Heutzutage passiert rein gar nichts mehr!«

»So, gar nichts passiert?«, sagte Kalle. »Du weißt nicht, wovon du redest.« Und dann erzählte er Anders, was »heutzutage passiert«.

Anders' dunkle Augen verdunkelten sich noch mehr, als er hörte, was sein Befehl zur Platzverlegung des Großmummrich angerichtet hatte. Er wollte sofort zu Eva-Lotta rennen, wenn auch nicht direkt um sie zu trösten, so um ihr doch auf irgendeine Art zu zeigen, dass er selbst sich für eine erbärmliche Laus hielt, weil er sie mit dem Auftrag losgeschickt hatte.

»Aber ich konnte doch wirklich nicht wissen, dass da draußen tote Leute rumliegen«, sagte er niedergeschlagen zu Kalle.

Kalle saß ihm gegenüber und hämmerte nachdenklich eine Reihe von Schuhmachernägeln in den Schuhmachertisch.

»Nein, wie solltest du das wissen können«, sagte er. »So was kommt ja nicht oft vor.«

»Was kommt nicht oft vor?«

»Dass tote Leute rumliegen draußen beim Herrenhof.«

»Klar, meinte ich doch«, sagte Anders. »Übrigens schafft Eva-Lotta das ganz bestimmt. Jedes andere Mädchen würde dabei durchdrehen, aber nicht sie. Pass auf, sie kann der Polizei bestimmt einen Haufen Fingerzeige geben.«

Kalle nickte. »Vielleicht hat sie jemand gesehen, der… der… es getan haben kann.«

Anders schauderte. Aber er war nicht annähernd so aufgewühlt wie Kalle. Er war ein fröhlicher, offener und sehr aktiver Junge und außergewöhnliche Ereignisse weckten seinen Tatendrang, auch wenn sie erschreckend waren. Er wollte etwas tun und das sofort. Loslegen mit den Nachforschungen und den Mörder festsetzen und zwar möglichst im Verlauf der nächsten Stunde. Er war kein Träumer wie Kalle. Es wäre unrecht zu behaupten, dass Kalle trotz seiner Träumereien nicht auch besonders rege sein konnte – es gab wahrhaftig einige, die das erfahren hatten –, aber Kalles Tätigkeit begann stets mit langwierigen Meditationen. Kalle saß dann da und dachte sich Sachen aus – richtig einfallsreiche Sachen mitunter, das musste man zugeben –, aber oftmals waren es doch nur Fantasien ins Blaue hinein.

Anders fantasierte nicht. Er verschwendete keine Zeit mit Meditationen. Sein Körper war so voll von sprühender Energie, dass es eine wahre Plage für ihn war, eine Weile still sitzen zu müssen. Es war kein Zufall, dass er der Chef der Weißen Rose geworden war. Er war selbstsicher, fröhlich und redegewandt, erfindungsreich und immer bereit, an der Spitze zu gehen, egal, was es galt. Das war Anders. Ein weicherer Typ als er hätte Schaden genommen an den häuslichen Verhältnissen, an dem Vater, der ein unerträglicher Tyrann war – Anders aber nicht. Er hielt sich nur fern von zu Hause, so viel er irgend konnte, und die Zusammenstöße mit seinem Vater nahm er gleichmütig hin. Alles Geschimpfe glitt an ihm ab wie Wasser an einer Gans und fünf Minuten nach der stärksten Abreibung war Anders schon draußen und lief fröhlich herum wie immer. Ganz unmöglich also, dass er jetzt mit den Händen im Schoß dasitzen sollte, wenn wichtigere Sachen sein Eingreifen erforderten.

»Komm, Kalle«, sagte er deshalb. »Ich schließ die Werkstatt. Der Alte kann sagen, was er will.«

»Traust du dich wirklich?«, fragte Kalle, der den Schuhmachermeister kannte.

»Pfff«, machte Anders.

Natürlich traute er sich. Er musste nur eventuellen Kunden auf irgendeine Art klarmachen, warum das Geschäft mitten am helllichten Tag geschlossen war. Er nahm einen Blaustift und schrieb auf ein Stück Papier:

GESCHLOSSEN WEGEN MORD

Dann heftete er das Papier mit einer Reißzwecke außen an die Ladentür und wollte abschließen.

»Du hast wohl einen Vogel«, sagte Kalle, als er es entdeckte. »Das kannst du so doch nicht schreiben!«

»Kann ich nicht?«, fragte Anders zögernd. Er legte den Kopf schief und dachte nach. Vielleicht hatte Kalle Recht, vielleicht konnte man den Zettel missverstehen. Er riss ihn ab, lief in die Werkstatt zurück und schrieb einen neuen. Den heftete er dann an die Tür und ging rasch davon. Kalle folgte seinem Chef.

Frau Magnusson von gegenüber kam bald darauf um ihre neu besohlten Schuhe abzuholen. Sie blieb stehen und las mit vor Verwunderung kugelrunden Augen:

AUS ANLASS DES PASSENDEN WETTERS
BLEIBT DIESE WERKSTATT
HEUTE GESCHLOSSEN

Frau Magnusson schüttelte den Kopf. Richtig bei Trost war er ja nie gewesen, der Schuhmacher, aber jetzt war er bestimmt übergeschnappt. »Passendes Wetter« – hatte man so etwas schon gehört?

Anders lief zur Prärie. Äußerst widerwillig folgte ihm Kalle. Er hatte nicht die geringste Lust, dorthin zu gehen. Aber Anders war überzeugt, dass die Polizei schon unruhig auf Kalles Hilfe wartete. Sicher hatte Anders Kalle wegen seiner Grillen gehänselt, aber das vergaß er, weil jetzt ja tatsächlich ein akuter Kriminalfall eingetreten war. Jetzt erinnerte er sich nur an den bemerkenswerten Einsatz von Kalle im vorigen Jahr. Es war unbestreitbar Kalles Verdienst gewesen, dass die drei Juwelendiebe verhaftet worden waren. Ja, Kalle war ein hervorragender Detektiv und Anders erkannte diese Überlegenheit willig an. Und er war überzeugt, dass auch die Polizei so dachte.

»Du verstehst doch, die müssen sich ja freuen, wenn du dich ihnen zur Verfügung stellst«, sagte er. »Im Handumdrehen wirst du das Rätsel lösen. Und ich werde dein Gehilfe.«

Kalle war in einer schwierigen Situation. Er konnte Anders nicht eingestehen, dass er nur die Aufklärung von Fantasiemorden vollendet beherrschte und dass er es einfach entsetzlich fand, mit einem richtigen Mord in Berührung zu kommen. Er schleppte die Beine immer langsamer nach, sodass Anders ungeduldig wurde.

»Beeil dich«, sagte er. »Jede Sekunde ist kostbar in solch einem Fall. Das müsstest du doch am besten wissen!«

»Ach, ich glaube, wir lassen die Polizei das allein machen«, sagte Kalle, um sich aus der Klemme zu ziehen.

»Das sagst *du*?«, rief Anders aufgebracht. »Wo du genau weißt, wie die alles durcheinander bringen können! Das hast du selbst oft genug gesagt. Stell dich nicht an und komm endlich.«

Er nahm den widerstrebenden Meisterdetektiv am Arm und zog ihn hinter sich her. Schließlich kamen sie zu dem abgesperrten Gebiet.

»Du«, sagte Anders, »weißt du, was los ist?«

»Nein, was denn?«

»Der Großmummrich ist eingesperrt! Wenn die Roten ihn haben wollen, müssen sie die Polizeikette durchbrechen.«

Kalle nickte nachdenklich. Viel hatte der Großmummrich schon erlebt, aber es war das erste Mal, dass er unter Polizeischutz stand.

Wachtmeister Björk patrouillierte an der Absperrung auf und ab und Anders ging geradewegs auf ihn zu. Er zog Kalle mit sich und stellte ihn vor Björk hin, so wie ein Hund einen apportierten Gegenstand hinlegt und dann auf ein Lob wartet.

»Onkel Björk, hier ist Kalle«, sagte er erwartungsvoll.

»Das sehe ich«, sagte Onkel Björk. »Und was will Kalle?«

»Lassen Sie ihn durch, damit er losschnüffeln kann«, forderte Anders. »Den Tatort des Verbrechens untersuchen…«

Aber Onkel Björk schüttelte den Kopf. Er sah todernst aus. »Geht weg hier, Jungen«, sagte er. »Geht nach Hause. Dankt Gott, dass ihr noch so klein seid und von alldem nichts begreift.«

Kalle wurde rot. Er begriff sehr gut. Er begriff, dass hier kein Platz war für den Meisterdetektiv mit den scharf geschnittenen Gesichtszügen und den großen Worten. Wenn er das doch nur auch Anders begreiflich machen könnte!

»Typisch«, sagte Anders verbittert, als sie zur Stadt zurücktrotteten. »Und wenn du, seit Kain den Abel erschlug, jeden einzelnen Mord aufgeklärt hättest – die Polizei würde niemals zugeben, dass ein Privatdetektiv etwas taugt.«

Kalle schüttelte sich vor Unbehagen. So ungefähr hatte er selbst viele Male geredet. Er wünschte von ganzem Herzen, dass Anders das Gesprächsthema wechseln möge. Aber Anders fuhr fort: »Früher oder später fährt sich die Polizei doch fest. Bitte, versprich mir, dass du den Fall dann nicht eher übernimmst, bevor sie dich auf den Knien darum bitten!«

Das versprach Kalle bereitwilligst. Überall standen kleine Gruppen schweigender Menschen zusammen. Sie standen da und starrten unausgesetzt zu den Büschen hinüber, wo sich Experten versammelt hatten um die Lösung von einem Drama zu finden, das ein Menschenleben gekostet hatte. Heute war es so merkwürdig still auf der Prärie. Kalle fühlte sich beklommen. Und selbst Anders wurde endlich von der düsteren Stimmung ergriffen. Vielleicht hatte Onkel Björk Recht. Das hier war wohl nichts für Kalle, wenn er auch ein noch so geschickter Detektiv war. Trübsinnig wanderten sie nach Hause.

Sixten, Benka und Jonte waren auch auf dem Heimweg von der Prärie. Sie hatten heute Urlaub genommen vom Krieg der Rosen, genau wie Anders es sich gedacht hatte, und sie hatten viele glückliche Stunden mit Karussellfahren und Scheibenschießen auf dem Rummelplatz verbracht. Aber vor einer Weile war die furchtbare Nachricht auch dort angekommen und der Rummelplatz hatte sich rasch geleert. Sixten und Benka waren auch zur Prärie gestürzt – nur um festzustellen, dass sie ebenso gut wieder nach Hause gehen konnten. Gerade als sie den Entschluss gefasst hatten, trafen sie Anders und Kalle.

205

Heute tauschten die Weißen und die Roten keine Gehässigkeiten miteinander. Gemeinsam trabten sie zur Stadt zurück und dachten mehr an den Tod, als sie es bisher in ihrem jungen Leben getan hatten. Und sie fühlten tiefes Mitleid mit Eva-Lotta.

»Leid tut sie mir, ehrlich«, sagte Sixten. »Sie sagen, dass sie total mit den Nerven runter ist. Liegt bloß da und heult.«

Anders wurde davon beinahe mehr ergriffen als von der übrigen Scheußlichkeit. Er schluckte einige Male. Es war ja seine Schuld, wenn Eva-Lotta dalag und weinte.

»Man müsste sich wohl um sie kümmern«, sagte er schließlich, »'ne Blume hinschicken oder so was…«

Die andern vier starrten ihn an, als ob sie ihren Ohren nicht trauten. War die Situation wirklich *so* ernst? Einem Mädchen Blumen schicken – er musste davon überzeugt sein, dass Eva-Lotta irgendwie verloren war. Aber je länger sie darüber nachdachten, desto nobler schien ihnen der Vorschlag. Eva-Lotta sollte eine Blume haben, das war sie wahrhaftig wert.

Sixten ging tief ergriffen nach Hause und klaute eine von den roten Pelargonien seiner Mutter und, den Blumentopf zwischen sich tragend, zogen sie alle fünf zu Bäckermeisters.

Eva-Lotta schlief und durfte nicht gestört werden. Aber ihre Mutter nahm die Pelargonie entgegen und stellte sie an Eva-Lottas Bett, ans Kopfende, sodass sie das Geschenk sah, sobald sie aufwachte.

Es war nicht das letzte Geschenk, das Eva-Lotta für ihren Einsatz in diesem Drama bekommen sollte.

9. Kapitel

Sie saßen auf der Veranda und warteten, der nette Kriminalkommissar und Wachtmeister Björk und noch einer. Es sei wichtig, dass das kleine Mädchen nicht nervös werde vor dem Verhör, meinte der Kommissar. Jedenfalls nicht noch nervöser, als sie schon war. Deshalb war es gut, Wachtmeister Björk vom örtlichen Polizeirevier bei sich zu haben, der das Mädchen kannte. Und um dem ganzen Verhör den Charakter eines freundlichen kleinen Gesprächs zu geben, sollte es zu Hause bei dem Mädchen stattfinden, hier auf der sonnigen Veranda und nicht auf dem Polizeirevier. Eine fremde Umgebung wirkt immer beunruhigend auf Kinder, fand der Kommissar. Und die Zeugenaussage des Mädchens sollte auf einem Tonband festgehalten werden, damit man sie nicht noch einmal belästigen musste. Wenn sie alles erzählt hatte, was sie wusste, sollte sie alles vergessen dürfen. Vergessen, dass es so viel Böses auf der Welt gab. Sagte der Kommissar.

Und jetzt saßen sie da und warteten auf sie. Es war früh am Morgen und sie war wohl immer noch nicht ganz fertig.

Während sie warteten, brachte Frau Lisander starken Kaffee und frisch gebackene Kopenhagener. Und die Stärkung konnten sie wirklich brauchen, die armen Polizisten, die die ganze Nacht gearbeitet und weder zu essen noch Schlaf bekommen hatten. Es war ein wundervoller Morgen. Die Luft war frisch und klar nach dem gestrigen Gewitter. Die Rosen im Garten des Bäckermeisters sahen wie frisch gewaschen aus und die Meisen und Buchfinken zwitscherten munter in dem alten Apfelbaum. Der gute Kaffeeduft schwebte über der Veranda. Das Ganze sah richtig gemütlich aus. Man konnte kaum glauben, dass die drei, die da saßen und aßen und tranken, Polizisten im Dienst waren, die gerade einen Mord aufklären sollten. An solch einem herrlichen Sommermorgen konnte man sich nicht vorstellen, dass es dergleichen gab.

Der Kommissar nahm den dritten Kopenhagener und sagte: »Ehrlich gesagt, ich glaube nicht, dass wir sehr viel aus dem Mädchen herausholen werden – hieß sie nicht Eva-Lotta? Ich glaube nicht, dass ihre Aussagen uns bedeutend weiterbringen werden. Kinder können nicht sachlich beobachten. Sie fantasieren zu viel.«

»Eva-Lotta ist aber recht sachlich«, sagte Wachtmeister Björk.

Bäckermeister Lisander erschien auf der Veranda. Er hatte eine kleine Falte auf der Stirn, die sonst nicht dort war. Diese Falte bedeutete, dass er sich um sein einziges, geliebtes Kind Sorgen machte und es ihn beunruhigte, dass er es zulassen musste, dass diese Polizisten sie mit ihren Fragen quälten.

»Sie kommt jetzt«, sagte er kurz. »Darf ich bei dem Verhör zugegen sein?«

Nach einigem Zögern willigte der Kommissar ein. Bedingung war allerdings, dass der Bäckermeister sich absolut still verhielt und auf keine Weise in das Verhör eingriff. »Na ja, es ist übrigens nicht schlecht, wenn Eva-Lotta ihren Papa dabeihat. Es wird sie beruhigen. Könnte ja sein, dass sie Angst vor mir hat.«

»Warum sollte ich«, sagte eine ruhige Stimme von der Tür her und Eva-Lotta kam in den Sonnenschein hinaus. Sie sah den Kommissar mit ernsten Augen an. Warum sollte sie Angst vor ihm haben? Eva-Lotta hatte keine Angst vor Menschen. Nach ihrer Erfahrung waren die meisten nett und freundlich und wollten einem nichts Böses. Erst gestern hatte sie begriffen, dass es auch tückische Menschen geben könnte. Sie sah aber keinen Grund, weshalb sie auch den Kriminalkommissar dazu rechnen sollte. Sie wusste, er war hier, weil er hier sein musste. Sie wusste, dass sie ihm alles von dem Entsetzlichen draußen auf der Prärie erzählen musste, und sie war bereit es zu tun. Warum also sollte sie Angst haben? Ihr Kopf war schwer nach allem Weinen und nach dem tiefen Schlaf in der Nacht. Sie war nicht fröhlich. Aber sie war jetzt ruhig, ganz ruhig.

»Guten Morgen, kleine Lisa-Lotta«, sagte der Kommissar munter.

»Eva-Lotta«, sagte sie. »Guten Morgen!«

»Ach ja, natürlich – Eva-Lotta! Komm und setz dich hierher, Eva-Lotta. Wir wollen ein wenig miteinander reden. Es wird nicht lange dauern. Und dann kannst du gleich wieder mit deinen Puppen spielen.«

Das sagte er zu Eva-Lotta, die sich so alt vorkam, beinahe wie fünfzehn!

»Ich hab schon vor zehn Jahren aufgehört mit Puppen zu spielen«, sagte sie, um ihn aufzuklären.

Wachtmeister Björk hatte Recht – das war tatsächlich ein sachliches Kind. Der Kommissar verstand: Hier musste er einen anderen Ton finden und Eva-Lotta wie eine Erwachsene behandeln.

»Erzähl mir nun alles«, sagte er. »Du warst also bei dem Mor ... also draußen auf der Prärie? Wie kam es eigentlich, dass du gestern Mittag so ganz allein dorthin gegangen bist?«

Eva-Lotta kniff die Lippen zusammen. »Das ... das darf ich nicht sagen. Das ist vollkommen geheim. Ich war draußen in geheimem Auftrag.«

»Mein liebes Kind«, sagte der Kommissar, »wir versuchen doch einen Mord aufzuklären. Da gibt es nichts, was geheim ist. Was solltest du also gestern draußen beim Herrenhof tun?«

»Ich sollte den Großmummrich holen«, sagte Eva-Lotta widerwillig. Es war eine ziemlich ausführliche Erklärung nötig, bis der Kommissar endlich begriff, was ein Großmummrich war. In dem Polizeibericht, der nach dem Verhör angefertigt wurde, stand nur kurz und bündig:

209

»Von sich berichtete Lisander, dass sie sich am Mittag des 28. Juli auf das Gemeindeland westlich der Stadt mit der Absicht begeben hatte, um einen so genannten Großmummrich zu holen.«

»Hast du dort irgendjemanden gesehen?«, wollte der Kommissar wissen, nachdem das Rätsel des Großmummrich geklärt war.

»Ja«, sagte Eva-Lotta. »Ich hab… Gren gesehen… und noch einen.«

Der Kommissar wurde lebhaft. »Erzähl ganz genau, wie und wo du sie gesehen hast!«, sagte er.

Und Eva-Lotta erzählte. Wie sie Gren aus ungefähr hundert Meter Entfernung von hinten gesehen hatte…

»Halt«, unterbrach der Kommissar. »Wie konntest du aus so weiter Entfernung erkennen, dass es Gren war?«

»Man merkt, Herr Kommissar, dass Sie nicht aus unserer Stadt sind«, sagte Eva-Lotta. »Jeder Mensch hier würde Gren sofort an seinem Gang erkennen. Stimmt's, Onkel Björk?«

Björk bestätigte es. Und Eva-Lotta setzte ihren Bericht fort. Wie sie Gren in den Pfad hatte einbiegen sehen und wie er in den Büschen verschwunden war. Wie der mit der dunkelgrünen Gabardinehose von der anderen Seite gekommen und auf demselben Weg verschwunden war.

»Hast du eine Ahnung, wie spät es da war?«, fragte der Kommissar, obwohl er ja wusste, dass Kinder selten genaue Zeitangaben machen konnten.

»Halb zwei«, antwortete Eva-Lotta schnell.

»Woher weißt du das? Hast du auf die Uhr gesehen?«

»Nein«, sagte Eva-Lotta und wurde blass. »Aber ich habe den Mör… den Mörder danach gefragt – ungefähr eine Viertelstunde später.«

Der Kommissar sah seine Kollegen an. Hatten sie so etwas schon erlebt? Dies Verhör schien doch wertvoller zu werden, als er es sich vorgestellt hatte. Er beugte sich vor und sah Eva-Lotta eindringlich in die Augen. »Du hast den Mörder gefragt, sagst du? Wagst du wirklich zu behaupten, du wüsstest, wer Gren ermordet hat? Hast du vielleicht auch gesehen, wie es geschah?«

»Nein«, sagte Eva-Lotta, »aber wenn ich sehe, wie erst ein Mensch zwischen Büschen verschwindet und gleich danach ein anderer Mensch auch dort verschwindet und ich nach kurzer Zeit den zuerst erwähnten Menschen dort tot vorfinde, dann muss ich doch den anderen, den übrig gebliebenen Menschen, verdächtigen. Gren kann natürlich auch hingefallen und dadurch umgekommen sein. Aber das muss man mir erst beweisen.«

Björk *hatte* Recht. Das hier war wirklich ein sehr sachliches Kind.

Sie berichtete weiter, wie sie, als sie die beiden Männer auf dem Pfad hatte verschwinden sehen, wo der Großmummrich lag, in den Herrenhof gegangen war um sich die Wartezeit zu vertreiben und dass sie dort höchstens eine Viertelstunde geblieben war.

»Und danach?«, fragte der Kommissar.

Eva-Lottas Augen verengten sich. Sie sahen gequält aus. Das, was jetzt kam, war am schwersten zu erzählen. »Ich lief genau in ihn hinein – da auf dem kleinen Pfad«, flüsterte sie. »Ich fragte ihn, wie spät es sei und er sagte: ›Viertel vor zwei.‹«

Der Kommissar sah zufrieden aus. Der Gerichtsarzt hatte als den Zeitpunkt der Tat die Zeit etwa zwischen zwölf und zwei festgesetzt. Die Angaben der Kleinen aber machten es möglich, die Zeit genau festzulegen: etwa zwischen halb zwei und Viertel vor zwei. Diese Tatsache konnte wichtig werden. Eva-Lotta war wirklich eine unschätzbare Zeugin!

Er fragte weiter: »Wie sah der Mann aus? Erzähl alles, woran du dich erinnern kannst. Jede Einzelheit.«

Eva-Lotta holte wieder die dunkelgrüne Gabardinehose hervor. Dann das weiße Hemd. Und den dunkelroten Schlips. Die Armbanduhr. Viele schwarze Haare auf den Händen.

»Wie sah sein Gesicht aus?«, fragte der Kommissar eifrig.

»Er hatte einen Schnurrbart«, antwortete Eva-Lotta. »Und langes schwarzes Haar, das ihm in die Stirn hing. Besonders alt war er nicht. Er sah gut aus. Aber ängstlich und böse. Er lief von mir fort, so schnell er konnte. Er hatte es so eilig, dass er einen Revers verlor – und das hat er nicht bemerkt.«

Der Kommissar hielt einen Moment den Atem an. Dann stieß er hervor: »Um Himmels willen, was sagst du da? Was hat er verloren?«

»Einen Revers«, sagte Eva-Lotta stolz. »Wissen Sie nicht, was das ist, Herr Kommissar? Das ist nur ein kleines Stück Papier und ganz oben steht ›Revers‹ drauf. Ich sage Ihnen, das ist nichts als ein kleines Stück Papier. Aber die Menschen, glauben Sie mir, machen oft Theater um solche Reverse.«

Der Kommissar sah erneut seine Kollegen an. Die gestrigen Vernehmungen bei den Nachbarn des Alten oben auf dem Rowdyberg hatten ja klar ergeben, dass Gren als kleinen, einträglichen Nebenverdienst Wucher betrieb. Viele hatten bemerkt, dass er abends in seinem Haus geheimnisvolle Besucher empfangen hatte – allerdings nicht oft. Gewiss hatte er es vorgezogen, seine Kunden irgendwo in der Umgebung der Stadt zu treffen. Bei der Haussuchung hatte man eine ganze Menge Reverse gefunden, die mit verschiedenen Namen unterzeichnet waren. Alle Namen waren notiert worden und man bereitete sich darauf vor, notfalls alle geheimnisvollen Kunden von Gren aufzuspüren. Einer von ihnen konnte der Mörder sein.

Aber dem Kommissar war die ganze Zeit ziemlich klar gewesen, dass sich einer von ihnen durch Mord aus den Geldschwierigkeiten, in die er vermutlich verwickelt war, hatte retten wollen. Das musste das Motiv zu dem Verbrechen sein. Und so etwas tat niemand, wenn er nicht sicher war, sämtliche Papiere beseitigen zu können, die für ihn verräterisch werden konnten.

Und nun saß das Mädchen hier und erzählte, dass der Mörder dort zwischen den Büschen einen Revers verloren hatte. Einen Revers, auf

dem sein Name stand! Einen Revers mit dem Namen des Mörders…
Der Kommissar war so erregt, dass seine Stimme zitterte, als er sich zu
Eva-Lotta vorbeugte. »Hast du den Revers aufgehoben?«

»Ja, natürlich«, sagte Eva-Lotta.

»Was hast du damit gemacht?« Der Kommissar hielt wieder den Atem
an.

Eva-Lotta dachte nach. Es war totenstill, während sie nachdachte. Nur
der Buchfink setzte sein Konzert im Apfelbaum fort.

»Das weiß ich nicht mehr«, sagte Eva-Lotta schließlich.

Der Kommissar stöhnte leise.

»Aber ich sage Ihnen ja, das war nichts weiter als nur so ein kleines
Stück Papier«, wiederholte Eva-Lotta um ihn zu trösten.

Da nahm der Kommissar ihre Hand und erklärte ihr langsam und
deutlich, dass ein Revers ein ziemlich wichtiges Stück Papier sei, auf
dem man bestätigte, dass man sich von jemandem Geld geborgt hatte
und dass man verpflichtet war, dies geborgte Geld auch wieder zurückzuzahlen. Und das bestätigte man, indem man unter den Revers
seinen Namen schrieb. Dieser Mann, der Gren ermordet hatte, hatte
das bestimmt nur getan, weil er kein Geld besass um das geborgte
zurückzuzahlen. Kaltblütig hatte er einen Menschen umgebracht um
seine Reverse zurückzubekommen, von denen Eva-Lotta glaubte,
dass sie so unwichtig seien. Und sein Name musste auf dem Papier
gestanden haben, das er auf dem Pfad verloren hatte. Verstand Eva-
Lotta nun, dass sie sich einfach erinnern musste, was sie mit dem Revers gemacht hatte?

Das verstand Eva-Lotta und sie bemühte sich wirklich. Sie erinnerte
sich, wie sie dagestanden hatte mit dem Schuldschein in der Hand. Sie
erinnerte sich, dass gerade da ein furchtbarer Donner gekracht hatte.
Aber an mehr erinnerte sie sich nicht. Doch, an das Schreckliche nachher natürlich. Aber von dem Schuldschein wusste sie kein bisschen
mehr. Enttäuscht bekannte sie das dem Kommissar.

»Und hast du nicht zufällig den Namen, der darauf stand, gelesen?«, fragte der Kommissar.

»Nein, das habe ich nicht«, sagte Eva-Lotta.

Der Kommissar seufzte. Aber er sagte sich selbst, dass die Arbeit eines Polizisten *so* leicht ja auch nicht sein durfte. Dies Verhör mit dem Mädchen hatte trotzdem viel ergeben. Man konnte wirklich nicht verlangen, nun auch noch den Namen des Mörders obendrein geschenkt zu bekommen.

Bevor er mit Eva-Lotta weitersprach, gab er telefonisch den Befehl an das Polizeirevier, jedes Stück der Prärie zu untersuchen. Gewiss war der Tatort selbst sehr genau untersucht worden; aber ein Stück Papier konnte weit weg geweht werden. Und der Schuldschein sollte und musste gefunden werden.

Anschließend musste Eva-Lotta erzählen, wie sie Gren gefunden hatte. Sie schluckte immer wieder und sprach jetzt sehr leise. Und ihr Vater bedeckte sein Gesicht mit den Händen um den angstvollen Ausdruck in ihren Augen nicht sehen zu müssen.

Aber nun musste das Ganze wohl bald zu Ende sein. Der Kommissar hatte nur noch einige Fragen. Eva-Lotta hatte beteuert, der Mörder könne unmöglich aus dieser Stadt sein, sie hätte ihn sonst bestimmt erkannt. Und nun fragte der Kommissar sie:

»Glaubst du, dass du ihn wieder erkennen könntest, wenn du ihn noch einmal sehen würdest?«

»Ja«, sagte Eva-Lotta langsam, »unter Tausenden würde ich ihn wieder erkennen.«

»Und du hast ihn vorher noch nie gesehen?«

»Nein«, sagte Eva-Lotta. Sie zögerte einen Augenblick. »Doch – teilweise…«, setzte sie dann hinzu.

Der Kommissar riss die Augen auf. Dies Verhör war voller Überraschungen.

»Was meinst du mit ›teilweise‹?«

»Ich hab seine Hosen schon mal gesehen«, sagte sie widerstrebend.

»Das musst du mir näher erklären.«

Eva-Lotta wand sich. »Muss ich das?«

»Du weißt doch, dass du es musst. Wo hingen also seine Hosen?«

»Sie hingen nicht«, sagte Eva-Lotta. »Sie sahen unter einem Rollo hervor. Der Mörder hatte sie an.«

Der Kommissar griff schnell nach einem übrig gebliebenen Stück Kopenhagener. Er fühlte, dass er Stärkung nötig hatte. Und er überlegte, ob Eva-Lotta wirklich so sachlich war, wie es zuerst den Anschein gehabt hatte. Fing sie nun nicht doch an zu fantasieren?

»Also«, sagte er, »die Hosen des Mörders sahen unter einem Rollo hervor. Wessen Rollo?«

»Natürlich Grens.«

»Und du? Wo warst du?«

»Ich war draußen auf der Leiter. Kalle und ich waren dort. Am Montagabend nach neun Uhr.«

Der Kommissar hatte keine Kinder und in diesem Augenblick war er froh und dankbar dafür.

»Was in aller Welt habt ihr am Montagabend auf Grens Leiter gemacht?«, fragte er. Und weil ihm seine neue Weisheit einfiel, fügte er hinzu: »Ach so, ich verstehe. Es war natürlich wieder irgend so ein Großmummrich, hinter dem ihr her wart.«

Eva-Lotta sah ihn fast verächtlich an. »Herr Kommissar, Sie glauben wohl, Großmummriche wachsen auf den Bäumen. Es gibt nur einen Großmummrich – in Ewigkeit – Amen.«

Dann berichtete sie von dem Nachtmarsch über Grens Dach. Der arme Bäckermeister schüttelte kummervoll sein Haupt, als er das hörte. Und da behaupten die Leute, es sei weniger aufregend, Mädchen zu haben…

»Woher wusstest du, dass es die Hosen des Mörders waren, die du sahst?«, fragte der Kommissar.

215

»Das wusste ich nicht«, sagte Eva-Lotta. »Hätte ich das gewußt, wäre ich reingegangen und hätte ihn verhaftet.«

»Ja, aber hast du nicht gesagt...«, wandte der Kommissar ärgerlich ein.

»Nein, das hab ich mir hinterher zusammengereimt«, sagte Eva-Lotta. »Ich hab doch gehört, wie sie sich da drinnen im Zimmer wegen dieser Reverse zankten und wie der in der grünen Hose sagte: ›Wir treffen uns am Mittwoch an der gewohnten Stelle! Bringen Sie dann meine Reverse mit!‹ Und nun rechnen Sie sich doch einmal selbst aus, mit wie vielen dunkelgrünen Gabardinehosen konnte Gren sich wohl am Mittwoch treffen?«

Der Kommissar war überzeugt davon, dass Eva-Lotta Recht hatte. Das Puzzlespiel ging auf. Alles war jetzt klar: das Motiv, der Zeitpunkt, die Tat selbst. Es blieb nur noch eine Kleinigkeit übrig: den Mörder zu verhaften.

Der Kommissar erhob sich und tätschelte Eva-Lotta die Backe. »Vielen Dank auch«, sagte er. »Du bist sehr tüchtig gewesen. Du hast uns mehr geholfen, als du selbst verstehst, glaube ich. Vergiss nun alles wieder.«

»Danke«, sagte Eva-Lotta.

Dann wandte sich der Kommissar an Björk. »Nun müssen wir noch diesen Kalle erwischen«, sagte er, »damit er uns Eva-Lottas Aussagen, was Montag Abend passiert ist, bestätigt. Wo finden wir ihn?«

»Hier«, sagte eine sichere Stimme vom Balkon über der Veranda. Der Kommissar sah erstaunt hinauf und bemerkte zwei Köpfe, einen dunklen und einen hellen, die über das Balkongeländer ragten.

Ritter der Weißen Rose lassen einen Kameraden während eines Polizeiverhörs oder während anderer Prüfungen nicht im Stich. Ebenso wie der Bäckermeister hatten auch Kalle und Anders den Wunsch gehabt, bei dem Verhör zugegen zu sein. Aber sicherheitshalber hatten sie es klüger gefunden, vorher nicht erst um Erlaubnis zu fragen.

10. Kapitel

Alle Zeitungen des Landes brachten auf den ersten Seiten den Mord und auch Eva-Lottas Aussagen wurden besonders erwähnt. Ihr Name wurde nicht genannt, aber es wurden viele Worte gemacht über »die tüchtige Dreizehnjährige«, die so wachsam ihre Beobachtungen am Tatort gemacht hatte und der Polizei wichtige Hinweise geben konnte. Die Ortszeitung war nicht so diskret, wenn es um Namen ging. In der kleinen Stadt wusste ja sowieso jeder, dass die tüchtige Dreizehnjährige mit Eva-Lotta Lisander identisch war, und der Redakteur sah nicht ein, warum der Name nicht auch in seiner Zeitung stehen sollte. Eine so prachtvolle Möglichkeit zu schreiben hatte er lange nicht gehabt und das nutzte er aus. Er schrieb einen langen, überschwänglichen Artikel über »die kleine, niedliche Eva-Lotta, die heute wieder zwischen den Blumen im Garten der Eltern spielt und aussieht, als habe sie all die schrecklichen Erlebnisse des Mittwochs dort draußen auf der stürmischen Prärie wieder vergessen«.

Und er fuhr verzückt fort: »Ja, wo sonst sollte sie wohl vergessen können, wo sonst könnte sie sich geborgen fühlen, wenn nicht hier und zu Hause bei ihren Eltern, hier im vertrauten Milieu ihrer Kindheit, wo der Duft nach frisch gebackenem Brot aus Vaters Bäckerei dafür zu bürgen scheint, dass es doch eine Geborgenheit des Alltags in diesem Lande gibt, die sich nicht durch blutige Angriffe aus der Welt des Verbrechens erschüttern lässt.«

Er war sehr zufrieden mit dieser Einleitung. Und weiter breitete er sich darüber aus, wie tüchtig Eva-Lotta gewesen war, wie genau sie den Mörder beschrieben hatte. Das heißt, er schrieb nicht geradeheraus »der Mörder«, sondern »der Mann, bei dem man des Rätsels Lösung vermutet«. Er erwähnte auch, dass Eva-Lotta den Unbekannten wieder erkennen würde, falls sie ihn sähe, und er wies besonders darauf hin, dass die kleine Eva-Lotta Lisander möglicherweise das Werkzeug sei, durch das eines Tages der Verbrecher seiner wohlverdienten Strafe zugeführt werden könne.

Ja, er schrieb tatsächlich alles, was er eigentlich nicht hätte schreiben dürfen.

Ein sehr bekümmerter Wachtmeister Björk gab dem Kommissar auf dem Polizeirevier ein Exemplar der Zeitung, noch feucht von Druckerschwärze. Der Kommissar las und dann brüllte er los: »Es ist unanständig, so etwas zu schreiben! Rundheraus gesagt: unanständig!«

Bäckermeister Lisander gebrauchte einen noch wesentlich kräftigeren Ausdruck, als er eine Weile später in die Redaktion der Zeitung stürmte. Die Adern auf seiner Stirn waren vor Wut geschwollen und er schlug mit der Faust auf den Tisch des Redakteurs.

»Begreifst du nicht, dass es verbrecherisch ist, so was zu schreiben?«, schrie er. »Begreifst du nicht, dass ein Kerl, der *einmal* gemordet hat, es sehr wohl auch ein zweites Mal kann, wenn er es für nötig hält? Und da muss man schon sagen, es ist wirklich sehr umsichtig von dir, ihm Eva-Lottas Namen und Adresse zu liefern. Hättest du nicht auch noch die Telefonnummer angeben können, damit er anrufen und einen Termin verabreden kann?«

Auch Eva-Lotta fand, dass der Artikel verbrecherisch war, zumindest einzelne Teile davon. Sie saß mit Anders und Kalle zusammen auf dem Bäckereiboden und las: »›Die kleine, niedliche Eva-Lotta, die heute wieder zwischen den Blumen im Garten der Eltern…‹ Mich laust der Affe! Darf man denn so blöd sein, wie man will, wenn man in der Zeitung schreibt?«

Kalle nahm ihr die Zeitung weg und las den ganzen Artikel und schüttelte dann besorgt den Kopf. So viel Meisterdetektiv war er auf jeden Fall immer noch, dass er verstehen konnte, wie wahnwitzig dieser Artikel war. Aber den anderen sagte er nichts davon.

Der Redakteur hatte allerdings Recht damit, dass Eva-Lotta ihr schreckliches Erlebnis anscheinend vergessen hatte. Zwar fühlte Eva-Lotta sich ja alt, fast wie fünfzehn, aber sie hatte zum Glück die Fähigkeit eines jungen Gemütes, Unbehagliches fast von einem Tag zum anderen zu vergessen. Nur wenn der Abend kam und sie in ihrem Bett lag, ließen sich die Gedanken schwer von dem fernhalten, woran sie nicht erinnert werden wollte. Und sie schlief ziemlich unruhig in den ersten Nächten und schrie manchmal im Schlaf, sodass ihre Mutter kommen und sie wecken musste.

Aber im hellen Sonnenschein des Tages war Eva-Lotta ruhig und fröhlich wie immer.

Ihr Vorsatz, etwas mädchenhafter zu werden und nicht mehr am Krieg der Rosen teilzunehmen, hielt genau zwei Tage. Dann hielt sie es nicht mehr aus. Sie fühlte es selbst, in je wildere Spiele sie sich stürzte, umso mehr würde das andere, was sie vergessen wollte, in ihrem Unterbewusstsein versinken.

Die Polizeibewachung draußen am Herrenhof hatte aufgehört. Aber schon vorher war der Großmummrich von dort weggeholt worden. Wachtmeister Björk hatte den ehrenvollen Auftrag bekommen, ihn aus der Sperrzone zu holen. Nach dem Verhör auf der Veranda, als die Existenz des Großmummrich ja verraten werden musste, nahm Anders Björk beiseite und fragte ihn, ob er nicht so nett sein wollte, den Großmummrich aus der Gefangenschaft zu befreien. Björk tat das gern. Ehrlich gesagt, er war sogar sehr interessiert daran, einmal zu sehen, wie ein Großmummrich aussah.

So geschah es, dass der Großmummrich unter Polizeieskorte von seinem unheimlichen Aufbewahrungsort fortgebracht und dem Chef der

Weißen Rose übergeben wurde. Und jetzt lag er in einer der Kommodenschubladen oben auf dem Bäckereiboden, wo die Weißen ihre Heiligtümer zu verwahren pflegten. Dieser Platz war aber nur ein vorläufiger, denn der Großmummrich sollte bald erneut verlegt werden.

Anders fand nach längerem Nachdenken die Idee, ihn bei dem Brunnen oben im Schlosshof zu verstecken, gar nicht mehr so gut. »Ich möchte ihn an einem spannenderen Platz haben«, sagte er.

»Armer Großmummrich«, meinte Eva-Lotta. »Ich finde, er hat genügend spannende Plätze gehabt.«

»Ich meine eine andere Art von spannendem Platz«, sagte Anders. Er zog die Schublade auf und betrachtete zärtlich den Großmummrich, der auf einem Bett aus Watte in einer Zigarrenkiste lag. »Vieles sahen deine weisen Augen schon, o du Großmummrich«, flüsterte er. Und mehr als je zuvor war er von der magischen Kraft des Großmummrich überzeugt.

»Ich weiß etwas«, sagte Kalle. »Wir verstecken ihn bei einem der Rötlichen!«

»Was meinst du damit?«, fragte Eva-Lotta. »Sollen wir ihn etwa freiwillig an die Roten zurückgeben?«

»Nein«, sagte Kalle. »Sie sollen ihn eine Zeit lang haben dürfen, ohne es zu wissen. Und wenn sie nichts von ihm wissen, ist es doch genauso, als hätten sie ihn nicht. Und stellt euch vor, wie sauer die hinterher sind, wenn wir es ihnen erzählen!«

Anders und Eva-Lotta sahen ein, dass dieser Einfall genial war. Nach einem begeisterten Wortwechsel über die verschiedenen Möglichkeiten wurde entschieden, dass der Großmummrich in Sixtens Zimmer versteckt werden sollte, und sie beschlossen, sofort dorthin zu gehen um einen passenden Platz ausfindig zu machen. Hastig ließen sie sich am Seil hinunter und liefen eifrig über den kleinen Steg, den Eva-Lotta eigens für den Krieg der Rosen angelegt hatte. Das war der kürzeste Weg zum Hauptquartier der Roten in Sixtens Garage.

Ziemlich atemlos kamen sie bei der Postdirektorsvilla an. Sixten, Benka und Jonte saßen im Garten und tranken Saft, als die Weißen hereinstürmten. Anders verkündete die frohe Botschaft, dass Eva-Lotta nicht länger den Dienst mit der Waffe verweigere und dass deshalb der Krieg der Rosen erneut ausbrechen könne.

Die Roten hörten diese Botschaft voll inniger Zufriedenheit. Eva-Lottas Entschluss, fraulicher zu werden, hatte tiefe Missstimmung bei ihnen allen hervorgerufen und etwas Langweiligeres als die letzten Tage hatten sie noch nie erlebt.

Gastfreundlich bot Sixten den Feinden Platz und Saft an. Die Feinde ließen sich dazu nicht zweimal auffordern – aber Anders sagte, listig wie eine Schlange: »Könnten wir den Saft nicht oben in deinem Zimmer trinken, Sixten?«

»Was ist los mit dir, hast du einen Sonnenstich?«, fragte ihn sein Gastgeber höflich. »Drinnen sitzen, bei dem wunderbaren Wetter?«

Sie tranken den Saft draußen in dem wunderbaren Wetter.

»Ich hätte mir gern dein Luftgewehr angesehen«, bat Kalle dann.

Dieses Luftgewehr, das immer an der Wand in Sixtens Zimmer hing, war sein kostbarster Besitz. Er hatte es gezeigt und gezeigt und gezeigt, bis es schon zur reinen Plage geworden war. Es gab auf der Welt für Kalle nichts Langweiligeres als dieses Luftgewehr. Aber jetzt galt es eine gute Sache. Sixten strahlte.

»Mein Luftgewehr möchtest du sehen?«, fragte er erfreut. »Natürlich kannst du das!« Und er lief in die Garage und holte es.

»Was ist denn nun los?«, sagte Kalle missmutig. »Hast du das Luftgewehr jetzt in der Garage?«

»Ja, was für ein Glück, dass ich es so schnell zur Hand habe!«, sagte Sixten und begann, Kalle seinen Schatz umständlich zu erklären. Anders und Eva-Lotta lachten, dass ihnen Zwiebackkrümel in die falsche Kehle gerieten. Eva-Lotta sah ein: Wenn sie heute überhaupt noch in Sixtens Zimmer kommen wollten, war ein bisschen weibliche

List nötig. Sie sah zu Sixtens Fenster hoch und sagte unschuldig: »Du hast doch sicher eine prima Aussicht von deinem Fenster – wie?«

»Und ob«, bestätigte Sixten.

»Kann ich verstehen«, sagte Eva-Lotta, »und wenn die Bäume dort nicht so hoch wären, könntest du beinahe den Wasserturm sehen.«

»Verflixt und zugenäht, klar kann ich den Wasserturm sehen!«, sagte Sixten.

»Ja, klar kann er den Wasserturm sehen, verflixt und zugenäht«, bestätigte Benka, hilfsbereit wie immer.

»Kann er?«, fragte Eva-Lotta. »Du brauchst gar nicht zu versuchen, mir das einzureden.«

»Lauter Lügen!«, sagten Kalle und Anders mit glühender Überzeugung. »Er *kann* den Wasserturm einfach nicht sehen, bestimmt nicht!«

»Dummes Gewäsch«, sagte Sixten. »Kommt mit rauf! Dann will ich euch Wassertürme zeigen, dass euch die Spucke wegbleibt, ihr blinden Blödmänner!« Er ging voran und alle sechs zogen ins Haus.

Ein Collie lag im kühlen Vorraum auf dem Boden und sprang auf und bellte, als sie kamen.

»Ist ja schon gut, Beppo!«, sagte Sixten. »Das hier sind doch nur ein paar minderbegabte Idioten, die den Wasserturm sehen wollen.«

Sie stiegen die Treppe hinauf zu Sixtens Zimmer und er führte sie im Triumph an das Fenster.

»Da!«, sagte er stolz. »So was nenne ich einen Wasserturm. Ihr könnt das meinetwegen einen Glockenturm oder sonstwie nennen.«

»Das hat gesessen, was?«, meinte Jonte.

»Aha, tatsächlich«, sagte Eva-Lotta mit einem verächtlichen Lachen. »Du *kannst* den Wasserturm sehen. Freust du dich darüber?«

»Was meinst du damit?«, fragte Sixten ärgerlich.

»Ooch – ich mein nur so… Denk doch bloß mal an, einen ganzen Wasserturm sehen zu können…« Und sie lachte aufreizend.

Anders und Kalle waren an der Aussicht wenig interessiert. Ihre Au-

222

gen spähten stattdessen herum, eifrig nach einem passenden Versteck für den Großmummrich Ausschau haltend.

»Hübsches Zimmer hast du«, sagten sie zu Sixten, als wären sie nicht schon mehr als hundertmal hier gewesen. Sie kreisten rings um das Zimmer, sie drückten prüfend an Sixtens Bett herum und wie zerstreut zogen sie die Schubladen seines Schreibtisches heraus.

Eva-Lotta war eifrig damit beschäftigt, die anderen am Fenster aufzuhalten. Sie zeigte auf alles, was noch irgendwie vom Fenster aus zu sehen war und das war nicht wenig.

Auf der Kommode stand Sixtens Globus. Anders und Kalle hatten die Idee gleichzeitig: der Globus, natürlich!

Sie sahen sich in die Augen und nickten dann bekräftigend. Von früheren Besuchen bei Sixten wussten sie, dass sich der Globus in zwei Hälften zerlegen ließ. Sixten hatte das aus Spaß ab und zu getan und der Globus war deshalb rund um den Äquator leicht ramponiert. Nach diesem Globus zu urteilen, waren größere Teile von Äquatorialafrika noch nicht erforscht – so viele weiße Flecken waren dort.

Natürlich bestand ein gewisses Risiko, dass Sixten auf den Einfall kam, seine Weltkugel wieder einmal zu halbieren und dass er dann den Großmummrich fand, das sahen sowohl Anders als auch Kalle ein. Aber was wäre ein Krieg der Rosen ohne Risiko gewesen?

»Ich glaube, wir haben nun alles gesehen«, sagte Anders in bedeutungsvollem Tonfall zu Eva-Lotta und sie verließ erleichtert ihren Platz am Fenster.

»Ja, vielen Dank, jetzt haben wir genug Aussichten gehabt. Mehr ist nicht nötig«, sagte Kalle und grinste zufrieden. »Kommt, wir hauen ab!«

»Wow o?«, fragte Eva-Lotta neugierig.

»Gog lol o bob u sos«, sagte Kalle schnell.

»Pop ror i mom a!«, lobte Eva-Lotta.

Sixten starrte sie wütend an, als sie wieder zu roren anfingen, wie er es nannte.

223

»Kommt wieder mal vorbei, wenn ihr mehr Wassertürme sehen wollt«, war schließlich alles, was er sagte.

»Ja, tut das«, sagte Jonte und warf ihnen einen überlegenen Blick aus seinen pfefferbraunen Augen zu.

»Läusepudel«, sagte Benka zusammenfassend.

Die Weißen Rosen gingen zur Tür. Sie quietschte jämmerlich, als sie sie öffneten.

> »Vornehmer Leute Türen quietschen,
> sagte die alte Mutter Pietschen…«

sang Anders. »Wie wäre es, wenn du das Gequietsche mal ein wenig schmieren würdest?«

»Wie wäre es, wenn du nach Hause gehen und dir die Decke über den Kopf ziehen würdest?«, sagte Sixten.

Die Weißen kehrten in ihr Hauptquartier zurück. Das Versteck war gefunden. Nun musste nur noch entschieden werden, wann und wie der Großmummrich dorthin kommen sollte.

»Wenn der Vollmond um Mitternacht leuchtet«, sagte Anders mit seiner tiefsten Stimme, »dann soll der Großmummrich an seinen neuen Ruheplatz geführt werden. Und hier steht der Mann, der es tun wird!« Eva-Lotta und Kalle nickten bestätigend. Es war natürlich ein Punkt mehr für die Weißen, wenn die Überführung des Großmummrich in Sixtens Zimmer geschah, während Sixten dort lag und schlief.

»Das hört sich gut an«, sagte Eva-Lotta und reichte eine große Pralinenschachtel herum, die sie aus der Kommode geholt hatte. Sie konnte jetzt in Süßigkeiten schwelgen, denn sie hatte Massen davon bekommen. Der Redakteur hatte ganz richtig in seinem Artikel geschrieben: »Die kleine populäre Eva-Lotta bekommt in diesen Tagen von allen Seiten Beweise der Anerkennung. Bekannte und Unbekannte erinnern sich ihrer mit Geschenken, Bonbons, Schokolade, Spielsachen, Büchern – das ist nur eine kleine Auswahl von alldem, was ihr der nette Briefträger Petersson täglich ins Haus bringt von ihren vielen Freunden, die ihr ihre Anteilnahme zeigen wollen, da sie so unverschuldet in diese düstere Tragödie verwickelt wurde.«

»Und was machst du, wenn Sixten aufwacht?«, fragte Kalle.

Anders sah ihn ungerührt an. »Ich sage, ich wäre gekommen, um ihm Wiegenlieder vorzusingen und um nachzusehen, ob er sich nicht bloßgestrampelt hat.«

»Hihihi«, lachte Kalle. »Hör mal, kleine populäre Eva-Lotta, gib mir noch eine Praline! Dann wirst du noch einmal so populär.«

Sie aßen, bis die Schachtel leer war, und machten Pläne für den Abend. Sie begeisterten sich an dem neuen Schlag gegen die Roten. Ja, der Krieg der Rosen war doch eine wundervolle Einrichtung! Schließlich verließen sie das Hauptquartier. Sie mussten »aufs Feld«, wie Anders es nannte. Irgendeine gute Idee konnte möglicherweise auftauchen. Wenn nicht, fand sich vielleicht die Gelegenheit, ein kleines Scharmützel mit den Roten zu provozieren. Sie ließen sich am Seil hinunter und Eva-Lotta sagte gedankenlos: »Ja, ja, die glücklichen Spiele der Kindh …«

Sie brach ab und wurde ganz blass. Ein Schluchzen kam von ihren Lippen und sie lief schnell davon.

An diesem Tag spielte sie nicht mehr.

11. Kapitel

»Heute Nacht wird es passieren!«, sagte Anders ein paar Tage später. Verschiedene Umstände hatten es mit sich gebracht, dass das Unternehmen, den Großmummrich in Sixtens Globus zu überführen, etwas aufgeschoben wurde. Erstens musste man ja den Vollmond abwarten. Vollmond musste sein. Das war magisch und gut und hatte außerdem den Vorteil, dass man sich in einem Zimmer zurechtfinden konnte, ohne irgendeine Beleuchtung zu benutzen. Zweitens hatten sie in den letzten Tagen beim Postdirektor Besuch von Sixtens beiden jungen Tanten gehabt.

»Und man kann sich unmöglich in ein Haus wagen, wo aus allen Ecken und Winkeln eine kleine Tante hervorguckt«, sagte Anders, als Kalle ihn fragte, ob es nun etwas werde oder nicht. »Je mehr Leute in einem Haus sind, desto größer ist die Möglichkeit, dass einer aufwacht und alles kaputtmacht, verstehst du?«

»Ja, Tanten können einen sehr leichten Schlaf haben«, bestätigte Kalle. Sixten bekam folglich zu seiner Verwunderung häufig besorgte Fragen gestellt, wie es seinen Tanten gehe und wie lange sie noch bleiben wollten. Schließlich wurde er nervös.

»Was soll das ewige Gefrage nach meinen Tanten?«, sagte er, als Anders zum zehnten Mal davon anfing. »Haben sie dir was getan?«

»Nein, natürlich nicht«, sagte Anders zahm.

»Na also«, sagte Sixten. »Ich glaube, sie fahren am Montag wieder ab. Traurig genug. Ich mag sie nämlich gern, besonders Tante Ada. Und ich kann nicht einsehen, dass sich jemand an ihnen stören könnte, solange sie sich im Haus aufhalten und keinen Amok durch die Stadt laufen.« Nach dieser Auskunft traute sich Anders nicht, wieder zu fragen. Sixten könnte misstrauisch werden.

Jetzt aber war Montag. Anders hatte gesehen, wie die Frau Postdirektor mit ihren Schwestern zum Frühzug gegangen war und heute Nacht sollte Vollmond sein.

»Heute Nacht wird es passieren!«, sagte Anders entschlossen.

Sie saßen in der Laube beim Bäckermeister und aßen frisch gebackene Zimtwecken, die Eva-Lotta gerade ihrem schwachen Vater in der Backstube abgeluchst hatte. Vor einer Weile waren die Roten vorbeigezogen. Sie wollten zu ihrem neuen Hauptquartier im Herrenhof. Es waren ja nun keine Polizisten mehr dort. Die Prärie lag wieder friedlich und still, als ob ihr tiefer Frieden nie von etwas Ernsterem als dem Krieg der Rosen gestört worden wäre. Der Herrenhof war als Unterschlupf viel zu gut, um aufgegeben zu werden, und die Roten dachten nicht mehr an das, was in seiner Nachbarschaft geschehen war.

»Wenn ihr Appetit auf die Peitsche habt, kommt nur raus zum Herrenhof«, schrie Sixten, als er bei Bäckermeisters vorbeiging.

Eva-Lotta schauderte. Zum Herrenhof wollte sie nicht hinaus, unter keinen Umständen!

»Puh, bin ich satt!«, sagte Kalle, als die Roten verschwunden waren und er seine siebte Zimtwecke verzehrt hatte.

»Und ich erst!«, sagte Anders und klopfte sich auf den Bauch. »Schadet aber nichts, bei uns gibt's heute gekochten Schellfisch zu Mittag.«

»Man soll so intelligent werden von Fisch«, erinnerte Eva-Lotta ihn. »Du solltest ruhig mehr gekochten Schellfisch essen, Anders.«

»Von wegen«, sagte Anders. »Erst muss ich mal wissen, wie intelligent ich davon werde und wie viel Fisch ich essen muss.«

»Es kommt ja etwas darauf an, wie intelligent man ist, bevor man damit beginnt«, sagte Kalle. »Für dich, Anders, reicht sicher ein normal großer Walfisch in der Woche ganz bequem aus.«

Als Anders Kalle dreimal um die Laube gejagt hatte und der Frieden wiederhergestellt war, sagte Eva-Lotta: »Ich bin gespannt, ob heute einige neue Gaben im Briefkasten liegen. Ich versteh nicht, was die Leute sich so denken. In dieser Woche hab ich nur drei Kilo Schokolade bekommen. Ich werde die Post anrufen und mich beschweren.«

»Red bloß nicht von Schokolade!«, sagte Anders voller Abscheu und auch Kalle verzog das Gesicht. Sie hatten tapfer gegen die Sturmflut von Süßigkeiten angekämpft, die über Eva-Lotta hereingebrochen war, doch jetzt schafften sie es nicht mehr.

Aber Eva-Lotta kam mit einem dicken Umschlag in der Hand vom Briefkasten unten am Zaun zurück. Sie riss ihn auf und richtig, darin war eine Tafel Schokolade, eine große, stattliche Tafel Milchschokolade. Kalle und Anders sahen die Schokolade an, als ob es Rizinusöl sei. »Pfui Spinne!«, stöhnten sie.

»Oho!«, sagte Eva-Lotta ärgerlich. »Es können Tage kommen, wo ihr Sägemehl unter die Schokolade mischen müsst.«

Sie brach die Tafel auseinander und zwang erbarmungslos jedem eine Hälfte auf. Sie nahmen sie entgegen ohne eine Spur von Begeisterung, nur um ihr gefällig zu sein. Und gleichgültig stopften sie ihre Schokoladenstücke in ihre schon überfüllten Hosentaschen.

»So ist es recht«, lobte Eva-Lotta sie. »Spare in der Zeit, so hast du in der Not.« Den Umschlag warf sie zusammengeknüllt über den Zaun auf die Straße.

»Hört mal, lasst uns baden fahren«, sagte Kalle. »Mehr können wir heute doch nicht tun.«

»Du hast ja so Recht«, meinte Anders. »Wir können wahrhaftig bis zum Abend Waffenstillstand eintreten lassen. Aber dann…«

Zwei Minuten später kam Benka, von Sixten ausgeschickt um mit geeigneten Schmähungen die Weißen zum Kampf zu reizen. Aber die

Laube war leer. Nur eine kleine Bachstelze saß auf der Schaukel und pickte ein paar Kuchenkrümel auf.

Um Mitternacht, als der Vollmond leuchtete, schliefen Kalle und Eva-Lotta ruhig in ihren Betten. Nur Anders war wach. Auch er war wie gewöhnlich zu Bett gegangen. Und er brachte höchst kunstvolle Schnarchtöne hervor, damit seine Eltern glaubten, er schlafe. Der Erfolg war, dass seine Mutter besorgt an sein Bett kam und ihn fragte: »Was hast du, Junge, ist dir schlecht?«

»Nöö«, sagte Anders und bemühte sich anschließend, nicht ganz so laut zu schnarchen.

Als er endlich das leichte Atmen seiner kleinen Geschwister und die tiefen, gleichmäßigen Atemzüge seiner Eltern hörte, wusste er, dass alles schlief. Er schlich vorsichtig in die Küche. Dort lagen seine Kleider auf einem Stuhl. Rasch zog er das Nachthemd aus und stand da in einem Streifen Mondlicht ohne einen Faden an seinem dünnen, knochigen Jungenkörper. Nervös horchte er in die Kammer zurück. Aber alles blieb ruhig und schnell fuhr er in Hose und Hemd. Dann tappte er leise und vorsichtig die Treppe hinunter. Er brauchte nicht viel Zeit, zum Bäckereiboden hinaufzulaufen und den Großmummrich zu holen.

»O erhabener Großmummrich«, flüsterte er, als er die Kommodenschublade wieder zuschob, »halte nun deine mächtige, starke Hand über dieses Unternehmen; denn weißt du, ich glaube, es ist nötig.« Die Nachtluft war kühl und er zitterte unter seinen dünnen Kleidern. Ein wenig kam das wohl auch von der Aufregung. Es war schon ein merkwürdiges Gefühl, hier so mitten in der Nacht unterwegs zu sein, während alle anderen schliefen. Fest umspannte seine Hand den Großmummrich, als er über Eva-Lottas Zaun sprang. Wie dunkel die Erlen am Ufer standen, der Fluss aber glitzerte im Mondschein. »Bald sind wir am Ziel, o Großmummrich«, flüsterte er für den Fall, dass der Großmummrich ungeduldig werden sollte. Ja, bald waren sie

229

am Ziel. Da lag die Villa des Postdirektors so dunkel und still, als wenn auch sie schliefe. Alles war ruhig. Nur die Grillen zirpten.

Anders hatte damit gerechnet, dass mindestens ein Fenster im Haus offen stehen würde, und seine Hoffnung erfüllte sich. Das Küchenfenster stand offen. Für einen durchtrainierten Jungen wie Anders dürfte es nicht schwer sein, sich hinaufzuziehen und in die Küche zu steigen. Den Großmummrich steckte er in die Hosentasche. Sicher war dieser Platz nicht eines Großmummrich würdig; aber es musste sein.

»Verzeih mir, o Großmummrich«, sagte Anders.

Seine Finger tasteten in der Tasche herum und er war sehr zufrieden, als sie sich um etwas Klebriges legten, das vorher ein Stück Schokolade gewesen war. Anders war nicht mehr so überfüttert wie am Morgen und er fühlte schon, wie dieser klebrige Kloß ihm großartig schmecken würde. Aber es sollte eine Belohnung werden nach vollbrachter Tat. Er schob den Großmummrich in die andere Hosentasche und leckte die Finger ab. Dann zog er sich behutsam zum Küchenfenster hoch und wollte hinein.

Ein dumpfes Knurren erschreckte ihn fast zu Tode. Beppo! Nicht einen Augenblick lang hatte er an Beppo gedacht! Und doch hätte er wissen müssen, dass dieses Fenster nur offen stand um Beppo Gelegenheit zu geben, nachts aus dem Haus zu kommen – falls er musste und wollte.

»Beppo«, flüsterte Anders beruhigend. »Beppo, ich bin's doch bloß.«

Als Beppo merkte, dass es nur einer von den Spaßmachern war, die Herrchen immer mitzubringen pflegte, ging sein Knurren in entzücktes Gebell über.

»Ach du guter, kleiner, süßer, lieber Beppo, kannst du nicht still sein?«, flehte Anders.

Aber Beppo fand, wenn man fröhlich war, sollte man es auch zeigen und tüchtig bellen und mit dem Schwanz wedeln. Und beides tat er ganz energisch.

In seiner Not fischte Anders das Schokoladenstück hervor und hielt es ihm unter die Nase.

»Hier hast du, wenn du nur still bist«, flüsterte er.

Beppo schnüffelte an der Schokolade. Und da er fand, dass die Begrüßungsfeierlichkeiten gerade so lange gedauert hatten, wie es die Würde und der Anstand des Hauses erforderten, hörte er auf zu bellen und legte sich zufrieden nieder um das herrliche Klebezeug zu genießen, das ihm sein Gast – sicher für den freundlichen und lautstarken Empfang – spendiert hatte.

Anders seufzte erleichtert auf und öffnete die Tür, die in den Vorraum führte, so behutsam wie irgend möglich. Da war die Treppe zum Obergeschoss, nun brauchte er nur... In dem Augenblick kam oben jemand! Jemand kam mit schweren Schritten die Treppe herunter. Es war der Postdirektor höchstpersönlich, barfuß und im Nachthemd. Beppos Bellen hatte ihn geweckt und nun wollte er sehen, was los war. Sekundenlang stand Anders wie versteinert. Dann aber sammelte er seine letzten Kraftreserven und schnell kroch er hinter einige Mäntel, die in einer Ecke des Vorraums an ihren Haken hingen.

Wenn ich hiernach nicht ein Nervenwrack bin, habe ich Nerven wie Tarzan, dachte er. Erst jetzt fiel ihm ein, dass die Postdirektorfamilie möglicherweise gar nichts davon hielt, wenn man nachts durch ihre offenen Fenster ins Haus kletterte. Dass Sixten so etwas nur natürlich finden würde, war klar; aber er war ja auch am Krieg der Rosen beteiligt, der Postdirektor jedoch nicht. Anders schauderte bei dem Gedanken, was der Postdirektor wohl mit ihm machen würde, wenn er ihn fand. Er schloss die Augen und betete still vor sich hin, als der Postdirektor, böse murmelnd, an den Mänteln vorüberging, hinter denen er stand.

Der Postdirektor öffnete die Tür zur Küche. Da lag Beppo im Mondschein und sah ihn an.

»Na, mein Junge«, sagte der Postdirektor, »was schimpfst du denn hier in der Nacht herum?«

Beppo antwortete nicht. Vorsichtig legte er seine Pfote auf das herrliche Klebezeug. Herrchens Papa hatte nämlich manchmal so wunderliche Einfälle. Gestern erst hatte er Beppo einen fetten alten Knochen weggenommen, den Beppo gerade auf dem Wohnzimmerteppich verzehren wollte. Niemand konnte daher wissen, ob er die richtige Einstellung zu so einem Klebezeug hatte. Um ganz sicher zu gehen, gähnte Beppo und schaute recht gelangweilt drein. Der Postdirektor beruhigte sich. Der Ordnung halber sah er aber doch noch aus dem Fenster. »Ist dort jemand?«, rief er leise. Nur der Nachtwind antwortete ihm. Denn Anders' Gemurmel hinter den Mänteln konnte er ja nicht hören: »Nein, nein, hier ist niemand. Ich versichere Ihnen, hier ist nicht einmal eine Laus.«

Lange blieb Anders in seinem Versteck. Er traute sich nicht eher, eine Bewegung zu machen, als bis er sicher war, dass der Postdirektor wieder eingeschlafen war. Es war sehr langweilig für ihn. Bald hatte er das Gefühl, als habe er die beste Zeit seiner Jugend hier hinter den Mänteln zugebracht – und immer mit den kitzelnden Wollfusseln vor seiner Nase. Er war eine betriebsame Natur und Warten war eine Qual für ihn. Schließlich hielt er es nicht mehr aus. Er kam aus seinem Gefängnis hervor und begann vorsichtig die Treppe hinaufzusteigen. Bei jedem Schritt blieb er stehen und lauschte, aber es war kein Laut zu hören. »Das geht ja großartig«, sagte er, optimistisch wie immer.

Die quietschende Tür in Sixtens Zimmer beunruhigte ihn ein wenig. Sachte drückte er die Türklinke herunter um zu probieren. Und – war das denn die Möglichkeit? – die Tür quietschte kein bisschen! Sie öffnete sich wunderbar lautlos und war offenbar frisch geölt. Anders lachte in sich hinein. Sixten hatte die Tür zu seinem eigenen Schaden geölt! Was hatte man doch für nette Feinde! Man brauchte nur auf eine kleine Unbequemlichkeit hinzuweisen und schwups halfen sie einem, sodass es eine Kleinigkeit war, sich bei ihnen einzuschleichen.

Vielen Dank, mein lieber Sixten, dachte Anders und warf einen Blick zu Sixtens Bett hinüber. Da schlief er nun, der arme Kerl, und ahnte nichts davon, dass der Großmummrich heute Nacht in sein Haus einzog.

Der Globus stand mitten im fließenden Mondlicht auf der Kommode. Anders' flinke Finger hatten ihn schnell auseinandergenommen. Oh, was für ein großartiger Platz für einen Großmummrich! Eifrig nahm er das Heiligtum aus seiner Hosentasche und legte es an seinen neuen Platz.

»Eine kurze Zeit nur, o Großmummrich!«, sagte er, als er fertig war. »Eine Weile musst du unter den Heiden, die keine Gesetze haben, leben. Aber bald werden dir die Weißen Rosen wieder eine Freistatt bei christlichen und anständigen Menschen geben.«

Eine Schere lag neben dem Globus. Und als Anders sie sah, hatte er einen Genieblitz. Wenn ein Mann in der Nähe seines schlafenden Feindes war, so war es doch üblich, dass er einen Zipfel von dessen Mantel abschnitt zum Zeichen dafür, wie nahe er ihm gewesen war. So hatten es die Leute in alten Zeiten stets gemacht. Jedenfalls stand es in den Büchern. Das war eine hervorragende Art, dem Feind zu zeigen, dass man ihn in der Gewalt gehabt, aber voller Edelmut Abstand davon genommen hatte, ihm etwas zu tun. Am nächsten Tag konnte man dann erscheinen und seinem Feind mit dem Mantelflicken vor der Nase herumwedeln und sagen: »Danke mir auf Knien, dass du noch lebst, du elender Schurke!«

Das war genau das, was Anders tun wollte. Nun trug ja Sixten allerdings keinen Mantel. Aber er hatte Haare, einen großen, prächtigen Schopf roter Haare. Und eine Locke von diesem Schopf gedachte Anders zu kappen. Ha, wenn dann der Tag kam, an dem der Großmummrich wieder woanders in gutem Gewahrsam lag, sollten die Roten zu fühlen bekommen, dass sie lebten! Da sollten sie die bittere Wahrheit über den Großmummrich im Globus erfahren! Und dann sollten sie diese Haarlocke sehen, die der Chef der Weißen Rosen um

Mitternacht, als der Vollmond schien, von der Stirn des Häuptlings der Roten Rosen geschnitten hatte. Welch ein gigantischer Doppeltriumph!

Der Vollmond schien allerdings nicht auf Sixtens Bett. Das Bett stand hinten an der Wand, wo es vollständig dunkel war. Aber Anders tastete sich mit einer Hand vorsichtig näher. In der anderen hatte er die Schere. Wehrlos lag er da, der Häuptling der Roten, den Kopf auf dem Kissen. Anders nahm mit zärtlichem, aber festem Griff eine Locke und schnitt sie ab.

Da gellte ein lauter Schrei durch die Stille der Nacht. Und das war kein Schrei aus einer rauhen Stimmbruchkehle – das war ein greller, durchdringender Schrei einer Frau!

Anders fühlte das Blut in den Adern gefrieren. Ein nie gekanntes Entsetzen ergriff ihn und er stürzte blindlings zur Tür. Er sprang auf das Treppengeländer und rutschte abwärts. Er riss die Küchentür auf und war mit zwei Riesenschritten am Fenster. Und er schoss hinaus, als sei ein ganzes Rudel böser Gespenster hinter ihm her. Er blieb nicht eher stehen, als bis er an der Brücke war. Da musste er eine Weile Atem schöpfen. Die Locke hatte er noch immer in der Faust. Er hatte nicht gewagt sie wegzuwerfen.

Keuchend stand er da im Mondlicht und sah zornig auf das Widerliche, was er in der Hand hatte. Diese blonden Locken hatten zweifellos einer Tante gehört, welche es auch gewesen sein mochte. Wahrscheinlich war nur eine mit dem Frühzug abgefahren. Wer konnte das auch ahnen! Hatte er es nicht gesagt: Es war lebensgefährlich, sich in ein Haus zu wagen, wo aus jeder Ecke eine kleine Tante hervorsah.

Was für eine Schmach, was für eine entsetzliche Schmach! Auf den Skalp des Roten Häuptlings aus zu sein und nach Hause zu kommen mit den Locken einer kleinen blonden Tante! Anders litt Höllenqualen. Das war das Schlimmste, was ihm jemals passiert war. Und er beschloss keinem lebenden Menschen ein Sterbenswort davon zu er-

zählen. Bis an das Ende seiner Tage sollte dies sein fürchterliches
Geheimnis bleiben und er würde es mit ins Grab nehmen.

Die Locken aber musste er so schnell wie möglich loswerden. Er
streckte die Hand über das Brückengeländer und ließ die Haare los.
Und das schwarze Wasser nahm sein Geschenk schweigend entgegen.
Es murmelte nur ein wenig unter dem Brückenbogen, wie es das immer tat.

In der Postdirektorsvilla herrschte wilder Aufruhr. Ängstlich kamen
der Postdirektor und seine Frau zu Tante Ada gelaufen. Auch Sixten
kam vom Boden, wo er während des Tantenbesuchs hausen musste,
angeschossen.

Warum in aller Welt Tante Ada mitten in der Nacht so laut schrie,
wollte der Postdirektor wissen. Ja, weil ein Einbrecher hier gewesen
war, behauptete Tante Ada. Der Postdirektor machte im ganzen Haus
Licht, überall wurde gesucht, aber von einem Einbrecher fand sich
keine Spur. Das silberne Essbesteck war noch da. Nicht ein Stück fehlte. Doch, Beppo! Er war wohl ein bisschen in den Garten gegangen,
wie er es ab und zu tat. Wäre wirklich ein Einbrecher hier gewesen,
hätte Beppo bestimmt Lärm gemacht, das konnte Tante Ada schon
glauben. Sicher hatte sie nur einen unangenehmen Traum gehabt – das
war alles. Und sie streichelten sie tröstend und sagten, nun solle sie nur
ruhig weiterschlafen.

Aber als Tante Ada wieder allein war, konnte sie vor Aufregung nicht
einschlafen. Keiner sollte behaupten, es sei niemand in ihrem Zimmer
gewesen! Um sich zu beruhigen, zündete sie sich eine Zigarette an.
Dann nahm sie ihren Spiegel hervor um nachzusehen, ob der ausge-
standene Schreck Spuren auf ihrem hübschen Gesicht hinterlassen
hatte.

Da sah sie es! Der Besuch *hatte* Spuren hinterlassen! Sie hatte eine
neue Frisur bekommen! Ein ganzes Büschel von ihrem Haar war ab-

geschnitten worden. Sie hatte plötzlich eine kleine, nette, halbe Ponyfrisur. Verstört starrte sie ihr Spiegelbild an. Langsam aber verklärte sich ihr Gesicht. Irgendjemand, wer es auch sein mochte, war so närrisch gewesen, sich mitten in der Nacht ins Haus zu schleichen, nur um eine Locke von ihrem Haar zu bekommen. Männer hatten schon früher Tollheiten wegen Tante Ada begangen; daran war sie gewöhnt. Aber dies hier erschien ihr wie die allergrößte Tollheit. Eine Weile dachte sie darüber nach, wer wohl der unbekannte Bewunderer sein könnte; aber es war und blieb ein Rätsel für sie. Tante Ada beschloss großmütig, dem »Wer-es-auch-war« zu verzeihen. Und verraten würde sie ihn auch nicht. Die anderen sollten es ruhig weiter für einen Traum halten.

Tante Ada seufzte und kroch wieder in ihr Bett. Sie beschloss, morgen zum Friseur zu gehen und die Ponyfrisur noch eine Spur kürzer machen zu lassen.

12. Kapitel

Ein neuer Tag begann und im Garten des Bäckermeisters warteten Kalle und Eva-Lotta schon seit dem frühen Morgen auf Anders und seinen Bericht über das nächtliche Unternehmen. Aber die Stunden vergingen und von Anders hörten sie nichts.

»Eigenartig«, sagte Kalle. »Er ist doch wohl nicht wieder gefangen worden?«

Sie wollten sich gerade auf die Suche nach ihm machen, als er endlich kam. Er lief nicht, wie er es sonst tat, sondern ging langsam und war seltsam blass um die Nase.

»Wie siehst du elend aus«, sagte Eva-Lotta. »Bist du auch so ein ›Opfer der Hitze‹, wie es immer in der Zeitung steht?«

»Ich bin ein Opfer von gekochtem Schellfisch«, sagte Anders. »Gekochten Schellfisch, das habe ich meiner Mutter schon wer weiß wie oft gesagt, vertrage ich nicht. Und jetzt ist es endlich bewiesen.«

»Wie denn?«, wollte Kalle wissen.

»Ich hab mich die ganze Nacht übergeben. Raus aus dem Bett – rein ins Bett.«

»Und der Großmummrich?«, fragte Kalle. »Der liegt wohl immer noch in der Kommode, was?«

»Jungchen, das habe ich natürlich vorher erledigt! Ich erledige alles, was zu erledigen ist, welche Seuche auch in mir wüten mag. Der Großmummrich liegt in Sixtens Globus!«

Kalles und Eva-Lottas Augen fingen an zu leuchten. »Prima!«, sagte Kalle. »Erzähle! Ist Sixten aufgewacht?«

237

»Beruhigt euch! Ihr werdet schon hören!«, sagte Anders.

Sie saßen zu dritt auf Eva-Lottas Steg. Hier unten am Fluss war es kühl und die Erlen warfen einen behaglichen Schatten. Die Beine ließen sie im lauen Wasser baumeln. Anders sagte, das habe eine beruhigende Wirkung auf den Schellfisch in seinem Magen.

»Vielleicht, wenn ich so darüber nachdenke, war es nicht nur der Schellfisch. Vielleicht waren es auch die Nerven. Denn heute Nacht bin ich im Haus der Schrecken gewesen.«

»Erzähl alles von Anfang an«, sagte Eva-Lotta.

Das tat Anders. Sehr dramatisch schilderte er seine Begegnung mit Beppo und wie er ihn zum Schweigen gebracht hatte. Kalle und Eva-Lotta schauderten und freuten sich abwechselnd, sie waren ideale Zuhörer und Anders genoss es zu erzählen.

»Das ist ja klar, hätte ich Beppo nicht die Schokolade gegeben – ich wäre verloren gewesen!«, sagte er.

Dann schilderte Anders die beinahe noch schlimmere Begegnung mit dem Postdirektor.

»Hättest du ihm nicht auch etwas Schokolade zustecken können?«, fragte Kalle.

»Nein, Beppo hatte alles bekommen«, sagte Anders.

»Und wie ging es dann weiter?«, fragte Eva-Lotta.

Anders erzählte, wie es weitergegangen war. Er erzählte alles, von Sixtens Tür, die nicht mehr quietschte, und von Sixtens Tante, die umso mehr quietschte, und wie ihm das Blut gefroren war, als er es hörte, und wie er Hals über Kopf hatte fliehen müssen. Das Einzige, was er nicht erwähnte, waren die tantlichen Locken, die er in den Fluss versenkt hatte. Kalle und Eva-Lotta fanden alles spannender als eine Abenteuergeschichte und sie wurden nicht müde, jede Einzelheit immer wieder zu hören.

»Was für eine Nacht!«, schwärmte Eva-Lotta, als Anders endlich fertig war.

»Ja, es ist gar kein Wunder, wenn man vorzeitig altert«, sagte Anders. »Aber die Hauptsache ist doch, dass der Großmummrich dort liegt, wo er liegen soll.«

Kalle plantschte wild mit den Füßen im Wasser. »Ja, der Großmummrich liegt bei Sixten im Globus«, triumphierte er. »Könntet ihr euch was vorstellen, das so wahnsinnig komisch ist wie gerade das?«

Nein, das konnten weder Anders noch Eva-Lotta. Und ihr Entzücken wurde noch größer, als sie Sixten, Benka und Jonte entdeckten, die am Fluss auf sie zutrabten.

»Sieh mal einer an, was sitzen denn da für niedliche Weiße Rosen auf dem Ast?«, sagte Sixten, als sie den Steg erreicht hatten.

Benka versuchte sofort, die Weißen Rosen in den Fluss zu werfen, aber Sixten hinderte ihn daran. Die Roten waren nicht gekommen um zu streiten, sondern um zu klagen. Nach den Gesetzen, die im Krieg der Rosen herrschten, war doch der, der im Augenblick den Großmummrich besaß, verpflichtet, zumindest einen Fingerzeig darüber zu geben, wo das Heiligtum eventuell zu finden sei. Hatten die Weißen das getan? Nein! Gewiss hatte der Chef der Weißen, als er gekitzelt wurde, etwas von dem kleinen Pfad hinter dem Herrenhof hervorgestoßen und sicherheitshalber hatten die Roten gestern die ganze Gegend dort draußen noch einmal durchsucht. Jetzt aber waren sie überzeugt davon, dass die Weißen den Großmummrich an einen neuen Platz gebracht hatten, und verlangten nun höflich, aber bestimmt den schuldigen Hinweis.

Anders kletterte hinunter ins Wasser. Es reichte ihm nicht weiter als bis an die Knie. Breitbeinig stand er dort, die Hände in die Seiten gestemmt und seine dunklen Augen glänzten munter und voller Freude.

»Gut, ihr sollt einen Fingerzeig haben«, sagte er. »Sucht im Innern der Erde!«

»Danke, das ist ja sehr freundlich«, sagte Sixten sarkastisch. »Sollen wir hier anfangen oder in Lappland?«

»Wirklich ein feiner Fingerzeig«, sagte Jonte. »Ihr sollt sehen, sicher finden unsere Enkelkinder den Großmummrich, bevor sie ins Grab steigen.«

»Ja, aber dann haben sie ordentliche Schwielen an den Händen«, meinte Benka.

»Benutzt euren Verstand, rote Zwerge, falls ihr so etwas überhaupt besitzt«, sagte Anders lachend. Und dramatisch setzte er hinzu: »Wenn der Rote Chef nach Hause geht und im Innern der Erde sucht, wird alles offenbar werden.«

Kalle und Eva-Lotta plantschten übermütig mit den Füßen im Wasser herum und kicherten vergnügt. »Sehr wahr! Sucht im Innern der Erde«, sagten sie und sahen geheimnisvoll aus.

»Läusepudel!«, sagte Sixten.

Dann gingen die Roten zu Sixten nach Hause und begannen umfangreiche Ausgrabungen im Garten des Postdirektors. Den ganzen Vormittag gruben und wühlten sie an allen Stellen, die nur im Geringsten verdächtig aussahen. Aber schließlich fragte der Postdirektor, ob es wirklich nötig sei, seinen Rasen völlig zu zerstören, oder ob sie ihm die Freude machen könnten, einen anderen Garten heimzusuchen.

»Übrigens finde ich, Sixten, du solltest lieber Beppo suchen«, sagte er.

»Ist Beppo noch immer nicht da?«, fragte Sixten besorgt und ließ den Spaten fallen. »Wo kann er denn nur sein?«

»Das, meinte ich ja, sollst du herausbekommen«, sagte sein Vater.

Sixten sprang auf. »Kommt ihr mit?«, fragte er Benka und Jonte.

Klar wollten Benka und Jonte mit. Und es gab noch mehr, die helfen wollten Beppo zu suchen. Kalle, Eva-Lotta und Anders, die die letzte Stunde über hinter der Hecke gelegen und die beharrliche Graberei der Roten bewundert hatten, kamen hervor und boten ihre Hilfe an.

Sixten nahm das Angebot dankbar an. In der Stunde der Not gab es keine Feinde. Voll inneren Einverständnisses zog die Mannschaft von dannen.

»Er läuft sonst nie weg«, sagte Sixten bekümmert, »jedenfalls niemals mehr als ein paar Stunden. Aber jetzt ist er seit elf gestern Abend verschwunden!«

»Nein, seit zwölf ungefähr«, sagte Anders, »denn…«

Er unterbrach sich und wurde knallrot.

»Na ja, meinetwegen seit zwölf dann«, sagte Sixten gedankenlos. Dann aber sah er Anders plötzlich misstrauisch an. »Woher zum Teufel weißt du das übrigens?«

»Ich bin so 'ne Art Hellseher, weißt du«, sagte Anders hastig.

Er hoffte, dass Sixten nicht näher auf das Thema eingehen würde. Denn er konnte doch unmöglich erzählen, dass er Beppo ungefähr um zwölf Uhr, als er mit dem Großmummrich unterwegs war, in der Küche gesehen hatte, dass er aber fort war, als er ungefähr eine Stunde später durchs Fenster floh.

»Was für ein Glück, dass man gerade rechtzeitig an einen Hellseher gerät«, sagte Sixten. »Sei so gut und sieh mal hell, wo Beppo jetzt gerade steckt.«

Aber Anders erklärte, dass er nur Hellseher für Zeit, jedoch nicht für Orte sei.

»Und wie spät wird es sein, wenn wir Beppo finden?«

»Wir finden ihn in ungefähr einer Stunde«, sagte Anders überzeugt. Hierin aber irrte sich der Hellseher. Ganz so schnell ging es nun doch nicht. Sie suchten überall. Sie suchten in der ganzen Stadt. Sie fragten an allen Stellen, wo es Hunde gab, die Beppo zu besuchen pflegte. Sie fragten jeden, den sie trafen. Niemand hatte Beppo gesehen. Er war verschwunden.

Sixten war nun völlig still geworden. Die Tränen kamen ihm vor Sorge. Aber zeigen konnte er das auf keinen Fall. Er putzte sich nur auffallend oft die Nase.

»Es muss ihm was passiert sein«, sagte er immer wieder. »Er ist noch nie so lange weg gewesen.«

Die anderen versuchten ihn zu trösten. »Ach, ihm ist schon nichts passiert«, sagten sie. Aber sie waren selbst keineswegs so überzeugt, wie sie vortäuschten. Stumm gingen sie eine Weile nebeneinanderher.

»Er war so ein lieber Hund«, sagte Sixten schließlich mit rauer Stimme. »Er verstand alles, was man zu ihm sagte.« Dann musste er sich wieder die Nase putzen.

»Hör auf so zu reden«, sagte Eva-Lotta. »Du redest, als ob er tot wäre.«

Sixten antwortete darauf nicht. Er zog nur die Nase hoch.

»Er hatte so treue Augen«, sagte Kalle. »Ich meine: Er *hat* so treue Augen«, beeilte er sich zu verbessern.

Dann war es wieder eine lange Zeit still. Als es zu drückend wurde, sagte Jonte: »Ja, Hunde sind liebe Tiere.«

Sie waren jetzt auf dem Heimweg. Es lohnte sich ja nicht mehr zu suchen. Sixten ging einen halben Meter vor den anderen und stieß einen Stein vor sich her. Und sie verstanden genau, wie traurig er war.

»Vielleicht ist Beppo ja nach Hause gekommen, während wir unterwegs waren und so lange gesucht haben«, sagte Eva-Lotta hoffnungsvoll.

Sixten blieb mitten auf der Straße stehen. »Wenn das wahr ist, wenn Beppo nach Hause gekommen ist, dann werde ich ein guter Mensch. Oh, was für ein guter Mensch will ich werden! Ich will mir jeden Tag die Ohren waschen und …«

Voll neuer Hoffnung begann er zu laufen. Die anderen folgten ihm und sie wünschten alle brennend, dass Beppo am Zaun stehen und bellen möge, wenn sie zur Postdirektorsvilla kamen. Aber da stand kein Beppo. Sixtens großzügiges Versprechen, jeden Tag die Ohren zu waschen, hatte auf die Mächte, die das Leben und die Schritte der Hunde lenkten, keinen Einfluss gehabt. Und die Hoffnung war bereits in Sixtens Brust gestorben, als er seiner Mutter, die auf der Veranda saß, zurief: »Ist Beppo zurückgekommen?«

Sie schüttelte den Kopf. Sixten sagte nichts. Er ging in den Garten und setzte sich ins Gras. Die anderen folgten ihm zögernd. Sie scharten sich stumm um ihn. Es gab ja keine Worte, so eifrig sie auch danach suchten.

»Er war noch ein ganz kleiner Hund, als ich ihn gekriegt hab«, erklärte Sixten mit undeutlicher Stimme. Sie mussten doch verstehen: Wenn man einen Hund gehabt hatte, seit er ein kleiner Welpe war, dann war man schon berechtigt rote Augen zu haben, wenn dieser Hund verschwand. »Und wisst ihr, was er mal getan hat?«, fuhr Sixten fort, wie um sich selbst zu quälen. »Damals, als ich nach der Blinddarmoperation aus dem Krankenhaus kam? Da kam Beppo mir am Zaun entgegen und er hat sich so gefreut, dass er mich umschmiss und die Wunde platzte wieder auf!«
Alle waren davon gerührt. Einen größeren Beweis von Liebe konnte ein Hund gewiss nicht bringen, als seinen Herrn umzuschmeißen, sodass die Blinddarmnaht wieder aufriss. »Ja, Hunde sind liebe Tiere«, bestätigte Jonte noch einmal.
»Besonders Beppo«, sagte Sixten und putzte sich die Nase.
Kalle wusste nachher nicht mehr, woher ihm der Einfall gekommen war, in den Holzschuppen des Postdirektors zu sehen. Eigentlich war es richtig albern, das fand er selbst. Denn wenn Beppo dort eingeschlossen worden wäre, dann hätte er so lange gebellt, bis man ihn wieder herausgelassen hätte. Aber auch wenn es keinen vernünftigen Grund dafür gab, in den Holzschuppen zu sehen, Kalle tat es trotzdem. Er öffnete die Tür weit, sodass das Tageslicht hineinfiel. Und weit hinten in einer Ecke lag Beppo. Ganz still lag er dort und eine verzweifelte Sekunde lang war Kalle sicher, dass er tot war. Aber als Kalle näher kam, hob der Hund mühsam den Kopf und winselte schwach. Da stürzte Kalle hinaus und schrie mit der ganzen Kraft seiner Lungen: »Sixten! Sixten! Er ist hier! Er liegt im Holzschuppen!«

»Mein Beppo! Mein armer kleiner Beppo«, sagte Sixten mit zitternder Stimme. Er lag auf den Knien neben dem Hund und Beppo sah ihn an, als wollte er ihn fragen, warum sein Herrchen nicht früher gekommen sei. Er hatte doch schon so unendlich lange hier gelegen und war so krank, dass er nicht einmal bellen konnte. Oh, wie krank war er gewesen! All dies versuchte er Herrchen zu erzählen und es klang ganz jämmerlich.

»Hört ihr, er weint ja«, sagte Eva-Lotta und begann auch zu weinen. Ja, Beppo war krank, das konnte man sehen. Er lag in einem See von Auswurf und Exkrementen und war so schwach, dass er sich nicht rühren konnte. Stumm leckte er Sixten die Hand. Er wollte wohl dafür danken, dass er in seinem Elend nicht mehr allein zu sein brauchte.

»Ich muss den Tierarzt holen und das sofort!«, rief Sixten.

Aber als er aufsprang, winselte Beppo verzweifelt und angstvoll.

»Er hat Angst, dass du ihn allein lässt«, sagte Kalle. »Ich lauf für dich!«

»Sag ihm, dass er sich beeilen soll«, sagte Sixten. »Und sag ihm, dass Beppo Rattengift gefressen hat.«

»Woher weißt du das?«, fragte Benka.

»Das weiß ich«, sagte Sixten. »Das sehe ich doch. Das ist die verdammte Schlachterei gewesen. Die legen, um die Ratten loszuwerden, überall Meerzwiebeln aus. Beppo geht manchmal hin und holt sich einen Knochen.«

»Kann Beppo… kann ein Hund davon sterben?«, fragte Anders mit vor Schreck weit aufgerissenen Augen.

»Schweig!«, sagte Sixten böse. »Beppo nicht! Ein Beppo stirbt nicht. Er war noch ein ganz kleiner Hund, als ich ihn gekriegt hab. O Beppo, warum musstest du nur hingehen und Rattengift aufstöbern?«

Beppo leckte ergeben seine Hand und antwortete darauf nichts.

13. Kapitel

Kalle schlief unruhig in der Nacht. Er träumte, er sei draußen und suche wieder nach Beppo. Einsam wanderte er auf dunklen, öden Wegen, die sich vor ihm in schauerlicher Endlosigkeit ausdehnten und in einer erschreckenden Düsternis weit, weit weg verschwanden. Er hoffte einen Menschen zu treffen, den er nach Beppo fragen konnte, aber niemand kam. Die ganze Welt war menschenleer und dunkel und vollkommen öde.

Und plötzlich war es nicht mehr Beppo, den er suchte. Es war etwas anderes, etwas viel Wichtigeres. Aber er konnte sich nicht erinnern, was es war. Er fühlte, dass er sich erinnern *musste*, ihm war, als hinge das Leben davon ab. Es war irgendwo dort in dem Dunkel vor ihm, aber er konnte es nicht finden. Und es kam eine so große Angst über ihn, dass er davon erwachte.

Gott sei Dank, dass es nur ein Traum war! Er sah auf die Uhr. Es war erst fünf. Da war es am besten, wenn er versuchte, wieder einzuschlafen. Er wühlte den Kopf tiefer in das Kissen und versuchte es. Aber das war doch eigentümlich – dieser Traum wollte ihn nicht loslassen. Auch jetzt, wo er wach lag, spürte er, dass da etwas war, an das er sich erinnern musste. Es lag irgendwo tief innen in seinem Gehirn und wartete darauf, herauskommen zu dürfen. Ein kleines, kleines Stückchen dort drinnen wusste, was es war, woran er sich erinnern musste. Nachdenklich rieb er sich den Schädel und brummte böse vor sich hin:

»Na los, komm doch schon raus!« Aber es kam nicht und Kalle wurde müde. Jetzt wollte er schlafen. Und langsam beschlich ihn diese behagliche Benommenheit, die anzeigte, dass der Schlaf nahe war.

Aber da, gerade als er schon halb schlief, ließ sein Gehirn das kleine Stückchen, das es so lange festgehalten hatte, los. Es war nur ein Satz, und es war die Stimme von Anders, die ihm sagte: *»Hätte ich Beppo nicht die Schokolade gegeben – ich wäre verloren gewesen.«*

Kalle richtete sich kerzengerade im Bett auf. Auf der Stelle war er hellwach. »Hätte ich Beppo nicht die Schokolade gegeben – ich wäre verloren gewesen«, wiederholte er langsam. Was war daran so merkwürdig? Warum musste er sich so unbedingt daran erinnern? Ja, darum, weil... Darum, weil... Es gab eine entsetzliche Möglichkeit...

Als er so weit gekommen war, legte er sich wieder hin und zog nachdrücklich die Decke über den Kopf.

»Kalle Blomquist«, sagte er warnend zu sich selbst, »fang nicht wieder so an! Komm nicht noch einmal mit diesen detektivischen Grillen! Mit dieser Sorte von Dummheiten sind wir fertig. Ich dachte, darüber wären wir uns einig.«

Nun wollte er aber schlafen. Das *wollte* er!

»Ich bin ein Opfer von gekochtem Schellfisch.«

Wieder war es die Stimme von Anders, die er hörte. Zum Teufel, dass man ihn nicht in Ruhe lassen konnte! Was hatte Anders hier nur dauernd herumzuquasseln? Konnte er nicht zu Hause liegen und mit sich selber reden, wenn er so verzweifelt redselig war?

Aber jetzt half nichts mehr. Diese unheimlichen Gedanken wollten heraus. Er konnte sie nicht länger zurückhalten. Wenn es nun nicht der Fisch gewesen war, weswegen sich Anders übergeben hatte! Gekochter Schellfisch war ekelhaft, das fand Kalle auch. Aber man übergab sich davon doch nicht eine Nacht lang. Und – wenn es nun nicht Meerzwiebeln gewesen waren, die Beppo gefressen hatte? Wenn es nun... wenn es nun... vergiftete Schokolade gewesen war?

246

Er versuchte wieder sich selbst zu mäßigen.

»Der Meisterdetektiv hat Zeitungen gelesen, ich merke es«, höhnte er. »Hat die Kriminalfälle der letzten Jahre verfolgt, scheint es. Und wenn es auch schon vorgekommen ist, dass jemand durch vergiftete Schokolade getötet wurde, so bedeutet das nicht, dass jede verdammte Schokoladentafel nur noch aus Arsenik besteht.«

Eine Zeit lang lag er still und dachte. Und es waren beängstigende Gedanken.

Es kann noch mehr Menschen geben als nur mich, die Zeitungen gelesen und Kriminalfälle verfolgt haben, dachte er. Noch einer kann das getan haben. Einer in grüner Gabardinehose. Der Angst hat. Er kann den Artikel über Eva-Lotta auch gelesen haben, in dem stand, wie viel Schokolade und Bonbons sie mit der Post kriegt. Diesen Artikel, in dem auch gestanden hat, dass Eva-Lotta Lisander möglicherweise als Werkzeug dazu bestimmt sei, den Mörder festzusetzen oder so ähnlich. Du großer Nebukadnezar, wenn es so gewesen ist!

Kalle sprang aus dem Bett. Die andere Hälfte der Schokoladentafel – die hatte *er* ja bekommen! Er hatte sie völlig vergessen gehabt. Wo war sie jetzt? Selbstverständlich war sie noch immer in der Hosentasche. Diese blaue Hose, die er neulich angehabt hatte… Er hatte sie seitdem nicht mehr angezogen. Welch ein Glück für ihn, welch sagenhaftes Glück – wenn es wirklich so war, wie er argwöhnte.

Man kann sich viel einbilden, wenn man gegen Morgen wach liegt. Das Unwahrscheinlichste wird dann glaubhaft. Als Kalle auf die Beine kam und in seinem Pyjama in der Schrankkammer stand, wo die Morgensonne durch das Fenster fiel, fand er wieder, dass er einfach verrückt sei. Es war natürlich alles nur Einbildung – genau wie immer.

»Und trotzdem«, sagte er, »eine kleine Routineuntersuchung kann ich ja machen.«

Sein eingebildeter Zuhörer, der sich lange verborgen gehalten hatte, wartete sichtlich nur auf dieses Stichwort. Eifrig kam er angelaufen um zu sehen, womit der große Meisterdetektiv sich beschäftigte.

»Was wollen Sie tun, Herr Blomquist?«, fragte er andächtig.

»Wie ich schon sagte – eine kleine Routineuntersuchung.«

Plötzlich war Kalle wieder Meisterdetektiv, es war nicht zu ändern. Lange hatte er es nicht sein dürfen, auch keine Lust gehabt, es zu sein. Wenn tatsächlich Ernst mit im Spiel war, wollte er nicht Detektiv sein. Aber gerade jetzt zweifelte er selbst so stark daran, einen berechtigten Verdacht zu haben, dass er hilflos der Versuchung nachgab, wieder das alte Spiel zu spielen. Er nahm die halbe Tafel Schokolade aus der Hosentasche und hielt sie seinem eingebildeten Zuhörer hin.

»Aus bestimmten Gründen habe ich den Verdacht, dass sie mit Arsenik vergiftet ist.« Sein eingebildeter Zuhörer krümmte sich vor Schreck. »Sie wissen, so etwas ist schon passiert«, fuhr der Meisterdetektiv unbarmherzig fort. »Und es gibt etwas, das nennt man Nachahmungstäter. Es ist gar nicht ungewöhnlich, dass ein Verbrecher seine Anregungen aus bereits geschehenen Verbrechen holt.«

»Aber wie erfährt man, ob wirklich Arsenik darin ist?«, fragte der eingebildete Zuhörer und sah hilflos und Rat suchend auf die Schokolade.

»Man macht eine kleine Probe«, sagte der Meisterdetektiv ruhig. »Die Marsh'sche Arsenikprobe. Und die gedenke ich jetzt vorzunehmen.« Sein eingebildeter Zuhörer sah sich mit bewundernden Blicken im Zimmer um. »Ein erstklassiges Laboratorium haben Sie hier, Herr Blomquist«, sagte er. »Sie sind sicher ein ausgezeichneter Chemiker, wie ich mir denken kann?«

»Na ja… ausgezeichnet… ich habe einen großen Teil meines langen Lebens chemischen Untersuchungen gewidmet«, bestätigte der Meisterdetektiv. »Chemie und Kriminalistik müssen Hand in Hand arbeiten. Verstehen Sie, junger Freund?«

Seine armen Eltern hätten, wenn sie jetzt dabei gewesen wären, bestätigen können, dass ein großer Teil im langen Leben des Meisterdetektivs tatsächlich chemischen Versuchen gewidmet gewesen war. Sie hätten es wahrscheinlich anders ausgedrückt. Vermutlich fanden sie, dass es der Wahrheit näher kam, wenn man sagte, er habe unzählige Male versucht, sich selbst und das Haus in die Luft zu sprengen, um einen Forschereifer zu befriedigen, der nicht immer von exaktem Wissen begleitet war. Aber der eingebildete Zuhörer besaß nichts von dieser Skepsis, die Eltern auszeichnet. Interessiert sah er zu, wie der Meisterdetektiv von einem Regal eine Anzahl Geräte, einen Spiritusbrenner und verschiedene Glasröhren und Büchsen nahm.

»Wie wird die Probe gemacht, von der Sie vorhin sprachen, Herr Blomquist?«, fragte er wissbegierig.

Der Meisterdetektiv wollte nichts lieber als ihn belehren. »Zuerst benötigen wir dazu einen Wasserstoffapparat«, sagte Kalle in dozierendem Ton. »So einen Apparat habe ich hier. Es ist ganz einfach eine Büchse. In diese Büchse, die Schwefelsäure enthält, lege ich einige Zinkstückchen. Dabei bildet sich Wasserstoff, verstehen Sie? Wenn wir dort hinein Arsen in irgendeiner Form geben, bildet sich ein Gas, das man Arsenwasserstoff nennt. AsH_3. Das entstehende Gas leiten wir durch diese Glasröhre, lassen es weitergleiten und in einer Röhre mit wasserfreiem Kalziumchlorid trocknen. Von dort führen wir es anschließend weiter in die engere Röhre. Unter Zuhilfenahme des Spiritusbrenners erhitzen wir das Gas genau hier an der Verengung. Und dort, verstehen Sie, zerlegt sich das Gas in Flüssigkeit und Arsenik und das Arsen schlägt sich auf den Wänden der Glasröhre als ein grauschwarz schimmernder Belag nieder. Das ist der so genannte Arsenspiegel. Ich vermute, dass Sie davon bereits gehört haben, mein junger Freund?«

Sein junger Freund hatte von rein gar nichts gehört; aber er verfolgte mit gespannter Aufmerksamkeit alle Vorbereitungen des Meisterdetektivs.

»Bitte, erinnern Sie sich«, sagte der Meisterdetektiv, als er zum Schluss den Spiritusbrenner anzündete, »dass ich keineswegs gesagt habe, die

Schokolade enthalte wirklich Arsenik. Ich stelle nur eine Routineuntersuchung an und hoffe inständig, dass mein Verdacht gänzlich aus der Luft gegriffen ist.«

Dann war es eine Weile ruhig im sonnigen Zimmer. Der Meisterdetektiv war so beschäftigt, dass er seinen jungen Freund ganz einfach vergaß. Jetzt war die Glasröhre erwärmt. Ein Teil der Schokolade wurde pulverisiert und durch einen Trichter schüttete Kalle das Pulver in den Wasserstoffapparat. Dann wartete er und hielt den Atem an.

Großer Gott, tatsächlich! Da war er! Der Arsenspiegel! Der schreckliche Beweis dafür, dass er Recht gehabt hatte. Er starrte auf die Glasröhre, als könne er seinen Augen nicht trauen. In seinem tiefsten Innern hatte er die ganze Zeit über gezweifelt. Jetzt aber war kein Zweifel mehr möglich. Das bedeutete – etwas Furchtbares. Zitternd löschte er den Spiritusbrenner. Sein ausgedachter Zuhörer war fort. Er verschwand im selben Augenblick, als sich der verdienstvolle Meisterdetektiv in einen verängstigten Kalle verwandelte.

Eine Weile später wurde Anders davon geweckt, dass jemand unter seinem Fenster das Signal der Weißen Rose pfiff. Er streckte ein verschlafenes Gesicht zwischen Pelargonien und Gummibaum hervor um zu sehen, wer dort war. Kalle stand da draußen vor der Schuhmacherwerkstatt und winkte ihm zu.

»Wo brennt's denn?«, fragte Anders. »Warum musst du um diese Zeit Leute wecken?«

»Quatsch nicht, sondern komm herunter«, sagte Kalle. Und als Anders endlich kam, sah er ihm scharf in die Augen und fragte: »Hast du von der Schokolade gekostet, bevor du sie Beppo gegeben hast?«

Anders starrte ihn erstaunt an. »Nur um so was zu fragen, kommst du um halb sieben Uhr morgens hier angetigert?«

»Ja, weil sie nämlich vergiftet war. Mit Arsenik«, sagte Kalle ganz ruhig. Anders' Gesicht wurde schmal und blass. »Ich erinnere mich nicht«, murmelte er. »Doch, ich hab die Finger abgeleckt. Ich hab doch den

250

Großmummrich genau in den Matsch in meiner Tasche gesteckt... Bist du ganz sicher?«

»Ja«, sagte Kalle hart. »Und jetzt gehen wir zur Polizei.«

Eilig erzählte er Anders von dem Versuch, den er gemacht hatte, und von der schrecklichen Gewissheit, die sich ihm enthüllt hatte. Sie dachten an Eva-Lotta und ihnen war unheimlicher zumute als jemals in ihrem jungen Leben. Eva-Lotta durfte davon nichts wissen. Sie musste vorläufig – darüber waren sie sich einig – aus dieser Sache herausgehalten werden.

Anders dachte auch an Beppo.

»Ich war es, der ihn vergiftet hat«, sagte er verzweifelt. »Wenn Beppo stirbt, kann ich Sixten nie mehr ins Gesicht sehen.«

»Beppo stirbt nicht, du weißt doch, was der Tierarzt gesagt hat«, tröstete Kalle ihn. »Er hat doch so viel Medizin und Magenspülungen bekommen. Und es ist doch wohl besser, dass Beppo die Schokolade gefressen hat als Eva-Lotta oder du?«

»Oder du«, sagte Anders. Sie schüttelten sich alle beide.

»Eins jedenfalls ist ganz klar«, sagte Anders, als sie Kurs auf das Polizeirevier nahmen.

»Und was?«, fragte Kalle.

»Du musst endlich diesen Fall in die Hand nehmen, Kalle. Eher kommt da keine Ordnung hinein. Das sage ich nun schon die ganze Zeit.«

14. Kapitel

»Dieser Mord *muss* aufgeklärt werden«, sagte der Kriminalkommissar und ließ seine Hand schwer auf den Tisch fallen.

Vierzehn Tage lang hatte er sich mit dieser ausnehmend verzwickten Angelegenheit befasst. Nun sollte er die Stadt verlassen. Der Arbeitsbereich der Staatspolizei war groß und an anderen Stellen warteten neue Aufgaben auf ihn. Er ließ allerdings drei seiner Männer hier und hatte jetzt zusammen mit ihnen und der Ortspolizei eine Morgenbesprechung auf dem Polizeirevier.

»Aber soviel ich sehen kann«, fuhr er fort, »ist das einzige greifbare Ergebnis dieser vierzehn Arbeitstage nur, dass jetzt kein Mensch mehr wagt, dunkelgrüne Gabardinehosen anzuziehen.«

Missmutig schüttelte er den Kopf. Sie hatten gearbeitet, und hart gearbeitet. Jeder möglichen Anregung waren sie gefolgt. Die Lösung des Rätsels aber schien genauso fern zu sein wie am ersten Tag. Der Mörder war aus dem Nichts aufgetaucht und wieder im Nichts verschwunden. Niemand hatte ihn gesehen, nur ein Mensch – Eva-Lotta Lisander.

Die Allgemeinheit hatte ihr Bestes getan um zu helfen. Es waren viele Hinweise gekommen auf Menschen, die dunkelgrüne Gabardinehosen zu tragen pflegten. Ja, einige hatten vorsichtshalber auch alle in blauen und grauen und braunen Gabardinehosen genannt, die sie kannten. Und gestern hatte der Kommissar einen anonymen Brief bekommen, in dem stand:

»Schneider Andersson hat einen Lümmel von Sohn und der Kerl hat schwarze Buxen, das hat er, den setzen Sie man ruhig fest.«

»Und wenn sie schon verlangen, dass man Leute nur deswegen festnehmen soll, weil sie schwarze Hosen haben, ist es ja nicht verwunderlich, wenn alle grünen Gabardinehosen wie durch Zauberei verschwunden sind«, sagte der Kommissar und lachte.

Eva-Lotta war mehrere Male Individuen gegenübergestellt worden, denen der Kommissar etwas mehr auf den Zahn fühlen wollte. Die Männer waren mit einigen anderen ungefähr gleich gekleideten in eine Reihe gestellt worden und hinterher wurde Eva-Lotta gefragt, ob einer von ihnen der Mann sei, dem sie damals auf der Prärie begegnet sei.

»Nein, keiner«, hatte sie jedesmal geantwortet.

Eine Unmenge von Bildern war ihr vorgelegt worden; aber auch da fand sich niemand, den sie kannte.

»Die sehen ja alle so nett aus«, sagte sie und betrachtete forschend die Bilder der Gewaltverbrecher und Diebe.

Jeder Mensch oben auf dem Rowdyberg war über seine Beobachtungen, Grens Privatleben betreffend, befragt worden. Spezielles Interesse hatte die Polizei an außergewöhnlichen Vorkommnissen an jenem Montagabend vor dem Mord, als der Mann in der Gabardinehose Gren nachweislich besucht hatte. Ja, fast alle hatten etwas ganz Außergewöhnliches gerade an diesem Abend bemerkt. Es hatte einen Lärm gegeben, als hätten sich wenigstens zehn Mörder gegenseitig umgebracht. Das klang natürlich sehr interessant. Aber der Kommissar hatte bald herausgefunden, dass der Lärm vom Krieg der Rosen verursacht worden war. Mehrere Personen, darunter auch Kalle Blomquist, hatten allerdings erklärt, dass sie ein Auto zu dem bestimmten Zeitpunkt hätten starten hören. Und es wurde festgestellt, dass Doktor Forsbergs Auto, in dem er an diesem Abend seinen Krankenbesuch bei Fredrik mit dem Fuß gemacht hatte, dafür nicht in Frage kam.

Wachtmeister Björk hatte Kalle im Spaß damit aufgezogen, dass er sich ein bisschen besser über dieses Auto hätte informieren sollen. »Du als Meisterdetektiv«, sagte er, »hättest dir doch die Nummer von dem Auto aufschreiben müssen! Was machst du eigentlich im Augenblick?«

»Ich hatte doch damals drei wilde Rote hinter mir«, hatte Kalle beschämt zu seiner Verteidigung gesagt.

Man hatte intensive Arbeit darauf verwendet, Verbindung zu Grens Klienten aufzunehmen, und es war gelungen, die meisten Namen auf den Reversen, die man in Grens Behausung gefunden hatte, aufzuspüren. Es stellte sich heraus, dass es um Menschen aus den verschiedensten Landesteilen ging.

»Wahrscheinlich ein Mann im Auto«, sagte der Kriminalkommissar und schüttelte sich wie ein wütender Terrier. »Er kann genauso gut hundert Meilen von hier entfernt wohnen. Er kann den Wagen in der Nähe vom Herrenhof geparkt haben und dann direkt nach der Tat hingelaufen und schon meilenweit weg gewesen sein, bevor wir überhaupt wussten, dass etwas passiert war.«

»Ja, er hätte keinen besseren Treffpunkt wählen können als da draußen beim Herrenhof«, sagte Wachtmeister Björk. »Die Wege dort sind ganz öde. Dort wohnt kein Mensch, der ihn und sein Auto hätte sehen können.«

»Was zweifellos von einer gewissen Ortskenntnis zeugt, oder?«, sagte der Kommissar.

»Vielleicht«, sagte Wachtmeister Björk. »Könnte natürlich auch ein Zufall sein, dass es sich so ergeben hat.«

Man hatte unmittelbar nach dem Mord alle Wege beim Herrenhof nach Autospuren abgesucht. Aber es gab keine. Der heftige Regen war dem Verbrecher sicher ein unschätzbarer Helfer gewesen.

Und wie sie nach dem verlorenen Schuldschein gesucht hatten! Jeder Busch, jeder Stein, jedes Erdloch war untersucht worden. Das schicksalsschwere Papier jedoch war und blieb unauffindbar.

In dem Augenblick ertönten eifrige Jungenstimmen. Sie wollten offenbar den Kriminalkommissar sprechen, denn man konnte den jungen Wachtmeister da draußen versichern hören, dass der Kommissar von einer Konferenz in Anspruch genommen sei, er dürfe nicht gestört werden.

Die Jungenstimmen wurden noch eigensinniger.

»Wir *müssen* ihn sprechen!«

Wachtmeister Björk erkannte die Stimme von Anders und ging hinaus.

»Onkel Björk«, sagte Anders, sobald er ihn sah, »es handelt sich um den Mord… Kalle hat das jetzt in die Hand genommen…«

»Das habe ich überhaupt nicht«, protestierte Kalle ärgerlich, »aber…«

Björk sah sie missbilligend an. »Ich dachte, ich hätte euch deutlich genug gesagt, dass das hier nichts ist für kleine Jungen und zukünftige Meisterdetektive«, sagte er. »Überlasst das Ganze ruhig der Staatspolizei. Das ist ihre Arbeit. Ab nach Hause mit euch!«

Aber jetzt wurde Anders sogar auf Björk böse, den er sonst so gut leiden konnte.

»Nach Hause!«, schrie er. »Nach Hause gehen und dem Mörder erlauben, die ganze Stadt mit Arsenik zu vergiften, wie?«

Kalle kam ihm zu Hilfe. Er zog ein wohl verpacktes Stück Schokolade hervor und sagte ernst: »Onkel Björk, jemand hat Eva-Lotta vergiftete Schokolade geschickt.«

Hilfe suchend sah er den großen, langen Polizisten an, der da vor ihm stand und ihn hindern wollte. Aber Björk hinderte ihn nicht mehr.

»Kommt rein«, sagte er und schob die Jungen vor sich her.

Es wurde still, als Kalle und Anders mit ihrem Bericht zu Ende waren. Eine ganze Weile blieb es still. Dann sagte der Kommissar: »War ich das, der ein Lebenszeichen von dem Mörder haben wollte?« Er wog das Schokoladenstück in seiner Hand. Ein solches Lebenszeichen hatte er sich allerdings nicht gewünscht.

255

Dann sah er Anders und Kalle prüfend an. Natürlich, es war möglich, dass diese Jungen in einem leeren Teich fischten. Er wusste ja nicht, wie verlässlich Kalle als Chemiker war und ob man seinem Bericht über den Arsenspiegel glauben konnte. Vielleicht war seine Fantasie mit ihm durchgegangen. Na ja, darauf musste eine gerichtliche chemische Untersuchung Antwort geben. Das mit dem Hund war ja unzweifelhaft seltsam. Es wäre wichtig, auch eine Probe von der anderen Schokoladenhälfte zu bekommen, von der, die der Hund gekriegt hatte. Aber die Jungen hatten erklärt, dass sie gestern Abend geholfen hatten, allen Auswurf des Hundes sorgfältig zu beseitigen. Alles, was getan werden konnte um die Spur zu verwischen, war getan worden. Und um das Unglück vollzumachen, hatte Eva-Lotta auch noch den Umschlag, in dem die Schokolade gewesen war, weggeworfen, behaupteten die Jungen. Ja, die Kleine schmeißt mit wertvollem Papier wirklich nur so um sich, dachte der Kommissar. Aber woher hätte sie eigentlich wissen sollen, dass der Umschlag so wichtig war? Wie es auch sein mochte, danach suchen musste man selbstverständlich. Aber dass man ihn finden würde, war kaum wahrscheinlich.

Er wandte sich an Anders. »Du hast wohl nicht zufällig noch so ein kleines Stück von deiner Hälfte aufbewahrt?«

Anders schüttelte den Kopf. »Nein, Beppo hat alles bekommen! Ich habe nur abgeleckt, was an meinem Finger klebte.«

»Ja, aber in deiner Hosentasche? Kann da nicht noch was kleben?«

»Mama hat diese Hose gestern gewaschen!«, sagte Anders.

»Schade«, sagte der Kommissar. Er schwieg eine Weile. Dann aber sah er Anders durchdringend an. »Da ist noch etwas, was ich gerade überlege. Du hattest etwas in der Küche des Postdirektors zu tun in der Nacht zu gestern, sagtest du. Du bist durch das Fenster geklettert, als alles schlief. Für einen alten Polizeimann klingt das ziemlich beunruhigend. Dürfte man einmal ganz genau erfahren, was du dort zu tun hattest?«

»Na ja… also…«, sagte Anders und wand sich.

»Na…«, sagte der Kommissar.

»Da war also der Großmummrich…«

»Nein, nein, sag nur nicht, dass *der* wieder etwas damit zu tun hat«, bat der Kommissar flehentlich. »Dieser Großmummrich wird allmählich gar zu sehr strapaziert. Jedesmal, wenn etwas passiert, dann taucht er auf.«

»Ich wollte ihn doch nur in Sixtens Globus legen«, sagte Anders entschuldigend.

Kalle unterbrach ihn mit einem Pfiff. »Der Großmummrich!«, schrie er auf. »Auf ihm klebt vielleicht Schokolade! Anders hat ihn doch in den Schokoladenbrei, den er in der Tasche hatte, gesteckt!«

Über das Gesicht des Kommissars breitete sich ein Lächeln.

»Ich glaube, es wird Zeit, dass sich der Herr Großmummrich der Polizei zur Verfügung stellt«, sagte er.

Und so bekam der Großmummrich noch einmal Polizeigeleit. Wachtmeister Björk begab sich eilig zur Villa des Postdirektors und in seinem Kielwasser folgten Kalle und Anders.

»Der Großmummrich wird auf diese Weise reichlich verwöhnt«, sagte Kalle. »Nächstens verlangt er noch berittene Polizei zur Begleitung, wenn er mal verlegt wird.«

Trotz des makabren Anlasses, aus dem der Großmummrich abgeholt werden musste, und trotz der Beklemmung, die diese Tatsache in den jungen Gemütern hervorrufen musste, konnten sie es dennoch nicht lassen, einen kleinen Vorteil für die Weiße Rose in diesem Unternehmen zu sehen.

Mit der Entdeckung, dass es Anders gewesen war, der, ohne es zu wissen, Beppo vergiftet hatte, musste auch das Geheimnis des Großmummrich im Globus den Roten preisgegeben werden. Sie mussten Sixten ja alles erzählen und das bedeutete, dass er das Kleinod sofort mit Beschlag belegen würde. Aber jetzt war die Polizeimacht dabei

257

und stellte den Großmummrich unter ihren Schutz. Und wie betrüblich die Angelegenheit vorher für Anders und Beppo auch gewesen war, so konnten Anders und Kalle es doch nicht lassen, das Ganze als eine prima Lösung zu betrachten.

»Übrigens ist der Großmummrich ein Lebensretter«, sagte Kalle. »Denn wenn du, Anders, ihn nicht in den Globus gelegt hättest, hätte Beppo nie die Schokolade bekommen. Und wenn Beppo die Schokolade nicht bekommen hätte, wäre sicher etwas viel Schlimmeres damit passiert. Und es ist nicht sicher, ob alle Arsen so gut vertragen wie Beppo.« Das fanden Björk und Anders auch.

»Der Großmummrich ist eine ziemlich beachtliche Person«, sagte Björk und öffnete die Gartentür beim Postdirektor.

Beppo lag in einem Korb auf der Veranda, immer noch schwach, aber unleugbar lebendig. Sixten saß neben ihm und sah ihn mit Augen an, die voller Liebe und Anbetung waren. Er hatte den Hund ja bekommen, als er noch ganz klein gewesen war, und er wollte ihn noch lange behalten. Als er jemand kommen hörte, sah er auf und seine Augen wurden rund vor Staunen.

»Guten Tag, Sixten«, sagte Wachtmeister Björk. »Ich komme, um den Großmummrich zu holen.«

15. Kapitel

Wie schnell wird ein Mord vergessen? Ach, das dauert nicht allzu lange! Die Menschen reden eine Zeit lang davon, reden und rätseln, regen sich auf und schaudern und werfen der Polizei vor, nichts zu tun. Und dann hört es auf, interessant zu sein, und sie fangen an sich über andere Dinge aufzuregen.

Zuallererst vergessen natürlich die Kinder, die Kriege zwischen Rosen führen, die Eroberer des Großmummrich. Sie haben so viel zu bedenken, sie haben so viel zu tun. Wer hat gesagt, dass Sommerferien lang sind? Falsch! Vollkommen falsch! Sommerferien sind so Besorgnis erregend, so unbarmherzig kurz, zum Weinen kurz. Einer nach dem anderen laufen die goldenen Tage davon. Es gilt, jeden Augenblick auszunutzen. Da kann man die letzte sonnengetränkte Woche der Sommerferien nicht durch die Gedanken an düstere Gewalttaten verdunkeln lassen.

Ihre Mütter aber vergessen nicht so schnell. Sie halten ihre blonden Töchter eine Weile im Haus, sie wagen nicht, sie aus den Augen zu lassen. Unruhig spähen sie aus dem Fenster, wenn sie ihre Söhne nicht in der Nähe johlen hören. Ab und zu laufen sie aus dem Haus um sich zu überzeugen, dass ihren Lieblingen nichts Böses geschehen ist. Und lange Zeit prüfen sie ängstlich den Inhalt der Briefkästen um zu sehen, ob nicht neue Gefahren darin verborgen sind. Aber schließlich schaffen sie es nicht mehr, sich Sorgen zu machen. Auch sie müssen an andere Dinge denken. Und die Töchter und Söhne, die so viel Unge-

259

mach durch all diese Besorgnis hatten, seufzen erleichtert und begeben sich wieder an ihre gewohnten Spielplätze und Schlachtfelder, die ihnen eine Zeit lang verboten gewesen waren. Die Polizei vergisst nicht – obwohl es vielleicht so aussieht. Sie arbeitet trotz aller Schwierigkeiten im Stillen weiter. Trotz aller Hinweise, die als unbrauchbar verworfen werden müssen, trotz aller wichtigen Papiere, die verschwunden sind und nicht wiedergefunden werden können, und obwohl es manchmal ganz sinnlos erscheint weiterzumachen. Die Polizei arbeitet weiter – sie vergisst nicht.

Es gibt noch jemanden, der nie vergisst. Das ist der Mörder. Er erinnert sich daran, was er getan hat. Er erinnert sich daran, wenn er abends zu Bett geht. Und wenn er morgens aufsteht und während all der vielen Stunden dazwischen. Er erinnert sich jeden Augenblick, Tag und Nacht, und die Erinnerung verfolgt ihn in seinen unruhigen Schlaf.

Und er hat Angst. Er hat Angst, wenn er abends zu Bett geht und wenn er morgens aufsteht und während all der vielen Stunden dazwischen. Er hat jeden Augenblick Angst, Tag und Nacht, und der Schrecken vergiftet seinen Schlaf.

Er weiß, dass es eine gibt, die hat sein Gesicht in einem Augenblick gesehen, als sie ihn nicht hätte sehen dürfen. Vor ihr hat er Angst. Er versucht sein Aussehen so weit wie möglich zu ändern. Er rasiert seinen Schnurrbart ab und schneidet sich die Haare zu einer aufrecht stehenden Bürste ab. Seine grüne Gabardinehose zieht er nie mehr an, diese Hose, die ganz tief drinnen im Schrank hängt und die er sich nicht wegzuwerfen traut, damit niemand aufmerksam wird. Aber er hat trotzdem Angst. Und dann hat er Angst, dass schließlich doch noch jemand den Revers findet, den er verloren hat. Der Revers, auf dem sein Name steht. Er liest jeden Tag die Zeitungen und hat Angst, dass dort steht, man habe endlich das Papier gefunden, nun endlich soll der Mörder festgenommen werden. Er hat solche Angst, dass er wieder und wieder dorthin und zwischen den Büschen suchen muss, obwohl er

weiß, dass es sinnlos ist. Er muss sich wieder und wieder selbst überzeugen, dass sich dieses entsetzliche Papier nicht unter welkem Vor-
jahrsgras oder hinter einem Stein versteckt. Und deswegen nimmt er
manchmal sein Auto und fährt in rasender Geschwindigkeit die sechs
Meilen zu dem wohl bekannten Platz am Rand der Prärie. Denn was
nutzt es, einen Menschen wegen der ständigen Geldschwierigkeiten
aus dem Weg zu räumen, wenn ein einziges kleines Stück Papier alles
wieder zunichte macht? Er hatte ein Spiel mit hohem Einsatz gespielt
und er musste es zu Ende spielen. Wenn er entdeckt wird, ist alles
vorbei. Dann wird seine Tat, die in seinen verblendeten Augen unvermeidlich war, das Dümmste und Kopfloseste, was er jemals getan hat.
Nicht ein einziges Mal denkt er daran, dass ein Mensch für alle Zeit
fort ist. Dass ein alter Mann seinetwegen diesen Sommer nicht in den
Herbst übergehen sehen darf. Er denkt nur an sich selbst. Er will um
jeden Preis durchkommen. Aber er hat Angst. Und niemals ist ein
Mensch so gefährlich, wie wenn er Angst hat.
Noch war der Großmummrich nicht von der gerichtlichen chemischen Untersuchung aus Stockholm zurückgekommen. Den Unter-
suchungsbescheid aber hatte die Polizei umgehend bekommen: Die
äußerst winzigen Schokoladenmengen, die am Großmummrich gefunden worden waren, hatten tatsächlich Spuren von Arsenik gezeigt
und Kalles Schokolade enthielt auch Arsen. Hätte Eva-Lotta die Tafel
allein aufgegessen, wie der Absender wohl gehofft hatte, sie hätte
wenig Aussicht gehabt zu überleben.
Eva-Lotta wusste von dem Attentat auf sie. Es wäre unmöglich gewesen, ihr etwas zu verheimlichen, wovon alle Zeitungen berichteten.
Außerdem hielt der Kriminalkommissar es für seine Pflicht, sie zu warnen. Gewiss war der Strom von Geschenken und Leckereien nach drin-
gender Ermahnung in der Presse total versiegt; aber Eva-Lotta musste
sich dennoch in Acht nehmen. Für einen verzweifelten Menschen gab
es sicher noch andere Wege, ihr zu schaden. Und obwohl der Kommis-

sar damit rechnete, dass das arme Mädchen einen neuerlichen Zusammenbruch bekommen würde, wenn sie die grausame Wahrheit erfuhr, ging er zum Bäckermeister und führte ein ernsthaftes Gespräch mit ihr. Aber er hatte sich verrechnet. Eva-Lotta bekam keinesfalls einen Zusammenbruch. Sie wurde wütend, so wütend, dass es knisterte.

»Beppo hätte ja sterben können«, schrie sie. »Eine Gemeinheit, beinahe einen unschuldigen Hund zu töten, der nichts Böses getan hat!«

In Eva-Lottas Augen war das eine Freveltat, die alles übertraf.

Aber ihre natürliche Sorglosigkeit half ihr zu vergessen, was schrecklich war. Einige Tage später war ihr Frohsinn zurückgekehrt. Sie erinnerte sich nicht mehr daran, dass es böse Menschen auf der Welt gab. Sie wusste nur, dass Sommerferien waren und dass es unbeschreiblich wunderbar war zu leben.

Ja, eine armselige Woche dauerten die Sommerferien noch. Alle Ritter der Weißen und Roten Rose waren sich einig, die kurze Gnadenfrist musste zu etwas Besserem verwendet werden, als über vergangene Dinge, die nicht zu ändern waren, nachzugrübeln.

Beppo war wieder ganz gesund. Und Sixten, der bisher wie festgeklebt an seiner Seite gesessen hatte, wurde von seiner alten Betriebsamkeit ergriffen. Aufs Neue rief er seine Truppen unter die Fahnen. Sie versammelten sich in seiner Garage und schmiedeten neue Ränke. Denn nun hatte die Stunde der Rache geschlagen. Jetzt sollte abgerechnet werden für den Großmummrich im Globus und für andere Bosheiten. Dass Anders beinahe Beppo vergiftet hatte, gehörte nicht dazu. Das hatte Sixten ihm bereits von ganzem Herzen vergeben und Anders hatte in rührendster Weise Anteil genommen an Beppos Krankheit.

Lange vor der Ära des Großmummrich hatten schon Kriege zwischen Roten und Weißen Rosen getobt. Und wenn auch der Großmummrich mit all den magischen Eigenschaften, die man ihm zuschrieb, ein unübertroffenes Kriegsobjekt war, so gab es doch noch andere Kostbarkeiten, die man dem Gegner rauben konnte. Da hatten die Weißen zum Beispiel eine Stahlkassette, angefüllt mit geheimen Dokumenten. Anders fand, dass man diese Kassette ohne große Gefahr in der Kommode auf dem Bäckereiboden aufbewahren konnte. Das konnte man vielleicht auch – zu normalen Zeiten. Jetzt aber, wo der Großmummrich auf einer Dienstreise war, kam Sixten auf den Gedanken, dass die Kassette der Weißen Rosen eine ganz außerordentliche Kostbarkeit sei, die geraubt werden musste, und wenn die Roten Rosen bis zum letzten Mann dafür kämpfen mussten. Benka und Jonte stimmten sofort zu und selten waren zwei Jünglinge so bereit gewesen, bis zum letzten Mann zu kämpfen. Nachdem der heroische Entschluss durch heilige Eide bekräftigt worden war, ging Sixten abends in aller Ruhe in das Hauptquartier der Weißen Rosen und nahm auf dem Bäckereiboden die Kassette an sich. Die erwarteten Entsetzensschreie der Weißen blieben allerdings aus und zwar aus dem einfachen Grund, weil sie gar nicht bemerkten, dass die Kassette verschwunden war. Zum Schluss verlor Sixten die Geduld und er schickte Benka mit einem Handschreiben zu den Weißen um sie zum Erwachen zu bringen. Das Schreiben hatte folgenden Wortlaut:

»Wo ist wohl die Geheimkassette der Weißen Rosen?
Ja, wo sind sie wohl, die geheimen Dokumente?
Dort, wo die Prärie zu Ende ist, da steht ein Haus. In dem Haus ist ein Zimmer. In dem Zimmer ist eine Ecke. In der Ecke liegt ein Papier. Auf dem Papier ist eine Landkarte. Auf der Landkarte – – – Ja, genau so!

    O du Weiße Laus,
    such nur in dem Haus!«

»Nie im Leben geh ich dahin«, sagte Eva-Lotta zuerst. Bei näherem Nachdenken aber sagte sie sich selbst, dass sie sich doch unmöglich ihr Leben lang von der Prärie, dem Spielplatz aller Spielplätze, fernhalten konnte. Frühling oder Herbst, Sommer oder Winter, die Prärie lockte immer, sie blieb voller Möglichkeiten. Durfte sie nicht mehr auf der Prärie spielen – ja, dann konnte sie ebenso gut sofort in ein Kloster gehen.

»Ich geh mit«, sagte sie nach einem kurzen inneren Kampf mit sich selbst. »Besser sofort, als dass es zur fixen Idee bei mir wird.«

Und am Morgen danach standen die Weißen Rosen unnatürlich früh auf um zu vermeiden, dass sie während ihres Suchens von den Feinden überrascht wurden. Sicherheitshalber erzählte Eva-Lotta zu Hause nicht, wohin sie ging. In aller Stille schlich sie aus dem Haus und traf sich mit Anders und Kalle, die schon eine Weile am Zaun auf sie gewartet hatten.

Die Prärie war gar nicht so erschreckend, wie Eva-Lotta gedacht hatte. Friedlich und still wie immer lag sie da und die Schwalben warfen sich mit schnellen Schwingen in die Luft. Hier gab es nichts, wovor man sich fürchten musste. Und der Herrenhof sah beinahe einladend aus, gar nicht, als wäre er ein armes, unbewohntes Haus, sondern wie ein Heim, in dem die Menschen nur noch nicht aufgewacht waren. Bald würden sie vielleicht die Fenster öffnen, die Gardinen würden sich im Morgenwind bauschen, die Zimmer von fröhlichen Stimmen widerhallen und aus der Küche würde ein behagliches Geklapper zu hören sein, das Frühstück bedeutete. Hier gab es wirklich nichts, wovor man sich ängstigen konnte.

Aber als sie durch die Tür traten, war es dennoch nur ein totes Haus, das sie empfing. Ein Haus mit Spinnweben in den Winkeln, abblätternden Tapeten und zerbrochenen Fensterscheiben. Hier waren gewiss keine anderen fröhlichen Stimmen mehr zu hören als ihre eigenen.

»O du Weiße Laus, such nur in dem Haus«, hatte der Chef der Roten sie aufgefordert und sie taten ihr Bestes. Sie mussten lange suchen; denn es war ein großes Haus mit vielen Zimmern und Ecken und Nischen. Aber schließlich wurde ihr Suchen von Erfolg gekrönt – genau wie die Roten es berechnet hatten. Jetzt oder nie sollten die Weißen aber gründlich angeführt werden, das hatte Sixten beschlossen.

Auf dem Papier war tatsächlich eine Landkarte und es war nicht schwer, den Garten des Postdirektors darauf zu erkennen. Da war das Wohnhaus und die Garage und der Holzschuppen und das geheime Örtchen und alles andere und dann an einer Stelle ein Kreis mit dem Hinweis »Grabt hier!«

»Man kann von den Roten sagen, was man will; aber besonders erfinderisch sind sie nicht«, sagte Anders, nachdem er die Karte eine Weile studiert hatte.

»Nee, das hier wirkt direkt kindisch«, sagte Kalle. »Das ist so lächerlich einfach, man schämt sich richtig. Aber wir werden wohl hingehen müssen und graben, glaub ich.«

Ja, sie wollten dorthin und graben. Aber zuerst wollten sie noch etwas anderes tun. Weder Anders noch Kalle waren seit dem denkwürdigen Mittwoch hier draußen gewesen. Damals waren sie von Wachtmeister Björk abgewiesen worden. Nun wurden sie von einer kleinen hässlichen Neugierde gepackt. Sollte man nicht auf jeden Fall mal hingehen und sich die Stelle ansehen, wenn man schon hier war?

»Ich nicht«, sagte Eva-Lotta nachdrücklich. Lieber wollte sie sterben als den kleinen Pfad zwischen den Haselnusssträuchern noch einmal gehen. Aber wenn Anders und Kalle durchaus wollten – sie hatte nichts dagegen. Sie blieb lieber hier. Nur abholen mussten sie sie nachher.

»Gut, wir sind in zehn Minuten zurück«, sagte Kalle.

Dann gingen die beiden.

Als Eva-Lotta allein war, begann sie das Haus einzurichten. In ihrer Fantasie möblierte sie das ganze Haus und bevölkerte es mit einer großen, kinderreichen Familie. Eva-Lotta hatte selbst keine Geschwister und kleine Kinder waren das Schönste, was sie sich denken konnte.

Hier ist das Esszimmer, dachte sie. Hier ist der Tisch. Es sind so viele Kinder, dass sie sich darum drängen müssen. Und Krister und Kristine prügeln sich und müssen zur Strafe ins Kinderzimmer. Bertil ist so klein, dass er in einem hohen Kinderstuhl sitzen muss. Die Mama füttert ihn, aber oh, wie er kleckert! Da ist die große Schwester Liliane. Sie ist so schön, sie hat ganz schwarze Haare und schwarze Augen und will abends auf den Ball gehen. Sie soll hier unter dem Kristallleuchter stehen, in einem weißen Seidenkleid und mit den Augen funkeln. Eva-Lotta funkelte mit den Augen und war die große Schwester Liliane.

Der große Bruder Klas kommt gerade heute aus Uppsala nach Hause. Er hat sein Examen gemacht. Der Gutsherr ist sehr glücklich darüber. Er steht am Fenster und sieht hinaus und wartet auf seinen Sohn. Eva-Lotta streckte den Bauch vor und war der Gutsherr, der am Fenster stand und auf seinen Sohn wartete.

Sieh mal an, da kommt er ja schon! Wie gut er aussieht – wenn er auch etwas jünger sein könnte.

Es dauerte einige Sekunden, bevor Eva-Lotta aus ihrer Fantasiewelt in die Wirklichkeit zurückkehrte und begriff, dass das dort nicht der große Bruder Klas war, der mit langen, schnellen Schritten ankam, sondern ein richtiger Mensch aus Fleisch und Blut. Sie kicherte in sich hinein. Wie peinlich, wenn sie »Hej, Klas!« zu ihm hinuntergerufen hätte.

Jetzt sah er auf und entdeckte sie am Fenster. Er zuckte zusammen, der Bruder Klas. Er mochte es wohl nicht, dass dort der Gutsherr stand und ihn ansah. Er hatte es plötzlich eilig. So eilig! Dann aber besann er sich und kam zurück. Ja, er kam zurück!

Eva-Lotta dachte jedenfalls nicht daran, ihn weiterhin nervös zu machen. Sie ging wieder ins Esszimmer um zu sehen, ob Bertil mit seinem Brei fertig war. Das war er nicht und die große Schwester Liliane musste ihm helfen. Sie war so damit beschäftigt, dass sie gar nicht hörte, wie die Tür geöffnet wurde. Und sie schrie leise auf vor Schreck, als sie hochsah und bemerkte, dass der große Bruder Klas ins Zimmer kam.

»Guten Tag«, sagte er – der große Bruder Klas oder wer er nun sonst war.

»Guten Tag«, sagte Eva-Lotta.

»Ich dachte tatsächlich, es wäre eine alte Bekannte, die ich vorhin am Fenster stehen sah«, sagte der große Bruder Klas.

»Nein, das war nur ich«, sagte Eva-Lotta.

Er sah sie prüfend an. »Aber haben wir uns nicht schon einmal getroffen, du und ich?«, fragte er.

Eva-Lotta schüttelte den Kopf. »Nein, das glaub ich nicht«, sagte sie. »Daran kann ich mich nicht erinnern.«

»Unter Tausenden würde ich ihn wiedererkennen«, hatte sie einmal gesagt. Aber da wusste sie nicht, dass das Aussehen eines Menschen vollkommen verändert werden kann, wenn ein Bart abrasiert und langes Haar zu einer kurzen, aufrecht stehenden Bürste geschnitten wird. Der Mann, dem sie einmal auf dem schmalen Pfad begegnet war und dessen Bild ihrer Netzhaut unauslöschlich eingeprägt war, hatte damals außerdem eine dunkelgrüne Gabardinehose getragen und es war ihr unmöglich, sich vorzustellen, dass er irgendwie anders gekleidet sein konnte. Der große Klas trug einen kleinkarierten grauen Anzug. Er sah sie mit unruhigen Augen an und dann fragte er: »Wie mag so ein kleines Fräulein wohl heißen?«

»Eva-Lotta Lisander«, sagte Eva-Lotta.

Der große Klas nickte. »Eva-Lotta Lisander«, sagte er.

Eva-Lotta hatte keine Ahnung, wie gut es war, dass sie den großen Klas nicht wieder erkannte. Auch ein Verbrecher scheut sich, einem Kind unnötig Böses zu tun. Aber dieser Mann gedachte sich um jeden Preis zu retten. Er wusste, jemand, der Eva-Lotta Lisander hieß, konnte sein ganzes Leben zerstören und er war bereit, alles zu tun um das zu verhindern. Und jetzt stand sie hier vor ihm, diese Eva-Lotta

Lisander, die er schon durch das Fenster erkannt zu haben glaubte, als er ihr helles Haar gesehen hatte, stand hier vor ihm und sagte ganz ruhig, dass sie ihn nie vorher getroffen hätte. Und er fühlte eine Erleichterung, dass er hätte schreien mögen. Er brauchte also diesen plappernden Mund nicht zu schließen, diesen Mund, der ihm so viel Sorgen gemacht hatte. Er brauchte nicht mehr zu fürchten, dass diese Eva-Lotta Lisander eines Tages in der Nachbarstadt, wo er wohnte, auftauchte und ihn wieder erkannte und mit dem Finger auf ihn zeigte und sagte: »Da geht der Mörder!« Denn sie kannte ihn nicht. Sie war nicht länger mehr ein Zeuge gegen ihn.

Er war so erleichtert, dass er sogar froh darüber war, dass sie seinem Attentat mit der Schokolade entgangen war.

Der große Klas wollte gehen. Er wollte gehen und nie wieder an diesen verdammten Platz zurückkehren. Als er aber schon die Türklinke in der Hand hielt, erwachte sein Misstrauen. Sie war doch wohl nicht etwa eine ausgekochte kleine Schauspielerin, die die Unschuldige spielte und nur so tat, als kenne sie ihn nicht mehr? Er warf ihr einen lauernden Blick zu. Aber sie stand da mit einem freundlichen Lächeln auf den Lippen und ihr Kinderblick war offen und vertrauensvoll. Da gab es keine Verstellung, das konnte er deutlich sehen. Trotzdem fragte er: »Was machst du hier so allein?«

»Ich bin nicht allein«, sagte Eva-Lotta freundlich. »Anders und Kalle sind auch hier. Meine Freunde, verstehen Sie?«

»Spielt ihr hier?«, wollte der große Klas wissen.

»Nee«, sagte Eva-Lotta, »wir haben bloß ein Papier gesucht.«

»Ein Papier?«, fragte der große Klas und sein Blick wurde hart. »Ein Papier habt ihr gesucht?«

»Ja und *so* lange«, sagte Eva-Lotta, die fand, dass eine Stunde lang war, wenn es galt, die kindische Landkarte der Roten aufzuspüren. »Sie glauben gar nicht, wie wir gesucht haben! Aber jetzt haben wir es gefunden.«

Der große Bruder Klas holte heftig Luft und er packte die Türklinke so hart, dass seine Knöchel weiß wurden.

Er war verloren. Ein paar Kinder hatten ihn gefunden. Sie hatten den Schuldschein gefunden, den er selbst immer wieder gesucht hatte und den er heute zum allerletzten Mal hatte suchen wollen. Er war verloren und das jetzt, da er glaubte in Sicherheit zu sein! Oh, er wurde von einer wilden Lust gepackt, alles niederzuschlagen und zu zerstören, was sich ihm in den Weg stellte. War er etwa erleichtert gewesen, dass dieses Mädchen ihrem Schicksal entkommen war, als er ihr die Tafel Schokolade schickte? Jetzt spürte er keine Erleichterung mehr, nur noch eine kalte Wut, genau wie an jenem letzten Mittwoch im Juli! Aber er zwang sich zur Ruhe. Noch wollte er nicht alle Hoffnung aufgeben. Er musste nur dieses Papier haben – *musste* es haben!

»Wo sind Anders und Kalle denn jetzt?«, fragte er so unbeteiligt wie möglich.

»Die kommen gleich wieder«, antwortete Eva-Lotta. Sie sah aus dem Fenster. »Da kommen sie schon«, fuhr sie fort. Der große Klas stellte sich hinter sie um aus dem Fenster zu sehen. Er stand ganz nah bei ihr und als Eva-Lotta zufällig den Kopf ein wenig senkte, sah sie seine Hand.

Und sie erkannte seine Hand wieder. Diese Hand erkannte sie. Sie war wohlgeformt und reichlich mit dunklen Härchen bewachsen. Jetzt erkannte sie den großen Klas. Und der Schreck, der sie ergriff, war so groß, dass er sie fast zu Boden warf. Alles Blut schoss ihr aus dem Gesicht, nur um Sekunden später mit solcher Gewalt wieder zurückzuschießen, dass es in ihren Ohren dröhnte. Es war gut, dass sie mit dem Rücken zu ihm stand. So konnte er das wilde Entsetzen in ihren Augen nicht sehen und auch ihren Mund nicht, der anfing zu zittern. Aber gleichzeitig war es furchtbar, ihn hinter sich zu fühlen und nicht zu wissen, was er tat.

Aber oh, da kamen Anders und Kalle – Gott segne sie! Sie war nicht

269

allein auf der Welt! Die beiden Gestalten, die dort in ausgeblichenen blauen Hosen und nicht ganz sauberen Hemden und mit ungekämmten Haaren angetrabt kamen, waren wie ein Geschenk des Himmels für sie. Ritter der Weißen Rose, Gott segne euch!

Aber sie war auch ein Ritter der Weißen Rose und der durfte die Besinnung nicht verlieren. Ihr Gehirn arbeitete so fieberhaft, dass sie glaubte, der Mann hinter ihr müsse es hören. Etwas war ihr klar: Er durfte nicht merken, dass sie ihn wieder erkannt hatte. Was auch geschah, sie musste ruhig wirken. Sie öffnete das Fenster und lehnte sich hinaus. Ihre ganze Verzweiflung lag in ihren Augen. Die beiden da draußen aber merkten nichts davon.

»Pass auf, gleich kommen sie!«, schrie Anders hinauf.

Der große Klas zuckte zusammen. War die Polizei schon unterwegs um den Revers zu holen? Wer von den Kindern hatte ihn? Er musste sich beeilen. Die Zeit drängte. Das, was geschehen musste, musste sofort geschehen. Er trat dicht an das Fenster. Wenn sich auch sein Inneres dagegen sträubte, er hatte keine Wahl. Er lächelte den Jungen freundlich zu.

»Hallo, ihr dort!«, sagte er. Sie sahen fragend zu ihm auf. »Dürft ihr denn eine kleine Dame so allein lassen?«, fragte er in einem Ton, der scherzhaft klingen sollte, was ihm aber nicht gelang. »Da musste ich ja direkt hineingehen und ein wenig mit Eva-Lotta plaudern, während ihr draußen Altpapiersammlung gespielt habt oder was das nun war.« Darauf gab es kaum etwas zu antworten und Kalle und Anders schwiegen abwartend.

»Kommt rein, Jungs«, redete der Mann hinter Eva-Lotta weiter. »Ich hab euch einen Vorschlag zu machen. Einen guten Vorschlag. Ihr könnt Geld dabei verdienen.« Nun wurden Anders und Kalle äußerst lebendig. Wenn es darum ging, Geld zu verdienen, waren sie immer bereit, sofort in die Startlöcher zu gehen.

Aber Eva-Lotta saß jetzt auf dem Fensterbrett und sah sie so sonderbar an. Und sie machte mit der Hand das Geheimzeichen der Weißen Rose. Und dieses geheime Zeichen bedeutete »Gefahr«. Anders und Kalle zögerten verwirrt. Da begann Eva-Lotta zu singen.

»Sommer ist, die Sonne scheint«, sang sie, wenn auch mit etwas zitternder Stimme. Und sie sang dieselbe frohe Melodie weiter – nur der Text war ein wenig verändert.

»Mom ö ror dod e ror«, sang sie.

Das klang wie ein zusammenhangloser Singsang, wie ihn Kinder sich ausdenken. Anders und Kalle aber wurden stocksteif vor Schreck, als sie es hörten. Sie standen wie angenagelt. Dann aber nahmen sie sich zusammen und kniffen sich wie unabsichtlich ins Ohrläppchen – das geheime Zeichen der Weißen Rose dafür, dass eine Botschaft verstanden worden war.

»Na, beeilt euch!«, sagte der Mann am Fenster ungeduldig.

Unschlüssig standen die beiden da. Aber plötzlich drehte sich Kalle um und ging mit raschen Schritten auf ein Gebüsch in der Nähe zu.

»Wo willst du hin?«, schrie der Mann am Fenster ärgerlich. »Willst du nicht dabei sein, wenn es Geld zu verdienen gibt?«

»Na klar«, sagte Kalle ruhig. »Aber deshalb darf man doch die natürlichen Bedürfnisse nicht vergessen, meine ich.«

Der Mann biss sich auf die Lippen. »Beeil dich!«, schrie er.

»Ja, ja, ich werd mich beeilen«, rief Kalle zurück.

Es dauerte eine ganze Weile. Dann aber kam er doch wieder, demonstrativ seine Hose zuknöpfend.

Anders stand noch auf derselben Stelle wie vorher. Bei ihm war nicht der Schatten des Gedankens aufgetaucht, Eva-Lotta etwa im Stich zu lassen. Er musste zu ihr in das Haus hinein, wo sich der Mörder befand; aber er wollte Kalle dabeihaben. Und nun gingen sie hinein. In den Salon, wo die große Schwester Liliane heute Abend einen Ball geben würde. Anders ging auf Eva-Lotta zu und legte seinen Arm um ihre Schulter. Er sah auf ihre Armbanduhr und dann sagte er:

271

»Himmel, ist das schon spät! Wir müssen nach Haus, aber schnell!«
Er nahm Eva-Lotta an die Hand und ging mit ihr zur Tür.
»Ja, ich glaub auch, das Geld verdienen wir uns wohl besser ein andermal«, meinte Kalle. »Jetzt müssen wir rennen.«
Wenn sie aber dachten, der große Klas hätte nichts dagegen, so irrten sie sich. Plötzlich stand er vor der Tür und hinderte sie.
»Moment mal«, sagte er. »So eilig habt ihr es doch nicht!«
Er fühlte mit der Hand in seine Gesäßtasche. Ja, er war dort. Seit dem letzten Mittwoch im Juli trug er ihn immer bei sich – für alle Fälle. Die Gedanken jagten sich in seinem Kopf. Schreck und Zorn brachten ihn um alle Vernunft. Doch, natürlich empfand er Entsetzen vor dem, was er tun musste. Aber er zögerte nicht. Er hatte ein Spiel mit hohem Einsatz begonnen und musste es zu Ende spielen, auch wenn es noch ein paar Menschenleben kosten sollte.
Er sah die drei Kinder vor sich an und hasste sie für das, was zu tun er gezwungen war. Er musste es tun, denn er konnte keine drei Zeugen brauchen, die aussagen konnten, wie der Mann aussah, der ihnen den Schuldschein weggenommen hatte. Nein, sie sollten niemals Gelegenheit bekommen, etwas darüber zu erzählen. Dafür wollte er sorgen, wenn ihm auch fast übel war vor Schreck. Aber zuerst musste er wissen, wer von ihnen das Papier hatte, damit er keine Zeit damit vergeudete, in ihren Taschen herumzusuchen – nachher.
»Hört mal«, sagte er und seine Stimme war heiser und belegt, »gebt das Papier her, das ihr da vorhin gefunden habt. Ich will es haben – aber schnell.«
Den dreien vor ihm blieb vor Staunen der Mund offen. Sie hätten nicht erstaunter sein können, wenn er gesagt hätte: »Los, singt: ›Bäh, bäh, weißes Lamm‹!« Konnte man seinen Ohren trauen? Man hatte ja schon von wahnsinnigen Mördern gehört; aber nicht einmal ein Wahnsinniger konnte Spaß an der Landkarte der Roten Rosen mit dem Hinweis »Grabt hier!« haben.

Natürlich, eigentlich konnte er die Landkarte getrost bekommen, wenn er sie unbedingt braucht, dachte Anders, der die Karte in seiner Hosentasche hatte.

In wirklich kritischen Situationen war es trotz allem der Meisterdetektiv Blomquist, der am schnellsten dachte. Innerhalb einer Sekunde ging ihm auf, was für ein Papier es war, von dem der Mann dachte, dass sie es hätten. Und noch mehr stand im selben Moment ganz klar vor Kalle. Es war, als ob er die Gedanken des Mannes lesen könnte. Dieser Kerl hatte kaltblütig einen Menschen niedergeschossen und wahrscheinlich war er auch jetzt bewaffnet. Die Zeugin Eva-Lotta hatte er durch vergiftete Schokolade aus dem Weg räumen wollen. Kalle begriff, wie gering ihre Chancen waren, lebend von hier wegzukommen. Wenn Anders jetzt die Karte aus der Tasche nehmen würde und wenn es ihnen auch glücken würde, den Mörder davon zu überzeugen, dass sie nie im Leben auch nur die Spur von seinem Revers gesehen hatten, so waren sie doch verloren. Der Mörder wusste sicher, dass er sich durch seine Frage verraten hatte, und Kalle begriff, dass, wenn er damals versucht hatte *einen* Zeugen loszuwerden, er noch weniger zulassen würde, dass es drei gab, die lebend herumliefen und ihn identifizieren konnten. Darüber dachte Kalle nicht in klaren, deutlichen Worten nach; aber es war ein Bewußtsein drinnen in seinem Gehirn. Und dieses Bewusstsein machte ihn ohnmachtsreif vor Angst. Aber er sagte wütend zu sich selbst: Du hast nachher Zeit, Angst zu haben – wenn es noch ein Nachher gibt!

Es kam darauf an, Zeit zu gewinnen, oh, nur Zeit musste gewonnen werden!

Anders wollte gerade die Karte aus seiner Tasche ziehen, als er plötzlich einen Puff von Kalle bekam.

»Non ei non«, zischte Kalle. »Lol a ßoß sos ei non!«

»Hört ihr nicht, was ich sage?«, fragte der große Klas böse. »Wer von euch hat das Papier?«

»Wir haben es nicht hier«, sagte Kalle ruhig.

Anders fand wohl, es wäre besser gewesen, dem Mann das Papier zu geben. Dann hätten sie vielleicht gehen dürfen. Aber er wusste auch, dass Kalle mehr daran gewöhnt war, mit kriminellen Personen umzugehen, und deshalb schwieg er.

Der Mann an der Tür wurde vollkommen wild über Kalles Worte. »Wo habt ihr es?«, schrie er. »Her damit! Schnell! Sofort!«

Kalle überlegte, so schnell er konnte. Wenn er jetzt sagte, das Papier sei auf dem Polizeirevier oder zu Hause bei Eva-Lotta oder weit draußen irgendwo auf der Prärie, so war wahrscheinlich sofort alles aus. Er begriff, dass sie sich so lange sicher fühlen konnten, wie der Mörder noch Hoffnung hatte, das Papier rechtzeitig zu bekommen.

»Wir haben es im oberen Stockwerk«, sagte er zögernd.

Der große Klas zitterte vor Erregung am ganzen Körper. Er zog den Revolver aus der Tasche. Eva-Lotta schloss die Augen.

»Beeilt euch!«, schrie er. »Vielleicht hilft dies hier, euch Beine zu machen!«

Und er trieb sie vor sich her aus dem Zimmer, in dem die große Schwester Liliane heute Abend einen Ball geben wollte.

»Gog e hoh tot lol a non gog sos a mom«, sagte Kalle leise. »Pop o lol i zoz ei kok o mom mom tot bob a lol dod!«

Anders und Eva-Lotta sahen ihn verwundert an. Wie sollte die Polizei bald kommen? Glaubte er sie durch Gedankenübertragung hierher zu lenken? Aber sie gehorchten und gingen langsam. Sie zogen die Füße nach, stolperten über Türschwellen und Anders rutschte aus und sauste rückwärts die Treppe hinunter wie vor tausend Jahren, als sie gerade an derselben Stelle mit den Roten gekämpft hatten.

Ihre Langsamkeit brachte den großen Klas zur Raserei. Er war so nahe daran, die Nerven zu verlieren, dass er fürchtete, es jetzt schon zu tun – das, was er tun wollte. Aber er *musste* zuerst den Schuldschein haben. Oh, wie er diese Gören hasste! Die wussten anscheinend nicht mal mehr, in welcher Ecke sie das Papier versteckt hatten. Langsam, ganz langsam trödelten sie von einem Zimmer ins andere und sahen sich um und sagten dann nachdenklich: »Nee, hier war es nicht.« Eine verwilderte Viehherde wäre leichter vor sich her zu treiben gewesen. Die verdammten Satanskinder blieben stehen um sich die Nasen zu putzen oder um sich zu kratzen oder um zu weinen – ja, am meisten weinte natürlich das Mädchen.

Schließlich kamen sie in ein kleines Zimmer mit herunterhängender Tapete. Und Eva-Lotta schluchzte auf, als ihr einfiel, wie sie und Kalle hier eingeschlossen gewesen waren vor langer Zeit, damals, als sie noch jung und glücklich waren.

Kalle suchte mit forschenden Blicken die Wände ab.

»Nee, hier war es wohl nicht«, sagte er.

»Nee, hier war es sicher nicht«, sagte Anders.

Dieses Zimmer war aber das letzte im ganzen oberen Stockwerk und der große Klas stieß einen unartikulierten Schrei aus.

»Glaubt ihr, ihr könnt mich reinlegen?«, schrie er los. »Glaubt ihr, dass ich nicht merke, wie ihr mich an der Nase rumführt? Aber jetzt sag ich euch was! Ihr holt sofort das Papier raus. Auf der Stelle. Und wenn ihr vergessen habt, wo es ist, dann werdet ihr euer blaues Wunder erleben. Bekomme ich es nicht in genau fünf Sekunden, schieße ich euch alle drei nieder.«

Er stand mit dem Rücken zum Fenster und zielte auf sie. Kalle verstand, dass er es jetzt ernst meinte und dass seine Taktik nun nicht mehr taugte. Er nickte Anders zu. Anders ging hinüber zu der Wand, an der die Tapete in Fetzen herunterhing. Er nahm die Hand aus der Tasche und steckte sie hinter die Tapete. Als er sie nach einem Augenblick wieder hervorzog, hatte er ein Papier zwischen den Fingern.

»Hier ist es ja«, sagte er.

»Das ist gut«, sagte der große Klas. »Bleibt dort dicht beieinander stehen. Und du streckst deine Hand aus und gibst mir das Papier.«

»Wow e ror fof tot eu choch zoz u Bob o dod e non, wow e non non i choch non ie sos e«, sagte Kalle.

Anders und Eva-Lotta fassten sich an die Ohrläppchen zum Zeichen, dass sie verstanden hatten.

Der große Klas hörte zwar, dass eins der Kinder eine Art Kauderwelsch redete; was es aber war, interessierte ihn nicht. Er wusste, dass er nun bald damit fertig war. Wenn er erst das Papier hatte, sollte es geschehen. Er streckte seine Hand nach dem Papier aus, das Anders ihm entgegenhielt, und hatte die ganze Zeit seinen Revolver in Bereitschaft. Aber seine Finger zitterten, als er mit nur einer Hand versuchte, den zusammengeknüllten Schuldschein zu glätten.

Schuldschein? Welcher Schuldschein? »Grabt hier!« – das ist ja wohl nicht gerade das, was man auf einem Revers zu finden glaubt. Sein Verstand setzte eine halbe Sekunde aus und genau da hörte man Kalle kräftig niesen. Im selben Augenblick warfen sich die drei auf den Boden. Kalle und Anders schmissen sich nach vorn und bekamen die Beine vom großen Klas zu fassen. Er schlug hin und er schrie, als er fiel. Der Revolver rutschte ihm aus der Hand und Kalle erwischte ihn im Bruchteil einer Sekunde, bevor der Gegner ihn wiederhatte.

Das war also so eine Gelegenheit, wo der Meisterdetektiv Blomquist einen Mörder entwaffnete. So etwas tat er ja oft – und immer mit der gleichen Eleganz. Und dann pflegte er lässig den Revolver auf den Verbrecher zu richten und zu sagen: »Vorsicht in der Kurve, mein guter Mann!«

Und so geschah es jetzt wohl auch? Nein, so geschah es nicht. In voller Panik nahm er das hässliche schwarze Ding und warf es aus dem Fenster, sodass die Glassplitter flogen. Das war es, was er tat. Und das war doch wohl schlecht bedacht von einem Meisterdetektiv. Einen Revolver zur Hand zu haben wäre doch sicher gut gewesen. Die Wahrheit war aber, dass dem Meisterdetektiv himmelangst war vor allem, was sich Schusswaffe nannte, sein Katapult ausgenommen.

Vielleicht hatte er aber auch ganz richtig gehandelt. Ein Revolver in der Hand eines zitternden Jungen ist wohl doch nicht die geeignete Drohung einem verzweifelten Mörder gegenüber. Die Rollen wären sicher sofort wieder getauscht worden. Und darum war es besser, der Revolver lag für beide außer Reichweite. Der große Klas war inzwischen aufgesprungen und starrte verwirrt und mit wildem Blick aus dem Fenster, seine Waffe suchend. Das war sein größter und schlimmster Fehler und die drei Ritter der Weißen Rose zögerten nicht ihn auszunutzen. Sie sausten zur Tür. Der einzigen Tür im Haus, die man wirklich abschließen konnte – das wussten sie aus eigener bitterer Erfahrung.

Der große Klas war ihnen auf den Fersen. Aber sie schafften es im letzten Augenblick und pressten die Tür zu und setzten drei Füße fest dagegen, sodass Kalle den Schlüssel herumdrehen konnte. Sie hörten Gebrüll hinter der Tür und wildes Klopfen. Kalle nahm sicherheitshalber den Schlüssel heraus für den Fall, dass der große Klas zufällig auch wusste, wie man eine von außen abgeschlossene Tür von innen öffnen konnte.

Sie rasten die zierliche Treppe aus dem achtzehnten Jahrhundert hinunter, immer noch keuchend vor Angst und am ganzen Körper zitternd. Sie quetschten sich gleichzeitig durch die Außentür, sie rannten wie von Sinnen. Aber Kalle sagte beinahe weinend: »Wir müssen den Revolver holen.«

Die Mordwaffe musste sichergestellt werden, das war klar. Im selben Augenblick aber, als sie sich umwandten, geschah es. Etwas kam aus dem geöffneten Fenster gesaust und landete genau vor ihnen. Der große Klas war gesprungen. Es war ein Sprung aus fünf Meter Höhe; aber in seiner Verzweiflung hatte er diese Kleinigkeit nicht bedacht. Er schaffte den Sprung und griff gierig nach dem Revolver. Jetzt würde er ohne viel Lamento handeln.

Da hörte er eine Stimme, in der Tränen und Jubel miteinander kämpften. Es war das Mädchen, das schrie: »Die Polizei! Da kommen sie! Schnell, beeilt euch! Kommt! Onkel Björk! Schnell, hierher!«

Er sah über die Prärie. Tatsächlich, bei allen schwarzen Mächten, da kamen sie, eine ganze Schar!

Zu spät, die Kinder jetzt zum Schweigen zu bringen. Aber vielleicht noch nicht zu spät zum Fliehen. Er schluchzte vor Angst. Ja, er musste fliehen! Zu seinem Auto! Sich hineinwerfen, wie ein Verrückter fahren, weit weg, in ein anderes Land fliehen!

Er lief in die Richtung, wo er seinen Wagen geparkt hatte. Er holte das Letzte aus sich heraus. Denn dort kamen sie angelaufen, die Polizisten, genau wie in seinen schrecklichen Träumen. Aber sie sollten ihn nicht kriegen. Sein Vorsprung war gut. Wenn er nur erst am Auto war, dann sollten sie nur versuchen ihn zu fangen! Oh, da stand es, sein kleines, liebes Auto, seine Rettung! Er fühlte einen wilden Triumph, als er die letzten Meter in langen Sprüngen nahm. Er würde durchkommen, das hatte er ja die ganze Zeit gesagt.

Er drehte den Zündschlüssel und startete den Motor. Adieu alle, die ihn halten wollten! Adieu für alle Ewigkeit!

Aber das Auto, sein liebes kleines Auto, das sich sonst so schnell und leicht vorwärts bewegte, bewegte sich nur mühevoll und holpernd vorwärts. Er stieß einen Fluch zwischen den Zähnen hervor und weinte vor Wut. Als er sich aus dem Wagen beugte, sah er es: Alle vier Reifen waren platt!

Die Verfolger näherten sich immer mehr. Unaufhaltsam, aber vorsichtig. Sie rechneten offenbar damit, dass er bewaffnet war, und sie suchten Deckung hinter Büschen und Steinen und liefen im Zickzack. Aber sie kamen näher. Er sprang aus dem Auto. Er hätte schießen können, aber er tat es nicht. Sie würden ihn trotzdem fassen, das wusste er jetzt. In seiner Nähe standen einige Büsche und dicht dahinter war ein Tümpel, der trotz der Dürre des Sommers mit schlammigem Wasser gefüllt war. Das wusste er – so viele Male, wie er hier gewesen war. Dorthin lief er. Und in die morastige Tiefe versenkte er den Revolver. Die Mordwaffe sollten sie nicht finden und als Beweisstück gegen ihn verwenden.

Dann lief er in einem großen Bogen zum Weg zurück. Dort blieb er stehen und wartete. Er war jetzt bereit. Nun konnten sie ihn haben.

16. Kapitel

Der Kriminalkommissar beugte sich auf seinem Stuhl vor und fixierte den blassen jungen Mann, dessentwegen er so schnell hierher hatte zurückkehren müssen.

»Wäre es nicht besser, Sie gestehen?«, sagte er mild. »Wir wissen, dass Sie Gren erschossen haben. Wir wissen, dass Sie diese Tafel Schokolade an Eva-Lotta Lisander geschickt haben. Wäre es nicht schön, diese langen Verhöre zu beenden und mir alles zu erzählen?«

Aber der junge Mann antwortete erneut in einem sehr arroganten Ton, dass er kein bisschen mit dem Mord an Gren, den er gar nicht kannte, zu schaffen hatte und dass er noch weniger Schokolade an irgendeine Eva-Lotta Lisander geschickt habe.

Und der Kommissar fragte erneut, warum um alles in der Welt er dann die Flucht ergriffen hatte, als die Polizei auf der Prärie auftauchte. Wenn er doch nun so ein reines Gewissen hatte.

Der junge Mann war sehr irritiert darüber, die Sache noch einmal erklären zu müssen. Er war gelaufen, weil die Kinder aus vollem Halse geschrien hatten, als ob er ihnen etwas angetan hätte. Offenbar hatten sie alles missverstanden, als er mit ihnen spielte. Ja, natürlich war es dumm von ihm gewesen wegzulaufen, aber der Herr Kommissar wusste ja wohl selber, wie heikel es war, angeschuldigt zu werden, Kindern etwas angetan zu haben. Und außerdem war er ja auch bald stehen geblieben und hatte die Polizei erwartet. Vielleicht hatte er sich beim Spiel mit den Kindern ein wenig dumm verhalten, das wollte er nicht leugnen. Das kleine Mädchen hatte ihm von einem Papier erzählt, einer Karte, die sie gefunden hatten und er hatte sich einen Spaß daraus gemacht, sie ein wenig zu erschrecken. Er hatte so getan, als ob er ein Gegner wäre, der diese Karte haben und auch nach vergrabenen Schätzen suchen wollte. Ja, der Herr Kommissar hatte die Karte ja selbst gesehen und musste doch wissen, dass er die Wahrheit sagte. Es stimmte, was die Kinder sagten, dass er mit einem Revolver auf sie gezielt hatte, aber der Revolver war doch nicht geladen gewesen, lieber Kommissar!

Und wo der Revolver nun sei, wollte der Kommissar wissen.

Ja, das hätte der junge Mann auch gern gewusst – denn es war ein guter Revolver, den er von seinem Vater geerbt hatte. Aber eins der Kinder hatte ihn aus einem Fenster geworfen – es war wirklich zum Lachen, dass sie sein Spiel so ernst nahmen –, seitdem hatte er die Waffe nicht mehr gesehen. Eins der anderen verflixten Kinder hatte sie wohl genommen, vermutlich dasselbe Kind, das seine Autoreifen zerschnitten hatte.

Der Kriminalkommissar schüttelte den Kopf.

»Junger Mann«, sagte er, »Sie lügen gut, aber Sie dürfen eine Sache nicht vergessen. Eva-Lotta Lisander behauptet mit Bestimmtheit, dass Sie der Mann sind, dem sie, ein paar Minuten nachdem Gren erschossen wurde, auf der Prärie begegnet ist.«

Der junge Mann lachte überlegen.

»Höchst eigenartig«, sagte er, »höchst eigenartig, dass sie unter diesen Umständen mit mir redet, als ob wir die allerbesten Freunde wären, und mir von dieser Karte und von ihren Freunden und ich weiß nicht was allem erzählt. Sie scheint Mörder ja direkt gemütlich zu finden.«

Der Kommissar schwieg eine Weile, aber dann sagte er:

»Ihre Haushälterin hat uns berichtet, dass Sie vor gar nicht langer Zeit Ihren Schnurrbart abrasiert haben, einen Tag nach dem Mord, um ganz genau zu sein. Wie kommt das?«

Der junge Mann sah in das glatt rasierte Gesicht des Kommissars.

»Hat der Herr Kommissar sich selbst nie einen Spaß daraus gemacht, sich einen kleinen Schnurrbart wachsen zu lassen und ihn dann wieder abzurasieren, als Sie ihn leid waren? Ich habe meinen abrasiert, als ich ihn leid war. Und ich kann nichts dafür, dass ein armer Alter zufällig am Tag davor erschossen wurde.«

»Aha«, sagte der Kommissar, »vielleicht sollte ich Ihnen sagen, dass wir gestern eine Hausdurchsuchung bei Ihnen zu Hause vorgenommen haben. Ganz hinten in Ihrem Schrank hing eine grüne Gabardinehose und Sie wissen vielleicht, dass die Polizei schon seit vierzehn Tagen ›den Mann mit der grünen Gabardinehose‹ gesucht hat?«

Der junge Mann ihm gegenüber wurde eine Spur blasser. Aber er war immer noch arrogant, als er antwortete:

»Ich bin bereit, mindestens fünf Personen aus meinem Bekanntenkreis zu nennen, die grüne Gabardinehosen haben. Und ich habe noch nie gehört, dass Strafe darauf steht, Gabardinehosen zu besitzen.«

Der Kommissar schüttelte noch einmal den Kopf.

»Junger Mann«, sagte er, »dass Sie das durchhalten!«

Aber der junge Mann hielt durch. Er hielt es durch, so lange zu lügen, dass der Kommissar fast die Geduld verlor, für die er bei der Staatspolizei bekannt war. Der große Klas war aus hartem Holz geschnitzt. Ja, ein merkwürdiger Zufall wollte es, dass er tatsächlich Klas mit Vornamen hieß. Eva-Lotta hatte ihn richtig getauft.

Die dramatischen Ereignisse draußen im Herrenhof hatten Störungen im Krieg der Rosen zur Folge. Wieder einmal hatte die Angst die Mütter ergriffen. Wieder einmal bekamen die Kinder strenge Anweisungen, sich im Haus zu halten. Und diese selbst waren noch so mitgenommen von dem, was passiert war, dass sie kaum Lust zu etwas verspürten.

Sie saßen im Garten des Bäckermeisters, die Roten und die Weißen

Rosen, und erinnerten sich noch einmal an die entsetzlichen Minuten auf der Prärie. Und Kalle bekam wieder und wieder Lobesworte für seine Geistesgegenwart zu hören; denn es war doch wohl geistesgegenwärtig, sich das mit dem »natürlichen Bedürfnis« auszutüfteln! Er hatte gewusst, dass die Roten im Anzug waren und sie auch gesehen, wie sie sich in den Büschen herumdrückten. Deshalb war er ihnen entgegengerannt, so schnell er konnte, und hatte ihnen den kurzen, aber unmissverständlichen Befehl gegeben: »*Der Mörder ist im Herrenhof! Lauft und holt die Polizei! Und einer von euch rennt zu seinem Auto an der Wegbiegung und zerschneidet die Reifen.*«

Nachdem die Verhöre mit dem großen Klas mit kurzen Pausen noch einen Tag weitergegangen waren und die Geduld des Kommissars um noch einige Grade gesunken war, saß Benka an einem regnerischen Nachmittag friedlich zu Hause und war mit seiner Briefmarkensammlung beschäftigt. Benka war eigentlich ein ruhiger und wenig kriegerischer Junge, aber er hatte ein Idol von robusterer Art, dem er durch dick und dünn folgte, und das war Sixten. Sixtens Vorbild machte Benka zu einem sehr brauchbaren Ritter der Roten Rose.

An diesem regnerischen Nachmittag konnte man sich, ohne ein schlechtes Gewissen zu haben, friedlichen Beschäftigungen im Haus hingeben und Benka gab sich dem Gepussel mit seinen Briefmarken hin. Er betrachtete sie liebevoll mit seinen kurzsichtigen Augen. Er hatte eine fast vollständige Serie schwedischer Marken und wollte gerade eine Anzahl Neuerwerbungen einkleben, als sein Blick auf einen zerknitterten Umschlag fiel. Ach ja, den hatte er ja vor einiger Zeit vor Lisanders Garten gefunden. Es war eine gerade neu herausgekommene Briefmarke darauf. Darum hatte Benka den Umschlag aufgehoben, weil er die Marke noch nie gesehen hatte. Nun glättete er den Umschlag zum ersten Mal. Er hatte ihn einfach in den Karton geworfen, in dem er seine Marken aufbewahrte.

»Fräulein Eva-Lotta Lisander« stand in Maschinenschrift auf dem Umschlag. Ja, sie hatte sehr viel Post bekommen in letzter Zeit, die Eva-Lotta. Er guckte in den Umschlag hinein. Natürlich leer! Als er die Marke noch einmal sah, freute er sich. Sie war wirklich sehr schön. Wo der Brief abgesandt war, konnte man nicht sehen. »B. P.« stand auf dem Stempel. Das bedeutete »Bahnpost«. Das Datum aber konnte man deutlich erkennen.

Und plötzlich kam ihm wie der Blitz ein Gedanke. Wenn das nun der Umschlag war, um den sie so ein Theater gemacht hatten. Nach dem die Polizei so sehr gesucht hatte? Mal sehen… Der Tag, als die Weißen in der Laube gesessen hatten und Sixten ihn losgeschickt hatte, die Weißen zu reizen – war das nicht genau der Tag, an dem die Schokolade gekommen war? Ja, klar, das war der Tag! Und an dem Tag hatte er auch den Umschlag gefunden. Was für ein Idiot er doch gewesen war, dass er den Umschlag nicht schon früher etwas genauer angesehen hatte!

In zwei Minuten war er bei Sixten, der auch zu Hause saß. Er spielte Schach mit Jonte. Und in zwei Minuten waren sie alle bei Eva-Lotta, die mit Anders und Kalle oben auf dem Bäckereiboden saß. Sie lasen Witzblätter und hörten, wie der Regen auf das Dach trommelte. Und in zwei Minuten waren die sechs auf dem Polizeirevier. Aber es dauerte mindestens zehn Minuten, ehe die durchweichte kleine Schar Onkel Björk und dem Kriminalkommissar klargemacht hatte, weshalb sie gekommen waren.

Der Kommissar betrachtete den Umschlag durch die Lupe. Auf der Schreibmaschine, die man zur Beschriftung benutzt hatte, war der Buchstabe t deutlich sichtbar beschädigt. Jedes t hatte eine winzige Scharte.

»Kinder sind wie Hunde«, sagte der Kommissar, als die sechs gegangen waren. »Sie schnüffeln überall herum und wühlen in einer Menge Plunder rum, aber dann, hast du nicht gesehen, kommen sie doch mit etwas Genießbarem nach Haus!«

Der Umschlag erwies sich als in hohem Maße genießbar. Der große Klas hatte tatsächlich eine Schreibmaschine, und als festgestellt wurde, dass der Buchstabe t auf seiner Maschine denselben Fehler aufwies wie die entsprechenden Buchstaben auf dem Umschlag, hielt der Kommissar die Zeit für reif, ihn unter Mordanklage zu stellen. Aber nach wie vor weigerte sich der Verhaftete zu gestehen. Man war offenbar gezwungen, ihn auf Indizien hin anzuklagen.

Sixten hatte eine neue Karte mit einem neuen »Grabt hier!« angefertigt. Und eines schönen Abends kam er und übergab sie den Rittern der Weißen Rose, die vollzählig im Garten des Bäckermeisters versammelt waren.

»Grabt hier«, sagte Anders, als Sixten ihm die Karte in die Hand steckte. »Du hast gut reden. Aber was wird dein Vater sagen, wenn wir anfangen seinen Rasen umzuwühlen?«

»Wer hat denn gesagt, dass es Rasen ist? Haltet euch nur an die Karte, und ich garantiere dafür, dass Vater nicht schimpfen wird. Benka und Jonte und ich hauen jetzt ab zum Baden.«

Die Weißen zogen zum Garten des Postdirektors. Sie rechneten die Abstände aus und verglichen mit der Karte und kamen schließlich dahinter, dass die Kassette in einem alten, fast völlig zugewachsenen Erdbeerbeet eingegraben sein musste. Munter begannen sie zu buddeln und bei jedem Stein, auf den sie stießen, jubelten sie laut auf in dem Glauben, es sei die Kassette, die von einem Spaten getroffen war. Aber jedesmal wurden sie enttäuscht und gruben von neuem, sodass der Schweiß nur so rann. Als sie schließlich fast das ganze Erdbeerbeet durchgeackert hatten, sagte Kalle plötzlich:

»Na endlich, hier haben wir sie.« Und er bohrte die Finger in den Sand und holte die erdige Kassette hervor, die so heimtückisch weit hinten in einer Ecke vergraben worden war.

Anders und Eva-Lotta warfen ihre Spaten beiseite und kamen angelaufen. Vorsichtig säuberte Eva-Lotta mit dem Taschentuch ihren kostbaren Reliquienschrein und Anders nahm den Schlüssel, den er um den Hals trug, heraus. Die Kassette war so beunruhigend leicht. War es denkbar, dass die Roten einen falschen Schlüssel benutzt und einige der Kostbarkeiten einfach gestohlen hatten? Um sich zu überzeugen, öffneten sie schnell die Kassette.

Tatsächlich, da lagen keine Geheimdokumente und Kostbarkeiten mehr. Da lag nur ein Zettel, beschrieben mit der verabscheuungswürdigen Handschrift von Sixten. Und der Zettel enthielt folgende Aufforderung:

»Grabt hier mehr! Macht weiter, wie ihr angefangen habt! Ihr braucht nur noch ein paar tausend Meilen zu graben, dann kommt ihr in Neuseeland raus. Bleibt dort!«

Die Weißen stießen einen Ruf der Verbitterung aus. Und hinter der Hecke hörte man ein entzückt gluckerndes Lachen. Sixten, Benka und Jonte kamen hervor.

»Ihr Lümmel, wo habt ihr unsere Urkunden gelassen?«, schrie Anders. Sixten schlug sich auf die Knie und lachte erst ausgiebig, bevor er antwortete.

»Maulwürfe!« sagte er. »Glaubt ihr, wir haben irgendein Interesse an euren schmierigen Urkunden? Die liegen unter all dem anderen Dreck in eurer Kommodenschublade. Aber ihr hört ja weder, noch seht ihr was.«

»Nein, sie buddeln nur und buddeln und buddeln«, sagte Jonte.

»Ja, buddeln könnt ihr großartig«, lobte Sixten. »Mein Vater wird sich freuen, dass er nicht mehr wegen dieses alten Erdbeerbeetes meckern muss. Ich hatte nämlich in der Hitze keine rechte Lust zum Umgraben.«

»Na, du hast ja wahrscheinlich auch noch Blasen an den Händen, seit du so tüchtig nach dem Großmummrich gegraben hast«, vermutete Kalle.

»Das wird euch teuer zu stehen kommen, meine Herren«, sagte Anders.

»Worauf ihr euch verlassen könnt«, sagte Eva-Lotta.

Sie schüttelte das erdige Taschentuch aus und stopfte es wieder in ihre Tasche. Da steckte noch etwas, ganz unten in der Tiefe der Tasche. Es war ein Stück Papier. Sie nahm es heraus und sah es an. »Revers« stand ganz oben. Eva-Lotta lachte auf.

»Nee, kann man sich so etwas vorstellen!«, sagte sie. »Hier steckt doch dieser olle Revers! Die ganze Zeit muss er in meinem Schrank gewesen sein, während die Leute draußen auf der Prärie zwischen den Büschen rumgekrochen sind und danach gesucht haben. Hab ich's nicht immer gesagt – Reverse sind was ganz Albernes.«

Sie sah sich das Papier genauer an.

»Klas«, sagte sie. »Ja, stimmt. Übrigens hat er eine ganz nette Unterschrift.«

Dabei knüllte sie das Papier wieder zu einem Ball zusammen und warf es ins Gras, wo der Sommerwind es ergriff. »Nun ist er ja verhaftet«, sagte sie. »Jetzt ist es ja gleich, was für eine Unterschrift er hat.«

Kalle schrie auf und warf sich kopfüber dem kostbaren Papier hinterher. Er sah Eva-Lotta vorwurfsvoll an. »Ich will dir mal was sagen, Eva-Lotta. Es wird einmal böse mit dir enden, wenn du weiter so mit wichtigen Papieren um dich schmeißt.«

17. Kapitel

»Ei non Hoh o choch dod e non Ror o tot e non Ror o sos e non«, sagte Sixten mit einiger Anstrengung. »Eigentlich eine furchtbar einfache Sprache, wenn man darüber nachdenkt.«

»Ja, das kannst du jetzt sagen, wo du den Trick kennst«, sagte Anders.

»Und außerdem müsst ihr noch lernen, sie viel, viel schneller zu sprechen«, sagte Kalle.

»Ja, nicht einen Buchstaben heute und einen morgen«, stichelte Eva-Lotta. »Die Rors müssen nur so knattern!«

Sie saßen alle auf dem Bäckereiboden, alle Ritter der Weißen und der Roten Rose, und die Roten hatten soeben ihre erste Lektion in der Räubersprache bekommen. Bei näherer Überlegung hatten nämlich die Weißen eingesehen, dass es ein Gebot der Nächstenliebe war, die Roten in das Geheimnis ihrer Sprache einzuweihen. Der Nutzen durch die Kenntnisse in fremden Sprachen kann nicht hoch genug gewertet werden, pflegten ja auch die Lehrer in der Schule zu predigen. Oh, wie Recht sie hatten! Denn wie wären wohl Anders, Kalle und Eva-Lotta im Herrenhof klargekommen, wenn sie nicht die Räubersprache beherrscht hätten! Kalle hatte einige Tage darüber nachgedacht und schließlich zu Eva-Lotta und Anders gesagt:

»Wir können es einfach nicht verantworten, die Roten in einer so bodenlosen Unwissenheit leben zu lassen. Es muss glatt schief gehen, wenn sie mal mit Mördern zu tun haben.«

Und deshalb hatten die Weißen nun ihren Sprachunterricht auf dem

Bäckereiboden gestartet. Sixten hatte eine wunderbar schlechte Zensur in Englisch und eigentlich hätte er von morgens bis abends ununterbrochen englische Grammatik üben müssen, weil er an einem der allernächsten Tage eine Arbeit in dem Fach schreiben musste. Aber er hielt es für wichtiger, sich ganz der Räubersprache zu widmen.

»Englisch kann jeder Mörder«, sagte er. »Davon hat man also keinen besonderen Nutzen. Aber ohne die Räubersprache ist man verloren.« Und folglich saßen er und Benka und Jonte stundenlang zwischen dem Gerümpel auf dem Bäckereiboden und trainierten mit rührendem Eifer.

Der Sprachunterricht wurde durch Eva-Lottas Vater unterbrochen, der von der Bäckerei her die Treppe heraufgeklettert kam. Er trug einen Teller mit frisch gebackenen Zimtwecken, reichte ihn Eva-Lotta und sagte: »Wachtmeister Björk hat eben angerufen. Der Großmummrich ist zurückgekommen.«

»Fof ei non«, sagte Eva-Lotta entzückt und nahm sich eine Wecke. »Kommt, wir flitzen zum Polizeirevier!«

»Fof ei non, non a tot ü ror lol i choch«, sagte der Bäckermeister. »Aber seid in Zukunft etwas vorsichtiger mit dem Großmummrich!« Alle Ritter der Weißen und der Roten Rose beteuerten, dass sie in Zukunft vorsichtiger sein würden, *viel* vorsichtiger. Und gemächlich stieg der Bäckermeister wieder die Treppe hinunter. »Übrigens wollte ich euch noch erzählen, dieser Klas hat endlich gestanden«, sagte er, bevor er ganz entschwand.

Ja, der große Klas hatte gestanden. Den Beweis des Revers konnte er nicht bestreiten.

Nun war er also schließlich gekommen, der Augenblick, an den er mit solchem Schrecken gedacht hatte, der Augenblick, vor dem er sich in so vielen angstvollen Nächten gefürchtet hatte. Der Augenblick, in dem er überführt wurde und einstehen musste für das, was er getan hatte.

Der große Klas hatte seit vielen Jahren keine Ruhe gehabt. Sein ständiger Geldmangel, der ihn zu den zweifelhaften Geschäften mit Gren geführt hatte, hatte ihn zu einem rastlosen, gejagten Menschen gemacht, der keine Sekunde Ruhe empfand. Und nach diesem entsetzlichen Mittwoch Ende Juli hatte sich seine Unruhe zu einer unerträglichen Angst gesteigert, die ihn weder Tag noch Nacht verließ. Wie mochte ihm dann jetzt zumute sein, da er sein Verbrechen offen eingestehen und sich darauf gefasst machen musste, dass er es in vielen langen Jahren sühnen musste? Jetzt musste ihn die Angst wohl zu Boden drücken?

Nein, war das nicht sonderbar – der große Klas war zum ersten Mal seit langem ruhig. Eine so große Ruhe kam über ihn, nachdem er sein Gewissen erleichtert hatte, wie er sie noch nie erlebt hatte. Wohl weinte er eine Weile über seine Erbärmlichkeit und mit zitternden Händen ergriff er die großen, sicheren Fäuste des Kommissars, als ob er eine Stütze suchte. Aber er spürte keine Angst mehr und er fiel in einen tiefen, traumlosen Schlaf, der ihn für eine Weile das Böse vergessen ließ, das er getan hatte.

Er schlief, als die Ritter der Weißen und Roten Rosen ins Polizeirevier gestürmt kamen um den Großmummrich abzuholen. Er hörte nicht einmal ihre eifrigen Stimmen, als sie sich zu Wachtmeister Björk in den Flur drängten und die Auslieferung des Kleinods forderten.

»Der Großmummrich?«, sagte Wachtmeister Björk zögernd. »Der Großmummrich ist nicht hier.«

Sie starrten ihn entgeistert an. Wie meinte er das? Hatte er nicht eben noch selbst angerufen und gesagt, er wäre zurückgekommen?

Björk sah sie ernst an. »Sucht hoch über der Erde«, sagte er mit feierlicher Stimme. »Lasst die Vögel des Himmels euch den Weg weisen. Fragt die Dohlen, ob sie den ehrwürdigen Großmummrich gesehen haben!«

Ein verklärtes Lächeln breitete sich über die jungen Gesichter der Rosen. Und Jonte sagte unter zufriedenem Glucksen: »Fof ei non! Der Kampf geht weiter!«

»Der Kampf geht weiter!«, sagte Benka entschlossen.

Eva-Lotta sah anerkennend Wachtmeister Björk an, der dort saß und so gut aussah in seiner Uniform und der versuchte, sein gutmütiges Großejungengesicht in ernsthafte Falten zu legen.

»Onkel Björk«, sagte sie, »wenn du nicht so ungeheuer alt wärst – Onkel Björk, du könntest direkt beim Krieg der Rosen mitmachen.«

»Ja, Onkel Björk wäre eine feine Rote Rose«, sagte Sixten.

»Kaum«, sagte Anders. »Eine Weiße!«

»Bloß nicht, nein!«, sagte Wachtmeister Björk. »An so lebensgefährliche Sachen wage ich mich nicht heran. Die ruhige, sichere Arbeit eines Polizisten passt viel besser zu mir altem Mann!«

»Bah, man muss auch mal gefährlich leben«, sagte Kalle mit Überzeugung und warf sich in die Brust.

Einige Stunden später lag er in seiner Lieblingsstellung unter dem Birnbaum und dachte über dieses »Gefährlich leben« nach. Er dachte nach und starrte so beharrlich hinauf in die ziehenden Sommerwolken, dass er kaum bemerkte, wie sein eingebildeter Zuhörer vorsichtig angeschlichen kam und sich neben ihn setzte.

»Stimmt es, Herr Blomquist, Sie haben da schon wieder einen Mörder festgesetzt?«, fragte er einschmeichelnd.

Da schoss plötzlich die helle Wut in Kalle Blomquist hoch.

»Habe ich?«, fragte er und starrte böse auf den eingebildeten Zuhörer, den er sich nicht vom Leib halten konnte. »Reden Sie nicht so ein dummes Zeug! Ich hab keinen Mörder festgesetzt. Die Polizei hat das getan, weil das ihre Arbeit ist. Ich gedenke in meinem ganzen Leben keinen Mörder festzusetzen. Ich gedenke mit der Detektiverei Schluss zu machen. Man kriegt nur einen Haufen Ärger davon.«

»Aber ich dachte, Herr Blomquist, Sie lieben es, gefährlich zu leben?«, sagte der eingebildete Zuhörer und es hörte sich, ehrlich gesagt, ein wenig vorwurfsvoll an.

»Als ob ich nicht schon gefährlich lebte!«, sagte der Meisterdetektiv. »Junger Freund, Sie sollten nur ahnen, wie es im Krieg der Rosen zugeht…«

Hier wurde der Fluss seiner Gedanken jäh durch einen harten Apfelbutzen unterbrochen, der ihn am Kopf traf. Mit der Schlauheit eines Meisterdetektivs rechnete er sich sofort aus, dass ein Apfelbutzen nicht gut von einem Birnbaum fallen kann, und wandte sich suchend nach dem Täter um.

Anders und Eva-Lotta standen am Zaun.

»Wach auf, der du dort schläfst!«, schrie Anders. »Wir wollen den Großmummrich erjagen!«

»Und weißt du, was wir glauben?«, rief Eva-Lotta. »Wir glauben, dass Onkel Björk ihn auf dem Aussichtsturm im Stadtpark versteckt hat. Du weißt doch, wie viele Dohlen dort zur Zeit hausen.«

»Pop ror i mom i sos sos i mom a!«, schrie Kalle begeistert.

»Die Rötlichen schlagen uns zu Brei, wenn wir ihn zuerst finden«, sagte Anders.

»Das ist egal«, meinte Kalle. »Man muss auch mal gefährlich leben!«

Kalle sah seinen eingebildeten Zuhörer viel sagend an. Begriff er nun endlich, dass man gefährlich leben konnte, ohne Meisterdetektiv zu sein? Heimlich winkte er einen Abschiedsgruß zu dem netten jungen Mann hinüber, der noch da stand und ihm genauso bewundernd nachsah wie immer.

Dann patschten Kalles nackte braune Füße fröhlich über den Gartenweg, als er hinauslief zu Anders und Eva-Lotta. Und sein eingebildeter Zuhörer verschwand – verschwand so still und unmerklich, als hätte ihn der leichte Sommerwind verweht.

Kalle Blomquist, Eva-Lotta und Rasmus

1. Kapitel

»Kalle! Anders! Eva-Lotta! Seid ihr da?«

Sixten sah zum Bäckereiboden hinauf und wartete, ob jemand von den Weißen Rosen den Kopf aus der Luke stecken und auf seinen Ruf antworten würde.

»Darf man fragen, warum ihr nicht da seid?«, schrie Jonte, als sich im Hauptquartier der Weißen nichts regte.

»Seid ihr wirklich nicht da?« Sixten fragte noch einmal ziemlich ungläubig.

In der Bodenluke wurde Kalle Blomquists heller Haarschopf sichtbar.

»Nee, wir sind nicht hier«, versicherte er ernst. »Wir tun nur so.«

Die feine Ironie dieser Sätze war an Sixten verschwendet. »Was macht ihr?«, wollte er wissen.

»Ja, was meinst du?«, fragte Kalle. »Glaubst du, wir spielen Vater, Mutter, Kind?«

»Euch ist doch alles zuzutrauen«, entgegnete Sixten. »Sind Anders und Eva-Lotta auch da?« Zwei Köpfe tauchten neben Kalles oben in der Bodenluke auf.

»Nee, wir sind auch nicht hier«, sagte Eva-Lotta. »Was wollt ihr übrigens, ihr Roten?«

»Ach, euch nur ein bißchen auf den Kopf klopfen«, sagte Sixten zärtlich.

»Und endlich wissen, was mit dem Großmummrich werden soll«, ergänzte Benka.

»Oder sollen etwa die ganzen Sommerferien draufgehen, ehe ihr euch entscheiden könnt?«, fragte Jonte. »Habt ihr ihn nun versteckt oder nicht?«

Anders rutschte schnell am Seil hinab, dem Seil, das die Weißen Rosen benutzten um rasch von ihrem Dachboden-Hauptquartier auf die Erde zu kommen.

»Klar, dass wir den Großmummrich versteckt haben«, sagte er. Er ging auf den Chef der Roten Rosen zu, sah ihm ernst in die Augen und sprach, jedes Wort betonend:

»Schwarz und weiß der Vogel, baut ein Nest, nicht weit von öder Burg. Sucht heute Nacht!«

»Läusepudel!«, war das einzige, was der Rote Chef auf diese Mahnung erwiderte. Aber er nahm seine Getreuen sofort mit an einen geschützten Platz hinter den Johannisbeersträuchern um sich mit ihnen zu beraten, was es mit »Schwarz und weiß der Vogel« auf sich haben könnte.

»Bah, das ist natürlich 'ne Elster«, rief Jonte. »Der Großmummrich liegt in einem Elsternnest! Das kann sich doch ein Säugling an zehn Fingern ausrechnen.«

»Ja, ja, kleiner Jonte, das kann sich ein Säugling ausrechnen«, rief Eva-Lotta vom Bäckereiboden herunter. »Sogar ein so kleiner, winziger Säugling wie du kann sich das ausrechnen. Jetzt freust du dich aber, was, kleiner Jonte?«

»Kann ich nicht schnell mal Urlaub haben und sie verprügeln, Chef?«, fragte Jonte.

Doch Sixten hielt den Großmummrich für das Wichtigste auf der Welt – Jonte musste auf seine Strafexpedition verzichten.

»... *nicht weit von öder Burg.* Damit kann nur die Schlossruine gemeint sein«, flüsterte Benka vorsichtig, damit Eva-Lotta nichts hören konnte.

»In einem Elsternnest nahe bei der Schlossruine«, sagte Sixten zufrieden. »Kommt, wir hauen ab.«

Die Gartentür des Bäckermeisters flog hinter den drei Rittern der Roten Rose mit einem solchen Knall zu, dass Eva-Lottas Katze auf der Veranda erschrocken aus ihrem Vormittagsschlaf hochfuhr. Bäckermeister Lisander steckte sein gutmütiges Gesicht aus dem Fenster und rief seiner Tochter zu: »Na, Eva-Lotta, wie lange, glaubst du, wird es noch dauern, bis ihr die Bäckerei umgeworfen habt?«

»*Ihr*?«, Eva-Lotta war sehr erstaunt. »Können wir was dafür, wenn die Roten das Grundstück wie eine Herde Bisonochsen verlassen? *Wir* knallen nicht so mit der Tür.«

»Wer's glaubt«, sagte der Bäckermeister und hielt den Weißen Rosen, die nicht mit Gartentüren knallten, ein Backblech mit verlockenden Kopenhagenern hin.

Einen Augenblick später rasten die drei Weißen Rosen zum Gartentor hinaus und schlugen es mit einem Knall zu, dass die Blumen auf den Rabatten in der Nähe mit einem wehmütigen Seufzer ihre letzten welken Blätter zu Boden fallen ließen. Der Bäckermeister seufzte auch. »Bisonochsen« hatte Eva-Lotta doch wohl gesagt!

An einem friedlichen Sommerabend vor zwei Jahren war der Krieg zwischen den Weißen und den Roten Rosen ausgebrochen. Er tobte nun schon im dritten Jahr und keine der Krieg führenden Parteien zeigte Ermüdungserscheinungen. Im Gegenteil! Anders sprach sehr oft vom Dreißigjährigen Krieg als einem nachahmenswerten Beispiel.

»Wenn die früher so lange durchhalten konnten«, beteuerte er voller Enthusiasmus, »können wir noch viel länger.«

Eva-Lotta sah die Sache nüchterner. »Stell dir vor, wenn du als dicker alter Kerl mit vierzig auf der Suche nach dem Großmummrich durch die Gräben kriechst. Die Gören der ganzen Stadt werden aus dem Kichern nicht herauskommen.«

Das war ein unangenehmer Gedanke. Ausgelacht und – schlimmer noch – vierzig Jahre alt zu werden, während es gleichzeitig Glückliche gab, die nicht mehr als dreizehn, vierzehn waren! Anders empfand einen ausgesprochenen Widerwillen gegen diese Kinder, die einmal Spielplätze, Verstecke und Kriege zwischen Rosen übernehmen würden und außerdem die Unverschämtheit hätten, über ihn zu lachen. Über *ihn*, den Chef der Weißen Rosen aus vergangenen großen Tagen, als diese Rotznasen noch nicht einmal geboren waren.

Anders war bekümmert. Eva-Lottas Worte hatten ihn erkennen lassen, dass das Leben kurz war und dass es darauf ankam zu spielen, solange man das konnte.

»Auf jeden Fall wird niemand so viel Spaß haben wie wir«, tröstete Kalle seinen Chef. »Den echten Krieg zwischen den Weißen und Roten Rosen wird es nie mehr geben! Davon können die kleinen Pökse nur träumen.«

Eva-Lotta war derselben Meinung. Nichts konnte sich mit dem Krieg der Rosen messen. Selbst wenn sie einmal so bedauernswerte Vierzigjährige wurden, wie sie eben prophezeit hatte, würden sie sich doch an ihre herrlichen Sommerspiele erinnern, an das wundervolle Gefühl, wie man an Sommerabenden mit nackten Füßen über das weiche Gras der Prärie lief, wie das Wasser des Baches einem warm und freundlich zwischen den Zehen perlte, wenn man über Eva-Lottas Steg platschte, auf dem Weg zu einer entscheidenden Auseinandersetzung, oder wie die Sonne durch die offenen Luken so lange in den Bäckereiboden schien, bis sogar die Holzbalken nach Sommer rochen. Ja, der Krieg der Rosen war zweifellos ein Spiel, das für ewige Zeiten mit Sommerferien, milden Winden und hellem Sonnenschein verknüpft war. Herbstdunkel und Winterkälte brachten unwillkürlich Waffenruhe in den Kampf um den Großmummrich. Sobald die Schule begann, wurden die Feindseligkeiten eingestellt und der Krieg flackerte nicht eher wieder auf, als bis die Kastanien in der Hauptstraße wieder in voller Blüte standen und die Frühjahrszeugnisse von kritischen Elternaugen geprüft worden waren.

Jetzt aber war Sommer und der Rosenkrieg blühte mit den echten Rosen im Garten des Bäckermeisters um die Wette.

Wachtmeister Björk, der die Kleine Straße entlangschlenderte, wusste, was im Gange war, als er zuerst die Roten den Weg zur Schlossruine stürmen sah und einige Minuten später die Weißen in sausender Fahrt in dieselbe Richtung an ihm vorbeirasten.

Eva-Lotta konnte gerade noch »Hej, Onkel Björk!« rufen, bevor ihr heller Haarschopf hinter der nächsten Ecke verschwand. Wachtmeister Björk lächelte vor sich hin. Dieser Großmummrich – mit wie wenig Kinder doch Spaß haben konnten! Der Großmummrich war ja nur ein Stein, nichts mehr als ein seltsam geformter kleiner Stein, und doch reichte er aus, den Krieg der Rosen in Gang zu halten. Ja, ja, es war oft sehr wenig nötig um einen Krieg zu entfesseln. Wachtmeister Björk seufzte, als er daran dachte, wie wenig tatsächlich dazu nötig war. Dann ging er mit bedächtigen Schritten über die Brücke um sich ein Auto anzusehen, das auf der anderen Seite des Flusses falsch parkte. Auf halbem Weg blieb er stehen und starrte philosophierend ins Wasser, das langsam unter dem Brückenbogen hervorrieselte. Da kam eine alte Zeitung mit der Strömung angesegelt. Sie schaukelte sacht auf den Wellen. Die großen Buchstaben ihrer Schlagzeile verkündeten, was gestern oder vorgestern oder vor einer Woche neu gewesen war. Björk las sie zerstreut.

UNZERSTÖRBARES LEICHTMETALL
REVOLUTION IN DER KRIEGSINDUSTRIE
Schwedischer Wissenschaftler löst ein Problem, das die
Wissenschaft der ganzen Welt beschäftigt hat

Wieder seufzte Wachtmeister Björk. Wie schön wäre es, wenn die Menschheit sich auf den Kampf um Großmummriche beschränken würde. Dann hätte man eine Kriegsindustrie gar nicht nötig! Jetzt aber musste er sich um das falsch geparkte Auto kümmern.

»In der Eberesche hinter der Schlossruine werden sie zuerst suchen«, versicherte Kalle und machte bei diesem Gedanken einen munteren Hüpfer.

»Bestimmt«, sagte Eva-Lotta. »Ein größeres Elsternnest als da gibt es nicht.«

»Deshalb habe ich dort auch eine kleine Mitteilung für die Rötlichen hingelegt«, sagte Anders. »Und wenn sie die gelesen haben, werden sie schön sauer sein. Ich glaube, wir können hier Halt machen und ihren Überfall abwarten.«

Auf einer Anhöhe vor ihnen reckte die alte Schlossruine ihre geborstenen Mauern in den blassblauen Sommerhimmel. Einsam lag sie dort, eine hässliche alte Burg, seit Jahrhunderten der Verlassenheit und dem Verfall anheim gegeben. Tief unter sich hatte sie die anderen Bauten der Stadt. Nur das eine oder andere Haus war gleichsam zögernd den Berg hinaufgeklettert und hatte sich der Großen, Gewaltigen oben auf der Höhe genähert.

Als letzter Posten stand auf halbem Weg zur Ruine eine altertümliche Villa, fast versteckt hinter einer üppigen Hecke aus Weißdorn, Fliederbüschen und Kirschbäumen. Ein wackliger Zaun umgab das kleine Idyll.

Den Rücken bequem an den Zaun gelehnt, wollte Anders hier die Rückkehr der Roten abwarten.

»Nicht weit von öder Burg«, sagte Kalle und warf sich neben Anders ins Gras. »Kommt ganz darauf an, wie man es sieht. Wenn wir den Abstand von hier zum Südpol als Vergleich nehmen, können wir den Großmummrich auch in der Gegend von Hässleholm verstecken und doch behaupten, es sei nicht weit von öder Burg.«

»Vollkommen richtig«, sagte Eva-Lotta. »Wir haben nie behauptet, dass das Elsternnest genau am Rand der Schlossruine sein muss. Aber die Roten sind viel zu vernagelt um das zu begreifen.«

»Eigentlich müssten sie uns auf bloßen Knien danken«, sagte Anders grimmig. »Statt den Großmummrich in der Gegend von Hässleholm zu verstecken, was nahe gelegen hätte, haben wir ihn freundlicherweise ganz in der Nähe – bei Eklunds Villa – versteckt. Wir sind doch wirklich anständig.«

»Klar sind wir anständig.« Eva-Lotta lachte zufrieden. Und dann sagte sie etwas völlig Unerwartetes: »Guckt mal, da drinnen auf der Verandatreppe sitzt ein kleiner Knirps.«

So war es. Auf der Verandatreppe saß ein Knirps und mehr war nicht nötig, um Eva-Lotta ein Weilchen den Großmummrich vergessen zu lassen. Die forsche Eva-Lotta, die ein so tapferer Krieger war, hatte Augenblicke weiblicher Schwäche. Es half nichts, dass der Anführer ihr klarzumachen versucht hatte, dass so was im Krieg der Rosen nicht anging. Anders und Kalle waren immer wieder erstaunt über Eva-Lottas Verhalten, sowie sie in die Nähe kleiner Kinder kam. Für Anders und Kalle waren Kleinkinder nur lästig, nass und rotznäsig. Aber auf Eva-Lotta schienen sie zu wirken, als wären es alles kleine entzückende Lichtelfen. Kam sie in den Zauberkreis einer dieser Elfen, so veränderte sich ihr jungenhafter kleiner Amazonenkörper und sie benahm sich in einer Weise, die nach Anders' Meinung völlig blöd war. Sie streckte die Arme aus und brachte wunderliche weiche Laute hervor, die Kalle und Anders schaudern ließen. Die selbstbewusste, übermütige Eva-Lotta, Ritter der Weißen Rose, war wie fortgeblasen. Es fehlte nur noch, dass die Roten sie einmal in einem solchen Augenblick der Schwäche überraschten – *der* Fleck auf dem Wappenschild der Weißen Rose konnte so schnell nicht weggewaschen werden, meinten Kalle und Anders.

Der Kleine auf der Verandatreppe hatte wohl bemerkt, dass vor seiner Gartenpforte etwas Ungewöhnliches geschah, denn er kam jetzt langsam den Gartenweg entlanggetrottet. Er blieb stehen, als er Eva-Lotta sah. »Hej«, sagte er etwas schüchtern.

301

Eva-Lotta stand vor der Gartenpforte und hatte das im Gesicht, was Anders und Kalle Idiotenlachen nannten. »Hej«, sagte sie. »Wie heißt du?«

Der Kleine sah sie mit dunklen, ernsten blauen Augen an und schien für das Idiotenlachen nicht sonderlich empfänglich.

»Rasmus heiß ich«, antwortete er und kratzte mit dem großen Zeh im Sand des Gartenweges. Dann kam er näher. Er steckte ein stumpfes, sommersprossiges Näschen durch die Latten im Gartentor und sah Kalle und Anders, die draußen im Gras saßen. Über sein ernstes Gesicht breitete sich ein entzücktes Grinsen.

»Hej«, sagte er. »Ich heiß Rasmus!«

»Ja, haben wir gehört«, erwiderte Kalle gnädig.

»Wie alt bist du?«, fragte Eva-Lotta.

»Fünf Jahre«, antwortete Rasmus. »Aber nächstes Jahr, da werde ich sechs. Wie alt wirst du nächstes Jahr?«

Eva-Lotta lachte. »Nächstes Jahr werde ich eine alte Tante«, sagte sie. »Was machst du übrigens hier? Wohnst du bei Eklunds?«

»Tu ich nicht«, antwortete Rasmus. »Ich wohne bei meinem Papa.«

»Wohnt er in Eklunds Villa?«

»Klar macht er das«, sagte Rasmus beleidigt. »Sonst könnte ich doch nicht hier bei ihm wohnen. Das verstehst du doch wohl!«

»Die reine Logik, Eva-Lotta«, sagte Anders.

»Heißt sie Äva-Lotta?«, fragte Rasmus und zeigte mit dem großen Zeh auf Eva-Lotta.

»Ja, sie heißt Äva-Lotta«, sagte Eva-Lotta. »Und sie findet dich nett!«

Da die Roten noch nicht in Sicht waren, kletterte sie schnell über das Gartentor zu dem netten Kind in Eklunds Garten.

Es konnte Rasmus nicht entgehen, dass zumindest einer da war, der an ihm interessiert war, und er beschloss als Gegenleistung höflich zu sein. Nun kam es nur noch darauf an, einen passenden Gesprächsstoff zu finden.

»Mein Papa macht Bleche«, begann er nach reiflicher Überlegung.

»Bleche macht er?«, fragte Eva-Lotta. »Ist er Klempner?«

»Nein, das ist er nicht«, sagte Rasmus. »Er ist ein Professor, der Bleche macht.«

»Wunderbar«, sagte Eva-Lotta. »Dann kann er vielleicht für meinen Papa Bleche machen. Der ist Bäcker, verstehst du, und der kann eine Menge Bleche brauchen.«

»Ich werde meinen Papa bitten, dass er ein Blech für deinen Papa macht«, sagte Rasmus freundlich und legte seine Hand in Eva-Lottas.

»Ach, Eva-Lotta, lass doch bloß den Bengel«, sagte Anders. »Die Roten können jeden Moment kommen.«

»Immer mit der Ruhe«, sagte Eva-Lotta. »Ich werde die Erste sein, die ihnen auf den Kopf haut.«

Rasmus starrte Eva-Lotta voller Bewunderung an.

»Wen willst du als Erste auf den Kopf hauen?«, fragte er.

Und Eva-Lotta erzählte. Vom ehrenvollen Krieg zwischen den Roten und den Weißen Rosen. Von wilden Verfolgungsjagden durch Straßen und Gassen. Von gefahrvollen Aufträgen, geheimen Befehlen und spannendem Schleichen in dunklen Nächten. Von dem verehrten Großmummrich und dass nun bald die Roten auftauchen würden, wütend wie die Hornissen, und was für einen großartigen Kampf es dann geben würde.

Das verstand Rasmus gut. Endlich verstand er den eigentlichen Sinn des Lebens! Eine Weiße Rose musste man sein! Etwas Herrlicheres konnte es nicht geben. Tief unten in seiner fünfjährigen Seele wurde in diesem Augenblick der Wunsch geboren, so sein zu dürfen wie diese Äva-Lotta und Anders und der andere – wie hieß er doch…? Kalle! Genauso stark und groß zu sein, die Roten auf den Kopf zu hauen, Kriegsschreie auszustoßen, zu schleichen – und all das andere. Mit Augen, die voll waren von all seinen Wünschen, sah er begeistert zu Eva-Lotta auf und fragte beschwörend:

»Äva-Lotta, darf ich auch eine Weiße Rose werden?«

Eva-Lotta gab seiner sommersprossigen Nase spielerisch einen leichten Stups. »Nein, Rasmus, dafür bist du noch zu klein«, sagte sie.

Da wurde Rasmus böse. Eine heilige Wut packte ihn, als er die verhassten Worte »Dafür bist du noch zu klein« hörte. Immer und immer wieder bekam man sie zu hören! Wütend starrte er Eva-Lotta an.

»Dann finde ich, dass du blöd bist«, sagte er.

Nachdem er das festgestellt hatte, überließ er sie ihrem Schicksal.

Jetzt wollte er zu diesen Jungen gehen und sie fragen, ob er nicht eine Weiße Rose werden dürfe. Sie standen am Gartentor und sahen interessiert zum Schuppen hinüber.

»Du, Rasmus«, fragte der, der Kalle hieß, »wem gehört denn das Motorrad da?«

»Papa natürlich«, sagte Rasmus.

»Donnerwetter!«, murmelte Kalle. »Ein Professor, der Motorrad fährt! Wie mag das wohl aussehen? Ich denke, sein Bart wird sich in den Rädern verwickeln.«

»Was für ein Bart?«, fragte Rasmus wütend. »Mein Papa hat keinen Bart!«

»Wirklich nicht?«, sagte Anders. »Jeder Professor hat doch wohl einen Bart!«

»Stell dir vor, hat *nicht* jeder«, sagte Rasmus und ging mit würdigen Schritten zur Veranda zurück. Die Kinder waren alle blöd und er dachte nicht mehr daran, mit ihnen zu sprechen!

Als er die Sicherheit der Veranda erreicht hatte, drehte er sich um und schrie den dreien am Gartentor zu: »Mensch, seid ihr blöd! Mein Papa ist ein Professor ohne Bart und er macht Bleche!«

Kalle, Anders und Eva-Lotta sahen belustigt auf die böse kleine Gestalt oben auf der Veranda. Sie hatten ihn doch nicht ärgern wollen. Eva-Lotta machte einige schnelle Schritte um ihm nachzulaufen und ihn ein bisschen zu trösten, aber sie blieb gleich wieder stehen. Denn im selben Augenblick öffnete sich hinter Rasmus die Tür und jemand kam heraus. Es war ein sonnenverbrannter Mann in den Dreißigern. Mit festem Griff packte er Rasmus und schwang ihn sich auf die Schulter.

»Du hast Recht, Rasmus«, sagte er. »Dein Papa ist ein Professor ohne Bart und er macht Bleche.« Er kam den Weg herunter, Rasmus auf der Schulter, und Eva-Lotta schämte sich ein wenig: Sie war ja auf privatem Grund und Boden.

»Siehst du nun, dass er keinen Bart hat?«, schrie Rasmus triumphierend Kalle zu, der sich zögernd an der Gartentür herumdrückte. »Dann kann er also auch Motorrad fahren«, setzte er stolz hinzu. Vor seinem inneren Auge sah er seinen Papa mit langem, wallendem Bart, der sich um die Radachsen wickelte, und es war ein äußerst empörender Anblick für ihn.

Kalle und Anders verbeugten sich höflich.

»Rasmus sagt, Sie machen Bleche«, sagte Kalle schnell, um von der Sache mit dem Bart abzulenken.

Der Professor lachte: »Ja, so kann man es fast nennen. Bleche... Leichtmetall... Ich hab eine kleine Erfindung gemacht, müsst ihr wissen.«

»Eine Erfindung?«, fragte Kalle interessiert.

»Ich habe eine Möglichkeit gefunden, Leichtmetall unzerstörbar zu machen«, erklärte der Professor. »Das nennt Rasmus ›Bleche machen‹.«

»Oh, davon habe ich in der Zeitung gelesen«, sagte Anders eifrig. »Dann sind Sie ja direkt berühmt!«

»Klar ist er berühmt«, versicherte Rasmus von seinem erhöhten Platz aus. »Und einen Bart hat er auch nicht, siehst du wohl!«

Der Professor ließ sich auf keine Diskussion über seine Berühmtheit ein. »Na, Rasmus«, sagte er, »wollen wir ins Haus gehen und frühstücken? Ich könnte dir Schinken braten.«

»Ich hab gar nicht gewusst, dass Sie hier in der Stadt wohnen«, sagte Eva-Lotta.

»Nur während des Sommers«, gab der Professor zurück. »Ich habe dieses Haus für den Sommer gemietet.«

»Ja, Papa und ich machen hier Sommerferien«, sagte Rasmus, »und Mama ist im Krankenhaus«, sagte Rasmus. »Wir beide ganz allein, siehst du wohl!«

2. Kapitel

Eltern waren oft hinderlich, wenn man Krieg führen wollte. Sie griffen auf verschiedene Weise störend in den Gang der Geschehnisse ein. Manchmal bekam der Lebensmittelhändler Blomquist den Einfall, dass sein Sohn im Geschäft helfen sollte, wenn es dort am meisten zu tun gab. Und der Postdirektor verlangte alle naselang, dass Sixten die Gartenwege harken und den Rasen mähen sollte. Vergeblich versuchte Sixten seinem Vater klarzumachen, dass ein wild wuchernder Garten viel schöner sei. Der Postdirektor schüttelte nur verständnislos den Kopf und zeigte stumm auf den Rasenmäher.

Noch verstockter und fordernder war Schuhmacher Bengtsson. Er hatte von seinem dreizehnten Lebensjahr an selbst für sich sorgen müssen, und das sollte sein Sohn auch, meinte der Schuhmachermeister. Deshalb versuchte er, Anders während der Sommerferien mit äußerster Strenge an den Schuhmacherhocker zu fesseln. Aber Anders hatte im Lauf der Zeit eine besondere Technik entwickelt, allen Attentaten auf seine goldene Freiheit zu entgehen.

Der Hocker, auf dem Anders sitzen sollte, war deshalb meistens leer, wenn der Schuhmacher in die Werkstatt kam, um seinen ältesten Sohn in die Geheimnisse seines Berufes einzuweihen.

Richtig menschlich dachte nur Eva-Lottas Vater. »Wenn du nur glücklich bist – und nicht zu viel Unfug anstellst, will ich mich nicht weiter darum kümmern, was du treibst«, sagte der Bäckermeister und legte sanft seine väterliche Hand auf Eva-Lottas blonden Scheitel.

»Solch einen Vater müsste man haben«, sagte Sixten verbittert und mit lauter Stimme, um das Geknatter des Rasenmähers zu übertönen.

Das war nun das zweite Mal seit kurzer Zeit, dass sein unbarmherziger Vater ihn zur Gartenarbeit zwang. Benka und Jonte lümmelten am Zaun und sahen Sixten teilnahmsvoll bei seinen Anstrengungen zu. Sie versuchten ihn mit glühenden Schilderungen eigener Leiden zu trösten. Hatte Benka nicht tatsächlich den ganzen Vormittag Johannisbeeren gepflückt und hatte Jonte nicht den ganzen Vormittag auf seine kleinen Geschwister aufpassen müssen?

»Klar, auf diese Weise wird man ja gezwungen, die Nächte zu Hilfe zu nehmen, wenn man die Weißen verhauen will«, sagte Sixten ärgerlich. »Man hat ja keinen Augenblick frei am Tag, sodass man nicht mal das Nötigste schafft.«

Jonte nickte zustimmend. »Du hast das richtige Wort gesagt! Wollen wir nun heute Nacht die Weißen verhauen?«

Sixten warf sofort den Rasenmäher beiseite.

»Du bist gar nicht so dumm, kleiner Jonte«, rief er. »Kommt, wir wollen ins Hauptquartier und Kriegsrat halten.«

Und im Hauptquartier der Roten Rosen in Sixtens Garage wurde der Plan für die kommende Nacht entworfen. Dann wurde Benka mit der Botschaft des Roten Chefs zu den Weißen geschickt.

Anders und Eva-Lotta saßen in der Laube des Bäckermeisters und warteten darauf, dass der Lebensmittelladen geschlossen und Kalle für diesen Tag frei wurde. Sie spielten Mensch-ärgere-dich-nicht und aßen Pflaumen. In der warmen Julisonne sah der Weiße Chef ziemlich faul und nicht besonders kriegerisch aus. Aber er wurde doch munter, als er Benka über Eva-Lottas Steg laufen sah, dass das Wasser nur so um seine nackten Füße spritzte. Benka hielt ein Papier in der Hand und dieses Papier überreichte er dem Chef der Weißen Rosen mit gemessener Verbeugung, worauf er schnell auf demselben Weg verschwand, auf dem er gekommen war. Anders spuckte einen Pflaumenkern aus, bevor er mit lauter Stimme las:

»In dieser Nacht bei des Mondes Schein wird ein Fest in der Burg meiner Väter stattfinden. Denn die Rote Rose wird die glorreiche Wiedereroberung des Großmummrich aus den Händen der Heiden feiern. WARNUNG: Stört uns nicht!!! Alles schleichende Ungeziefer der Weißen Rose wird schonungslos niedergemacht.

Sixten,

Edelmann und Chef der Roten Rose

Achtung! Punkt 24 Uhr in der Schlossruine.«

Anders und Eva-Lotta sahen sich an und grinsten zufrieden.
»Komm, wir warnen Kalle«, sagte Anders. Er stopfte den Zettel in die Hosentasche. »Denk an meine Worte: Hier zieht es sich zusammen zu einer Nacht der Schrecken.«

»Bei des Mondes Schein« schlief die kleine Stadt unbekümmert und tief und ahnte nichts von der »Nacht der Schrecken«. Wachtmeister Björk, der durch die menschenleeren Straßen schlenderte, ahnte auch nichts davon. Alles war still – das Einzige, was er hörte, waren die Geräusche seiner eigenen Absätze auf dem Pflaster. Die Stadt schlief in einer Flut aus Mondschein und das helle Licht über Straßen und Plätzen verriet nichts von der Nacht des Schreckens. Aber über den schlafenden Häusern und Gärten lagen dunkle Schatten, und wenn Wachtmeister Björk etwas aufmerksamer gewesen wäre, hätte er merken müssen, dass in dieser Dunkelheit Leben war. Er hätte hören müssen, wie dort jemand schlich und sich vorbeischlängelte und flüsterte. Er hätte sehen müssen, wie im Haus des Bäckermeisters Lisander vorsichtig ein Fenster geöffnet wurde und wie Eva-Lotta die Leiter hinunterkletterte. Er hätte Kalle dahinten an der Ecke des Blomquist'schen Hauses leise das

309

Signal der Weißen Rosen pfeifen hören und einen Schimmer von Anders sehen müssen, bevor er im schützenden Schatten der Fliederhecke verschwand. Aber Wachtmeister Björk war ziemlich müde und wünschte sich, dass sein Rundgang endlich ein Ende nehmen möge. Deshalb begriff er nicht, dass dies die Nacht der Schrecken war.

Die armen, unwissenden Eltern der Weißen und Roten Rosen schliefen ruhig in ihren Betten. Keiner hatte sie nach ihrer Meinung über die nächtlichen Übungen ihrer Kinder gefragt. Nur Eva-Lotta hatte sicherheitshalber einen Zettel geschrieben und auf ihr Kopfkissen gelegt für den Fall, dass jemand ihr Verschwinden bemerken würde. Auf dem Zettel stand ganz beruhigend:

»Hej, alle miteinander! Macht jetzt kein Theater! Ich bin draußen und kämpfe und komme bald zurück, glaube ich, trallala. Eva-Lotta«

»Nur eine kleine Sicherheitsmaßnahme«, erklärte sie Kalle und Anders, während sie den steilen Weg zur Schlossruine hinaufkletterten. Eben hatte die Rathausuhr zwölf geschlagen. Die Zeit war gekommen.

»Burg meiner Väter – ich werd nicht wieder«, sagte Kalle. »Was meint Sixten damit? Soviel mir bekannt ist, hat hier noch nie ein Postdirektor gewohnt.« Vor ihnen lag im Mondlicht die Schlossruine und sah wirklich nicht besonders postmäßig aus.

»Die übliche Aufschneiderei der Roten. Ist doch klar!«, sagte Anders. »Sie müssen gezüchtigt werden. Und den Großmummrich haben sie obendrein.«

Im tiefsten Innern war Anders gar nicht so unzufrieden damit, dass die Roten schließlich das richtige Elsternnest gefunden und den Großmummrich zurückerobert hatten. Die Voraussetzung für den Krieg der Rosen war ja, dass das Kleinod dann und wann den Besitzer wechselte.

Ziemlich atemlos nach dem ermüdenden Aufstieg standen die drei eine Weile vor dem Eingang zur Ruine herum. Sie standen da und horchten auf die Stille und fanden, dass es drinnen unter den tiefen Gewölben recht düster und gefährlich aussah.

Da hörten sie aus dem Dunkel eine Gespensterstimme, die rief: »Jetzt herrscht Kampf zwischen der Roten und der Weißen Rose und tausend und abertausend Seelen werden in den Tod gehen – hinein in die Nacht des Todes.«

Und darauf folgte ein entsetzlich grausiges Lachen, das zwischen den Steinwänden widerhallte. Und dann Stille, eine furchtbare Stille, als seien die, die vorher gelacht hatten, selber von ihrem eigenen Schrecken vor einer unbekannten Gefahr in der Dunkelheit gepackt worden.

»Vorwärts zu Kampf und Sieg!«, schrie Anders entschlossen und stürzte sich kopfüber in die Ruine. Kalle und Eva-Lotta folgten ihm. Bei Tageslicht waren sie unzählige Male hier gewesen. Aber nie zuvor in der Nacht. Bei einer unvergesslichen Gelegenheit waren sie sogar schon im Keller der Schlossruine eingeschlossen gewesen. Das war ziemlich unheimlich gewesen; aber sie konnten sich nicht daran erinnern, dass es so schaurig gewesen war wie heute – mitten in der Nacht in eine ungewisse Dunkelheit einzudringen, wo in jedem Schatten wer weiß was lauern konnte. Nicht nur die Roten! Nein, bestimmt nicht nur die, sondern Geister und Gespenster, die vielleicht ihre gestörte Nachtruhe dadurch rächten, dass sie aus irgendeinem Loch in der Wand, wo man es am wenigsten vermutete, eine knochige Gerippehand hervorstreckten und einen erwürgten.

Noch einmal schrie Anders: »Vorwärts zu Kampf und Sieg!« Er wollte wohl ihren Mut beleben, aber es klang in der Stille so entsetzlich, dass Eva-Lotta ihn zitternd bat, das nicht mehr zu tun. »Und lasst mich nicht allein, was ihr auch tun mögt«, setzte sie hinzu, »ich fühl mich unter Gespenstern nämlich nicht besonders wohl.«

Kalle stieß sie beruhigend in den Rücken und sie schlichen vorsichtig weiter. Nach jedem Schritt hielten sie an und lauschten. Irgendwo in der

Dunkelheit waren die Roten – denn es waren ja wohl hoffentlich ihre schleichenden Schritte, die man hörte. Ab und zu schien der Mond durch ein geborstenes Gewölbe und dann sah man alles fast so deutlich wie am Tage: die rauhen Wände und den holprigen Boden, bei dem man aufpassen musste, wohin man seine Füße setzte, wenn man nicht stolpern wollte. Wo aber das Mondlicht nicht hinkam, da waren nur beängstigende Schatten und erschreckendes Dunkel und dumpfe Stille. Und aus der Stille konnte man, wenn man genau hinhörte, schwaches Flüstern auffangen, flatterndes kleines Geflüster, das einem ins Ohr floss und es mit Schrecken erfüllte.

Eva-Lotta hatte Angst. Ihre Schritte wurden langsamer. Wer flüsterte dort? Waren es die Roten oder war es das immer schwächer werdende Echo längst gestorbener Stimmen, das jetzt noch unruhig zwischen den Schlossmauern umhergeisterte? Sie streckte die Hand aus um sich zu vergewissern, dass sie nicht allein war. Sie musste Kalles Windjacke mit ihren Fingerspitzen fühlen können – als einen Schutz gegen die lauernde Angst. Aber da war keine Windjacke und da war auch kein Kalle, nur eine schwarze Leere! Eva-Lotta stieß vor Entsetzen einen schrillen Schrei aus.

Da schoss aus einer tiefen Nische in der Wand ein Arm hervor und fing sie mit festem Griff. Eva-Lotta schrie. Sie schrie, denn sie glaubte wirklich, dies sei die letzte Minute ihres Lebens.

»Halt den Mund!«, sagte Jonte. »Davon wachen ja die Toten auf.«

Der liebe alte Jonte! Eva-Lotta hatte ihn plötzlich sehr gern. Und sie prügelten sich schweigend und mit Begeisterung in der Dunkelheit. Innerlich fragte sie sich verbittert, wo Anders und Kalle geblieben waren. Aber dann hörte sie in einiger Entfernung die Stimme ihres Chefs:

»Was schreist du so, Eva-Lotta? Und wo findet das Fest hier eigentlich statt?«

Jonte war nicht besonders stark und Eva-Lotta hatte sich bald befreit mit ihren kleinen, harten Fäusten. Sie lief vorwärts in dem langen, dunklen Gang, so schnell sie konnte, und Jonte blieb ihr giftig auf den Fersen. Jetzt kam von der anderen Seite auch noch jemand und Eva-Lotta schlug wild um sich, damit sie den Weg frei bekam. Aber dieser Gegner war stärker. Eva-Lotta spürte den Griff der Fäuste wie eine eiserne Zange um ihre Arme – sicher war das Sixten –, aber ein leichtes Match wollte ihm Eva-Lotta nicht gönnen, nein, bestimmt nicht! Sie spannte jeden Muskel ihres Körpers an und stieß ihren Kopf zu einer Art Kinnhaken unter das Kinn ihres Gegners.

»Aua!«, sagte er, der Gegner. Und es war Kalles Stimme, die das sagte.

»Was ist denn mit dir los?«, fragte Eva-Lotta. »Warum prügelst du mich?«

»Und warum prügelst du mich?«, gab Kalle zurück. »Ich wollte dir doch nur helfen!«

Jonte kicherte vor Entzücken und hatte es eilig, der gefährlichen Nachbarschaft zu entkommen. Das war nichts für ihn: allein mit zwei Weißen Rosen in einem dunklen Gang. Er rannte, so schnell er konnte, auf die helle Maueröffnung zu um auf den Schlosshof zu gelangen. Zum Abschied schrie er: »Prima! Haut euch nur ordentlich! Wir sparen dann viel Arbeit.«

»Ihm nach, Eva-Lotta!«, rief Kalle und sie stürmten auf den Ausgang zu.

Aber draußen im Schlosshof hatten sich nun die beiden Anführer getroffen und kämpften miteinander. Jeder mit seinem Holzschwert bewaffnet, fochten sie im Mondlicht gegeneinander. Eva-Lotta und Kalle zitterten vor Spannung, als sie die schwarzen Schatten um den kreisförmigen Hof jagen sahen.

Ja, das war der wahre Krieg der Rosen! Genau zwischen solchen mittelalterlichen Mauern mussten sich die Kämpen in nächtlichem Kampf treffen. So war es doch gewesen, als der richtige Krieg zwischen den richtigen Roten und Weißen Rosen getobt hatte und tausend und abertausend Seelen in den Tod gegangen waren – hinein in die Nacht des

313

Todes! Wie ein hässlicher kalter Luftzug streifte sie eine Ahnung, wie es damals wohl gewesen war, als der Krieg der Rosen nicht nur ein lustiges Spiel war. Denn dieses Duell im Mondschein war für sie plötzlich kein Spiel. Ein Kampf auf Leben und Tod war es und er konnte nur damit enden, dass einer der schwarzen Schatten, die jetzt noch an der Burgmauer hin und her jagten, schließlich regungslos liegen blieb und sich nicht mehr rührte.

»Tausend und abertausend Seelen…«, flüsterte Kalle vor sich hin.

»Oh, sei bloß still«, sagte Eva-Lotta.

Ihre Augen hingen an den kämpfenden Schatten, sie flog am ganzen Körper vor Aufregung. Dicht bei ihr standen Benka und Jonte und sie verfolgten genauso atemlos den bewegten Kampf. Die Schatten machten Ausfälle, parierten und gingen in Nahkampf, zogen sich zurück und gingen sofort wieder zur Attacke über. Sie waren völlig stumm. Man hörte nur das schreckliche Knallen, wenn sich die Schwerter kreuzten.

»Wiege sie zur ew'gen Ruh mit der Schwerter Wiegenlied«, deklamierte Benka. »Und gib's ihm, dass es nur so hagelt«, fügte er hinzu um die seltsame Verzauberung, die die gleitenden Schatten auf ihn ausübten, zu brechen.

Da erwachte Eva-Lotta und befreit atmete sie auf. Quatsch, das waren doch nur Anders und Sixten, die da ihre hölzernen Klingen kreuzten.

»Jag ihn hinaus aus seiner Väter Burg!«, rief Kalle seinem Chef aufmunternd zu.

Der Chef tat, was er konnte. Aus seiner Väter Burg konnte er Sixten zwar nicht vertreiben, aber mit der Kraft seines Schwertes trieb er ihn rückwärts gegen die Pumpe in der Mitte des Schlosshofes. Neben der Pumpe war eine alte Fontäne in einem schmutzigen Wasserbecken. Und etwas Besseres konnte gar nicht geschehen, als was jetzt geschah: dass der Rote Chef durch einen unvorsichtigen Schritt rückwärts in das Becken fiel.

Mit ihren Jubelschreien übertönten Kalle und Eva-Lotta den zornigen Protest der Roten. Aber Sixten erhob sich aus seinem Bad und jetzt war er wütend. Wie ein gereizter Stier stürzte er sich auf Anders, der zur Abwechslung kehrtmachte und ausrückte. Vor Lachen glucksend, sauste er auf die Schlosshofmauer zu und begann sie zu erklettern. Aber bevor er es geschafft hatte, war Sixten bei ihm und kletterte ihm nach.

»Wohin willst du denn?«, fragte Anders spöttisch und sah auf seinen Verfolger hinunter. »Wolltest du nicht zu dem Fest auf der Burg deiner Väter?«

»Vorher will ich dich nur schnell skalpieren«, sagte Sixten.

Leichtfüßig lief Anders auf der Mauer entlang. Er überlegte allerdings, was geschah, wenn Sixten ihn einholen würde. Hier oben zu kämpfen war direkt lebensgefährlich: An einer Seite der Burgmauer gähnte ein Abgrund. Sixten brauchte ihn nur zwanzig Meter weit nach Osten zu treiben und schon war da in etwa eineinhalb Meter Tiefe kein weicher Grasabhang mehr, sondern ein erschreckender Absturz von mindestens dreißig Metern. Nun gab es eigentlich nichts, was Anders daran hinderte, von der Mauer zu klettern, bevor er über der grausigen Tiefe war; aber es kam ihm einfach nicht in den Sinn. Was gefährlich war, machte Spaß, und diese Nacht war für Gefahren bestimmt. Vielleicht hatte ihn auch eine Art von Mondwahnsinn gepackt, denn er spürte eine wilde Lust, Handlungen von äußerster Verwegenheit zu begehen. Er wollte etwas anstellen, was die Roten so richtig nach Luft schnappen ließ.

»Komm doch, kleiner Sixten«, lockte er. »Wie wär's mit einem Mondscheinspaziergang?«

»Wart's ab, ich komm schon«, brummte Sixten. Er begriff sehr gut, was Anders vorhatte. Aber er gehörte nicht zu denen, die man so im Handumdrehen dazu bringen konnte, nach Luft zu schnappen.

Die Mauer war ungefähr vierzig Zentimeter breit, also ein richtiger

Spazierweg für jemanden, der es gewohnt war, in der Turnstunde auf dem viel schmaleren Schwebebalken zu balancieren.

Jetzt hatte Anders die östliche Ecke erreicht. Hier gab es eine kleine runde Plattform, eine Schutzwehr, und von hier schwenkte die Mauer nach Süden und folgte der jähen Tiefe. Anders machte einige Probeschritte. In diesem Augenblick hörte er in seinem Innern die Stimme der Vernunft und noch war es nicht zu spät, ihr zu folgen. Sollte er – oder sollte er nicht?

Sixten hatte sich beunruhigend genähert. Er grinste entzückt, als er Anders zögern sah.

»Hier naht einer, der dein Herzblut sehen will«, sagte er freundlich. »Du hast doch nicht etwa Angst?«

»Angst?«, schrie Anders und überlegte nicht mehr. Mit ein paar schnellen Schritten war er wieder draußen auf der Mauer. Ein Zurück gab es jetzt nicht mehr. Mindestens fünfzig Meter musste er an dieser Tiefe entlangbalancieren. Er versuchte, nicht hinunterzusehen, sah nur die Mauer entlang, die sich wie ein Silberband im Mondlicht ausstreckte. Ein sehr langes Silberband – und sehr schmal. Plötzlich so beängstigend schmal! Hatte er deshalb so ein weiches Gefühl in den Beinen?

Gern hätte er sich umgedreht um zu sehen, wo Sixten war. Aber er traute sich nicht und das war auch nicht mehr nötig, denn jetzt hörte er Sixtens Atemzüge dicht hinter sich. Ziemlich nervöse Atemzüge, stellte er fest. Sixten hatte bestimmt Angst! Er also auch! Anders selbst schwebte jetzt in völliger Todesangst. Es war sinnlos, etwas anderes zu behaupten. Und hinten waren die anderen Rosen auf die Schutzwehr geklettert. Dort standen sie und starrten voller Entsetzen auf die Wahnsinnstat ihrer Anführer.

»Hier naht… einer, der… dein Herzblut… sehen will«, murmelte Sixten. Aber seine blutrünstigen Reden klangen nicht mehr sehr überzeugend.

Anders überlegte. Natürlich konnte er noch in den Burghof springen.

Das wäre aber auf jeden Fall ein Sprung von drei Metern, hinunter auf unebene Steine. Man konnte sich nicht langsam und vorsichtig hinuntergleiten lassen, denn bevor man anfangen konnte sich runterrutschen zu lassen, musste man auf jeden Fall erst einmal eine Kniebeuge auf der Mauer machen. Und Anders verspürte wirklich keine Lust, in unmittelbarer Nähe eines gähnenden Abgrundes Kniebeugen zu machen. Nein, es gab nur eine Möglichkeit: weiterzugehen und die brennenden Augen eisern auf die rettende Schutzwehr am anderen Ende der Mauer zu richten.

Vielleicht hatte Sixten doch nicht genauso viel Angst. Jedenfalls war ihm sein etwas makabrer Humor noch nicht ganz vergangen. Anders hörte seine Stimme hinter sich.

»Ich komme näher«, sagte er. »Immer näher komme ich und bald werde – ich – dir – ein – Bein stellen. Das wird ein Spaß!«

Das war natürlich nicht ernst gemeint. Aber für Anders wurde es zum Verhängnis. Allein die Vorstellung, dass ihm jetzt jemand von hinten ein Bein stellen könnte, brachte ihn fast um den Verstand. Er drehte sich halb zu Sixten um – und schwankte.

»Pass auf!«, schrie Sixten warnend.

Da schwankte Anders noch einmal – und von der Schutzwehr erklang in derselben Sekunde ein gellender Schrei. Zu ihrem Entsetzen sahen die Rosen den Weißen Chef kopfüber in die Tiefe stürzen.

Eva-Lotta schloss die Augen. Verzweifelte Gedanken rasten durch ihren Kopf. Wo, oh, wo gab es einen Menschen, der ihnen jetzt helfen konnte? – Wer würde zu Frau Bengtsson gehen und ihr erzählen, dass Anders tot war? – Was sollten sie zu Hause sagen?

Da hörte sie Kalles Stimme, schrill und grell vor Aufregung: »Guckt mal, er hängt im Busch!«

Eva-Lotta öffnete die Augen und starrte ängstlich in die Tiefe. Tatsächlich, dort hing Anders! Ein Busch hatte ein Stück unterhalb der Mauer in der Bergwand Wurzeln geschlagen und hatte vorsorglich

den Weißen Chef aufgefangen, als er einem sicheren Tod entgegen-
fiel.

Von Sixten sah Eva-Lotta zuerst nichts. Der Schreck hatte auch ihn zu
Fall gebracht. Aber er war so geistesgegenwärtig gewesen, sich in den
Burghof fallen zu lassen, wo er sich zwar Knie und Hände blutig ge-
schlagen hatte, aber am Leben geblieben war.

Ob Anders am Leben bleiben würde, war mehr als zweifelhaft. Der
Busch bog sich beängstigend unter seiner Last. Wie lange würde es
dauern, bis er sich aus seinem Halt lösen und mit Anders als Passagier
eine kleine Luftreise in die Tiefe antreten würde?

»Was machen wir? Was in aller Welt sollen wir tun?«, wimmerte sie
und starrte Kalle mit verzweifelten Augen an.

Wie gewöhnlich musste Meisterdetektiv Blomquist die Leitung übernehmen, wenn Gefahr drohte.

»Halt dich fest, Anders!«, schrie er. »Ich hole ein Seil!«

In der vorigen Woche hatten sie hier oben bei der Schlossruine Lasso-
werfen geübt. Irgendwo musste das Seil noch herumliegen. Es *müsste*.

»Beeil dich, Kalle!«, rief Jonte, als Kalle aus der Burgpforte lief.

»Beeil dich, beeil dich!« Alle schrien, obwohl es eigentlich eine überflüssige Ermahnung war. Kalle konnte sich nicht mehr beeilen, als er tat.
Unterdessen versuchten sie Anders Mut zu machen.

»Sei ganz ruhig«, rief Eva-Lotta. »Bald kommt Kalle mit einem Seil.«

Anders benötigte viel Trost. Seine Situation war wirklich unerfreulich.
Er hatte sich langsam in eine sitzende Stellung gearbeitet und da saß er
nun auf dem Busch wie die Hexe auf ihrem Besen. Er wagte nicht, in
die Tiefe zu sehen. Er wagte nicht zu schreien. Er wagte nicht, sich zu
bewegen. Er traute sich überhaupt nichts. Er konnte nur warten.

Verzweifelt starrte er auf den Busch. Der bog sich in der Wurzel, die
Rinde brach in Streifen auf und er konnte die weißen Fasern sehen, die
sich drehten und knackten. Wenn Kalle nicht bald kam, war kein Seil
mehr nötig.

»Warum kommt er denn bloß nicht?«, schluchzte Eva-Lotta. »Warum beeilt er sich denn nicht?«

Sie hätten nur sehen sollen, wie sehr sich Kalle beeilte. Wie eine Wespe schwirrte er herum und suchte überall. Suchte, suchte, suchte... Aber es fand sich kein Seil.

»Hilfe!«, murmelte Kalle angstvoll.

»Hilfe!«, flüsterte Anders mit bleichen Lippen dort auf seinem Busch, dem nur noch so wenig Zeit blieb, zu wachsen und zu grünen.

»Ojojojoj«, murmelte Sixten oben auf der Schutzwehr, »ojojoj!«

Aber da kam Kalle – endlich! – und das Seil hatte er auch.

»Eva-Lotta, du bleibst da oben und hältst Ausschau!«, kommandierte er. »Ihr anderen kommt herunter!«

Jetzt muss es schnell gehen. Kalle weiß, was er zu tun hat. Einen Stein suchen und an einem Ende des Seiles festbinden. Ihn dann über die Mauer werfen, möglichst ohne Anders' Schädel zu treffen. Hoffen, beten, wünschen, dass Anders das Seil packen kann, ehe es zu spät ist. Hände und Finger werden so fahrig, wenn es eilig ist. So entsetzlich eilig...

Da unten sitzt Anders und starrt mit brennenden Augen an der Mauer hoch. Wird die Rettung nicht endlich kommen?

Ja, sie kommt. Da fliegt das Seil über die Mauer. Aber viel zu weit weg. Unerreichbar für seine sehnsuchtsvollen Hände.

»Mehr nach rechts!«, schreit Eva-Lotta von ihrem Aussichtsposten. Kalle und die anderen unten an der Mauer reißen und zerren am Strick und versuchen, ihn näher an Anders heranzubekommen. Es ist unmöglich. Das Seil muss sich an einer Unebenheit auf dem Mauersims verfangen haben.

»Ich halt es nicht mehr aus«, flüstert Eva-Lotta. »Ich halt es nicht mehr aus.«

Sie sieht, wie die Jungen vergeblich an dem Seil zerren. Sie sieht Anders in seiner ohnmächtigen Angst. Und sie sieht den Busch, der sich immer tiefer dem Abgrund entgegenneigt – o Anders, weißeste Weiße Rose, Edelmann unserer Weißen Rose!

»Ich halt es keine Sekunde mehr aus!«

Mit schnellen, leichten nackten Füßen läuft sie auf die Mauer hinaus. Mut, Eva-Lotta! Nicht nach unten sehen! Nur vorwärts laufen bis zu dem Seil und sich bücken, ja, ja, sich bücken, wenn die Beine auch noch so sehr zittern! Das Seil lösen, es auf Anders zuschieben, sich auf der schmalen Mauer umdrehen und zur Schutzwehr zurücklaufen.

Das tut sie – und weint heftig hinterher. Jetzt lässt Kalle das Seil sachte abwärts gleiten. Der Stein schaukelt vor Anders. Vorsichtig, ganz vorsichtig streckt er seine Finger danach aus und Eva-Lotta verbirgt ihr Gesicht in den Händen.

Aber sie soll ja aufpassen. Sie muss sich zum Hinschauen zwingen. Und da – da gibt der Busch nach. Die Wurzeln haben keine Kraft mehr, sich in der Mauerritze zu halten. Eva-Lotta sieht etwas Grünes, das langsam davonflattert und verschwindet. Aber im allerletzten Augenblick hat Anders das Seil erwischt.

»Er hat es!«, schreit Eva-Lotta gellend. »Er hat es!«

Nachher stehen sie um Anders herum und haben ihn alle so gern und sind so froh, dass er nicht mit dem Busch in der Tiefe verschwunden ist. Kalle streckt heimlich eine Hand aus und berührt ihn am Arm.

»Der Busch ist jedenfalls zum Teufel gegangen«, sagt Eva-Lotta und es klingt wie eine Zusammenfassung. Alle lachen erleichtert. Es ist eigentlich sehr lustig, dass der Busch zum Teufel gegangen ist.

»Was hattest du eigentlich da unten im Busch zu tun?«, fragt Sixten. »Hast du Vogeleier gesucht?«

»Ja, ich dachte, dass du vielleicht einige verlorene Eier zu dem Fest auf der Burg deiner Väter brauchen könntest«, entgegnet Anders.

»Und dabei wärst du fast selbst ein verlorenes Ei geworden«, sagt Kalle. Und darüber lachen sie sehr: Haha, da wäre doch Anders fast ein verlorenes Ei geworden! Sixten schlägt sich beim Lachen auf die Knie und lacht mehr als die anderen. Da fühlt er, dass seine verwundeten Kniescheiben wehtun. Außerdem friert er in seinen nassen Kleidern.

»Kommt, Benka und Jonte, jetzt hauen wir ab!«

Sixten legt ein schönes Tempo vor und seine Getreuen folgen ihm zum Burghoftor. Im Tor dreht er sich um und winkt Kalle und Anders und Eva-Lotta zu.

»Hallo, ihr alle, ihr Würmchen der Weißen Rose«, ruft er zurück. »Morgen werden wir euch von der Erdoberfläche vertilgen!«

Hier irrt der Rote Chef. Es wird einige Zeit dauern, bis die Rosen sich wieder treffen werden.

3. Kapitel

Glücklich und zufrieden wanderten die drei Weißen Rosen heimwärts. Die Nacht hatte ihnen allerlei beschert und Anders' Abenteuer hatte ihr Gleichgewicht nicht erschüttert. Sie hatten die beneidenswerte Fähigkeit junger Gemüter, den Augenblick zu nehmen, wie er kam. Solange Anders auf dem Busch gesessen hatte, waren sie vor Angst außer sich gewesen. Aber wozu sollte man hinterher noch Angst haben? Es war doch alles gut gegangen und Anders hatte wahrhaftig keinen Schock davongetragen. Er wollte wegen dieses kleinen Erlebnisses keine Albträume haben. Er wollte nach Hause gehen, ruhig schlafen, voller Vertrauen darauf, zu einem Tag voller neuer Gefahren zu erwachen. Aber in den Sternen stand geschrieben, dass keine der Weißen Rosen in dieser Nacht Schlaf finden sollte.

Im Gänsemarsch liefen sie den kleinen, schmalen Pfad zur Stadt zurück. Besonders müde waren sie nicht, aber Kalle gähnte doch sehr und sagte, Schlafen in der Nacht sei bei vielen Leuten tatsächlich richtig populär geworden und man könnte es ja schließlich auch mal versuchen um zu sehen, was da eigentlich dran sei.

»Dem Rasmus gefällt es bestimmt«, flüsterte Eva-Lotta zärtlich und blieb vor Eklunds Villa stehen. »Oh, wie muss er süß aussehen, wenn er schläft!«

»Nee, nee, nee, Eva-Lotta«, sagte Anders beschwörend, »fang nicht wieder damit an!«

Ja, sicher schliefen Rasmus und sein Papa um diese Zeit in ihrem einsamen Haus. Im oberen Stockwerk stand ein Fenster offen und eine weiße Gardine wehte leicht, als wollte sie den drei Nachtwanderern unten auf dem Pfad zuwinken. So still, so leise war es, dass Anders unwillkürlich die Stimme gesenkt hatte um die Menschen, die dort oben hinter der wehenden Gardine schliefen, nicht zu wecken.

Aber es gab jemand, der weniger rücksichtsvoll war, wenn es um anderer Menschen Schlaf ging. Jemand, der sich im Auto näherte, dessen an- und abschwellendes Brummen sich in die Stille fraß. Man konnte hören, wie am Hang ein anderer Gang eingelegt wurde. Dann ein kreischendes Bremsen – und danach war alles wieder Stille.

»Wer, zum Teufel, kutschiert hier um diese Zeit mit dem Auto rum?«, sagte Kalle.

»Was geht's dich an?«, sagte Anders kurz. »Komm jetzt. Worauf warten wir eigentlich?«

Aber tief, tief unten in Kalles Seele hob Meisterdetektiv Blomquist schlaftrunken seinen Kopf. Es hatte einmal eine Zeit gegeben, in der Kalle streng genommen nie Kalle, sondern Herr Blomquist, der Meisterdetektiv, gewesen war: der scharfsinnige, unbestechliche Meisterdetektiv, der über die Sicherheit der Stadt wachte und seine Mitmenschen hauptsächlich in zwei Kategorien, in »Verhaftete« und »noch nicht Verhaftete«, einteilte. Aber inzwischen war auch Kalles Verstand gewachsen und jetzt kam es nur bei ganz bestimmten Gelegenheiten vor, dass er sich wie der Meisterdetektiv fühlte. Und dies hier war eine solche Gelegenheit. Tatsächlich: *Hier war eine solche Gelegenheit!*

Wo will er hin, der im Auto kommt? Hier oben gibt es nur ein Haus, Eklunds Villa. Wie ein vorgeschobener Posten liegt sie ein großes Stück oberhalb aller übrigen Häuser der Stadt. Es sieht nicht so aus, als ob der Professor jetzt Besuch erwartete. Das Haus schläft. Kann in dem Auto ein Liebespaar sitzen? Ein Paar, das hier heraufgefahren ist um den Mond anzuschwärmen? Dann aber ein Liebespaar ohne jede Ortskenntnis. Der richtige Platz der Stadt zum Schwärmen liegt in genau entgegengesetzter Richtung. Und man muss schon vor lauter Liebe geistig ziemlich umnachtet sein, wenn man sich diesen steilen, schmalen und krummen Weg zu einer Autoschwärmerei aussucht. Aber wer ist es dann, der mit dem Auto hier heraufkommt? Kein echter Detektiv kann diese Frage unbeantwortet lassen. Das geht einfach nicht.

»He, hört mal, können wir nicht noch ein Weilchen warten und sehen, wer da kommt?«, sagte Kalle.

»Warum denn?«, fragte Eva-Lotta. »Glaubst du im Ernst, hier laufen Mondmörder herum?«

Sie hatte noch nicht ausgesprochen, als vor dem Zaun der Villa, nicht mehr als fünfundzwanzig Meter von ihnen entfernt, zwei Männer auftauchten. Man konnte die Gartentür schwach in ihren Angeln quietschen hören, als die beiden vorsichtig die Tür öffneten und hineingingen. Ja, sie gingen tatsächlich hinein!

»Runter mit euch in den Graben!«, flüsterte Kalle erregt und Sekunden später lagen alle drei unten, die Nasen gerade noch so weit über den Grabenrand gereckt, dass ihre Augen verfolgen konnten, was im Garten des Professors geschah.

»Ach, vielleicht sind die nur vom Professor eingeladen«, flüsterte Anders.

»Denkst *du*«, sagte Kalle.

Wenn es tatsächlich Gäste des Professors waren, benahmen sie sich wahrhaftig eigentümlich. Wenn man ein lieber Gast ist, schleicht man doch nicht, als habe man Angst, ertappt zu werden. Man umkreist nicht das Haus, man betastet nicht Türen und Fenster. Ein lieber Gast, der das Haus verschlossen findet, stellt keine Leiter gegen ein offenes Fenster im oberen Stockwerk und klettert dort hinein! Aber gerade all das taten die beiden nächtlichen Besucher.

»Mich trifft der Schlag«, keuchte Eva-Lotta. »Guckt mal, die klettern tatsächlich durchs Fenster!«

Und das taten die Männer zweifellos, soweit man seinen eigenen Augen trauen konnte. Die drei lagen im Graben und starrten erschrocken zum offenen Fenster mit der spielerisch gebauschten Gardine hinauf. Es dauerte eine Ewigkeit. Eine Ewigkeit des Wartens. Eine Ewigkeit der Stille ohne andere Laute als ihre unruhigen Atemzüge und das schwache Rascheln des Windes der Morgendämmerung in den Kirschbäumen.

Endlich erschien einer der beiden wieder auf der Leiter. Er trug etwas im Arm. Um aller Barmherzigkeit willen – was trug er da?

»Rasmus«, flüsterte Eva-Lotta und wurde schneeweiß im Gesicht. »Guckt mal, sie entführen Rasmus!«

Nein, dachte Kalle, das war doch unmöglich. So etwas konnte hier einfach nicht passieren. Hier nicht! In Amerika vielleicht – davon hatte man in den Zeitungen gelesen –, aber hier: nein! Doch anscheinend konnte es auch hier geschehen. Der Mann dort – trug Rasmus. Er hielt ihn behutsam im Arm und Rasmus schlief.

Als der Mann mit seiner leichten Last durch die Gartenpforte verschwunden war, brach Eva-Lotta in heftiges Schluchzen aus. Sie wandte Kalle ihr leichenblasses Gesicht zu und wimmerte, genau wie vorhin, als Anders auf dem Busch gesessen hatte.

»Was machen wir? Was sollen wir tun, Kalle?«

Kalle war zu aufgewühlt um eine vernünftige Antwort zu geben. Er fuhr sich mit den Fingern nervös durchs Haar und stammelte: »Ich weiß nicht. Wir... wir... müssen Wachtmeister Björk holen... wir müssen...«

Wild kämpfte er gegen die furchtbare Lähmung in seinem Innern an, die ihn daran hinderte, klar zu denken. Hier musste sofort etwas geschehen, aber jetzt war er nicht der Mensch zu bestimmen, was. Niemals würden sie es schaffen, die Polizei zu holen. So viel konnte er noch bei genauerem Nachdenken begreifen. Diese Banditen würden Zeit haben, noch ein Dutzend Kinder zu rauben, bevor die Polizei hier war, und übrigens...

Da kam der Mann zurück. Rasmus hatte er nicht mehr auf dem Arm.

»Natürlich ins Auto gelegt«, flüsterte Anders.

Eva-Lotta antwortete mit einem erstickten Schluchzen.

Sie sahen dem Kindesräuber mit vor Schreck runden Augen nach. Nein, dass es derartig verabscheuenswerte Menschen gab – solche teuflischen Schurken…

Jetzt öffnete sich die Verandatür und der andere wurde sichtbar.

»Schnell, Nicke«, rief er mit leiser Stimme. »Wir haben es bald geschafft!«

Der Mann, der Nicke hieß, war mit ein paar schnellen Schritten oben auf der Veranda und dann verschwanden beide wieder in der Villa.

Jetzt kam Leben in Kalle. »Kommt«, flüsterte er nervös. »Kommt, wir müssen Rasmus zurückrauben.«

»Wenn wir es schaffen«, sagte Anders.

»Wenn wir es schaffen, ja, ja, natürlich – wenn wir es schaffen«, antwortete Kalle. »Los! Was meint ihr, wo das Auto steht?«

Es stand hinten auf der Hügelkuppe. Sie rannten hin. Schnell und leise liefen sie am Grabenrand entlang und sie fühlten bei dem Gedanken, dass sie nun Rasmus den Klauen der Banditen entreißen würden, einen wilden Triumph. Einen wilden Triumph und genauso eine wilde Angst.

Im allerletzten Augenblick entdeckten sie, dass das Auto bewacht wurde. An der gegenüberliegenden Straßenseite stand ein Mann. Er wandte ihnen glücklicherweise den Rücken zu und war von einer sehr privaten Beschäftigung in Anspruch genommen. Sie wären ihm sonst sicher nicht entgangen. Nun konnten sie sich blitzschnell hinter einige schützende Büsche werfen. Es war in letzter Sekunde. Der Mann hatte offenbar etwas Beunruhigendes gehört, denn er drehte sich hastig um und kam auf ihre Straßenseite herüber. Misstrauisch starrte er genau in die Büsche hinein, hinter denen sie lagen. Hörte er wirklich nicht ihre hämmernden Herzen und ihren keuchenden Atem?

Es kam ihnen wie ein Wunder vor, dass er es nicht tat. Er stand ein Weilchen und horchte, machte einen kleinen Gang zum Auto und sah durch ein Seitenfenster hinein. Schlenderte etwas nervös auf der Straße hin und her. Blieb manchmal stehen und starrte wie gebannt zur Villa hinüber. Vielleicht fand er, dass seine Kumpane zu lange blieben.

Hinter den Büschen herrschte Verzweiflung. Was konnte man schon für Rasmus tun, solange der Typ dort herumlief? Eva-Lotta weinte. Kalle musste ihr einen kräftigen Puff geben um sie zum Schweigen zu bringen und das half auch ein wenig gegen seine eigene Angst.

»Jammer und Elend«, sagte Anders. »Was sollen wir denn bloß tun?«

Da schluckte Eva-Lotta energisch einen Schluchzer hinunter und sagte: »Ich muss zu Rasmus ins Auto. Wird er entführt, so werde ich auch entführt! Er soll nicht ganz allein mit einem Haufen Räuber sein, wenn er aufwacht.«

»Ja aber…«, sagte Kalle.

»Red nicht!«, sagte Eva-Lotta. »Geht und macht verdächtige Geräusche in den Büschen – etwas weiter weg, damit der Kerl das Auto eine Weile vergisst.«

Anders und Kalle sahen sie erschrocken an, aber sie merkten, Eva-Lotta war entschlossen. Und wenn Eva-Lotta entschlossen war, konnte man nichts dagegen tun. Das wussten sie aus Erfahrung.

»Lass mich das für dich machen«, schlug Kalle vor, obwohl er genau wusste, dass es zwecklos war.

»Los, lauft schon!«, sagte Eva-Lotta. »Beeilt euch! Beeilt euch!« Sie gehorchten ihr. Bevor sie verschwanden, hörten sie hinter sich noch Eva-Lottas flüsternde Stimme:

»Wie eine Mutter werde ich zu Rasmus sein. Und dann werde ich, wenn ich kann, Spuren hinterlassen. Ihr wisst doch, so wie in ›Hänsel und Gretel‹.«

»Prima«, sagte Kalle. »Wir werden dir wie zwei Bluthunde folgen.«

327

Sie winkten ihr noch einmal zu und liefen dann lautlos zwischen den Büschen davon.

Oh, wie gut, wenn man bei solchen Gelegenheiten leise schleichen kann! Nicht umsonst hat man so lange den Krieg der Rosen geführt. Man hat eine gewisse Übung, Wachtposten zu täuschen. Diesen Idioten auf der Straße zum Beispiel. Er hat den Auftrag bekommen, Rasmus zu bewachen. Und treu und brav trottet er nun zwischen Auto und Villa hin und her. Hin und her. Hin und her. Dann aber hört er plötzlich weiter entfernt ein verdächtiges Knacken in den Büschen. Und da muss er natürlich dorthin und nachsehen, was das wohl sein kann. Springt resolut über den Graben und taucht hinein in die Haselnusssträucher. Sehr aufmerksam, sehr wachsam, klar, er ist ja so wachsam! Aber es ist doch das Auto, das er bewachen soll, der Dummkopf! Was kann nicht alles am Auto passieren, während er zwischen den Haselnusssträuchern sucht! Völlig sinnlos sucht. Denn er findet dort nichts, einfach gar nichts. Da liegen hinter einem Gebüsch zwei Jungen zusammengekauert, aber die sieht er natürlich nicht. Und in seiner Einfalt glaubt er, falsch gehört zu haben oder er glaubt, dass da ein Tier in den Büschen geraschelt hat. Er ist schon ein wachsamer Bursche! Das hat er jedenfalls bewiesen. Und als er zum Auto zurückgeht, ist er richtig zufrieden mit sich selbst.

Und nun kommen endlich seine Kumpane. Die beiden Schleicher, die sich vorsichtig aus dem Haselnussbusch hervorwagen, sehen sie auch. »Guck, der Professor«, flüstert Kalle. »Sieh bloß, die entführen auch den Professor!«

Ist das überhaupt wahr? Ist das nicht alles nur ein Traum? Ist das wirklich der Professor, der da zum Auto gezerrt wird? Ein wilder, wütender, sich wehrender, widerspenstiger, verzweifelter Professor mit auf dem Rücken gebundenen Händen und einem Knebel im Mund.

Es ist wie im Traum und schrecklich. Aber ein Traum ist es nicht. Es fängt jetzt an hell zu werden und man sieht alles so entsetzlich klar. Der Staub, den der Professor mit seinen widerstrebenden Füßen aufwirbelt, der ist kein Traum. Der Knall, als die Autotür hinter ihm zugeworfen wird, ist auch Wirklichkeit. Nun rast der Wagen die abschüssige Straße hinunter und verschwindet. In dem klaren Dämmerlicht liegt die Straße einsam und leer da. Es könnte alles ein Traum gewesen sein, wenn nicht noch ein schwacher Geruch nach Benzin in der Luft hängen würde. Und wenn nicht dort am Straßenrand ein kleines feuchtes Taschentuch liegen würde. Eva-Lottas Taschentuch. Unten schläft die Stadt. Sie wird bald erwachen. Die ersten Sonnenstrahlen blitzen bereits auf den vergoldeten Turmspitzen des Rathauses.

»Guter Moses!«, sagt Kalle.

»Ja, du guter Moses!«, sagt Anders. »Worauf wartest du noch, Kalle? Bist du nun Meisterdetektiv Blomquist oder nicht?«

4. Kapitel

In Windungen und Bogen tastet sich die Straße weich durch die grüne Sommerlandschaft. Sie schlängelt sich um kleine, rauhe Felsvorsprünge, kleine, blinkende Seen, kleine Kiefernwälder, läuft zwischen weißen Birkenstämmen dahin, an blühenden Wiesen und Weiden und wogenden Kornfeldern vorbei. In vielen Windungen nähert sie sich allmählich der Küste, dem Meer. In diese Richtung rast an diesem herrlichen Sommermorgen ein großes schwarzes Auto, das mit wilder Geschwindigkeit in die Kurven geht und Wolken von Staub aufwirbelt, die sich auf die gelben Blumen am Straßenrand legen. Es ist ein ganz gewöhnliches Auto. Aber ein aufmerksamer Beobachter könnte doch eine Besonderheit an dem Wagen finden. Er hinterlässt nämlich so merkwürdige Spuren.

Durch das offene Seitenfenster reckt sich dann und wann eine Mädchenhand und später kann man auf der Schotterstraße kleine rote Papierschnipsel oder auch manchmal weiße Kuchenkrümel entdecken. Ja, genau: Kuchenkrümel! Denn Eva-Lotta ist ja nicht umsonst die Tochter eines Bäckers mit einem ständigen Kuchenvorrat in den Taschen. Die roten kleinen Papierschnipsel sind Teile eines Plakates. Sie hat es von einem Laternenpfahl heruntergerissen, bevor sie zu dem schlafenden Rasmus in das Auto schlüpfte. GROSSES SOMMERFEST stand in schwarzen Buchstaben auf dem Plakat. TOMBOLA TANZ KAFFEE. Gott segne Kleinköpings Sportverein für dieses Plakat! Denn die Fahrt scheint lang zu werden und wie lange reichen denn ein paar Stück Kuchen? Bald muss Eva-Lotta anfangen, sie und die Papierschnipsel zu rationieren. Bei jeder Weggabelung muss ein leuchtendroter Zettel liegen. Wie können wohl sonst die Retter wissen, welchen Weg sie fahren sollen?

Werden übrigens Retter kommen? Und wie wird sonst dieses Abenteuer hier enden?

Eva-Lotta sieht sich im Auto um und überdenkt die Situation. Dort neben ihr auf dem Rücksitz hockt immer noch gefesselt und mit einem Knebel im Mund der Professor und seine Augen sind voller Verzweiflung. Neben ihm sitzt der, der das Auto so großartig bewacht hat. Vorn sitzt der, den sie Nicke nennen, mit dem schlafenden Rasmus im Arm. Am Steuerrad neben ihm sitzt der andere Fassadenkletterer – Blom heißt er, Eva-Lotta hat es schon gehört. Sie nimmt alles mit ihren Augen auf und lässt die Blicke dann durch die Fensterscheibe weiterwandern. Sie rasen durch eine schwedische Sommerlandschaft, da gibt es keinen Zweifel. Die reifen Roggenfelder mit den Margeriten und den Kornblumen darin, das ist ja wohl so schwedisch wie nur etwas. Und die weißen Birkenstämme auch. Nur dieses Auto und seine wunderlichen Passagiere gehören nicht hierher. Die gehören in einen amerikanischen Gangsterfilm.

Eva-Lottas Herz klopft tatsächlich etwas schneller, wenn sie daran denkt, dass die beiden Kerle auf dem Vordersitz wirklich und wahrhaftig Kidnapper sind – es wirkt direkt lächerlich in dieser sonnigen schwedischen Landschaft! Kidnapper, die sollen doch nur bei strömendem Regen an dunklen Herbstabenden in Chicago herumfahren! Nicke fühlt vermutlich ihren missbilligenden Blick im Nacken, denn er dreht sich um und starrt sie ärgerlich an.

»Wer, zum Donnerwetter, hat dich eigentlich gebeten, sich in unsere Angelegenheiten zu mischen?«, fragt er. »Warum bist du ins Auto gekrochen, du blödes Gör?«

Eva-Lotta hat Angst. Größer aber ist ihre Wut. Und sie denkt nicht daran, einen solchen Hundsfott merken zu lassen, wie groß ihre Angst ist.

»Kümmere dich nicht um mich«, sagt sie. »Es ist ratsamer, du überlegst dir schon mal, was du sagst, wenn die Polizei kommt und dich festnimmt.«

Der Professor bekommt aufmunternde Augen und das stärkt ihren Mut. Sie ist dankbar, dass er hier ist, wenn er auch hilflos ist. Auf jeden Fall ist er ein Erwachsener, der auf ihrer Seite steht.

Nicke grunzt drohend, dreht sich aber wieder um, ohne etwas zu sagen. Er hat einen breiten Nacken und helles Haar, das geschnitten werden müsste, denkt Eva-Lotta. Ganz feine, helle Härchen wachsen bis unter den Hemdkragen. Wie sieht er übrigens sonst aus? Personenbeschreibung, denkt Eva-Lotta. Kalle, wenn er hier wäre, hätte sofort mit einer Personenbeschreibung angefangen. Am besten, sie macht es jetzt für ihn. Damit sie der Polizei helfen kann. Das heißt, wenn sie jemals Gelegenheit bekommt, ihre Beobachtungen der Polizei zu erzählen.

Er hat blaue, gutmütige Augen, dieser Nicke, und ein hässliches, sommersprossiges Gesicht. Jawohl, die Augen sind gutmütig, wenn er auch gerade jetzt recht mürrisch dreinblickt. Nicht besonders begabt, denkt Eva-Lotta weiter und schmeichelt sich, dass ihre Personenbeschreibung viel pfiffiger ist als eine von Kalle, der nur von der Augenfarbe und eventuellen Geburtsmerkmalen spricht, aber nie vom Charakter. Na, und was ist mit den beiden anderen? Blom ist dunkel und sieht schlaff aus, bleich und picklig, ein richtiger Schlappschwanz, denkt Eva-Lotta, macht für Geld sicher alles, was man von ihm will. Und der auf dem Rücksitz ist dem Idiotenstadium wohl am nächsten. Er ist ein vollkommenes Nichts, farbloses Haar, fast gar kein Kinn und weniger Intelligenz, als auf dem Nagel eines kleinen Fingers Platz hat. Was in aller Welt hat diese drei Lakaien dazu gebracht, sich auf Menschenraub einzulassen? Irgendein Gedanke muss schon dahinterstecken, obwohl keiner der drei aussieht, als könne er überhaupt denken. Aber vielleicht steht hinter ihnen einer, der für sie denkt, ein anderer, der irgendwo wartet.

So – nun biegt das Auto plötzlich in einen holprigen kleinen Waldweg ein. Eva-Lotta hat es sehr eilig, eine ganze Menge Zettelchen und Krümel zu verstreuen. Denn hier könnten die Retter leicht auf eine falsche Spur geraten. Wo sie jetzt fahren, ist kein öffentlicher Weg und sicher nicht Autoverkehr vorgesehen. Wie das Auto auf dem unebenen Pfad hopst und rumpelt! Es wird so gerüttelt, dass Rasmus aufwacht. Zuerst öffnet er nur halb die schläfrigen dunklen Augen, dann aber setzt er sich mit einem Ruck auf und starrt Nicke an.

»Wolltest du nicht zu uns kommen und unseren Küchenherd in Ordnung bringen, oder… oder…?«

Hilflos bricht er mitten im Satz ab. Eva-Lotta streckt die Hand aus und streichelt ihm die Backe.

»Ich bin hier, Rasmus«, sagt sie. »Freust du dich, dass ich hier bin? Dein Papa ist auch hier, obwohl…«

»Wohin fahren wir denn, Äva-Lotta?«, fragt Rasmus.

Nicke antwortet für Eva-Lotta. »Wir machen eine kleine Autofahrt«, sagt er mit einem breiten Lachen. »Nur eine kleine Autofahrt.«

»Wolltest du nicht unseren Küchenherd in Ordnung bringen?«, will Rasmus noch immer wissen. »Papa, ist er das?« Aber Papa antwortet nicht.

Nicke findet die Frage offenbar lustig. Er lacht noch lauter. »Küchenherd in Ordnung bringen… Nee, Häschen, diesmal nicht.«

Es ist, als hätte ihm Rasmus' Frage gute Laune gemacht. Er setzt Rasmus bequemer auf seinem Schoß zurecht und fängt plötzlich an zu singen:

»Der Graf hatte einen kleinen Hund.

Trulle war sein Name und…«

»Und du, wie heißt du?«, fragt Rasmus neugierig.

»Ich heiß Nicke«, sagt Nicke mit einem Grinsen. »Nicke ist mein Name und…«, singt er laut.

»Ich finde, du könntest unseren Herd heil machen«, sagt Rasmus. »Aber das hat Papa ja immer gesagt – nur versprechen und versprechen; aber es wird nie was draus…!«

Eva-Lotta sieht bekümmert zum Professor. Er denkt sicher an andere Sachen als an kaputte Küchenherde. Sie streichelt ihm ermunternd den Arm und er dankt ihr mit den Augen.

Und dann wirft sie vorsichtig den letzten roten Zettel aus dem Fenster. Er flattert so spielerisch im Sonnenschein, bevor er zur Erde fällt und liegen bleibt. Wird ihn jemand finden? Und wann?

5. Kapitel

»Nein, nein, nicht zur Polizei rennen«, sagte Kalle. »Dazu haben wir jetzt keine Zeit. Wir müssen sie verfolgen und sehen, wohin sie fahren.«

»Na prima«, sagte Anders, »dann lauf und schrei du! So ein Auto hat ja gar keine Chance, wenn ein Sprinter wie du angedampft kommt.«
Kalle beantwortete solche dummen Bemerkungen nicht. Er stürmte durch die Gartenpforte zum Motorrad des Professors.

»Komm!«, rief er. »Wir nehmen das hier!«
Anders sah ihn mit Bewunderung an, in die sich Schrecken mischte.

»Wir können doch nicht…«, fing er an, aber Kalle unterbrach ihn.

»Wir *müssen*«, sagte er kurz. »Das hier ist eine so genannte Notlage. Man kann sich nicht hinsetzen und lange über Führerscheine grübeln, wenn es um Menschenleben geht.«

»Hm, und übrigens fährst du ja fast besser als dein alter Herr!«, sagte Anders.

Sie schoben das Rad auf die Landstraße. Dort waren im Sand noch einige undeutliche Abdrücke von Autoreifen zu sehen, die einzige Spur, die die Kidnapper hinterlassen hatten. Das schwarze Auto war schon weit weg. Wohin waren sie gefahren?

»Eva-Lotta hat gesagt, sie würde es wie Hänsel und Gretel machen«, schrie Kalle, als das Motorrad die Straße hinunterraste. »Wie haben es Hänsel und Gretel übrigens gemacht?«

»Streuten Brotkrümel hinter sich«, schrie Anders. »Und Kieselsteine.«

»Ja, wenn Eva-Lotta Kieselsteine mit in das Auto genommen hat, ist sie noch seltsamer, als ich dachte«, rief Kalle. »Aber irgendwie sähe es ihr ähnlich. Ihr fällt immer was ein.«

Sie kamen zur ersten Wegkreuzung und Kalle bremste. Welchen Weg? Welchen Weg?

Dort lag ein roter Zettel, der sich im Gras am Straßenrand verfangen hatte. TANZ stand darauf. Nun liegen ja aber immer allerlei Papierfetzen an den Straßenrändern und deshalb beachteten sie diesen nicht besonders. Ein Stück weiter lag etwas anderes. Es war ein Bröckchen Kuchen. Mit einem triumphierenden Schrei zeigte Anders darauf. Eva-Lotta machte es wirklich wie Hänsel und Gretel! Da lag, einige Meter weiter, noch ein roter Fetzen Papier. Dann mussten diese Schnitzel ja wohl auch etwas bedeuten.

Mit neuem Mut bogen sie in die Straße ein, die sich zum Meer schlängelte. Ihre Müdigkeit hatten sie vergessen. Es wäre falsch zu behaupten, dass sie gute Laune hatten, aber in all ihrer Unruhe und Angst war auch eine merkwürdige, fast heitere Erregung. Das Motorrad knatterte so wunderbar gleichmäßig unter ihnen und schluckte Kilometer um Kilometer des geschlängelten Weges, der sie einem unbekannten Ziel entgegenführte, einem Ziel, an dem unbekannte Gefahren lauerten. Die Gefahr in Verbindung mit der Freude an der Fahrt bewirkte sicher diese seltsame Erregung bei ihnen.

Sie starrten auf die Straße vor sich. Hier und dort lag ein rotes Zettelchen wie ein kleiner munterer Gruß von Eva-Lotta. Schließlich erreichten sie den Waldweg. Erreichten ihn und fuhren fast daran vorbei, er war ja so unbedeutend, dass man ihn leicht übersehen konnte. Aber Anders entdeckte einen wohl bekannten roten Zettel, der zwischen den Kiefern leuchtete.

»Stopp, stopp«, schrie er, »wir fahren falsch! Sie sind in den Wald hinein!«

Was für ein hübscher kleiner Waldweg es war! Zwischen den Bäumen

336

huschten die Strahlen der Morgensonne hindurch. Sie schienen auf das dunkelgrüne Moos und auf die kleinen Blumen. In der Nähe saß eine Amsel auf einer Tannenspitze und trillerte so entzückt, als gäbe es keine Bosheit auf der Welt.

Aber als Kalle und Anders in den Wald hinein steuerten, spürten sie ganz deutlich, dass der Vogel sich irrte. Sie spürten in jeder Faser ihres Körpers, dass sie sich bald etwas Bösem und Drohendem näherten, das nichts mit Sonne, Blumen und Vogelsang zu tun hatte.

Es ging abwärts. Abwärts. Da schimmerte etwas Blaues zwischen den Bäumen: das Meer! Und ein alter verfallener Landungssteg war das Ende des Weges. Am äußersten Ende des Steges fanden sie den letzten Gruß von Eva-Lotta, ihre rote Haarspange.

Sie standen da und sahen nachdenklich über den Fjord hinaus. Die dünnen Morgennebel hoben sich gerade und die Sonne spielte auf der Wasserfläche, die der Morgenwind sacht kräuselte. Wie still hier alles war! Wie tot! So leer wie am ersten Schöpfungstag, bevor es Menschen auf der Welt gab.

Grüne Inseln und kahle Klippen begrenzten den Blick zum Horizont. Man hätte glauben können, diese kleine, schmale blaue Meeresbucht sei ein Binnensee. Einige hundert Meter vor dem Steg lag eine große Insel und verschloss die Fahrrinne hinaus ins offene Meer. Eine große, bergige und bewaldete Insel. Sie schien vollkommen unbewohnt. Nein, unbewohnt war sie nicht. Ein dünner, leichter Rauch stieg über die Baumwipfel in den Himmel hinauf.

»Da hast du das Wespennest!«, sagte Kalle.

»Ersticken sollen sie!«, antwortete Anders.

»Was glaubst du, schaffen wir es, so weit zu schwimmen?«

»Pfff«, sagte Anders, »das ist doch wohl 'ne Kleinigkeit. Und wenn's hier kein Boot gibt…«

Neben dem Steg lag ein Schuppen. Kalle ging hin und rüttelte an der geschlossenen Tür. Ob da drinnen wohl ein Boot war? Auf jeden Fall ist ein Auto in dem Schuppen, dachte er, als er Spuren im taufrischen Gras sah. Das schwarze Auto war versteckt dort drinnen, das wusste er plötzlich ganz sicher. Und er empfand eine tiefe Zufriedenheit darüber, dass sie es geschafft hatten, den Kidnappern wenigstens bis hierher zu folgen. Es war richtig gewesen, ihnen sofort zu folgen, das wusste er jetzt. Die Zettelspuren und die Krümel von Eva-Lotta hätten der Wind und die Vögel bald verstreut und wer hätte später daran gedacht, ausgerechnet hier in dieser öden, menschenleeren Gegend zu suchen?

Kalle warf noch einen prüfenden Blick auf die Insel. Ja, sie waren gezwungen hinüberzuschwimmen, aber es war nicht so weit, dass sie es nicht hätten schaffen können. Das Motorrad mussten sie zuerst noch im Wald verstecken.

Wie Entdeckungsreisende, die an einer unbekannten Küste an Land gehen, fühlten sie sich, als sie nach der langen Schwimmtour blaugefroren ans Ufer krochen. Eine fremde Küste splitterfasernackt zu entdecken war auch keine reine Freude. Ohne Kleider fühlte man sich noch hilfloser und ausgelieferter.

Feinde waren nicht zu sehen. Deshalb setzten sie sich auf eine sonnenbeschienene Klippe um trocken zu werden und etwas Wärme in den Körper zu bekommen. Dann lösten sie die Knoten ihrer Kleiderbündel und stellten fest, dass ihre Hemden und Hosen auf keinen Fall zu nass waren um sie nicht anziehen zu können.

»Ich möchte wissen, was die Roten wohl sagen würden, wenn sie von dieser Sache wüssten«, sagte Kalle, den Kopf drinnen in seinem Hemd. »Die würden sagen, typisch Meisterdetektiv Blomquist«, sagte Anders. »Wo du gehst, stolperst du über Strolche und Banditen.«

Kalle hatte das Hemd nun endlich anbekommen. Nachdenklich den Kopf zur Seite geneigt, stand er vor Anders. Unter dem kurzen Hemd ragten ein Paar lange braune Beine hervor und er sah sehr kindlich und gar nicht nach Meisterdetektiv aus.

»Ja, ist das nicht wirklich eigenartig?«, sagte er. »Wo wir immer hineingeraten, ständig, ständig…!«

»Ja«, sagte Anders, »was uns passiert, passiert sonst nur in Büchern.«

»Vielleicht ist das hier alles ein Buch«, sagte Kalle.

»Wie meinst du das, du hast sie wohl nicht alle?«

»Vielleicht gibt es uns gar nicht«, sagte Kalle träumend. »Vielleicht
sind wir nur 'n paar Jungs in einem Buch, das sich einer ausgedacht
hat.«

»Ja, du vielleicht«, sagte Anders ärgerlich. »Würde mich gar nicht
wundern, wenn du überhaupt nur ein Druckfehler wärst. Aber ich
nicht, das sag ich dir!«

»Kannst du gar nicht wissen«, hielt ihm Kalle entgegen. »Dich gibt's
vielleicht nur in einem Buch, das *ich* mir ausgedacht habe.«

»Oho«, sagte Anders. »Wenn das so ist, bist du in einem Buch, das *ich*
mir ausgedacht habe, und es tut mir schon Leid, dass ich dich überhaupt ausgedacht habe.«

»Übrigens hab ich Hunger!«, sagte Kalle.

Sie begriffen gut, dass es weggeworfene Zeit war, herumzuhocken und
die eigene Existenz zu bezweifeln. Wichtige und gefährliche Aufträge
warteten auf sie. Irgendwo dort, hinter all den Tannen und Kiefern,
musste ein Haus sein und ein Schornstein, der einen schmalen Streifen
Rauch in die Luft blasen konnte. Irgendwo mussten Menschen sein.
Irgendwo musste Eva-Lotta sein und der kleine Rasmus und der Professor. Es war also wichtig, sie zu finden.

»Dahin gehen wir«, sagte Kalle und zeigte in den Wald. »Dahinten
haben wir den Rauch gesehen.«

Zwischen dichten Tannen, über bemooste Felsrücken, durch Sümpfe
und Blaubeergestrüpp, an Ameisenhaufen und Heckenrosengebüsch
vorbei schlängelte sich ein kleiner Pfad, dem sie folgten. Sie waren sehr
still und wachsam, jederzeit bereit zu fliehen, wenn es gefährlich werden sollte. Sie fühlten, es wurde gefährlich. Und als Kalle, der voraus-

ging, sich plötzlich hinter eine Tanne warf, wurde Anders blass vor Angst. Er folgte ihm blitzschnell und ohne Zeit für Fragen zu verschwenden.

»Da!«, flüsterte Kalle und zeigte zwischen die Tannen. »Da, sieh mal!« Aber es war nichts Entsetzliches zu sehen, als Anders vorsichtig hinter den Tannen hervorlugte, im Gegenteil! Ein Wochenendhaus, ein wirklich vornehmes Wochenendhaus und ein offener sonnenbeschienener Abhang davor. Ein schöner kleiner Abhang mit samtweichem grünen Gras, geschützt gegen harte Winde durch die dichten Tannen rundherum. Und mitten im Gras saß der Professor und hatte Rasmus auf dem Schoß. Ja, tatsächlich, da saßen sie. Rasmus und der Professor – und noch jemand.

6. Kapitel

»Ich finde, Sie sind sehr unvernünftig, Herr Professor Rasmusson«, sagte er, dieser andere.

Besonders vernünftig wirkte der Professor im Augenblick wirklich nicht. Er schien nahe daran, vor Wut zu explodieren. Offenbar hätte er sich am liebsten auf sein Gegenüber gestürzt. Nur die Tatsache, dass er Rasmus auf dem Schoß hatte und noch irgendwie gebunden war, schien ihn daran zu hindern.

»Wirklich, riesig unvernünftig«, fuhr der andere fort. »Ja, ja, ich gebe zu, mein Vorgehen ist etwas ungewöhnlich. Aber ich war dazu gezwungen. Es war sehr wichtig. Ich muss mit Ihnen reden.«

»Nun aber Schluss!«, sagte der Professor. »Sie haben sicher zu viele schlechte Krimis gelesen. Oder Sie sind nicht ganz normal.«

Der andere lachte, ein trockenes, überlegenes kurzes Lachen, und begann im Gras hin und her zu spazieren. Er war ein großer Mann mit einer guten Figur, wohl in den Vierzigern und sein Gesicht hätte man schön nennen können, wenn es nicht erschreckend hart gewesen wäre.

»Es braucht Sie nicht zu interessieren, ob ich normal bin oder nicht«, sagte er. »Mich interessiert nur eins: Nehmen Sie meinen Vorschlag an?«

»Und das Einzige, was mich interessiert, ist, wann und wo ich Ihnen eins auf's Maul schlagen kann.«

»Ich finde, das sollte er gleich machen«, flüsterte Kalle hinter der Tanne und Anders nickte zustimmend.

341

Der Fremde sah den Professor an, als ob er ein kleines unvernünftiges Kind vor sich hätte.

»Warum wollen Sie eigentlich hunderttausend Kronen wegwerfen, völlig unnötig wegwerfen?«, sagte er. »Ich biete Ihnen für die Formeln hunderttausend – das ist doch wohl ein anständiger Preis. Sie brauchen mir die Papiere nicht mal selbst zu geben, falls es Ihr Gewissen zu sehr belastet. Ein kleiner Hinweis, wo ich sie finde, genügt und die Auszahlung kann beginnen.«

»Hören Sie, Ingenieur Peters oder wie zum Teufel Sie sich nennen, Ihr Spatzengehirn hat wohl noch nicht begriffen, dass diese Formeln Eigentum des schwedischen Staates sind.«

Peters zuckte ungeduldig mit den Schultern. »Niemand braucht zu wissen, dass es Ihre Erfindung ist, die das Land verlässt. Verstehen Sie doch, man wird bald auch in anderen Ländern unzerstörbares Leichtmetall herstellen können. Das ist nur noch eine Frage der Zeit. Nur um Zeit zu gewinnen, will ich die Formeln jetzt von Ihnen kaufen.«

»Nun aber Schluss«, sagte der Professor wieder.

Peters' Augen wurden schmal.

»Ich *will* sie haben«, sagte er. »Ich *will* Ihre Formeln haben.«

Rasmus hatte bis jetzt still gesessen, nun aber mischte er sich in das Gespräch. »›Will haben‹ und ›will haben‹, das sagt man doch wohl nicht. ›Bitte‹ sagt man.«

»Ruhig, Rasmus«, sagte der Professor und zog seinen Sohn heftig an sich.

Der Ingenieur Peters sah die beiden nachdenklich an.

»Netten kleinen Jungen haben Sie«, sagte er bedeutungsvoll. »Ihn möchten Sie sicher nicht gern verlieren?«

Der Professor schwieg. Voller Abscheu sah er den Mann an, der vor ihm stand.

»Wollen wir nicht trotzdem einen kleinen Kuhhandel miteinander machen?«, fuhr Peters fort. »Sagen Sie mir, wo sich diese Papiere befinden. Ich schicke einen Mann los und lasse sie holen. Sie bleiben so lange hier, bis ich mich davon überzeugt habe, dass die Dokumente echt sind, und dann sind Sie frei und außerdem um hunderttausend Kronen reicher.«

»Halten Sie das Maul«, sagte der Professor. »Ich will nichts mehr hören.«

»Wie gesagt, um hunderttausend Kronen reicher«, fuhr Peters ungerührt fort. »In Ihrem eigenen Interesse rate ich Ihnen, auf meinen Vorschlag einzugehen. Denn wenn Sie das nicht tun...« Es entstand eine kleine, drohende Pause.

»Ja, stellen Sie sich mal vor, wenn ich es nun *nicht* tue«, sagte der Professor höhnisch. »Was wird dann?«

Der Schimmer eines Lächelns, eines hässlichen kleinen Lächelns, flog über Peters' Gesicht. »Dann haben Sie Ihren Sohn zum letzten Mal gesehen«, sagte er.

»Sie sind wirklich verrückter, als ich glaubte«, sagte der Professor. »Bilden Sie sich tatsächlich ein, dass mich Ihre kindischen Drohungen erschrecken können?«

»Das werden wir ja sehen. Es wäre das Beste, wenn Sie sich gleich an den Gedanken gewöhnen, dass es ernst ist.«

»Und für Sie wäre es gut, wenn Sie sich an den Gedanken gewöhnen könnten, dass ich niemals erzählen werde, wo ich meine Papiere aufbewahre.«

Rasmus richtete sich kerzengerade auf seines Vaters Schoß auf und starrte Peters an.

»Nee, und ich werde es auch nie erzählen«, sagte er triumphierend, »obwohl ich weiß, wo sie sind.«

Der Professor zuckte vor Unbehagen zusammen.

»Was redest du da für einen Unsinn«, sagte er. »Das weißt du doch gar nicht.«

»Weiß ich nicht?«, sagte Rasmus. »Wollen wir wetten?«

»Sei still, du weißt ja nicht einmal, wovon wir sprechen!«, sagte der Professor kurz.

»Natürlich weiß ich das«, sagte Rasmus, der es nicht leiden mochte, wenn jemand daran zweifelte, dass er einem Gespräch folgen konnte. »Ihr redet von den Papieren mit all den vielen kleinen roten Zahlen darauf. Und die Zahlen, hast du mal gesagt, sind geheim, so geheim, so geheim, so…«

»Ja, genau von denen haben wir gesprochen«, sagte Peters eifrig. »Aber wo sie sind, das kannst du doch wohl nicht wissen. Dafür bist du doch zu klein!«

Der Professor unterbrach ihn wütend. »Das führt doch zu nichts. Begreifen Sie nicht, dass ich aus Sicherheitsgründen jedes einzelne Blatt der Dokumente in ein Bankfach gelegt habe.«

Rasmus starrte seinen Vater vorwurfsvoll an. »Jetzt lügst du aber, Papa!«, sagte er streng. »Die Papiere sind ja gar nicht in so was, wie du gesagt hast, in einem Bankfach.«

»Schweig, Rasmus!«, schrie der Professor unerwartet heftig.

Kalles Herz klopfte, dass er es bis in den Hals hinauf spürte, und er fuhr sich voller Verzweiflung in die Haare. Anders sah aus, als wolle er am liebsten hinstürzen und den Kleinen am Weiterreden hindern. Aber Rasmus glaubte sicher, noch über die Papiere sprechen zu müssen, zumal es ja aussah, als hätte sein Vater ganz vergessen, wie es gewesen war. Aber Rasmus war offenbar der Meinung, dass diese Sache jetzt geklärt werden musste, weil sein Vater wohl vergessen hatte, wie es war.

»Die sind ganz bestimmt nicht in einem Bankfach, denn das weiß *ich*«, sagte er überzeugend. »Ich bin dir nämlich einmal nachgeschlichen, als du dachtest, ich liege in meinem Bett und schlafe. Da stand ich auf der Treppe in der Diele und da hab ich gesehen, dass du…«

»Schweig, Rasmus!«, schrie der Professor noch heftiger.

»Warum schreist du denn so?«, fragte Rasmus gekränkt. »Ich *werde* nicht sagen, wo sie sind.« Dann sah er mitleidig zu Peters. »Aber ich könnte ihm doch schließlich sagen, ob es ›Feuer‹ ist oder ›Kohle‹ oder ›Wasser‹ – so macht man es doch!«

Der Professor schüttelte ihn unsanft.

»Wirst du wohl endlich still sein!«, schrie er.

»Ja, ja, ja, ich bin ja schon still«, sagte Rasmus ungeduldig. »Hab ich denn was gesagt?« Er schob nachdenklich die Unterlippe vor und dachte nach. »Also ›Kohle‹ ist es auf keinen Fall«, sagte er. »Und ›Wasser‹ auch nicht!«

7. Kapitel

Eva-Lotta sah sich in ihrem Gefängnis um. In ihrem, ehrlich gesagt, recht netten Gefängnis. Wenn dieser Nicke nicht ein paar dicke Latten über die Fensteröffnung genagelt hätte – sie hätte sich einbilden können, dass sie ein sehnsüchtig erwarteter Gast auf der Insel sei. Hatte sie nicht wirklich das allersüßeste kleine Gästehaus ganz für sich allein bekommen? Gemütlich, vier Pritschen an den Seitenwänden, mit kariertem Baumwollstoff bezogen, ein Vorhang vor der Waschgelegenheit, am Fenster ein kleiner Tisch mit Zeitungen und Büchern zur Unterhaltung und Zerstreuung des Gastes. Von allen Kidnapperwohnungen auf der Welt war diese sicher die eigentümlichste, dachte Eva-Lotta. Viele Kidnapperwohnungen mit einer solchen Aussicht gab es sicher schon gar nicht. Hinter den aufgenagelten Latten stand das Fenster offen und durch die Zwischenräume sah man auf eine Sommerlandschaft von herzzerreißender Schönheit. Der Fjord lag im glitzernden Sonnenschein und hielt kleine grüne Inseln in seinen blauen Armen. Eva-Lotta holte tief Luft. Wenn sie jetzt den Pfad, der glatt von Tannennadeln war, zwischen den Tannen entlang zum Steg laufen könnte, kopfüber in das kristallklare Wasser tauchen, auf dem Steg liegen und sich sonnen, die Augen schließen und nur noch das gleichmäßige, leise Plätschern hören, wenn die Boote an ihrer Vertäuung zerrten!

Ja, die Boote, die Boote der Kidnapper! Sie hatten mehrere. Eva-Lotta konnte das Motorboot sehen, das sie über den Sund gebracht hatte.

Ganz nahe schaukelten in der schwachen Dünung drei Ruderboote. Auf dem Steg lag außerdem ein großes kanadisches Kanu.

Diese Insel muss für Kidnapper höchst bequem sein, dachte Eva-Lotta. Und Platz war hier, wenn es nötig sein sollte, für eine ganze Schwadron. Zu drängeln brauchte sich hier niemand. Viele kleine Häuser lagen spielerisch verstreut über das Gelände in angemessenem Abstand zu dem großen, feinen, wo der Kidnapperchef residierte. Vielleicht wohnten in all den vielen kleinen Häuschen Kidnapper. Jeder für sich in seinem eigenen kleinen Wespennest. Klopfte man an die Tür, kam womöglich ein giftiger kleiner Kidnapper herausgesurrt und erschreckte einen zu Tode!

Als Eva-Lotta so weit gedacht hatte, warf sie den Kopf zurück und sah sehr entschlossen aus. Sie würde sich nicht erschrecken lassen. Niemand dürfte hier kommen und sich auf die Nase von Eva-Lotta Lisander setzen! Dieser Nicke sollte wissen, dass Eva-Lotta lebendig war. Mit ihren Fäusten ging sie auf die verschlossene Tür los.

»Nicke«, schrie sie. »Nicke, komm her! Ich will was zu essen haben. Sonst schmeiß ich das Haus um!«

Anders und Kalle, die unter den Bäumen dem Gespräch zwischen dem Professor und Peters lauschten, nahmen den Lärm mit Zufriedenheit zur Kenntnis. Gott sei Dank! Eva-Lotta war am Leben und in keiner Weise angeschlagen!

Nicke hörte den Lärm natürlich auch, allerdings mit bedeutend geringerer Zufriedenheit.

Verärgert brummend machte er sich auf, den Lärm zu beenden. Eva-Lotta wurde still, als sie den Schlüssel im Schloss hörte. Nicke kam herein, bereit, sie ordentlich abzukanzeln. Aber seine Zunge war nicht besonders schnell und Eva-Lotta kam ihm zuvor.

»Die Bedienung in diesem Hotel lässt zu wünschen übrig!«, sagte sie. Nicke hatte plötzlich vergessen, was er ihr hatte sagen wollen. Er glotzte Eva-Lotta an, erstaunt und beinahe ein wenig beleidigt.

»Nee du, hör mal«, sagte er. »Nee du, hör…«

»Ja du, hör mal«, sagte Eva-Lotta. »Reiner Mist ist das hier mit der Bedienung in diesem Hotel. Ich will mein Essen haben! Essen, verstehst du?«

»Dich haben wir für unsere Sünden bekommen«, sagte Nicke. »Und daran hat der verdammte Svanberg Schuld, der nicht richtig aufs Auto aufpassen konnte. Es wird wirklich interessant sein zu hören, was der Chef davon hält.«

»Na, über mich müsst ihr euch doch freuen«, sagte Eva-Lotta. »Für einen Kidnapper muss es doch wundervoll sein, wenn er plötzlich zwei Kinder hat, wo er nur mit einem gerechnet hat.«

»Nee du, hör mal«, sagte Nicke wieder. »Dieses Gequatsche gefällt mir nicht. Für dich bin ich noch lange kein Kidnapper.«

»Bist du nicht? Ja, aber genau das bist du für mich, Kidnapper-Nicke. Wenn man Kinder klaut, ist man ein Kidnapper. Wusstest du das nicht?«

Wieder sah Nicke erstaunt und zugleich beleidigt aus. So hatte er die Sache wohl nicht gesehen und er hatte auch jetzt nicht die Absicht, es zu tun.

»Ich bin aber kein Kidnapper für dich«, sagte er etwas unsicher. »Und übrigens hörst du jetzt auf solchen Lärm zu machen«, schrie er los, plötzlich furchtbar wütend. Er packte Eva-Lotta an den Armen und schüttelte sie. »Hör auf solchen Lärm zu machen, sonst kriegst du eine Tracht Prügel von mir, dass dir Hören und Sehen vergeht.«

Eva-Lotta sah ihm starr in die Augen. Ihr schwebte unklar vor, dass man das tun musste, wenn man wilde Bestien zähmte.

»Ich will etwas zu essen haben«, sagte sie bestimmt. »Bald wird es sich hier anhören, als ob eine ganze Schulklasse brüllt, wenn ich nicht mein Essen kriege.«

Nicke fluchte und ließ sie los. Er ging auf die Tür zu.

»Ja, ja, du sollst zu essen haben«, sagte er. »Haben die Gnädigste besondere Wünsche?«

»Hm, ja – Schinken und Ei vielleicht«, sagte Eva-Lotta. »So etwas mag ich gern zum Frühstück. Und die Eier auf beiden Seiten gebraten, bitte! Und vor allem: etwas schneller, wenn ich bitten darf.«

Nicke schlug die Tür mit einem lauten Knall hinter sich zu. Eva-Lotta hörte, wie der Schlüssel im Schloss umgedreht wurde. Und sie hörte Nicke draußen fluchen.

Aber gleich danach hörte sie etwas anderes, etwas, was sie mit grenzenlosem Jubel erfüllte. Sie hörte, wie vor ihrem Fenster das Signal der Weißen Rose gepfiffen wurde. Unendlich leise – aber das Signal der Weißen Rose. Herrlicher als alle Harfentöne des Himmels!

8. Kapitel

Kalle wachte mit einem Ruck auf. Ziemlich verwirrt sah er sich um. Wo war er? War es Abend oder Morgen? Und warum lag Anders dort und schlief, die Haare wie eine Mähne über den Augen?

Langsam begann es sich in seinem Gehirn zu klären. Er lag in einer Höhle, die er zusammen mit Anders gebaut hatte, und es war Abend. Die Sonne würde bald untergehen, ihre letzten Strahlen färbten die Kiefern bei den Felsen rot. Und Anders schlief, weil er natürlich übermüdet war!

Was für ein Tag! Genau genommen hatte er ja bereits gestern Abend in der Schlossruine begonnen. Und jetzt war wieder Abend. Fast den ganzen Nachmittag hatten Anders und er geschlafen und den Schlaf brauchten sie auch. Aber zuerst hatten sie sich noch diese wunderbare Höhle gebaut.

Kalle streckte seine Hand aus und betastete die Wand aus Tannenzweigen. Oh, er hatte diese Höhle gern! Sie war jetzt ihr Zuhause, ein kleiner Ort der Geborgenheit, den sie sich, so weit als irgend möglich von den Kidnappern entfernt, geschaffen hatten. Hier würde keiner sie finden. Die Höhle lag eingebettet in einer Mulde zwischen zwei Felsen. Wenn man nicht direkt auf sie zukam, war es sehr schwer, sie zu entdecken. Hier war Schutz vor allen Winden und weiches Tannengrün, auf dem sie schlafen konnten. Die Felsen hatten noch viel von der Sonnenwärme des Tages gespeichert; sie brauchten nicht zu frieren in der Nacht. Ja, es war eine wunderbare Höhle!

»Hast du Hunger?«, fragte Anders. Es kam so unerwartet, dass Kalle zusammenzuckte.

»Bist du aufgewacht?«

Anders setzte sich auf seinem Bett aus Tannenzweigen auf. Seine Haare waren zerzaust und auf einer Backe hatte er ein zierliches rotes Tannenzweigmuster.

»Ich hab solchen Hunger, ich glaub, ich könnte jetzt sogar gekochten Fisch essen«, stöhnte er.

»Sei bloß still, Anders«, sagte Kalle. »Ich fang bald an, Rinde von den Bäumen zu nagen.«

»Ja, ja, wenn man einen ganzen Tag von Blaubeeren gelebt hat, möchte man was Hartes zwischen die Zähne kriegen«, gab Anders zu.

Eva-Lotta war ihre einzige Hoffnung. Sie hatte ihnen versprochen, etwas zu essen zu beschaffen. »Ich werde Nicke um den Verstand bringen«, hatte sie gesagt. »Ich werde ihm erzählen, dass der Arzt mir verordnet hat, jede zweite Stunde zu essen. Ihr werdet schon nicht verhungern, keine Angst! Kommt wieder, wenn es dunkel wird.«

Das war am Morgen gewesen. Sie hatten vor Eva-Lottas Fenster gestanden und geflüstert, bereit, beim ersten Zeichen von Gefahr zu fliehen. Und als Nicke mit Eva-Lottas Frühstück zurückkam, hatten sich Anders und Kalle davongeschlängelt wie zwei aufgescheuchte Eidechsen, obwohl ihnen der Duft vom gebratenen Schinken in die Nase stach. Sie hörten nur noch Eva-Lottas bitteren Vorwurf gegen Nicke: »Glaubst du, ich bin hierher gekommen, um eine Abmagerungskur zu machen?« Was Nicke antwortete, hörten sie nicht. Da waren sie bereits tief im Wald.

Sie waren dann zur anderen Seite der Insel übergewechselt. Dort hatten sie den Tag damit zugebracht, ihre Höhle zu bauen, bei den Felsen zu baden, zu schlafen und Blaubeeren zu essen. Viel zu viele Blaubeeren. Und jetzt waren sie so ausgehungert, wie ein Mensch nur sein kann.

»Aber wir müssen warten, bis es dunkel wird«, sagte Anders finster. Sie krochen aus der Höhle und kletterten auf den Felsen. In einer Spalte machten sie es sich bequem um die Nacht und das Dunkel, die Rettung vor dem Hungertod, abzuwarten. Da saßen sie und beobachteten mit sauren Gesichtern den schönsten Sonnenuntergang ihres Lebens, und das Einzige, was sie dabei empfanden, war Ungeduld darüber, dass es so langsam ging. Wie eine Feuersbrunst leuchtete der Himmel über den Baumwipfeln des Festlandes. Noch war ein Stück der roten Sonnenscheibe zu sehen, aber bald würde sie in den dunklen Wäldern dort drüben verschwinden. Die Finsternis, die gute, die gesegnete Finsternis, würde sich dann über Land und Wasser und über alle senken, die Schutz vor Kidnappern brauchten. Wenn es bloß etwas schneller gehen würde!

Der Felsen fiel steil zum Wasser ab und unten, wo Stein und Wellen sich trafen, konnte man ein kleines verspieltes Plätschern hören. Irgendwo draußen über dem Fjord schrie wild und melancholisch ein Seevogel, sonst war alles still.

»Es geht mir langsam auf die Nerven«, sagte Kalle.

»Und ich denke gerade daran, was die zu Hause wohl sagen«, meinte Anders. »Glaubst du, wir werden schon im Radio gesucht?«

Anders hatte es kaum ausgesprochen, als sie sich beide an den Zettel erinnerten, den Eva-Lotta gestern Abend »als Beruhigungspille« zu Hause auf ihr Kopfkissen gelegt hatte. »Macht jetzt kein Theater, ich komme bald zurück, glaube ich.« Selbst wenn die Eltern zu der Zeit ziemlich ärgerlich und sicher auch beunruhigt waren über ihr Verschwinden, würden sie wahrscheinlich nach dem Bescheid von Eva-Lotta nicht sofort die Polizei alarmiert haben. Und wenn Anders' und Kalles Eltern sich erst einmal mit Bäckermeister Lisander besprochen hatten, so würden sie ja wohl, wenn auch mit einigem Zorn über die vielen dummen Streiche der Weißen Rosen, Ruhe geben. Das war vielleicht auch gut so. Wer weiß, ob es sehr klug wäre, die Polizei in diese Sache hineinzuziehen? Kalle hatte genügend Kidnapper-Geschichten gelesen um zu wissen, wie gefährlich das werden konnte. Auf jeden Fall sollte man doch zuerst auf irgendeine Weise mit dem Professor reden. Wenn man nur irgendwie ins Gespräch kommen könnte.

Bei Ingenieur Peters war Licht. Sonst war es überall dunkel. Und still. Es war eine so tiefe Stille, dass man sie fast hören konnte. Wenn es hier überhaupt Menschen gab, dann schliefen sie wohl.

Nein, nicht alle schliefen! Schmerzhaft wach lag der Professor auf seiner Pritsche und quälte sich selbst in endlosem Gegrübel. In seinem ganzen fünfunddreißigjährigen Leben war er es gewohnt, eine Lösung für die Probleme, die ihn beschäftigten, zu finden. Aber seine augenblickliche Situation war so außerordentlich verworren, dass er über alles nur hilflos den Kopf schütteln konnte. Er konnte einfach nichts tun – er musste es sich in ohnmächtiger Wut eingestehen. Nichts anderes als warten. Worauf sollte er warten? Dass ihn jemand vermissen und suchen würde? In Kleinköping bestimmt nicht. Die alte Villa dort hatte er ja gerade deshalb gemietet, weil er seine Ruhe haben wollte. Dort wollte er den Sommer über allein mit Rasmus wohnen. Es konnte wirklich noch sehr lange dauern, bis überhaupt jemand bemerkte, dass er verschwunden war.

Als der Professor in seinen Gedanken so weit gekommen war, sprang er heftig von seiner Pritsche auf. An Schlafen war nicht zu denken! Oh, wenn er diesen Peters doch nur in winzig kleine Stücke reißen könnte!

Eva-Lotta schlief auch nicht. Sie saß an ihrem Fenster und horchte angespannt auf jeden Laut von draußen. War es nur der Nachtwind, der in den Zweigen raschelte, oder kamen sie nun endlich, Kalle und Anders?

Der Tag war lang gewesen, furchtbar lang. Für den, der die Freiheit liebt, ist es unerträglich, einen ganzen Tag lang eingesperrt zu sein. Mit einem Schaudern dachte Eva-Lotta an all die Armen, die in Gefangenschaft schmachten mussten. Am liebsten wäre sie in der ganzen Welt herumgelaufen und hätte die Gefängnisse geöffnet um alle Gefangenen aus ihren Löchern zu befreien! Denn das war ja das Schlimmste von allem: nicht hinausdürfen, wenn man gerade wollte!

Etwas wie Panik ergriff sie und sie warf sich wild gegen das Fenster, das mit Latten vernagelt war und sie von der Freiheit trennte. Da fiel ihr Rasmus ein – sie musste sich beherrschen. Sie durfte Rasmus nicht wecken. Er schlief ruhig und zufrieden auf seiner Pritsche. Sie hörte im Dunkeln seine regelmäßigen Atemzüge. Das dämpfte ihre panikartige Angst. Sie war jedenfalls nicht allein.

Aus der Stille von draußen kam nun endlich das erwartete Signal, das Signal der Weißen Rosen, und gleich darauf ein eifriges Flüstern: »Eva-Lotta, hast du was zu essen für uns?«

»Und ob!«, sagte Eva-Lotta.

Sie beeilte sich, Butterbrote und kalte Kartoffeln und kalte, fettige Wurstscheiben und kalte Schinkenstücke zwischen den Latten hindurchzuschieben. Sie bekam nicht das kleinste »Danke« von denen da draußen, denn die brachten kaum mehr als ein zufriedenes Grunzen während des Kauens hervor. Nun, da sich Essbares in Reichweite befand, war ihr Hunger noch rasender als zuvor und sie stopften alle Delikatessen, die ihnen Eva-Lotta aus dem Fenster reichte, fast ohne zu kauen in sich hinein.

Schließlich mussten sie einmal Atem holen und Kalle murmelte: »Ich hatte völlig vergessen, dass Essen so gut sein kann.«

Eva-Lotta lächelte im Dunkeln. Sie war glücklich wie eine Mutter, die ihren hungrigen Kindern Brot gibt. Und sie flüsterte: »Seid ihr jetzt satt?«

»Ja, fast…«, stellte Anders erstaunt fest. »Das war das Beste…«

Kalle unterbrach ihn: »Du, Eva-Lotta, weißt du, wo der Professor ist?«

»Er sitzt eingesperrt in dem Häuschen oben auf dem Felsen«, antwortete Eva-Lotta. »In dem Häuschen, das der See am nächsten liegt.«

»Glaubst du, dass Rasmus auch dort ist?«

»Nein, Rasmus ist hier bei mir. Er schläft.«

»Ja, ich schlafe«, sagte eine zarte Stimme aus der Dunkelheit.

»Ach so, du bist wach«, sagte Eva-Lotta.

»Ich werd immer wach, wenn Leute Butterbrote essen und so laut schmatzen.« Er kam leise zu Eva-Lotta getappt und kletterte auf ihren Schoß. »Sind Kalle und Anders gekommen?«, fragte er begeistert. »Wollt ihr kämpfen? Darf ich nicht auch eine Weiße Rose werden?«

»Das kommt darauf an, ob du schweigen kannst«, sagte Kalle mit leiser Stimme. »Du darfst *vielleicht* eine Weiße Rose werden, wenn du versprichst niemand zu erzählen, dass du Anders und mich gesehen hast.«

»Mach ich«, sagte Rasmus bereitwillig.

»Kein Wort zu Nicke oder irgendeinem anderen, dass wir hier gewesen sind, hast du das verstanden?«

»Warum eigentlich? Kann Nicke euch nicht leiden?«

»Nicke weiß doch nicht, dass wir hier sind«, sagte Anders. »Und er darf es niemals erfahren. Nicke ist ein Kidnapper, verstehst du?«

»Sind Kidnapper nicht nett?«, fragte Rasmus.

»Nee, nicht besonders«, sagte Eva-Lotta.

»*Ich* finde jedenfalls, sie sind nett«, versicherte Rasmus. »Ich finde, Nicke ist sooo nett. Warum dürfen Kidnapper keine Geheimnisse erfahren?«

»Weil sie das nicht *dürfen*«, sagte Kalle kurz. »Und du darfst nie eine Weiße Rose werden, wenn du nicht schweigen kannst.«

»Ja, aber das kann ich!«, rief Rasmus eifrig. Er war bereit, bis an das Ende seines Lebens zu schweigen, wenn er nur eine Weiße Rose werden durfte.

Da hörte Eva-Lotta schwere Schritte und ihr Herz schlug vor Schreck einen kleinen Purzelbaum.

»Verschwindet!«, flüsterte sie. »Beeilt euch! Nicke kommt.«

Im nächsten Augenblick drehte sich der Schlüssel im Schloss. Der Schein einer Taschenlampe erhellte das Zimmer und Nicke fragte misstrauisch: »Mit wem redest du?«

»Dreimal darfst du raten«, sagte Eva-Lotta. »Hier sitzen Rasmus und ich und dann ich und Rasmus. Mit mir selbst pflege ich nicht zu reden. Nun rate, mit wem habe ich wohl geredet?«

»Aber du bist ein Kidnapper und Kidnapper dürfen niemals Geheimnisse erfahren«, sagte Rasmus voller Mitleid.

»Nee du, hör mal«, sagte Nicke und machte einen drohenden Schritt auf Rasmus zu. »Fängst du auch schon an mich mit Kidnapper zu beschimpfen?«

Rasmus nahm Nickes große Hand und sah vertrauensvoll auf in das wütende Gesicht.

»Ja, aber ich finde doch, dass Kidnapper nett sind«, beteuerte er. »Ich finde, du bist sehr, sehr nett, kleiner Nicke!«

Nicke murmelte etwas Unverständliches und wollte gehen.

»Soll ich in diesem Haus zu Tode gehungert werden?«, fragte Eva-Lotta. »Warum krieg ich hier kein Nachtessen?«

Nicke drehte sich um und sah Eva-Lotta aufrichtig erstaunt an. »Deine armen Eltern«, sagte er schließlich. »Die müssen ja Millionäre sein um dich satt zu kriegen.«

Eva-Lotta lächelte. »An Appetitlosigkeit hab ich noch nie gelitten«, stellte sie zufrieden fest.

Nicke hob Rasmus von ihrem Schoß und trug ihn zur Pritsche. »Ich glaube, Häschen, du musst jetzt schlafen«, sagte er.

»Ich bin aber nicht müde«, versicherte Rasmus. »Ich hab ja den ganzen Tag geschlafen.«

Nicke drückte ihn wortlos ins Bett.

»Deckst du bitte die Füße gut zu«, bat Rasmus. »Ich kann's nämlich nicht leiden, wenn die Zehen herausgucken.«

Kichernd und mit einem recht erstaunten Ausdruck im Gesicht tat Nicke, worum er gebeten worden war. Dann stand er da und sah nachdenklich auf Rasmus hinab.

»Du bist mir schon ein komisches kleines Wesen«, sagte er.

Der dunkle Kopf des Jungen ruhte auf dem Kissen. Im schwachen Schein der Taschenlampe sah er unwahrscheinlich zart und lieblich aus. Seine Augen waren blank und sie lächelten Nicke freundlich an.

»Oh, du bist wirklich nett, kleiner Nicke«, sagte er, »komm, ich will dich drücken, genauso, wie ich Papa immer drücke.« Nicke kam gar nicht dazu, sich zu wehren. Rasmus legte einfach die Arme um seinen Hals und dann drückte er Nicke so kräftig, wie seine fünfjährigen Ärmchen es erlaubten.

»Tut es weh?«, fragte er voller Hoffnung.

Nicke schwieg zuerst. Aber dann murmelte er undeutlich: »Nee, das tut nicht weh… Das nicht…«

9. Kapitel

Hoch oben auf einem Felsen lag das Häuschen, wo Ingenieur Peters seinen kostbaren Gast einquartiert hatte. Es lag dort wie ein Adlernest und war nur von einer Seite zugänglich. Die Rückwand schloss mit dem Felsen ab, der ziemlich senkrecht zum Ufer abfiel.

»Wir müssen dort hinaufklettern«, sagte Kalle und zeigte mit dem immer noch fettigen Zeigefinger zu dem Fenster des Professors hinauf.

Nach seinem Abenteuer in der Schlossruine war Anders nicht besonders darauf aus, in steilen Klippen herumzuklettern, wenn es auch diesmal lange nicht so beängstigend hoch war.

»Können wir nicht den richtigen Weg an der Vorderseite hochschleichen wie normale Sterbliche?«, schlug er vor.

»Ja, und Nicke oder jemand anders genau in die Arme laufen. Niemals!«

»Klettere du«, sagte Anders. »Ich bleib hier unten und pass auf.«

Kalle dachte keinen Moment nach. Er leckte das letzte Schinkenfett von den Fingern und begann zu klettern.

Es war inzwischen nicht mehr so dunkel. Die runde Scheibe des Mondes stieg langsam über dem Wald auf. Noch wusste Kalle nicht, ob er dafür dankbar sein sollte. Es war zwar leichter, im Mondschein zu klettern, aber es war auch leichter, den zu sehen, der kletterte. Vielleicht war es besser, dafür dankbar zu sein, dass der Mond schien und sich dann und wann einmal hinter einer ziehenden Wolke versteckte.

358

Kalle hielt die Luft an und kletterte. An und für sich war es bestimmt keine besonders gefährliche Bergbesteigung, aber der Gedanke, ganz plötzlich vielleicht eine Meute Kidnapper an den Fersen kleben zu haben, trieb ihm doch den Angstschweiß auf die Stirn.

Vorsichtig tasteten sich seine Füße und Hände vor und er arbeitete sich langsam empor. Manchmal war es schwer. Einige schwindelnde Augenblicke lang konnte es geschehen, dass er gleichsam wie im leeren Nichts herumtastete und keinen Halt finden konnte. Aber anscheinend besaßen seine Füße doch die instinktive Begabung, sich zwischen lockerem Gestein, Spalten und Wurzeln zurechtzufinden und er fand immer etwas, woran er sich festklammern konnte.

Nur einmal verließ der Instinkt seinen rechten großen Zeh und er trat einen Stein los, der mit großem Getöse den Steilhang hinunterrollte. Kalle war nah daran, vor lauter Aufregung selbst hinterherzurollen, aber eine Baumwurzel, die er in letzter Sekunde zu fassen kriegte, rettete ihn. Ängstlich klammerte er sich an ihr fest und wagte lange Zeit nicht, sich zu rühren.

Anders hörte den Lärm, als der Stein herunterkam. Um ihn nicht auf den Schädel zu kriegen, sprang er blitzschnell zur Seite und murmelte wütend vor sich hin: »Er sollte gleich auf der Posaune blasen, damit sie ja sicher hören, dass er kommt!«

Aber anscheinend hatte niemand außer Anders den Krach gehört. Und als Kalle mit klopfendem Herzen noch einige Minuten lang gewartet hatte, ohne dass etwas geschah, ließ er die rettende Wurzel los und kletterte weiter.

In seinem dunklen Zimmer lief der Professor auf und ab wie ein Tier im Käfig. Es war nicht auszuhalten, wirklich nicht auszuhalten! Es war einfach zum Verrücktwerden. Ganz sicher würde er verrückt werden, so verrückt, wie dieser Peters schon lange war. Er war also einem Geistesgestörten ausgeliefert. Er wusste nicht, was man mit Rasmus machte. Er wusste nicht, ob er jemals wieder hier herauskam. Und hier war es so dunkel wie in einer Grabkammer. Tausend Flüche über diesen Peters! Er hätte ihm wenigstens ein Licht geben können. – Wenn er diesen Schweinehund nur einmal zwischen die Finger bekommen könnte! – Still! – Was war das? Der Professor blieb steif stehen. Waren es nur seine aufgepeitschten Nerven, die ihm einen Streich spielten, oder klopfte wirklich jemand ans Fenster? Aber dieses Fenster, durch das er den ganzen siebenfach verdammten Tag gestarrt hatte, dieses Fenster lag doch über dem Abgrund – dort konnte doch wohl kein Mensch... Himmel, da klopfte es wieder. Es war tatsächlich jemand da!

Voller Hoffnung und Verzweiflung lief er zum Fenster und öffnete es. Kein Gefängnisfenster konnte effektvoller eisenbeschlagen sein als dieses. Es war allerdings so geschickt gemacht, dass es von außen ländlich und nett wirkte, richtig hübsch für ein Wochenendhaus. Ein Eisengitter war es nichtsdestotrotz.

»Ist dort jemand?«, flüsterte der Professor. »Wer ist da?«

»Ich bin's bloß. Kalle Blomquist.«

Das war nur hingehaucht, aber es ließ den Professor vor Aufregung zittern. Seine Hände krampften sich um das Gitter.

»Kalle Blomquist? Wer – ach so, ja, ja, jetzt erinnere ich mich. Gesegneter kleiner Kalle, weißt du etwas von Rasmus?«

»Er ist in einem Häuschen drüben bei Eva-Lotta. Ihm geht es gut.«

»Gott sei Dank! Gott sei Dank dafür!«, flüsterte der Professor mit einem tiefen Seufzer der Erleichterung. »Peters hat gesagt, ich hätte Rasmus zum letzten Mal gesehen...«

»Sollen wir versuchen die Polizei zu holen, Herr Professor?«, fragte Kalle.

Der Professor griff sich an die Stirn. »Nein, nein, nicht die Polizei. Wenigstens jetzt noch nicht. Ich weiß weder ein noch aus... Ich glaube langsam, diesem Peters ist es ernst, was er sagt... Ich habe Angst um Rasmus... Nein, nein, nicht die Polizei – nicht, bevor Rasmus in Sicherheit ist.«

Er packte das Gitter und flüsterte schnell: »Das Schlimmste ist: Rasmus weiß, wo ich die Papiere mit den Formeln aufbewahre. Von der Erfindung, wenn du dich erinnerst. Und dieser Peters weiß das. Es dauert nicht lange und er hat Rasmus gezwungen, das Versteck zu verraten.«

»Wo sind sie?«, fragte Kalle. »Können Anders und ich sie nicht in Sicherheit bringen?«

»Meinst du wirklich, ihr könnt das?« Der Professor erregte sich so sehr, dass ihm fast die Stimme wegblieb. »Großer Gott, wenn ihr das wirklich schafft! Ich habe sie… Meint ihr wirklich… Sie stecken hinter…« Aber ein böswilliges Schicksal hatte entschieden, dass Kalle das kostbare Geheimnis nicht erfuhr. Denn im selben Augenblick ging die Tür auf und der Professor verstummte wie vom Blitz getroffen. Er zwang sich zu schweigen, obwohl er vor Zorn und Enttäuschung hätte weinen können. Noch eine Sekunde und er hätte sagen können, was er sagen wollte! Aber da stand Ingenieur Peters bereits auf der Schwelle. Er hatte eine Petroleumlampe in der Hand und grüßte sehr höflich.

»Guten Abend, Herr Professor Rasmusson!«

Der Professor schwieg.

»Hat Ihnen der verdammte Nicke nicht einmal eine Lampe hier gelassen?«, fuhr Peters fort. »Bitte sehr, ich stelle Ihnen natürlich diese hier zur Verfügung.« Freundlich lächelnd stellte er die Petroleumlampe auf den Tisch. Der Professor schwieg noch immer.

»Ich soll Sie von Rasmus grüßen«, sagte Peters, während er den Docht etwas niedriger schraubte. »Ich glaube fast, ich muss den Kleinen ins Ausland schicken.«

Der Professor machte eine Bewegung, als wolle er sich auf seinen Quälgeist stürzen, aber Peters hob abwehrend die Hand.

»Nicke und Blom stehen draußen«, sagte er. »Wenn Sie schlagen wollen, schlagen wir zurück. Und – vergessen Sie nicht: Wir haben Rasmus.«

361

Der Professor setzte sich auf das Bett und verbarg das Gesicht in den Händen. Sie hatten Rasmus! Sie hatten jeden Trumpf in der Hand! Er hatte nur Kalle Blomquist. Blomquist war seine einzige Hoffnung und er musste deshalb ruhig bleiben. Er musste… Er musste…

Peters machte eine Runde durchs Zimmer. Dann stellte er sich mit dem Rücken ans Fenster.

»Gute Nacht, mein Freund«, sagte er leichthin. »Sie haben ja noch Zeit, sich die Sache zu überlegen. Allerdings nicht mehr sehr lange, fürchte ich.«

Draußen presste sich Kalle fest gegen die Wand. Er konnte Peters' Stimme hören, als sei er selbst angesprochen, und ängstlich versuchte er sich einen Schritt zurückzuziehen. Aber dort, wo er seinen Fuß hinsetzte, war nur ein verräterisches Grasbüschel – und mit laut vernehmlichem Krach rutschte Meisterdetektiv Blomquist die steile Wand hinunter und knallte, bedeutend schneller als vorgesehen, Anders vor die Füße. Kalle stöhnte und Anders beugte sich besorgt über ihn.

»Hast du dich gestoßen? Tut es weh?«

»Nein, keine Sorge, es ist ein herrliches Gefühl!« Kalle stöhnte noch einmal. Ihm blieb aber keine Zeit, an seine blauen Flecke zu denken. Oben vom Haus her war Peters' Stimme zu hören. Er schrie:

»Nicke! Blom! Wo seid ihr? Durchsucht sofort das Gelände unten am Haus! Mit Taschenlampen! Sofort! Rasch!«

»Du guter Moses«, flüsterte Anders.

»Genau das«, sagte Kalle. »Jetzt können wir uns ganz schön Leid tun.«

Bevor sie überhaupt an Flucht denken konnten, begannen die Strahlen der Taschenlampen schon zwischen den Bäumen zu spielen. Jeden Moment konnten sie sich mitten im Lichtkegel befinden. Es war schrecklich, auch nur daran zu denken! Nicke und Blom kamen angestürzt. Kalle und Anders hörten, wie sie sich näherten. Sie wollten weglaufen, aber die Angst lähmte sie. Als Nicke kaum fünf bis zehn

Schritte von ihnen entfernt war, drückten sie sich in Panik in eine Spalte zwischen zwei großen Steinen. Es war die engste kleine Kluft und sie pressten sich hinein, als wollten sie die Steine sprengen. So muss sich ein armes, geplagtes Tier fühlen, wenn die Bluthunde näher kommen, dachte Kalle verzweifelt.

Ja, jetzt waren die Bluthunde über ihnen. Das Scheinwerferlicht zuckte hierhin und dorthin. Krampfhaft klammerten Kalle und Anders sich aneinander. Sie dachten plötzlich beide an ihre Mütter. Der Mond leuchtete boshaft zwischen den Bäumen, gerade als reichten die Lampen noch nicht aus.

»Hierher, Nicke!«, schrie Blom. Seine Stimme klang so schrecklich nahe. »Wir wollen einmal zwischen den dichten Tannen dort nachsehen. Ist jemand hier, so ist er dort.«

»Er kann ja wohl nicht gleichzeitig hier und dort sein«, sagte Nicke mit einem Grinsen. »Außerdem glaube ich, dass der Chef fantasiert.«

»Das werden wir bald genau wissen«, sagte Blom grimmig.

Mama, Mama, Mama, dachte Kalle, jetzt kommen sie – jetzt ist es mit uns aus – adieu für immer…

Ganz nah waren sie nun und für den Bruchteil einer Sekunde leuchtete Nickes Lichtstrahl direkt in das Versteck der Jungen hinein.

Aber manchmal geschehen Wunder.

»Was ist denn jetzt los? Was ist mit meiner Taschenlampe?«, sagte Nicke. Dank und Preis und Dank und Lob – Nickes Lampe war erloschen. Und um das Wunder noch vollkommener zu machen, verschwand gleichzeitig der Mond hinter einer großen Wolke. Blom kroch eifrig in allernächster Nähe zwischen dichten Tannen herum. Nicke folgte ihm. Er fummelte an seiner Lampe.

»Ist jemand hier, so ist er dort«, brummelte er vor sich hin, Bloms Sprache nachahmend. »Soso, nun geht sie wieder«, fuhr er zufrieden fort und ließ den Lichtstrahl zwischen den Tannen umherhuschen. Aber da war niemand, und Nicke stieß Blom in die Seite und sagte:

»Na, was hab ich gesagt? Der Chef fantasiert. Mit seinen Nerven ist was nicht in Ordnung. Hier ist keine Menschenseele.«

»Nee, hier ist alles leer«, bestätigte Blom misslaunig. »Aber wir gehen sicherheitshalber noch 'n Stück weiter.«

Ja, ja, dachte Kalle, macht das mal – sicherheitshalber.

Und wie auf Kommando flitzten er und Anders lautlos die paar Meter, die sie von den Tannen trennten, und schlüpften unter die allerdichteste. Die Erfahrung im Krieg der Rosen hatte sie gelehrt, dass es nirgends sicherer ist als in dem Versteck, das gerade untersucht worden ist.

Nicke und Blom kamen bald zurück. Sie gingen so dicht an den Tannen vorbei, dass Kalle sie hätte berühren können, wenn er die Hand ausgestreckt hätte. Sie gingen auch an der kleinen Mulde zwischen den Steinen vorbei und Blom leuchtete sie besonders sorgfältig ab. Doch dort war niemand mehr.

»Ist jemand hier, so ist er auf gar keinen Fall da«, sagte Nicke und ließ noch einmal den Lichtkegel seiner Taschenlampe über der Mulde kreisen.

»Nee, stell dir vor, er ist hier, weil er nicht da ist«, flüsterte Kalle mit einem Seufzer der Dankbarkeit.

10. Kapitel

Ein neuer Tag stieg empor und immer noch schien die Sonne auf die Bösen und Guten. Sie weckte Kalle und Anders, die friedlich auf den Tannenzweigen in ihrer Höhle schlummerten.

»Was wollen wir heute essen?«, fragte Anders ironisch.

»Frühstück: Blaubeeren«, sagte Kalle. »Mittagessen: Blaubeeren – und zum Abendbrot… Wollen wir da nicht zur Abwechslung noch ein paar Blaubeeren mehr essen?«

»Nee du, für das Abendbrot muss Eva-Lotta sorgen«, sagte Anders voller Überzeugung.

Sie erinnerten sich an gestern und seufzten sehnsuchtsvoll bei dem Gedanken an alles, was sie da gegessen hatten. Aber ihnen fielen auch die schauerlichen Erlebnisse hinterher ein und es lief ihnen unangenehm den Rücken hinunter. Denn sie wussten, heute Abend mussten sie alles noch einmal machen. Es war unvermeidlich. Der Professor erwartete sie, das wussten sie. Einer musste also wieder zu seinem Fenster hochklettern um zu erfahren, wo sich diese Papiere befanden. Wenn sie die Dokumente des Professors retten konnten, hatten sie wenigstens eine wirklich gute Tat in ihrem Leben vollbracht.

Kalle tastete seine zerschrammten Arme und Beine ab.

»Es ist wohl besser«, sagte er, »wenn ich es mache. Blaue Flecke gehören zu blauen Flecken. Aber ein kleines Frühstück wäre jetzt nicht schlecht.«

»Um das Essen kümmere ich mich«, sagte Anders dienstbereit. »Bleib bitte hier. Du bekommst deine Blaubeeren ans Bett.«

Rasmus und Eva-Lotta bekamen ihr Frühstück auch ans Bett, nur war ihr Frühstück wesentlich gehaltvoller. Nicke hatte anscheinend beschlossen, den vorlauten Mädchenmund gründlich zu stopfen. Triumphierend hielt er der verschlafenen Eva-Lotta das Tablett unter die Nase. Er hatte aufgetischt für ein ganzes Regiment: Schinken und Rührei, Haferflocken mit Sahne und belegte Butterbrote.

»Auf, auf, essen, Mädchen! Damit du nicht verhungerst!«, schrie er. Eva-Lotta blinzelte mit einem Auge auf das Tablett.

»Du machst dich«, sagte sie anerkennend. »Aber morgen könntest du vielleicht noch gebackene Waffeln dazulegen. Falls die Polizei dich bis dahin nicht geschnappt hat.« Rasmus setzte sich hastig auf. »Die Polizei darf Nicke nicht schnappen«, sagte er und seine Stimme zitterte ein wenig. »Die dürfen doch nicht einfach nette Leute mitnehmen.«

»Nee, aber Kidnapper nehmen sie«, sagte Eva-Lotta kühl und griff nach einem Wurstbrot.

»Nee du, hör mal«, sagte Nicke. »Jetzt langt mir aber das Gefasel von Kidnappern.«

»Und mir langt es, immer noch gekidnappt zu sein. Das gleicht sich also aus«, sagte Eva-Lotta.

Nicke glotzte sie böse an. »Dich hat niemand gebeten herzukommen. Ohne dich hätten wir hier die schönste Sommerfrische.« Er ging zu Rasmus und setzte sich neben ihn. Rasmus reckte seine kleine warme Hand und streichelte Nickes Backe.

»Ich finde, Kidnapper sind nett«, sagte er. »Was machen wir heute, Nicke?«

»Zuerst wirst du mal frühstücken«, antwortete Nicke. »Dann werden wir weitersehen.«

Die Auffassung, dass Nicke ein netter Kerl sei, hatte Rasmus schon seit den ersten Stunden auf der Insel.

Von Anfang an war Rasmus der Meinung gewesen, dass diese ganze Reise ein wunderbarer Einfall seines Vaters war. Es machte Spaß, Auto zu fahren, es war schön, im Motorboot zu sitzen und an der Anlegestelle dieser Insel lagen so viele Boote! Er wollte Papa auch noch bitten, dass er baden durfte. Aber dann war dieser dumme Onkel gekommen und hatte alles durcheinander gebracht. Er hatte so komisch mit Papa gesprochen und Papa war böse geworden und hatte Rasmus angeschrien und dann war Papa verschwunden und hatte sich nicht mehr bei Rasmus sehen lassen.

Und langsam waren ihm Zweifel gekommen, ob alles wirklich so wunderbar war. Er hatte versucht gegen seine Tränen, die hervor wollten, anzukämpfen, aber schnell waren die ersten unterdrückten Schluchzer in einen Sturzbach von Tränen übergegangen. Peters hatte ihn unsanft zu Nicke geschoben und gesagt: »Übernimm du den Jungen.«

Das war ein schwerer Auftrag für Nicke gewesen. Er hatte sich kummervoll den Kopf gekratzt. Wusste er, wie man mit weinenden Kindern umgehen musste? Aber er war bereit gewesen, alles zu tun um die Heulerei zu beenden.

»Soll ich dir einen Flitzbogen machen?«, hatte er in seiner Not vorgeschlagen. Das hatte wie eine Zauberformel gewirkt. Die Tränen hatten so schnell aufgehört, wie sie gekommen waren, und Rasmus' Glaube an die Menschheit war wiederhergestellt gewesen.

Dann hatten sie zwei Stunden lang Zielschießen mit dem neuen Flitzbogen geübt – und für Rasmus stand fest: Nicke war nett. Und wenn nun Eva-Lotta sagte, dass Nicke ein Kidnapper war, dann waren Kidnapper eben nett.

Genau wie zu erwarten gewesen war, stieg die Sonne höher und höher und schien weiterhin auf Böse und Gute. Sie erwärmte die Badeklippe, auf der Kalle und Anders den Tag verbrachten. Sie schien auf Nicke, der vor Eva-Lottas Zimmer auf der Treppe saß und Borkenboote schnitzte, und auf Rasmus, der die fertigen Boote in der Regentonne an der Hausecke Probe fahren ließ. Sie spielte in Eva-Lottas blondem Haar, während diese auf ihrer Pritsche im Zimmer saß und Nicke, der sie nicht hinauslassen wollte, hasste. Und die Sonne ärgerte Peters, weil sich Peters an diesem schönen Sommertag über alles ärgerte und deshalb bei der Sonne keine Ausnahme machte. Aber ohne sich um den Ärger von Peters zu kümmern, verfolgte die Sonne ruhig ihre Bahn und ging schließlich – wie zu erwarten gewesen war – im Westen hinter den Wäldern drüben auf dem Festland unter. Damit war nun der zweite Tag auf der Insel auch zu Ende.

Nein, nicht zu Ende! Jetzt fing er erst an!
Es begann damit, dass Peters zu Eva-Lotta kam. Eva-Lotta beachtete er allerdings nicht. Mit ihr war er fertig. Sie hatte unglücklicherweise gesehen, wie Rasmus und der Professor geraubt wurden. Sie hatte es geschafft, sich ins Auto zu schmuggeln, weil dieser Idiot Svanberg nicht ordentlich aufgepasst hatte. Es war lästig, sie hier auf der Insel zu haben, aber es war nicht zu ändern. Vielleicht konnte sie den Kleinen ruhig halten, bis dessen dickschädeliger Vater Vernunft angenommen hatte – mehr war über Eva-Lotta nicht zu sagen. Um sie brauchte er sich nicht mehr zu kümmern. Er wollte mit Rasmus sprechen.
Rasmus lag schon in seinem Bett auf der Pritsche. Vor sich auf der Decke hatte er fünf kleine Borkenschiffe liegen. An der Wand hing sein Flitzbogen. Er fühlte sich reich und glücklich. Es machte Spaß, auf dieser Insel zu sein, wirklich Spaß, und Kidnapper waren nett.
»Hör mal, kleiner Mann«, sagte Peters und setzte sich zu Rasmus, »was würdest du sagen, wenn du den ganzen Sommer auf der Insel bleiben müsstest?«
Ein Lächeln huschte über Rasmus' Gesicht: »Den ganzen Sommer!

Du bist aber nett! Dann können Papa und ich also bei dir Sommerferien machen?«

Eins zu null für Rasmus, dachte Eva-Lotta und lächelte boshaft. Aber sie schwieg wohlweislich. Dieser Peters war nicht der Mann, den man ohne weiteres ansprach. Nicke saß auf einem Stuhl am Fenster und war sehr zufrieden, das merkte man. Endlich musste das großschnäuzige Mädchen den Mund halten.

Peters war nicht genauso zufrieden. »Hör mal, Rasmus«, fing er an, aber Rasmus unterbrach ihn freudestrahlend.

»Dann können wir jeden Tag baden, nicht?«, fragte er. »Ich kann schon fünf Schwimmzüge. Willst du mal sehen, wie ich fünf Schwimmzüge mache?«

»Ja, ja«, sagte Peters, »aber...«

»Oh, das wird prima«, redete Rasmus weiter. »Pass auf: Einmal im Sommer ist Marianne untergegangen. Blupp, blupp, blupp, sagte es. Aber dann kam sie wieder hoch. Marianne kann nämlich nur vier Schwimmzüge!«

Peters stöhnte nervös. »Ich pfeif auf deine Schwimmzüge. Ich will wissen, wo dein Vater diese Papiere mit den roten Zahlen versteckt hat.«

Rasmus hob die Augenbrauen und betrachtete ihn ungnädig.

»Mensch, bist du blöd«, sagte er. »Hast du denn nicht gehört, wie Papa zu mir gesagt hat, dass ich es dir nicht erzählen darf?«

»Dein Papa interessiert uns jetzt gar nicht. Außerdem sollte so ein kleiner Rotzjunge nicht *du* zu älteren Personen sagen. Nenn mich Herr Peters, verstanden?«

»Heißt du etwa so?«, fragte Rasmus und streichelte sein schönstes Borkenschiff.

Peters schluckte. Er sah ein, dass er sich beherrschen musste, wenn er Erfolg haben wollte. »Rasmus, du bekommst etwas ganz Tolles, wenn du es mir erzählst«, sagte er mild. »Du bekommst eine Dampfmaschine!«

»Ich hab schon eine Dampfmaschine«, sagte Rasmus. »Borkenschiffe sind besser.« Er hielt Peters sein schönstes Borkenschiff unter die Nase. »Hast du schon mal so ein schönes Boot gesehen, Herr Peters?« Dann ließ er es auf der Decke hin und her fahren. Er fuhr über den Ozean nach Amerika, wo die Indianer wohnen. »Wenn ich groß bin, will ich Indianerhäuptling werden und alle schlechten Menschen umbringen«, versicherte er. »Aber Kinder und Frauen bring ich nicht um.«

Auf diese sensationelle Mitteilung antwortete Peters nicht. Er bemühte sich ruhig zu bleiben und suchte nach einer Möglichkeit, Rasmus dorthin zu bekommen, wohin er ihn haben wollte. Das Borkenschiff glitt über die Decke. Eine kleine braune und ziemlich schmutzige Jungenhand bewegte es.

»Du bist ein Kidnapper«, sagte Rasmus, während seine Augen dem Weg des Schiffes über den Ozean folgten. Und auch seine Gedanken waren bei dem Schiff, als er wie geistesabwesend fortfuhr: »Du bist ein Kidnapper, deshalb darfst du keine Geheimnisse erfahren. Sonst könnte ich dir ja erzählen, dass Papa sie mit Reißzwecken hinter dem Bücherregal festgemacht hat. Aber das erzähle ich dir nicht ... Oh, nun habe ich es aber gesagt«, stellte er fröhlich-erstaunt fest.

»Rasmus, Rasmus«, jammerte Eva-Lotta.

Peters sprang auf.

»Hast du gehört, Nicke?«, rief er und lachte laut und zufrieden. »Hast du das gehört? Mensch, das ist zu schön um wahr zu sein! ›Hinter dem Bücherregal‹, hat er gesagt! Wir holen sie noch heute Nacht. Halt dich in einer Stunde bereit!«

»Okay, Chef«, sagte Nicke.

Peters stürzte zur Tür. Rasmus' wildes Geschrei ließ ihn völlig ungerührt.

»Nein, wieder zurück! Das gilt nicht, wenn man es aus Versehen sagt. Das gilt nicht! Komm zurück!«

11. Kapitel

Die Weiße Rose verfügte über geheime Signale und Warnzeichen der verschiedensten Art. Es gab nicht weniger als drei verschiedene Signale für »Gefahr«. Entweder die schnelle Berührung des linken Ohrläppchens – ein Zeichen, das angewandt wurde, wenn Bundesgenossen und Feinde gleichzeitig zusammen waren und man den Bundesgenossen unmerklich ermahnen wollte, sich in Acht zu nehmen. Oder den Eulenschrei, der heimlich alle im Gelände umherirrenden Weißen Rosen rief, unmittelbar zur Hilfe herbeizueilen. Schließlich den großen Katastrophenschrei, der nur angewandt werden durfte, wenn tödliche Gefahr drohte und man sich in höchster Not befand.

Jetzt befand sich Eva-Lotta in höchster Not. Sie musste Kalle und Anders sprechen – und zwar sofort. Sie ahnte, dass die beiden wie hungrige Wölfe in der Nähe herumstrichen und nur darauf warteten, endlich Licht in ihrem Fenster zu sehen zum Zeichen, dass die Luft rein war. Aber die Luft war nicht rein. Nicke wollte nicht gehen. Er saß und saß und erzählte Rasmus, wie er als junger Seemann über alle blauen Ozeane der Welt gesegelt war. Und Rasmus, dieses dumme Schaf, ermunterte ihn nur noch mit vielen Fragen und wollte immer mehr hören.

Dabei war es so eilig, eilig, eilig! In einer Stunde wollten Peters und Nicke schon unterwegs sein um im Schutz der Nacht die wertvollen Papiere zu holen.

Eva-Lotta sah nur einen Ausweg und – schon stieg er in die Luft, der große Katastrophenschrei. Er hörte sich genauso entsetzlich an, wie er

371

gemeint war. Nicke und Rasmus traf fast der Schlag. Als Nicke sich wieder erholt hatte, schüttelte er den Kopf und sagte:

»Die scheint mit den Nerven am Ende zu sein. So schreit kein normaler Mensch.«

»So schreien die Indianer«, erklärte Eva-Lotta. »Ich dachte mir, es würde euch vielleicht interessieren… So hört es sich also an«, sagte sie und schrie noch einmal genauso durchdringend.

»Danke, danke, es reicht!«, sagte Nicke.

Und damit hatte er Recht. Irgendwo draußen im Dunkeln flötete eine Amsel. Nun ist es zwar nicht üblich, dass Amseln sich nach Einbruch der Dunkelheit hören lassen, aber Nicke war darüber kein bisschen erstaunt und Eva-Lotta schon gar nicht. Sie wurde nur sehr glücklich über die Antwort der Amsel Anders: »Wir haben gehört!«

Wie aber sollte sie ihnen nun die wichtige Information über die Papiere vermitteln? Ach, ein Ritter der Weißen Rose weiß immer Rat. Die Geheimsprache, die Räubersprache, war mehr als einmal nützlich gewesen und war es auch jetzt.

Nicke und Rasmus bekamen einen neuen Schock, als Eva-Lotta plötzlich und ganz ohne vorherige Warnung in einen lauten und klagenden Gesang ausbrach:

»Ror e tot tot e tot dod ie Pop a pop ie ror e dod e sos Pop ror o fof e sos sos o ror sos hoh i non tot e ror dod e mom Bob ü choch e ror ror e gog a lol!«, sang sie ununterbrochen, ohne sich um Nickes deutliche Missbilligung zu kümmern.

»Nee du, hör mal«, sagte er schließlich, »stell endlich die Platte ab. Warum blökst du bloß so?«

»Das ist ein indianisches Liebeslied«, sagte Eva-Lotta. »Ich dachte, ihr möchtet es hören.«

»Ich finde, es klingt, als ob dir irgendwas wehtäte«, sagte Nicke.

»E sos ei lol tot sos e hoh ror!«, sang Eva-Lotta, bis Rasmus die Hände auf die Ohren presste und sagte:

»Äva-Lotta, können wir nicht lieber ›Kleine Frösche, kleine Frösche‹ singen?«

Draußen in der Dunkelheit aber standen Kalle und Anders und hörten Eva-Lottas aufregende Botschaft: »Rettet die Papiere des Professors hinter dem Bücherregal! Es eilt sehr!«

Wenn Eva-Lotta sagte, dass es sehr eilte, und den großen Katastrophenschrei benutzte, konnte es nur bedeuten, dass Peters auf irgendeine Weise herausbekommen hatte, wo die Dokumente mit den Formeln waren. Es kam also darauf an, vor ihm dort zu sein.

»Schnell!«, sagte Anders. »Wir leihen uns ein Boot aus!«

Und ohne weitere Worte rannten sie den kleinen Pfad zur Anlegestelle hinunter. Sie stolperten im Dunkeln, sie rissen sich an Ästen und Sträuchern die Haut auf, sie waren hungrig und ängstlich und glaubten in jedem Busch einen Verfolger zu sehen, aber all das bedeutete nichts. Für sie gab es nur eins: Die Geheimnisse des Professors durften nicht in falsche Hände fallen. Und deshalb mussten sie ihnen zuvorkommen.

Sie erlebten einige schreckliche Minuten, bevor sie ein Boot fanden, das nicht angekettet war. Jeden Augenblick rechneten sie damit, Blom und Nicke aus der Dunkelheit auftauchen zu sehen, und als Kalle das Boot leise ins Wasser schob und die Ruder ergriff, hatte er nur einen Gedanken im Kopf: Jetzt kommen sie, jetzt kommen sie bestimmt!

Aber niemand kam und Kalle ruderte aus Leibeskräften. Bald waren sie außer Hörweite der Insel und nun legte sich Kalle in die Riemen, dass das Wasser nur so rauschte. Still saß Anders auf der Steuerbank und dachte daran, wie sie herübergeschwommen waren. War das wirklich erst gestern früh gewesen? Ihm kam es vor, als sei es Ewigkeiten her.

Sie versteckten das Boot im Schilf und rannten herum und suchten das Motorrad. Sie hatten es in einem Wacholdergebüsch versteckt, aber wo, um alles in der Welt, war dieses Wacholdergebüsch geblieben und wie sollte man es jetzt im Dunkeln finden? Etliche kostbare Minuten verloren sie in verzweifeltem Suchen. Anders war so aufgeregt, dass er an den Fingernägeln kaute. Wo war das verflixte Motorrad nur? Und Kalle kroch in den Sträuchern herum. Ja, da war es, er hatte es gefunden! Liebevoll umschlossen seine Hände die Lenkstange und eilig schob er das Motorrad auf den Waldweg hinaus.

Sie hatten eine Fahrt von ungefähr fünfzig Kilometern vor sich. Kalle sah auf seine Armbanduhr. Die Zeiger leuchteten in der Dunkelheit.

»Es ist halb elf«, sagte er zu Anders, der gar nicht nach der Uhrzeit gefragt hatte. Es hörte sich irgendwie schicksalsschwer an.

Im selben Augenblick sagte Peters zu Nicke: »Es ist halb elf. Es wird Zeit, dass wir aufbrechen.«

Fünfzig Kilometer – vierzig Kilometer – dreißig Kilometer noch bis Kleinköping!

Sie rasten vorwärts durch die laue Julinacht, aber der Weg kam ihnen endlos lang vor. Mit angespannten Nerven horchten sie auf ein Geräusch des Autos, das sie vielleicht einholen würde. Jeden Moment erwarteten sie, vom Scheinwerferlicht, das sich ihnen von hinten nähern musste, erfasst zu werden, dachten daran, wie dieses Licht dann an ihnen vorbeigleiten und verschwinden und alle Hoffnung auf die Papiere, die so viel bedeuteten, mit sich nehmen würde.

»Kleinköping zwanzig Kilometer«, las Anders auf einem Schild. Jetzt näherten sie sich der Gegend, wo sie zu Hause waren.

Ungefähr gleichzeitig kam ein schwarzes Auto an einem anderen Schild vorbei.

»Kleinköping sechsunddreißig Kilometer«, las Nicke. »Geben Sie noch 'n bisschen Gas, Chef!«

Aber Peters fuhr, wie es ihm gefiel. Er nahm eine Hand vom Steuer um Nicke eine Zigarette anzubieten und sagte zufrieden:

»Wenn ich so lange gewartet habe, kann ich ja auch noch eine halbe Stunde länger warten.«

Kleinköping! Da liegt die Stadt und schläft so ruhig wie immer. Es ist beinahe aufregend, denken Kalle und Anders. Das Motorrad fährt sie durch wohl bekannte Straßen, nimmt den Weg hinauf zur Schlossruine und bleibt vor Eklunds Villa stehen.

Aber das schwarze Auto hat noch einige Kilometer bis zu der kleinen Tafel am Wegrand, die freundlich verkündet: »Willkommen in Kleinköping!«

»Das ist das Alleraufregendste, was ich jemals mitgemacht habe«, flüstert Anders, als sie auf die Veranda schleichen. Vorsichtig drückt er auf den Türgriff. Nicht abgeschlossen! Viel Verstand kann nicht in den Kidnapperköpfen sitzen, wenn sie nicht hinter sich zuschließen, denkt Kalle, wenn in dem Haus Papiere im Wert von hunderttausend Kronen versteckt sind! Aber umso besser – das spart viel Zeit! Kalle fühlt es intensiv: Zeit ist jetzt kostbar.

›Hinter dem Bücherregal‹ – welchem Bücherregal? Doktor Eklund, der die Villa für den Sommer an den Professor vermietet hat, ist ein Mann mit vielen Büchern und mit vielen Bücherregalen. Im Wohnzimmer sind Bücherregale an jeder Wand.

»Das wird die ganze Nacht dauern«, sagt Anders. »Wo sollen wir anfangen zu suchen?«

Kalle denkt nach – obwohl die Zeit knapp ist. Aber manchmal lohnt es sich, ein wenig Zeit fürs Nachdenken zu opfern. Was hatte Rasmus zu seinem Vater gesagt? »Ich bin dir nämlich nachgeschlichen, als du dachtest, ich liege in meinem Bett und schlafe. Da stand ich auf der Treppe in der Diele und du stecktest…« Wo mag Rasmus gestanden haben, als er das sah? Bestimmt nicht drinnen im Wohnzimmer. Die Schlafzimmer sind im ersten Stock. Ein kleiner Junge, der nicht schlafen kann, kommt die Treppe heruntergetappt. Noch ehe sein Papa ihn hört, sieht Rasmus, dass etwas Spannendes im Gange ist, und bleibt stehen. Er muss draußen im Flur auf der Treppe gestanden haben, denkt Kalle und läuft hinaus. Auf welcher Stufe der Treppe er auch steht, es gibt nur *ein* Bücherregal, das Kalle durch die offene Tür des Wohnzimmers sehen kann, das Regal neben dem Schreibtisch.

Er rast zurück ins Wohnzimmer und mit vereinten Kräften ziehen sie das Regal von der Wand. Es knirscht dabei nervenzerreißend auf dem Fußboden. Es ist das einzige Geräusch, das sie in diesem Augenblick hören können. Das Auto, das vor der Villa anhält, hören sie nicht.

So – so – so… Und noch ein Ruck, dann können sie hinter das Regal gucken! Guter Moses – da ist es! Ein brauner Umschlag, ordentlich mit Heftzwecken an der Rückwand des Bücherregals befestigt. Kalles Finger zittern vor Aufregung, als er sein Taschenmesser hervorsucht und die Heftzwecken lockern will.

»Dass wir es doch geschafft haben«, keucht Anders, vollkommen blass vor Spannung. »Dass wir es doch noch geschafft haben!«

Kalle hält den kostbaren Umschlag in seiner Hand. Andachtsvoll starrt er ihn an – er ist hunderttausend Kronen wert! Ja, mit Geld ist er wahrscheinlich überhaupt nicht zu bewerten. Was für eine Stunde! Welch ein Triumph, welch ein süßes, warmes, durchdringendes Gefühl von Zufriedenheit!

Da hören sie etwas! Etwas Furchtbares. Schleichende Schritte auf der Veranda. Eine Hand, die den Türgriff herunterdrückt. Die Haustür, die sich langsam öffnet.

Das Licht der Schreibtischlampe fällt auf ihre bleichen Gesichter. Verzweifelt starren sie sich an; vor Schreck ersticken sie fast. In wenigen Sekunden wird die Tür dort aufgehen und dann ist alles verloren. Sie sitzen wie zwei Ratten in der Falle. Die, die draußen im Vorraum sind, bewachen den Eingang. Die, die draußen im Vorraum sind, werden niemanden mit einem braunen Umschlag im Wert von hunderttausend Kronen entkommen lassen.

»Schnell, schnell«, flüstert Kalle, »die Treppe rauf!«

Die Beine wollen sie fast nicht tragen, aber mit übernatürlicher Kraft gelingt es ihnen, die Diele und die Treppe zu erreichen.

Dann geschieht alles in so rasender Eile, dass die Gedanken und jede Vernunft verschwinden, untergehen in einem Chaos aus Lärm und Krach: aufgeregte Stimmen, schlagende Türen, lautes Rufen, Flüche und schnelle Schritte, die die Treppe heraufkommen, ja – Hilfe! – Hilfe! – Schritte dicht hinter ihnen!

Da ist das Fenster mit der Gardine, die ihnen so spielerisch in einer Nacht vor tausend Jahren zugewinkt hat. Draußen steht eine Leiter – vielleicht, vielleicht ist sie die Rettung. Sie wälzen sich über das Fensterbrett auf die Leiter hinaus, klettern, nein: rutschen an ihr hinunter und laufen, wie sie in ihrem jungen Leben bisher noch nie gelaufen sind. Sie laufen, obwohl sie die eiskalte Stimme oben im Fenster hören, die Stimme von Peters, der ihnen nachruft: »Wenn ihr nicht stehen bleibt, schieße ich!«

Aber alle Vernunft ist verschwunden. Sie laufen weiter, obwohl sie hätten begreifen müssen, dass es vielleicht um ihr Leben ging. Sie laufen und laufen, bis sie glauben, die Brust platze ihnen auseinander.

Und jetzt hören sie sie wieder, laufende Füße, die sich nähern – wo in aller Welt gibt es eine Zuflucht vor diesen schrecklichen Schritten, die in der Nacht widerhallen, diesen schrecklichen Schritten, die in ihren Träumen widerhallen werden, solange sie leben. Sie laufen auf die Stadt zu. Weit ist es bis dahin nicht mehr, aber ihre Kräfte gehen zu Ende. Und unbarmherzig nähern sich die Verfolger. Es gibt keine Rettung, alles ist verloren – in wenigen Augenblicken ist alles vorbei!

Da sehen sie ihn! Beide sehen ihn. Dort blinkt die erste Straßenlaterne und ihr Schein fällt auf eine wohl bekannte, große Gestalt in der Uniform eines Polizisten.

»Onkel Björk, Onkel Björk, Onkel Björk!«

Sie schreien, als wären sie in Seenot, und Onkel Björk winkt ihnen abwehrend zu – wer wird nachts solchen Krach machen! Als er ihnen entgegengeht, ahnt er nicht, dass die beiden Jungen ihn in diesem Augenblick mehr lieben als die eigene Mutter. Kalle stürzt sich auf ihn und schlingt keuchend die Arme um ihn.

»Bester, bester Onkel Björk – verhaften Sie diesen Schurken dort!«

Er dreht sich um und zeigt. Aber die laufenden Schritte haben aufgehört. So weit man im Dunkeln sehen kann, ist kein Mensch zu entdecken. Kalle seufzt – er weiß selbst nicht, ob vor Erleichterung oder aus Enttäuschung. Hier lohnt es nicht, Kidnapper zu jagen. Das sieht er ein. Und gleichzeitig begreift er aber auch etwas anderes. Er kann Wachtmeister Björk gar nicht erzählen, wie das alles zusammenhängt. »Nein, nicht die Polizei, nicht, bevor Rasmus in Sicherheit ist.« Das hatte der Professor deutlich genug gesagt. Peters ist von der Finsternis verschluckt worden. Sicher ist er bereits auf dem Weg zu seinem Auto, das ihn schnell zur Insel zurückbringt – und zu Rasmus! Nein, man darf die Polizei nicht hineinziehen, man darf nicht gegen die Anweisung des Professors handeln. Wenn man auch tief im tiefsten Innern glaubt, dass es vielleicht trotzdem das Klügste wäre.

»Soso, der Meisterdetektiv ist wieder an der Arbeit«, sagt Björk lächelnd. »Wo hast du denn deine Schurken gelassen, Kalle?«

»Die sind entwischt«, keucht Anders und Kalle tritt ihm warnend auf die Zehen.

Aber das ist ganz unnötig. Anders weiß, wenn es die Kriminalistik betrifft, führt Kalle das Wort.

Kalle wischt alles mit einem Witz weg und Björk beginnt sofort, von etwas anderem zu reden.

»Ihr seid mir Helden«, sagt er. »Heute Morgen habe ich deinen Vater getroffen, Kalle, und er war ziemlich wütend, das kannst du mir glauben. Schämt ihr euch nicht, einfach von zu Hause wegzulaufen? Es wurde wirklich Zeit, dass ihr zurückkommt!«

»Nee, wir sind noch nicht zurückgekommen«, sagt Kalle. »Noch sind wir nicht zu Hause.«

12. Kapitel

Wäre jemand in dieser Nacht gegen zwei Uhr an Viktor Blomquists Lebensmittelgeschäft vorbeigegangen, er hätte denken müssen, im Laden seien Einbrecher am Werk. Hinter dem Tresen wurde mit einer Taschenlampe geleuchtet und ab und zu konnte man zwei Schatten am Schaufenster vorbeihuschen sehen. Die beiden Schatten wurden nicht entdeckt, weil kein Mensch dort nachts vorbeiging. Der Lebensmittelhändler Blomquist und seine Frau, die in ihren Betten lagen, genau über dem Laden, hörten auch nichts, denn die Schatten verstanden die Kunst, sich lautlos zu bewegen.

»Ich möchte noch mehr Wurst«, sagte Anders mit vollem Mund. »Mehr Wurst und mehr Käse!«

»Nimm nur, greif zu«, sagte Kalle. Er hatte genügend damit zu tun, sich selbst voll zu stopfen.

Und sie aßen. Sie schnitten dicke Scheiben von dem geräucherten Schinken herunter und aßen. Sie säbelten mächtige Stücke von der besten Fleischwurst und aßen. Sie zogen ein großes, weiches, duftendes Brot hervor und aßen. Sie rissen das Stanniolpapier von den kleinen dreieckigen Käsestückchen und aßen. Sie steckten die Hände in die Rosinenkiste und aßen. Sie nahmen Schokoladentafeln aus dem Regal mit Süßigkeiten und aßen. Sie aßen und aßen und aßen – es war die Mahlzeit ihres Lebens und sie würden sie nie vergessen.

»Eins weiß ich ganz bestimmt«, sagte Kalle schließlich. »Solange ich lebe, werde ich niemals auch nur noch eine Blaubeere essen.«

379

Wunderbar und grenzenlos satt schlich Kalle dann die Treppe hinauf. Es kam darauf an, alle Stufen, die knarrten, auszulassen, denn seine Mutter hatte im Laufe der Jahre die bemerkenswerte Gabe entwickelt, gerade von diesem Knarren aufzuwachen. Aber es musste Kalle sein, der die Stufen zum Knarren brachte, sonst wachte sie nicht auf – ein absolut übernatürliches Phänomen, für das sich die psychologische Forschung eigentlich näher interessieren sollte, fand Kalle.

Im Augenblick wollte er weder seine Mutter noch seinen Vater wecken. Er wollte nur seinen Rucksack, die Schlafsäcke und einige andere Campingutensilien holen. Wenn seine Eltern aufwachten, würde viel zu viel kostbare Zeit mit nutzlosen Erklärungen verschwendet werden.

Im Übrigen hatte sich auch Kalles Fähigkeit, den bewussten Treppenstufen auszuweichen, im Laufe der Jahre erstaunlich vervollkommnet, und so kam er voll bepackt und unbeschädigt wieder unten bei Anders im Laden an.

Gegen halb vier Uhr morgens fuhr ein Motorrad mit rascher Geschwindigkeit die Straße entlang, die sich zum Meer schlängelte.

Auf dem Tisch in Viktor Blomquists Laden lag ein abgerissenes Stück weißes Einwickelpapier, auf dem folgende Mitteilung stand:

»Lieber Papa, Du kannst meinen Lohn für diesen Monat einbehalten, denn ich habe entnommen:

Fleischwurst	1	kg
Wiener Würstchen	1	kg
ger. Schinken	$1^1/_2$	kg
von den kleinen Käseecken		
(du weißt schon)	10	Stück
Brote	4	Stück
Geheimratskäse	$^1/_2$	kg
Butter	1	kg

Streichhölzer	1	Paket
von den 50-Öre-Schokoladentafeln	10	Stück
Benzinkanister (draußen vom Lager)		
1 Stück	10	Liter
Kakao	2	Pakete
Trockenmilch	2	Pakete
Zucker (fein)	1	kg
Kaugummi	5	Pakete
Spiritustabletten	10	Schachteln

Vielleicht noch das eine oder andere, woran ich mich gerade nicht erinnere. Ich verstehe, dass du böse bist, aber wenn du wüsstest, wie es war, würdest du nicht böse sein, das weiß ich genau. Sagst du bitte Onkel Lisander und Anders' Vater, sie sollen sich keine Sorgen machen. Sei bitte nicht böse – ich bin dir doch immer ein guter Sohn gewesen. Nein, jetzt hör ich lieber auf, sonst werde ich noch gerührt.

Herzliche Grüße, auch an Mama,

von Kalle

PS: Du bist doch nicht böse?«

In dieser Nacht schlief Eva-Lotta sehr unruhig und wachte mit dem Gefühl auf, dass sich etwas Unangenehmes anbahnte. Sie ängstigte sich wegen Kalle und Anders. Wie war es ihnen wohl ergangen und wie war es mit den Papieren des Professors? Die Ungewissheit war entsetzlich und sie beschloss eine Attacke gegen Nicke zu unternehmen, sobald er mit dem Frühstück kam. Aber als Nicke endlich kam, sah er so böse aus, dass Eva-Lotta zögerte. Rasmus zwitscherte ein fröhliches »Guten Morgen«, aber Nicke beachtete ihn nicht, sondern ging direkt auf Eva-Lotta zu.

»Satansbalg«, sagte er mit Nachdruck.

»Aha«, sagte Eva-Lotta.

»Du lügst ja, dass es eine Sünde und Schande ohnegleichen ist«, fuhr Nicke fort. »Hast du nicht zum Chef gesagt, als er dich verhört hat, dass du allein warst – damals in der Nacht, als du ins Auto gekrochen bist?«

»Du meinst, als ihr Rasmus gekidnappt habt«, sagte Eva-Lotta.

»Ja, genau damals, als wir…«, brummte Nicke. »Hast du nicht gesagt, dass du allein gewesen bist?«

»Ja, das hab ich gesagt!«

»Und das ist gelogen.«

»Warum denn?«, fragte Eva-Lotta.

»Warum denn«, äffte Nicke sie nach und lief vor Wut rot an. »Warum denn? Weil du noch ein paar Jungs bei dir hattest! Gib's zu!«

»Ja, stell dir vor, das hatte ich«, sagte Eva-Lotta zufrieden.

»Ja, das waren Anders und Kalle«, mischte Rasmus sich ein. »Denn die sind genau wie Eva-Lotta in der Weißen Rose. Und ich werde auch eine Weiße Rose, siehst du wohl!«

Eva-Lotta fing plötzlich an vor Unruhe zu frösteln. Bedeuteten Nickes Worte etwa, dass Kalle und Anders gefangen worden waren? Wenn das so war, dann konnten sie sich gleich begraben lassen. Sie musste es sofort und genau wissen! Keine Minute länger hielt sie die Ungewissheit aus!

»Woher weißt du übrigens, dass jemand bei mir war?«, fragte sie so gleichgültig wie möglich.

»Weil diese verdammten Rotzlöffel die Dokumente geklaut haben – dem Chef vor der Nase weg!«, schrie Nicke und starrte sie böse an.

»Hurra!«, schrie Eva-Lotta. »Hurra, hurra!«

»Hurra!«, kam es als Echo von Rasmus. »Hurra!«

Nicke wandte sich ihm zu und in seinen Augen war Sorge, Sorge und Unruhe.

»Ja, du hast gerade Grund, hurra zu schreien, gerade du!«, sagte er. »Ich glaube, du schreist nicht mehr so laut, wenn sie dich ins Ausland gebracht haben.«

»Was sagst du da?«, schrie Eva-Lotta.

»Ich sagte, dass sie Rasmus ins Ausland bringen werden. Morgen Abend landet ein Flugzeug hier und holt ihn ab.«

Eva-Lotta schluckte heftig. Dann schrie sie los und sprang auf Nicke zu. Mit geballten Fäusten schlug sie auf ihn ein, sie schlug, wohin sie treffen konnte, und rief: »Das ist gemein! Das ist gemein! Oh, was seid ihr für gemeine – gemeine Kidnapper!«

Nicke verteidigte sich nicht. Er ließ Eva-Lotta drauflosschlagen. Stand nur da und sah plötzlich müde aus. Aber er hatte ja auch nur wenig geschlafen in der Nacht…

»Konnten es deine verdammten Freunde nicht bleiben lassen, mussten sie ihre Nase auch noch hineinstecken«, sagte er schließlich. »Konnte nicht der Chef diese verdammten Dokumente kriegen, um die er so einen Aufstand gemacht hat! Dann hätte dieses ganze traurige Elend endlich ein Ende gehabt.«

Inzwischen hatte Rasmus alles, was Nicke vom Flugzeug, das mit ihm ins Ausland fliegen sollte, erzählt hatte, gut bedacht. Er hatte zwei Möglichkeiten abgewogen. Was war besser: mit einem Flugzeug ins Ausland zu fliegen oder eine Weiße Rose zu werden? Als er seine Überlegungen beendet hatte, verkündete er seinen Beschluss.

»Nee, Nicke«, sagte er, »ich werde nicht mit dem Flugzeug ins Ausland fliegen, ich will nämlich eine Weiße Rose werden.«

Er kletterte auf Nickes Schoß und erklärte ihm genau, warum er eine Weiße Rose sein wollte. Alles, wie man nachts herumschlich und mit den Roten kämpfte, wie man Kriegsschreie ausstieß und alles andere, was nötig war um Nicke klarzumachen, warum es ein so großes, wunderbares Abenteuer war, eine Weiße Rose zu sein. Nun musste er doch begreifen, dass man nicht ins Ausland fliegen konnte. Aber als er damit fertig war, schüttelte Nicke nur traurig den Kopf und sagte:

»Nein, nein, Häschen, du wirst niemals eine Weiße Rose. Dazu ist es jetzt zu spät.« Da rutschte Rasmus von seinem Schoß herunter und ging von ihm weg.

»Pfui Spinne, wie blöd du bist, Nicke«, sagte er. »Ich werde *bestimmt* eine Weiße Rose, siehst du wohl.«

Nicke ging zur Tür. Jemand hatte nach ihm gerufen. Rasmus sah ihn gehen und er wusste, dass er sich beeilen musste, wenn er Antwort auf die Frage, die ihn sehr beschäftigte, haben wollte.

»Du, Nicke«, sagte er, »wenn man aus einem Flugzeug spuckt, wie lange dauert es dann, bis die Spucke unten ankommt?«

Nicke drehte sich um und sah bekümmert in das fragende Jungengesicht. »Ich weiß es nicht«, sagte er ernst. »Du kannst es ja morgen Abend selbst ausprobieren.«

13. Kapitel

Eva-Lotta saß auf ihrer Pritsche und dachte nach. Kaute auf einer Strähne ihres blonden Haars und dachte völlig verzweifelt nach. Und sie kam zu dem Schluss, dass alles hoffnungslos war. Wie sollte sie, eingesperrt in diesem Käfig, verhindern, dass man Rasmus in ein Flugzeug setzte und ihn ins Ausland brachte? Und was für heimtückische Pläne hatte dieser Peters? Wahrscheinlich, dachte Eva-Lotta, hat er alle Hoffnung, die wertvollen Papiere hier im Lande zu erwischen, aufgegeben. Nun wollte er also den Professor zwingen, die Berechnungen noch einmal zu machen. Und dafür musste er ihn natürlich in ein Laboratorium im Ausland mitnehmen. Und Rasmus war seine Geisel. Armer kleiner Rasmus, noch hatte er keine Not leiden müssen, aber wie würde es wohl mit ihm unter einem Haufen Verbrecher im Ausland gehen? Vor ihrem geistigen Auge sah sie den Professor an einem Tisch sitzen und Berechnungen anstellen, während ein grässlicher Gefangenenaufseher seine Peitsche über Rasmus knallen ließ und dazu schrie: »Erfinde! Erfinde oder...!«
Der Anblick war quälend und Eva-Lotta stöhnte leise.
»Was jammerst du so?«, fragte Rasmus. »Warum kommt Nicke nicht, um mich rauszuholen? Ich will meine Borkenschiffe schwimmen lassen.«
Eva-Lotta wurde nachdenklich. Langsam nahm eine Idee in ihrem Gehirn Form an. Als die Idee fertig war, lief sie zu Rasmus.
»Rasmus«, sagte sie, »findest du nicht, dass es heute sehr warm ist?«
»Doch«, sagte Rasmus zustimmend.

»Glaubst du nicht, dass es herrlich wäre, baden zu gehen?«

Rasmus fing Feuer. »Au ja«, rief er und hüpfte begeistert, »ja, wir gehen zusammen baden, Äva-Lotta! Ich kann schon fünf Schwimmzüge.«

Übertrieben bewundernd schlug Eva-Lotta die Hände zusammen.

»Oh, das muss ich sehen«, rief sie. »Aber dann musst du Nicke ordentlich die Ohren voll jammern. Sonst dürfen wir nicht.«

»Klar«, sagte Rasmus mit großer Zuversicht. Er wusste, was er in dieser Beziehung leisten konnte, wenn es nötig war.

Und als Nicke endlich kam, stürzte sich Rasmus gleich auf ihn: »Nicke, dürfen wir baden gehen?«

»Baden gehen?«, fragte Nicke. »Wozu soll das gut sein?«

»Es ist doch so furchtbar warm«, sagte Rasmus. »Wir dürfen doch wohl baden gehen, wenn es so warm ist?«

Eva-Lotta schwieg. Sie wusste, dass es am klügsten war, die Sache ganz und gar Rasmus zu überlassen.

»Ich kann fünf Schwimmzüge«, erklärte Rasmus. »Willst du gar nicht sehen, wenn ich fünf Schwimmzüge mache, Nicke?«

»Na klar«, sagte Nicke gedehnt. »Aber baden gehen… Nee, ich glaub nicht, dass es dem Chef besonders gefällt.«

»Aber ich kann doch keine fünf Schwimmzüge machen, wenn ich nicht baden gehe«, sagte Rasmus mit tödlicher Logik. »Ich kann doch nicht trocken schwimmen.«

Damit war für ihn alles klar. Nicke war sicher nicht so dumm, freiwillig darauf zu verzichten, Rasmus fünf Schwimmzüge machen zu sehen. Also steckte er seine kleine Hand in Nickes große Faust und sagte: »Komm also, dann gehen wir!«

Nicke sah missbilligend zu Eva-Lotta. »Du gehst nicht mit«, sagte er barsch.

»Doch, Äva-Lotta soll mit, damit sie sehen kann, wie ich schwimme.«

Es war schwer für Nicke, sich gegen die eifrige Kinderstimme zu wehren. Er verachtete sich selbst wegen seiner Schwäche, aber so weit war es gekommen, dass Rasmus von ihm haben konnte, was er wollte, einfach indem er seine kleine Hand in die seine legte und ihn mit seinen fröhlichen, hoffnungsvollen Augen ansah.

»Also gut, von mir aus – kommt!«, brummte Nicke.

Davon also hatte sie geträumt: den schmalen Pfad zur Anlegestelle hinunterzulaufen und sich kopfüber in das klare Wasser, das im Sonnenschein glitzerte und schimmerte, zu werfen und auf dem kleinen Steg zu liegen, die Augen zu schließen und an nichts zu denken. Jetzt aber, als sie das alles durfte, war es für Eva-Lotta nur ein qualvoller Aufschub, der ihren großen Plan hinauszögerte.

Rasmus dagegen war außer sich vor Begeisterung. Wie ein fröhlicher kleiner Frosch hüpfte er am Strand im flachen Wasser herum. Nicke saß auf dem kleinen Anlegesteg und passte auf und Rasmus bespritzte ihn tüchtig und lachte und schrie und sprang auf und ab und plantschte im Wasser. Er schwamm auch, aber dabei war er todernst und hielt den Atem an, bis er knallrot im Gesicht war. Danach schnappte er nach Luft und schrie Nicke entzückt zu: »Hast du es jetzt gesehen? Hast du gesehen, dass ich fünf Schwimmzüge kann?«

Vielleicht hatte Nicke es gesehen, vielleicht aber auch nicht.

»Du bist schon ein komischer kleiner Kerl, du«, sagte er. Mehr sagte er nicht zu Rasmus' großartiger Fertigkeit im Schwimmen, aber es klang wie ein Lob.

Eva-Lotta lag auf dem Rücken und ließ sich von den Wellen schaukeln. Sie starrte in den Himmel und wiederholte sich immer wieder: Ruhig bleiben! Nur ruhig bleiben! Alles geht gut!

Richtig überzeugt war sie davon aber nicht und als Nicke rief, jetzt wäre Schluss mit dem Baden, fühlte sie, wie sie vor Spannung blass wurde.

»Lass uns noch ein bisschen im Wasser bleiben, Nicke«, sagte Rasmus bittend.

Eva-Lotta aber hielt es nicht länger aus. Deshalb nahm sie Rasmus am Arm und sagte: »Nein, Rasmus, komm, wir gehen!«

Rasmus strampelte und zappelte und sah Hilfe suchend zu Nicke. Aber ausnahmsweise waren Nicke und Eva-Lotta derselben Meinung.

»Beeilt euch jetzt«, sagte Nicke. »Am besten, der Chef erfährt erst gar nichts davon.«

Eva-Lotta zog den sich sträubenden Rasmus hinter einige dichte Büsche. Rasend schnell zog sie sich an. Dann kniete sie neben Rasmus nieder um ihm zu helfen. Seine kleinen ungeschickten Finger schienen Schwierigkeiten mit den Knöpfen zu haben.

»Das ist auch gar nicht so leicht, kannst du mir glauben«, sagte Rasmus. »Es ist schwer, wo die Knöpfe doch hinten sitzen und ich bin hier vorn.«

»Ich werde sie zuknöpfen«, sagte Eva-Lotta. Mit leiser Stimme, die vor Spannung zitterte, fuhr sie fort: »Rasmus, du willst doch gern eine Weiße Rose werden?«

»Ist doch klar«, sagte Rasmus. »Und Kalle hat gesagt, dass…«

»Ja, aber du musst dann auch jetzt *genau* machen, was ich dir sage«, unterbrach ihn Eva-Lotta.

»Was soll ich machen?«

»Du sollst mir deine Hand geben und dann laufen wir hier weg, so schnell wir können.«

»Da wird sich aber Nicke ärgern«, wandte Rasmus betrübt ein.

»Jetzt kümmern wir uns nicht um Nicke«, flüsterte Eva-Lotta. »Wir wollen die Höhle suchen, die Kalle und Anders gebaut…«

»Kommt ihr bald oder muss ich euch holen?«, rief Nicke von der Anlegestelle herüber.

»Immer mit der Ruhe!«, schrie Eva-Lotta. »Wir kommen – wenn wir kommen!« Dann nahm sie Rasmus' Hand und flüsterte aufgeregt: »Lauf, Rasmus, lauf!«

Und Rasmus lief, so schnell seine fünfjährigen Beine konnten. Mitten zwischen die Tannen liefen sie. Rasmus strengte sich sehr an, mit Eva-Lotta Schritt zu halten. Sie sollte doch sehen, was für eine gute Weiße Rose er war. Und er keuchte, während er rannte:

»Na, jedenfalls war es gut, dass Nicke gesehen hat, dass ich fünf Schwimmzüge kann!«

14. Kapitel

Die Sonne begann zu sinken und Rasmus war müde. Ihm gefiel das Unternehmen nicht. Seit mehreren Stunden gefiel es ihm nun schon nicht.

»Es sind viel zu viele Bäume in diesem Wald«, sagte er. »Und wann kommen wir bloß zu der Höhle?«

Eva-Lotta wünschte nichts mehr, als ihm darauf antworten zu können. Sie war einer Meinung mit Rasmus: Es gab zu viele Bäume in diesem Wald. Und zu viele kleine Felsen, über die man klettern musste, zu viele Löcher, in die man hineinstolperte, zu viele Windbrüche, die einem den Weg versperrten, zu viele Zweige und Äste und Büsche, die einem die Beine zerkratzten. Und dann viel zu wenig kleine selbst gebaute Höhlen. Es war nur eine einzige kleine Höhle, nach der sie sich sehnte, aber die war ja nicht zu finden. Eva-Lotta fühlte den Missmut in sich aufsteigen. Sie hatte es sich so einfach vorgestellt, die Höhle zu finden, aber jetzt zweifelte sie daran, ob sie sie jemals finden würde. Und wenn sie sie fand – waren Anders und Kalle überhaupt da? Waren sie überhaupt zur Insel zurückgekommen, nachdem sie die Geheimdokumente gefunden hatten? Tausend Dinge konnten inzwischen passiert sein, die sie an der Rückkehr gehindert haben könnten. War es nicht möglich, dass sie ganz allein auf der Insel waren, Rasmus und sie – und die Kidnapper? Eva-Lotta wimmerte bei dem bloßen Gedanken. Lieber, lieber Anders, bester guter Kalle, *seid* doch bitte in der Höhle, betete sie leise und verzweifelt. Und lass sie mich endlich finden, endlich.

»Nur Blaubeeren und Blaubeeren«, sagte Rasmus und sah böse auf das Blaubeerkraut, das ihm weit über die Knie reichte. »Ich möchte gebratenen Speck haben.«

»Ich versteh dich ja«, sagte Eva-Lotta, »aber im Wald wächst leider kein gebratener Speck.«

»Sssss«, machte Rasmus und drückte damit sein Missfallen an dieser Ordnung der Dinge aus. »Und dann möchte ich meine Borkenschiffe haben.« Damit war er bei einem Thema, das ihn bereits den ganzen Weg beschäftigt hatte. »Warum durfte ich nicht meine Borkenschiffe mitnehmen?«

Kleines Untier, dachte Eva-Lotta. Hatte sie sich doch in wilde Abenteuer gestürzt, nur um ihn vor einem furchtbaren Schicksal zu retten, und da trabte er hier neben ihr her und jammerte nach gebratenem Speck und seinen Borkenschiffen. Aber noch ehe sie diese Gedanken zu Ende gedacht hatte, tat es ihr Leid und impulsiv nahm sie Rasmus in die Arme. Er war doch noch so klein… und so müde und hungrig – ganz natürlich, dass er da quengelte.

»Versteh doch bitte, Rasmus«, sagte sie, »deine Borkenschiffe hab ich wirklich vergessen.«

»Dann finde ich, dass du blöd bist!«, sagte Rasmus unbarmherzig. Und dann setzte er sich einfach in die Blaubeeren. Er wollte nicht mehr weitergehen. Kein Flehen half. Vergeblich bettelte Eva-Lotta – vielleicht lag die Höhle schon ganz in der Nähe, sagte sie, vielleicht brauchten sie nur noch ein ganz kleines Stück zu gehen!

»Ich will nicht«, sagte Rasmus, »meine Beine sind so müde.«

Einen Augenblick lang überlegte Eva-Lotta, ob sie den Tränen, die irgendwo in ihrer Kehle bereitsaßen, freien Lauf lassen sollte. Dann biss sie die Zähne zusammen. Sie setzte sich auch hin, lehnte den Rücken an einen großen Stein und zog Rasmus an sich.

»Setz dich zu mir und ruh dich ein wenig aus«, sagte sie.

Mit einem Seufzer streckte sich Rasmus in dem weichen Moos aus und legte seinen Kopf in Eva-Lottas Schoß. Er schien fest entschlossen zu sein, sich nie mehr von der Stelle zu rühren. Schläfrig blinzelte er Eva-Lotta an und sie dachte: Lass ihn ein Weilchen schlafen, dann geht es nachher sicher besser! Sie nahm seine Hand und er überließ sie ihr, ohne etwas zu sagen. Dann begann sie ihm etwas vorzusingen. Er versuchte zwinkernd, die Augen offen zu halten, und folgte mit den Blicken einem Schmetterling, der über den Blaubeeren dahinschwebte.

»Blaubeeren wachsen in unserem Wald, Blaubeeren…«, sang Eva-Lotta leise.

Aber da protestierte Rasmus. »Es wäre besser, wenn du singen würdest: Gebratener Speck wächst in unserem Wald, gebratener…« Und dann schlief er ein.

Eva-Lotta seufzte. Sie wünschte, sie könnte auch schlafen. Sie wünschte einzuschlafen und zu Hause in ihrem Bett aufzuwachen und zu entdecken, dass sie all das Furchtbare nur geträumt hatte. Sorgenvoll und unruhig saß sie da und fühlte sich sehr einsam.

Da hörte sie in einiger Entfernung Stimmen. Stimmen, die sich näherten und die sie kannte und kurz danach das Geräusch von zerbrechenden Ästen, die jemand zertrat. Dass man einen solchen Schreck bekommen konnte! Ohne davon zu sterben! Nein, man starb nicht, wurde vom Schreck nur so gelähmt, dass man kein Glied rühren konnte. Nur das Herz trommelte wild und quälend in der Brust. Es waren Nicke und Blom, die zwischen den Bäumen näher kamen. Dieser Svanberg war sicher auch dabei.

Es gab nichts, was sie hätte tun können. Rasmus schlief auf ihrem Schoß. Sie konnte ihn nicht wecken und davonlaufen. Das würde nichts helfen. Weit würden sie nicht kommen. Sie konnte also ebenso gut sitzen bleiben und abwarten, dass sie gefangen wurden.

Jetzt waren sie so nah herangekommen, dass Eva-Lotta verstehen konnte, was sie redeten.

»Ich habe Peters noch nie so wütend gesehen«, sagte Blom. »Und das wundert mich auch gar nicht. Du bist ein Idiot, Nicke.«

Nicke brummte. »Das war dieses Mädchen«, sagte er. »Mit der möchte ich jetzt mal ein passendes Wörtchen reden. Warte nur, bis ich sie erwischt habe.«

»Das kann ja nicht mehr lange dauern«, meinte Blom. »Auf der Insel müssen die beiden ja noch sein.«

»Keine Sorge«, sagte Nicke. »Ich werde sie schon finden, und wenn ich jeden Busch einzeln durchsuchen sollte.«

Eva-Lotta schloss die Augen. Zehn Schritte waren sie noch von ihr entfernt und sie wollte sie nicht sehen. Sie hielt die Augen geschlossen und wartete. Wenn sie sie doch nur recht bald entdeckten, damit sie endlich weinen konnte – worauf sie schon so lange gewartet hatte.

Sie saß, mit dem Rücken an den großen moosbewachsenen Stein gelehnt, hielt die Augen geschlossen und hörte die Stimmen hinter diesem Stein. So nahe, so unheimlich nah! Aber bald darauf nicht mehr ganz so nah, gar nicht mehr so nah. Schwächer und schwächer wurden die Stimmen, bis sie schließlich ganz verstummten und es so merkwürdig still um sie her wurde. Nur ein kleiner Vogel zwitscherte in einem Busch und das war der einzige Laut, den sie hörte. Lange, lange saß sie da im Moos. Sie wagte nicht, sich zu rühren. Sie wollte sich auch nicht rühren. Sie wollte nur noch sitzen bleiben und sich in diesem Leben nichts mehr vornehmen.

Schließlich wachte Rasmus auf und Eva-Lotta begriff, dass sie sich zusammenreißen musste.

»Komm jetzt, Rasmus«, sagte sie, »wir können nicht länger hier sitzen bleiben.«

Unruhig sah sie sich um. Die Sonne schien nicht mehr. Große, dunkle Wolken segelten am Himmel dahin. Es zog sich wohl zu einem Abendregen zusammen. Schon fielen die ersten Tropfen.

»Ich will zu meinem Papa«, sagte Rasmus. »Ich will nicht mehr im Wald bleiben, ich will zu meinem Papa!«

»Wir können jetzt nicht zu deinem Papa«, sagte Eva-Lotta verzweifelt. »Wir müssen versuchen Kalle und Anders zu finden, sonst weiß ich nicht, wie es mit uns weitergehen soll!«

Sie bahnte sich einen Weg durch das Blaubeerkraut und Rasmus folgte ihr winselnd wie ein kleiner Hund.

»Ich will was zu essen haben«, sagte er. »Und dann will ich meine Borkenschiffe haben.«

Eva-Lotta sagte nichts mehr, sie schwieg. Da hörte sie hinter sich tiefe Schluchzer. Sie wandte sich um und sah die kleine unglückliche Gestalt, die dort mitten zwischen den Blaubeeren stand und mit zitterndem Mund große Tränen weinte.

»O Rasmus, weine bitte nicht«, bat Eva-Lotta, obwohl sie selbst nichts lieber getan hätte. »Weine nicht! Lieber kleiner Rasmus, warum weinst du denn?«

»Ich weine, weil…«, schluckte Rasmus. »Ich weine, weil… weil Mama im Krankenhaus liegt.«

Auch wer eine Weiße Rose werden wollte, durfte schließlich das Recht haben zu weinen, wenn die Mama im Krankenhaus war.

»Ja, aber sie kommt doch bald wieder«, sagte Eva-Lotta tröstend. »Das hast du selbst gesagt.«

»Ich weine aber trotzdem deswegen«, schrie Rasmus trotzig. »Weil ich vergessen habe, schon früher deswegen zu weinen, dumme Äva-Lotta!«

Der Regen hatte zugenommen. Unbarmherzig und kalt strömte er herunter und hatte bald ihre dünnen Kleider durchnässt. Gleichzeitig wurde es immer dunkler. Die Schatten zwischen den Bäumen waren tief. Bald würden sie keinen Schritt weit mehr sehen können. Sie stolperten vorwärts, nass, ohne Hoffnung, hungrig und verzweifelt.

»Ich will nicht im Wald sein, wenn es dunkel ist«, schrie Rasmus. »Stell dir vor, ich will das nicht…«

Eva-Lotta strich sich ein paar Wassertropfen aus dem Gesicht. Vielleicht waren es auch Tränen. Sie blieb stehen. Sie drückte Rasmus an sich und sagte mit zitternder Stimme: »Rasmus, eine Weiße Rose muss tapfer sein. Jetzt sind wir beide Weiße Rosen und wollen zusammen etwas Großartiges machen.«

»Was denn?«, fragte Rasmus.

»Wir kriechen unter eine Tanne und schlafen dort bis zum Morgen.«

Der zukünftige Ritter der Weißen Rose schrie wie am Spieß.

»Ich will nicht im Wald sein, wenn es dunkel ist! Hörst du es, dumme Äva-Lotta, ich will nicht! – Ich will nicht! Ich will nicht.«

»Aber in unserer Höhle möchtest du doch sicher sein?«

Es war Kalles Stimme, die das sagte. Kalles ruhige, sichere Stimme. Sie war schöner als die eines Erzengels, fand Eva-Lotta. Nicht weil sie schon mal einen Erzengel gehört oder gesehen hätte, nein, weil sie sicher war, dass er, trotz all seiner Herrlichkeit, sich niemals mit Kalle messen konnte, der ihnen dort mit einer Taschenlampe aus dem Dunkel entgegenkam.

Die Tränen drängten sich aus Eva-Lottas Augen. Aber nun durften sie gerne kommen.

»Kalle, bist du es… bist du es wirklich… wirklich du?«, sagte sie schluchzend.

»Wie in aller Welt seid ihr hierher gekommen?«, fragte Kalle. »Seid ihr getürmt?«

»Und ob«, sagte Eva-Lotta. »Den ganzen Tag lang!«

»Ja, wir sind getürmt, damit ich eine Weiße Rose werden kann«, versicherte Rasmus.

»Anders!«, schrie Kalle. »Anders, komm her, ich will dir das Wunder aller Zeiten zeigen! Eva-Lotta und Rasmus sind hier!«

Sie saßen in der Höhle auf den Tannenzweigen und waren sehr glücklich. Es regnete noch immer und das Dunkel zwischen den Bäumen draußen war noch schwärzer geworden. Aber was tat das? Hier drinnen war es trocken und warm, sie hatten trockene Kleider: Das Leben war nicht mehr so schwer und widerwärtig wie noch vor kurzem. Die kleine blaue Flamme von Kalles Spirituskocher flackerte munter unter dem Topf mit heißem Kakao und Anders schnitt ganze Berge von Brotscheiben.

»Es ist so schön, dass man es gar nicht glaubt«, sagte Eva-Lotta mit einem zufriedenen Seufzer. »Ich bin trocken, mir ist warm, und wenn ich noch so drei, vier, fünf, sechs Butterbrote essen darf, dann bin ich auch satt.«

»Aber ich möchte mehr gebratenen Speck haben«, sagte Rasmus. »Und mehr Kakao.«

Er streckte seinen Becher vor und bekam ihn nachgefüllt. Er trank den warmen Kakao in tiefen, genießerischen Schlucken, ohne mehr als einige Tropfen auf Kalles Trainingsoverall zu verschütten, den er bekommen hatte und der ihm viel zu groß war, dass er fast in der schönen wolligen Wärme verschwand. Zufrieden zog er die Zehen ein, damit auch nicht das kleinste Stück von ihm draußen war und etwa frieren musste. Oh, wie war das alles herrlich, diese Höhle und der Overall und die Schinkenbrote – alles war herrlich.

»Jetzt bin ich wohl fast eine Weiße Rose?«, fragte er erwartungsvoll zwischen zwei Bissen.

»Na, viel fehlt da nicht«, versicherte Kalle.

Er selbst war in diesem Moment so zufrieden und glücklich, wie ein Mensch nur sein kann. Wunderbar, wie sich alles eingerenkt hatte! Rasmus gerettet, die Papiere gerettet, bald sollte der ganze Alptraum vorbei sein.

»Morgen früh nehmen wir das Boot und rudern Rasmus zum Festland«, sagte er. »Dann rufen wir Onkel Björk an, damit die Polizei den Professor rettet und er seine Geheimpapiere bekommt…«

»Und dann sollen die Roten davon zu hören bekommen, dass ihnen die Ohren abfallen«, sagte Anders.

»Wo sind die Papiere übrigens?«, fragte Eva-Lotta neugierig.

»Ich hab sie versteckt«, sagte Kalle. »Und ich erzähle lieber nicht, wo.«

»Warum denn nicht?«

»Es ist besser, wenn nur *einer* das weiß«, sagte Kalle. »Noch sind wir nicht ganz in Sicherheit. Und solange wir das nicht sind, sag ich auch nichts.«

»Ja, da hast du Recht«, sagte Anders. »Morgen werden wir es erfahren. Stellt euch vor, morgen sind wir zu Hause! Das wird sehr schön, tatsächlich!«

Rasmus war anderer Meinung.

»Es wäre viel schöner, hier in der Höhle zu sein«, sagte er. »Ich möchte immer, immer und immer hier bleiben. Einige Tage könnten wir doch noch hier bleiben.«

»Nee, danke bestens«, sagte Eva-Lotta und dachte mit einem Schaudern an die Minuten im Wald, als Nicke und Blom so nah gewesen waren. Es kam darauf an, sobald es hell wurde, schnellstens von der Insel fortzukommen. Noch waren sie durch die Dunkelheit geschützt, aber wenn der Tag kam, waren sie vogelfrei. Nicke hatte doch gesagt, dass er jeden Busch auf der Insel durchsuchen wollte, und Eva-Lotta hatte nicht die geringste Lust zu bleiben, bis er zu Ende gesucht hatte.

Langsam hörte der Regen auf und das kleine Stück Himmel, das durch die Öffnung in der Höhle sichtbar war, war gepunktet mit Sternen.

»Ich brauch noch etwas frische Luft, bevor ich einschlafe«, sagte Anders und kroch hinaus. Kurze Zeit danach rief er die anderen. »Kommt, dann könnt ihr etwas sehen!«

»Du kannst doch wohl im Dunkeln nichts sehen«, rief Eva-Lotta.

»Ich sehe die Sterne«, sagte Anders.

Eva-Lotta und Kalle sahen sich an.

»Er ist doch nicht etwa sentimental geworden?«, fragte Kalle beunruhigt. »Es ist besser, wir kümmern uns um ihn.«

Nacheinander zwängten sie sich durch die enge Öffnung nach draußen. Rasmus zögerte ein bisschen. Hier in der Höhle war es hell. Kalle und Anders hatten ihre Taschenlampen an die Decke gehängt. Hier war es hell und warm, draußen war es dunkel und vom Dunkel hatte er genug.

Aber er zögerte nicht lange. Wo Eva-Lotta und Kalle waren, da wollte er auch sein. Auf allen vieren kroch er durch die Öffnung. Wie ein kleines Tier, das in der Nacht vorsichtig seine Nase aus dem Nest steckt.

Draußen standen sie dicht beieinander und ganz still. Still standen sie unter den Sternen, die dort oben an einem tiefschwarzen Himmel brannten. Sie hatten kein Verlangen zu reden, standen nur beieinander und lauschten in die Dunkelheit. Das tiefe Säuseln der schlafenden Wälder hatten sie nie zuvor gehört. Es war eine seltsame Melodie und ihnen war wunderlich zumute.

Rasmus schob seine Hand in Eva-Lottas Hand. Das hier war etwas, was er noch nie erlebt hatte, und es machte ihn froh und ängstlich zugleich. So ängstlich, dass er eine Hand in seiner Hand spüren wollte. Aber plötzlich fühlte er, dass ihm alles gefiel. Er mochte die Wälder, auch wenn es dunkel war und so eigenartig in den Bäumen rauschte, er mochte die kleinen Wellen, die an die Klippen schlugen, und die Sterne mochte er am allerliebsten. Sie leuchteten so hell und blinzelten ihm so freundlich zu. Er legte seinen Kopf in den Nacken und starrte gerade hinauf zu den freundlichen Sternen. Und er drückte Eva-Lottas Hand und sagte mit träumerischer Stimme:

»Denk nur, wie schön es im Himmel sein muss, wenn er schon auf der Außenseite so schön ist!«

Niemand antwortete. Niemand sagte ein einziges Wort. Schließlich beugte sich Eva-Lotta zu Rasmus und schlang die Arme um ihn.

»Jetzt, Rasmus, sollst du schlafen«, sagte Eva-Lotta. »Du sollst in einer kleinen Höhle im großen Wald schlafen. Ist das nicht wunderbar?«

»Jaa!«, sagte Rasmus aus tiefster Überzeugung.

Und als er etwas später zu Eva-Lotta in den Schlafsack gekrochen war und dalag und sich erinnerte, dass er beinahe schon eine Weiße Rose war, seufzte er tief auf vor Zufriedenheit. Er bohrte seine Nase in Eva-Lottas Arm und fühlte, dass er jetzt schlafen wollte. Er würde Papa genau erzählen, wie schön es war, nachts in Höhlen aus Tannenreisig zu schlafen. Es war jetzt dunkel. Kalle hatte die Taschenlampen ausgemacht, aber Eva-Lotta war dicht bei ihm und die freundlichen Sterne dort draußen blinkten sicher weiter am Himmel.

»Wie viel Platz ich doch in diesem Schlafsack hätte, wenn du dich nicht so breit machen würdest«, sagte Anders und gab Kalle einen Puff.

Kalle gab den Puff zurück. »Schade, dass wir nicht daran gedacht haben, für dich ein Doppelbett mitzunehmen«, sagte er. »Aber trotzdem gute Nacht!«

Fünf Minuten später schliefen sie alle, tief und sorglos und ohne Angst vor dem kommenden Tag.

15. Kapitel

Bald würden sie fort sein. In einigen Minuten nur würden sie fort sein und diese Insel nie mehr wieder sehen. Kalle zögerte einen Augenblick, bevor er in das Boot sprang. Er sah sich um. Das also war ihr Zuhause während einiger unruhiger Tage und Nächte gewesen. Dort war ihre Badeklippe, sie sah so einladend aus im ersten Morgenlicht. In der Mulde dort hinten lag die Höhle. Sehen konnte er sie von hier aus nicht, aber er wusste, dass sie dort lag und dass sie leer und verlassen war und ihnen niemals mehr ein Zuhause sein sollte.

»Kommst du endlich?«, sagte Eva-Lotta nervös. »Ich möchte hier weg. Das ist das Einzige, was ich im Augenblick will.«

Sie saß auf der Bank im Heck des Bootes und Rasmus saß neben ihr. Schneller als die anderen wollte sie von hier weg. Jede Sekunde war kostbar, das wusste sie. Sie konnte sich gut vorstellen, wie wütend Peters über ihre Flucht war und dass er jede Anstrengung machen würde, sie wieder in seine Hände zu bekommen. Deshalb war Eile nötig, das wussten sie alle, Kalle auch. Er zögerte nicht mehr. Mit einem Sprung landete er im Boot, wo Anders schon mit den Rudern bereitsaß.

»Also dann«, sagte Kalle. »Dann sind wir wohl fertig.«

»Ja, wir sind fertig«, sagte Anders und begann zu rudern. Aber schnell bremste er wieder ab und zog eine Grimasse. »Es ist bloß... na ja, kurz und gut, ich hab meine Taschenlampe vergessen«, sagte er. »Ja, ja, ja, ich weiß, dass ich schlampig bin. Aber es dauert nur Sekunden, dann hab ich sie geholt.«

Er sprang bei der Badeklippe an Land und verschwand.

Sie warteten. Ziemlich unruhig zuerst. Und nach einem Weilchen sehr unruhig. Nur Rasmus saß in vollkommener Ruhe da und spielte mit den Fingern im Wasser.

»Wenn er nicht gleich kommt, schreie ich«, sagte Eva-Lotta.

»Sicher hat er ein Vogelnest oder so etwas gefunden«, sagte Kalle böse.

»Du, Rasmus, lauf und sag ihm, das Boot fährt ab!«

Gehorsam kletterte Rasmus an Land. Sie sahen, wie er mit kurzen kleinen Sprüngen den Felsen emporlief.

Und sie warteten. Warteten und warteten und starrten wie gebannt auf den Felsbuckel, wo die Verschwundenen endlich auftauchen mussten. Es kam aber niemand. Der Felsen lag öde vor ihnen, als hätte noch nie ein menschlicher Fuß ihn betreten. Ein munterer Barsch sprang dicht neben dem Boot und es raschelte leise im Schilf am Ufer. Sonst war alles still. Unheil verkündend still, fanden sie plötzlich.

»Verflixt noch mal, was machen die beiden nur?«, sagte Kalle unruhig. »Ich glaube, ich muss hin und nachsehen.«

»Dann gehen wir beide«, sagte Eva-Lotta. »Ich halte es nicht aus, hier allein zu sitzen und zu warten.«

Kalle machte das Boot fest und sie sprangen an Land. Liefen den Felsen hinauf, wie Anders es getan hatte. Und wie Rasmus es getan hatte. Dort lag die Höhle in der Mulde. Kein Mensch war zu sehen, keine Stimme zu hören. Nur diese unheimliche Stille…

»Wenn das einer der üblichen Scherze von Anders ist«, sagte Kalle und kroch in die Höhle, »dann schlage ich ihn kurz und…«

Mehr sagte Kalle nicht. Eva-Lotta, zwei Schritte hinter ihm, hörte nur einen halb erstickten Ruf und sie schrie wild und verzweifelt: »Was ist los, Kalle, was ist los?«

Im selben Augenblick fühlte sie eine harte Hand im Genick und hörte eine wohl bekannte Stimme:

»Satansbalg, nun hast du wohl fertig gebadet, was?«

Es war Nicke, puterrot im Gesicht vor Wut. Und aus der Höhle kamen Blom und Svanberg. Drei Gefangene brachten sie mit und Eva-Lottas Augen füllten sich mit Tränen, als sie sie sah. Das war das Ende. Alles war jetzt aus. Alles war vergebens gewesen. Jetzt konnte man sich ebenso gut ins Moos legen und sofort sterben.
Es schnitt ihr ins Herz, als sie Rasmus sah. Er war außer sich und kämpfte verzweifelt um etwas loszuwerden, das man ihm in den Mund gesteckt hatte und das ihn am Schreien hinderte. Nicke wollte ihm helfen, aber es löste keine Dankbarkeit bei Rasmus aus. Sobald er den Mund frei hatte, spuckte er wütend nach Nicke und schrie:
»Du bist blöd, Nicke! Pfui Teufel, wie bist du blöd!«

Es wurde eine bittere Rückkehr. So mussten sich geflohene Kettensträflinge im Dschungel fühlen, wenn sie zur Teufelsinsel zurückgeschleppt wurden, dachte Kalle und ballte die Fäuste. Es war auch ein richtiger Gefangenentransport. Sie waren mit einem Strick aneinandergebunden, er und Eva-Lotta und Anders. Neben ihnen her ging Blom, ein Gefangenenaufseher von der allerübelsten Sorte, und hinter ihnen Nicke. Er trug Rasmus, der nicht aufhörte zu versichern, dass er Nicke entsetzlich blöd fände. Svanberg hatte sich um das Boot gekümmert und war nun auf dem Weg zurück in das Lager der Kidnapper.
Nicke schien sehr schlechter Laune zu sein. Dabei hätte er doch eigentlich froh sein müssen, mit seinem Fang zu Peters zurückzukommen. Aber wenn er froh war, dann zeigte er es nicht. Er ging hinter ihnen und schimpfte und fluchte die ganze Zeit.
»Verflixte Gören! Warum habt ihr das Boot genommen? Habt wohl gedacht, wir merken es nicht, wie? Und wenn ihr nun schon das Boot hattet, warum seid ihr auf der Insel geblieben, ihr Idioten?«
Ja, *warum* hatten sie das getan?, dachte Kalle bitter. Warum waren sie nicht schon gestern Abend zum Festland hinübergerudert, obwohl Rasmus müde war und es regnete und dunkel war? Warum waren sie

nicht von dieser Insel verschwunden, als es noch Zeit gewesen war? Nicke hatte Recht – sie waren schon Idioten. Aber es war doch seltsam, dass ausgerechnet er ihnen deswegen Vorwürfe machte. Er schien wirklich nicht besonders froh zu sein, dass er sie wieder eingefangen hatte.

»Ich finde, Kidnapper sind überhaupt nicht nett«, sagte Rasmus. Nicke antwortete nicht, guckte nur böse und schimpfte weiter.

»Und warum habt ihr die Papiere genommen, wie? Ihr beiden Schafsköpfe da vorne, warum habt ihr die Papiere geklaut?«

Die beiden Schafsköpfe antworteten nicht. Und sie schwiegen auch später, als Peters sie dasselbe fragte.

Sie saßen jeder auf einer Pritsche in Eva-Lottas Häuschen und waren so niedergeschlagen, dass sie nicht einmal mehr Angst vor Peters hatten, obwohl er alles versuchte um ihnen Angst einzujagen.

»Das sind Sachen, von denen ihr nichts versteht«, sagte er, »und ihr hättet euch niemals einmischen dürfen. Es wird euch sehr schlecht bekommen, wenn ihr nicht erzählt, wo ihr die Papiere gestern Nacht gelassen habt.« Seine schwarzen Augen sahen sie kalt an und er brüllte: »Na, wird's bald! Raus damit! Wo habt ihr die Dokumente gelassen?«

Sie antworteten nicht. Das schien gerade die richtige Art und Weise zu sein, um Peters zur Raserei zu bringen, denn er stürzte sich auf Anders, als ob er ihn ermorden wollte. Mit beiden Händen fasste er ihn am Kopf und schüttelte ihn wild.

»Wo sind die Papiere?«, schrie er. »Antworte, sonst dreh ich dir das Genick um!«

Da griff Rasmus ein. »Jetzt bist du aber wirklich blöde«, sagte er. »Anders weiß gar nicht, wo die Papiere sind. Das weiß nur Kalle. Es ist nämlich besser, sagt Kalle, wenn es nur einer weiß.«

Peters ließ Anders los und sah Rasmus an.

»Soso, meinst du«, sagte er. Darauf wandte er sich an Kalle. »Dann bist du wohl Kalle! Und nun hör mal zu, mein lieber Kalle! Du bekommst eine Stunde Bedenkzeit. Eine Stunde und keine Minute mehr. Danach wird etwas überaus Unangenehmes mit dir geschehen. Schlimmer als alles, was du jemals erlebt hast, kapiert?«

Kalle sah so überlegen aus, wie Meisterdetektiv Blomquist immer in derartigen Situationen auszusehen pflegte. »Versuchen Sie nicht, mich zu erschrecken, denn das können Sie gar nicht«, sagte er. In Gedanken fügte er hinzu: Denn ich bin bereits so erschrocken, schlimmer kann es gar nicht werden.

Peters zündete sich eine Zigarette an und seine Hände zitterten. Prüfend sah er Kalle an, bevor er weitersprach:

»Ich weiß nicht, ob du intelligent genug bist, mir zu folgen. Solltest du es sein, dann wende deine Intelligenz jetzt an. Vielleicht begreifst du dann, worum es geht. Es handelt sich um Folgendes: Aus gewissen Gründen, die ich dir nicht näher erläutern will, habe ich mich auf eine Sache eingelassen, die so ungesetzlich ist, wie etwas nur sein kann. Ich kriege lebenslänglich Gefängnis, wenn ich in Schweden bleibe, und deshalb gedenke ich keine Sekunde länger als nötig hier zu bleiben. Ich werde mich ins Ausland begeben und ich will diese Geheimdokumente mit mir nehmen. Begreifst du das? Du bist doch wohl nicht zu dumm um zu verstehen, dass ich alles – aber auch alles – tun werde, um aus dir herauszupressen, wo die Papiere sind.«

Kalle nickte. Er verstand sehr gut, dass Peters vor nichts zurückschrecken würde. Und er verstand auch, dass er selbst bald aufgeben und das Geheimnis verraten musste. Wie sollte auch ein Junge wie er sich auf die Dauer gegen einen so vollkommen rücksichtslosen Gegner wie Peters behaupten können? Aber eine Stunde Bedenkzeit hatte er bekommen und die wollte er nutzen. Er wollte nicht aufgeben, bevor er alle Möglichkeiten erwogen hatte.

»Ich will mir die Sache überlegen«, sagte er kurz und Peters nickte.

»Gut«, sagte er. »Überleg eine Stunde! Und wende deine Intelligenz an, wenn du welche hast!«

Er ging und Nicke, der die ganze Zeit mit grimmiger Miene dagestanden und dem Gespräch zugehört hatte, folgte ihm zur Tür. Aber als Peters verschwunden war, drehte sich Nicke um und ging zu Kalle. Er sah nicht länger verbittert aus. Beinahe bittend sah er Kalle an und sagte mit leiser Stimme: »Erzähl doch dem Chef, wo die Papiere sind, ja? Damit endlich Schluss ist mit diesem ganzen Elend hier. Kannste doch machen, wie? Schon wegen Rasmus, wie?«

Kalle antwortete nicht und Nicke ging. An der Tür drehte er sich um und sah betrübt zu Rasmus hinüber.

»Ich schnitz dir nachher ein neues Borkenschiff«, sagte er. »Ein viel größeres…«

»Ich will kein Borkenschiff haben«, sagte Rasmus erbarmungslos. »Und ich finde überhaupt nicht, dass Kidnapper nett sind.«

Dann waren sie sich selbst überlassen. Sie hörten, wie Nicke den Schlüssel im Schloss umdrehte. Dann hörten sie nur noch das Rauschen in den Kronen der Bäume draußen.

»Toll, der Wind hat zugenommen«, sagte Anders, als sie eine lange Zeit stumm dagesessen hatten.

»Ja«, sagte Eva-Lotta. »Das ist gut. Es soll so stürmen, dass Svanberg mit dem Boot umkippt«, fügte sie hoffnungsvoll hinzu. Dann sah sie Kalle an. »Eine Stunde«, sagte sie. »In einer Stunde wird er wieder hier sein. Was sollen wir tun, Kalle?«

»Du musst es ihm sagen, wo du sie versteckt hast«, sagte Anders. »Sonst bringt er dich um.«

Kalle raufte sich die Haare. »Wende deine Intelligenz an«, hatte Peters gesagt. Kalle war fest entschlossen, es zu tun. Vielleicht – wenn er den Verstand ordentlich anstrengte – würde ihm doch etwas einfallen, was sie rettete.

»Wenn ich fliehen könnte«, sagte er nachdenklich. »Es wäre gut, wenn ich fliehen könnte…«

»Ja, und wenn du den Mond herunterholen könntest, das wäre auch gut«, sagte Anders.

Kalle antwortete nicht. Er dachte nach. »Hört mal«, sagte er schließlich. »Um diese Zeit müsste Nicke doch mit dem Essen kommen, oder?«

»Ja«, sagte Eva-Lotta. »Das nehm ich an. Zumindest haben wir immer Frühstück um diese Zeit bekommen. Kann aber auch sein, dass Peters uns jetzt aushungern will.«

»Aber Rasmus nicht«, sagte Anders. »Nicke lässt doch Rasmus nicht verhungern!«

»Stellt euch vor, wenn wir uns alle auf Nicke stürzen – alle auf einmal«, sagte Kalle. »Wenn er mit dem Futter kommt. Glaubt ihr nicht, dass ihr euch so lange an ihn klammern könnt, bis ich geflohen bin?«

Eva-Lottas Gesicht leuchtete auf. »Das geht«, sagte sie. »Ich bin sicher, dass es geht. Oh, ich werde Nicke endlich auf den Schädel schlagen! Danach sehn ich mich schon lange!«

»Ich werde Nicke auch auf den Schädel schlagen«, sagte Rasmus entzückt. Aber dann erinnerte er sich an den Flitzbogen und an die Borkenschiffe und fügte nachdenklich hinzu: »Trotzdem, so doll hau ich nicht zu. Er ist ja doch ziemlich nett…«

Die anderen hörten nicht auf ihn. Nicke konnte jeden Augenblick kommen und jetzt kam es darauf an, bereit zu sein.

»Was willst du dann machen, Kalle?«, fragte Eva-Lotta aufgeregt. »Ich meine, wenn du geflohen bist?«

»Ich schwimm zum Festland rüber und hol die Polizei. Der Professor kann sagen, was er will. Wir müssen die Polizei zu Hilfe holen! Das hätten wir schon viel eher tun müssen!«

Eva-Lotta schauderte. »Ja, ja«, sagte sie. »Nur weiß keiner, was Peters tun wird, bevor die Polizei die Insel erreicht hat.«

»Schsch!«, machte Anders warnend. »Jetzt kommt Nicke.«

Lautlos stürzten sie zur Tür und stellten sich zu beiden Seiten auf. Sie hörten Nickes Schritte näher kommen und sie hörten das Klappern des Blechtabletts, das er trug. Sie hörten, wie sich der Schlüssel im

Schloss drehte und sie spannten jeden Nerv und jeden Muskel in ihrem Körper. Jetzt – jetzt galt es!

»Hier bringe ich Rührei für dich, kleiner Rasmus«, rief Nicke, während er öffnete. »Das magst du doch…«

Er erfuhr nie, ob Rasmus Rührei mochte. Denn in dieser Sekunde warfen sie sich über ihn. Das Blechtablett fiel mit einem Klirren zu Boden und das Rührei spritzte umher. Sie hängten sich an seine Arme und Beine, rissen ihn um, schlugen ihn, krabbelten über ihn, setzten sich auf ihn, zogen ihn an den Haaren und drückten seinen Kopf auf den Boden. Nicke brummte wie ein verwundeter Löwe und mit kurzen, fröhlichen Schreien hüpfte Rasmus um die Kämpfenden herum. Das war ja schon fast der Krieg der Rosen und er sah es als seine Pflicht an, ihnen zu helfen.

Er zögerte einen Augenblick, denn Nicke war ja trotz allem sein Freund. Aber nach reiflicher Überlegung ging er hin und gab ihm einen ordentlichen Tritt in den Hintern. Anders und Eva-Lotta kämpften wie nie zuvor und Kalle lief blitzschnell zur Tür hinaus. Alles war in wenigen Sekunden vorbei. Nicke hatte Riesenkräfte und als er sich von der Überraschung erholt hatte, brauchte er nur mit den Armen zu schütteln um wieder frei zu sein. Verwirrt und böse kam er auf die Füße und sah sofort, dass Kalle verschwunden war. Er stürzte zur Tür und wollte sie öffnen. Aber sie war abgeschlossen.

Einen Augenblick stand er da und starrte wie blöde vor sich hin. Dann warf er sich mit seinem ganzen Körper gegen die Türfüllung, aber die war stabil und bewegte sich nicht um ein Haarbreit.

»Wer zum Teufel hat die Tür abgeschlossen?«, schrie er wütend.

Immer noch hüpfte Rasmus herum, froh und munter.

»Das war *ich*«, schrie er. »Das war ich! Kalle ist rausgelaufen und dann hab ich abgeschlossen.«

Nicke packte ihn fest am Arm. »Wo hast du den Schlüssel, kleiner Lümmel?«

»Au, das tut weh«, sagte Rasmus. »Lass mich los, dummer Nicke!«
Nicke schüttelte ihn noch einmal. »Wo du den Schlüssel hast, will ich wissen!«
»Den Schlüssel, den hab ich aus dem Fenster geschmissen, siehst du wohl!«, sagte Rasmus.
»Bravo, Rasmus!«, schrie Anders.
Eva-Lotta lachte laut und zufrieden.
»Jetzt kannst du mal sehen, kleiner Nicke, wie es ist, wenn man gefangen ist«, sagte sie.
»Ja, und es wird sehr lustig zu hören, was Peters dazu sagen wird«, meinte Anders.
Nicke ließ sich schwer auf die nächste Pritsche fallen. Es war deutlich zu sehen, dass er versuchte seine Gedanken zu ordnen. Und als er das getan hatte, brach er in ein plötzliches und unerwartetes Gelächter aus.
»Ja, das wird lustig zu hören, was der Chef dazu sagt.« Er lachte. »Das wird sicher lustig!« Dann wurde er plötzlich wieder genauso ernst. »Aber das geht böse aus! Ich muss den Bengel erwischen, ehe er irgendetwas anstellen kann.«
»Bevor er die Polizei holen kann, meinst du!«, sagte Eva-Lotta. »In dem Fall musst du dich schon etwas beeilen, kleiner Nicke.«

16. Kapitel

Es blies ein frischer westlicher Wind, der von Minute zu Minute stärker wurde. Dumpf brausend fegte er über die Tannenspitzen und trieb kleine, giftige, schaumige Wellen durch den Sund, der die Insel vom Festland trennte. Kalle, der nach der Prügelei mit Nicke und dem rasenden Lauf immer noch schwer atmete, stand am Ufer und sah verzweifelt auf das schäumende Wasser. Ohne sein Leben aufs Spiel zu setzen, konnte hier kein Sterblicher hinüberschwimmen. Selbst mit einem kleinen Ruderboot wäre es ein heikles Unternehmen gewesen. Außerdem hatte er kein Boot. Im vollen Tageslicht wagte er sich auch nicht zur Anlegestelle und sicher lag dort auch kein Boot, das nicht angeschlossen war.

Kalle war völlig ratlos. Langsam hatte er all die vielen Widerstände, die sich vor ihnen aufhäuften, satt. Ihm blieb nichts anderes übrig, als abzuwarten, bis der Wind nachließ – und das konnte mehrere Tage dauern. Wo sollte er während dieser Zeit bleiben und wovon sollte er leben? In die Höhle konnte er nicht zurück. Dort würden sie zuerst nach ihm suchen. Etwas zu essen hatte er auch nicht mehr, die Kidnapper hatten alles beschlagnahmt. Schlimmer kann es wirklich nicht mehr werden, dachte Kalle, während er ängstlich und unentschlossen zwischen den Tannen umherirrte. Jederzeit konnte Nicke ihm nachkommen. Er musste schnell entscheiden, was er tun sollte.

Da hörte er durch den Wind laute Hilferufe aus Eva-Lottas Häuschen. Der kalte Angstschweiß brach ihm aus. Bedeuteten die Rufe, dass Peters gerade jetzt auf irgendeine teuflische Weise sich an den anderen für seine Flucht rächte? Der Gedanke daran ließ ihn schwach in den Knien werden. Er musste herausbekommen, was dort oben geschah. Auf Schleichwegen kehrte er dorthin zurück, woher er eben gekommen war. Je mehr er sich dem Haus näherte, desto besser konnte er die Stimmen unterscheiden und zu seinem Erstaunen hörte er, dass es Nicke war, der um Hilfe rief. Nicke und manchmal Rasmus. Was in aller Welt machten Anders und Eva-Lotta nur mit Nicke, dass er so brüllte? Kalles Neugierde trieb ihn, das zu erfahren, selbst wenn es sehr riskant war. Zum Glück reichte der Wald ja bis zum Haus. Mit etwas Geschick konnte er bis vor Eva-Lottas Fenster schleichen, ohne gesehen zu werden.

Kalle schlängelte sich zwischen den Tannen vorwärts. Jetzt war er schon so nah, dass er Nicke wegen irgendetwas im Haus toben und fluchen hören konnte. Er hörte auch die zufriedenen Stimmen der anderen. Nicke, das war klar, wurde nicht mehr misshandelt – weshalb also war er so wütend? Und warum blieb er in dem Haus, anstatt draußen nach Kalle zu suchen? Und was lag dort und glänzte zwischen den Tannen genau vor Kalles Nase?

Es war ein Schlüssel. Kalle hob ihn auf und betrachtete ihn genau. Konnte es der Schlüssel zu Eva-Lottas Haus sein? Wie war er hierher gekommen? Ein neues Gebrüll von Nicke beantwortete Kalles Fragen.

»Peters, Hilfe!«, schrie Nicke. »Die haben mich eingeschlossen. Kommen Sie, schließen Sie auf!«

Ein fröhliches Grinsen breitete sich über Kalles Gesicht. Nicke war mit seinen Gefangenen eingeschlossen. Das war ein Punkt für die Weiße Rose. Zufrieden steckte Kalle den Schlüssel in die Hosentasche. Da hörte er auch schon, wie Peters, Blom und Svanberg angelaufen kamen. Er wurde steif vor Schreck. In einigen Minuten würden sie eine Hexenjagd auf ihn veranstalten und sie würden ihn suchen, wie sie noch nie jemanden gesucht hatten. Denn Peters musste es wie eine tödliche Bedrohung erscheinen, dass Kalle wieder auf freiem Fuß war. Es würde ihm sofort klar sein, dass Kalle mit allen Mitteln versuchen würde Hilfe herbeizuschaffen. Deshalb gab es für Peters nichts Wichtigeres, als um jeden Preis zu verhindern, dass Kalle die Insel verließ. Er würde vor nichts zurückschrecken, das wusste Kalle, und diese Gewissheit ließ ihn unter der Sonnenbräune blass werden. Da lag er und horchte voller Angst auf die laufenden Schritte, die sich näherten. Er musste ein Versteck für sich finden, er musste es sofort finden, innerhalb weniger kostbarer Sekunden.

Da sah er es, gerade vor seinen Augen. Ein märchenhaftes Versteck. Dort würde man ihn vorerst nicht suchen. Unter dem steinernen Sockel der Hütte war gerade so viel Platz, dass man einigermaßen bequem liegen konnte. Nur hier auf der Rückseite war der Sockel so hoch, weil die Hütte auf einem Abhang, gegen die See zu, lag. Am Sockel wuchsen hohes Gras und massenhaft Weidenröschen, die einen recht gut davor schützten, gesehen zu werden, falls doch jemand auf die Idee kam, hinter dem Haus zu suchen. Flink wie ein Wiesel kroch Kalle, so weit er kommen konnte, unter den Sockel. Wenn sie hier nach mir suchen, sind sie nicht normal, dachte er. Wenn sie nur etwas Verstand im Kopf hatten, dann suchten sie einen Flüchtling doch wohl so weit wie möglich von seinem Gefängnis entfernt und nicht direkt unter seinem Gefängnisfußboden.

Er lag da und hörte das Erdbeben, das losbrach, als Peters die Zusammenhänge begriffen hatte: dass Nicke eingeschlossen und Kalle verschwunden war.

»Lauft!«, schrie Peters wie ein Wahnsinniger. »Lauft und packt ihn! Und kommt mir nicht ohne ihn zurück oder ich übernehme keine Verantwortung für das, was ich dann tu!«

Blom und Svanberg liefen los und Kalle hörte, wie Peters fluchend seinen Schlüssel ins Schloss steckte und die Tür zu den Gefangenen

411

öffnete. Und dann brach über seinem Kopf ein noch größeres Erdbeben los. Der arme Nicke verteidigte sich ungeschickt, aber Peters war ohne Erbarmen. Eine Schimpfkanonade von solchem Ausmaß hatte Nicke sicher noch nie über sich ergehen lassen müssen und sie dauerte an, bis Rasmus sich einmischte.

»Dass du so ungerecht sein kannst, Herr Peters«, sagte er. Kalle konnte die kleine feste Stimme so deutlich hören, als wäre er selbst im Zimmer. »Immer und immer bist du ungerecht. Nicke kann doch wohl nichts dafür, dass ich die Tür abgeschlossen und den Schlüssel aus dem Fenster geworfen habe.«

Peters antwortete nur mit einem dumpfen Gebrüll. Dann schrie er Nicke an: »Raus mit dir und den Kerl gesucht! Ich werde sehen, ob ich den Schlüssel finde.«

Kalle zuckte zusammen. Wenn Peters den Schlüssel suchte, konnte er seinem Versteck gefährlich nahe kommen, ganz gefährlich nahe.

Es war wirklich ein Hundeleben. Jeden Augenblick musste man darauf gefaßt sein, sich gegen neue Gefahren verteidigen zu müssen. Kalle dachte und handelte schnell. Er hörte, wie Nicke fortrannte und Peters die Tür abschloss. Im selben Augenblick verließ er sein Versteck, so schnell er konnte, kroch hervor und versteckte sich hinter der Hausecke. Und als er Peters herankommen hörte, zog er sich lautlos zur entgegengesetzten Seite des Hauses zurück, zum Eingang, den Peters gerade verlassen hatte. In einiger Entfernung sah er Nickes Rücken, der laufend im Wald verschwand. Kalle nahm den Türschlüssel aus der Hosentasche und zum unvorstellbaren Erstaunen von Eva-Lotta und Anders kam er durch die Tür, keine ganze Minute später, nachdem sie Peters und Nicke dort hatten verschwinden sehen.

»Nun bist du still«, sagte Eva-Lotta mit leiser Stimme zu Rasmus, denn es sah aus, als wolle er sich zu Kalles unerwarteter Rückkehr äußern.

»Ich hab doch gar nichts gesagt«, sagte Rasmus beleidigt. »Aber wenn Kalle…«

»Sch«, sagte Anders und zeigte warnend auf Peters, der draußen in allernächster Nähe des Fensters herumwühlte und deutlich verärgert war, dort keinen Schlüssel zu finden.

»Sing, Eva-Lotta«, flüsterte Kalle, »damit Peters nicht hört, wenn ich die Tür abschließe.«

Und Eva-Lotta stellte sich ans Fenster und sang aus vollem Hals:
»Glaubst du denn, dass ich ver-lo-o-o-ren bin,
Noch lange nicht, oh-ho-ho nein, no-o-och lange nicht…«

Peters schien das nicht zu freuen. »Halt den Mund!«, schrie er und suchte weiter.

Mit einem Stock stöberte er im Gras unter dem Fenster herum und bog die Weidenröschen beiseite. Einen Schlüssel fand er nicht. Sie konnten ihn still vor sich hin fluchen hören. Dann gab er die Suche auf und verschwand. Atemlos standen sie da. Horchten und warteten. Würde er weggehen oder zu ihnen zurückkommen und Kalle finden? Sie horchten, bis sie das Gefühl hatten, ihre Ohren ständen wie Hörrohre von ihren Schädeln ab. Horchten und hofften schon…

Aber dann hörten sie Peters' Schritte vor der Tür. Er kam zurück, Himmel, er kam zurück! Sie starrten sich an, vollkommen aufgelöst, vollkommen bleich, vollkommen außerstande, einen klaren Gedanken zu fassen.

Kalle fand zuerst seine Fassung wieder. Mit einem Schritt war er hinter dem großen Vorhang, der die Waschgelegenheit verdeckte, und im selben Augenblick wurde die Tür geöffnet und Peters kam herein.

Eva-Lotta stand still und schloss die Augen. Nimm ihn fort, dachte sie, nimm ihn fort oder ich überlebe es nicht… Und wenn Rasmus jetzt nur nichts sagt…

»Ihr kriegt Prügel, sobald ich Zeit habe«, sagte Peters. »Prügel, dass es nur so pfeift. Aber erst, wenn ich zurückkomme. Und wenn ihr euch bis dahin nicht völlig ruhig verhaltet, kriegt ihr noch einmal so viel Prügel. Habt ihr verstanden?«

»Ja, vielen Dank«, sagte Anders.

Rasmus kicherte. Er hatte gar nicht auf das gehört, was Peters gesagt hatte. Er war nur von einem Gedanken besessen – dass Kalle hinter dem Vorhang stand! Das war fast schöner als Versteckspiel! Eva-Lotta beobachtete ängstlich sein Mienenspiel. Schweig, Rasmus, schweig, bat sie beschwörend still für sich. Aber Rasmus hatte ihr inneres Gebet wohl nicht gehört. Er kicherte Unheil verkündend.

»Warum grinst du?«, fragte Peters böse.

Rasmus sah ihn fröhlich und geheimnisvoll an.

»Das rätst du nie...«, fing er an.

»Auf dieser Insel gibt es besonders viele Blaubeeren!«, schrie Anders mit hoher, sich beinahe überschlagender Stimme. Er hätte so gern etwas Klügeres gesagt, aber in seiner Seelennot fiel ihm nichts anderes ein. Peters sah ihn voller Abscheu an.

»Soll das ein Witz sein?«, fragte er. »Das kannst du dir sparen.«

»Haha, Herr Peters«, fuhr Rasmus unbeirrt fort, »du weißt nicht, wer...«

»Ich mag Blaubeeren unheimlich gern!«, schrie Anders noch lauter. Peters schüttelte den Kopf.

»Du scheinst nicht ganz bei Trost zu sein«, sagte er. »Aber das macht nichts. Ich geh jetzt. Ich warne euch nur noch einmal: Stellt nicht noch mehr Unfug an!«

Er ging zur Tür. Aber dann zögerte er. »Stimmt ja«, sagte er halblaut zu sich selbst. »Vielleicht sind hier ein paar Rasierklingen im Toilettenschrank.«

Der Toilettenschrank – der war an der Wand. Hinter dem Vorhang.

»Rasierklingen!«, brüllte Eva-Lotta. »Rasierklingen – die habe ich – aufgegessen – ich meine – ich – hab sie aus dem Fenster geschmissen, bestimmt. Und auf den Rasierpinsel hab ich gespuckt.«

414

Peters starrte sie an. »Eure Eltern tun mir Leid«, sagte er kurz, drehte sich um und verschwand.

Dann waren sie allein. Sie saßen zu dritt auf einer Pritsche und unterhielten sich mit leiser Stimme über das, was geschehen war. Auf dem Boden vor ihnen hockte Rasmus und hörte interessiert zu.

»Es stürmt zu sehr«, sagte Kalle. »Wir können nichts anfangen, bevor es sich aufgeklärt hat.«

»Manchmal stürmt es neun Tage ohne Unterbrechung«, sagte Anders zur Ermunterung.

»Was willst du tun, während du wartest?«, fragte Eva-Lotta.

»Ich muss wohl wie eine Kellerassel unter dem Haussockel liegen«, sagte Kalle. »Aber wenn Nicke abends den letzten Rundgang gemacht hat, komme ich zu euch, esse und schlafe hier.«

Anders kicherte. »Wenn wir das alles bloß einmal mit den Roten machen könnten, es wäre zu schön.«

So saßen sie lange Zeit. Aus dem Wald klang das Rufen und Schreien von Peters, Nicke und Blom, die dort nach Kalle suchten.

»Sucht nur«, sagte Kalle grimmig. »Mehr als Blaubeeren werdet ihr dort jedenfalls nicht finden.«

Es wurde Abend und es wurde dunkel. Kalle konnte nicht mehr unter dem Sockel liegen. Er musste raus und sich bewegen, bevor ihm Arme und Beine endgültig einschliefen. Es war noch zu früh, zu den anderen hineinzugehen. Nicke hatte die Abendrunde noch nicht gemacht. Leise und vorsichtig ging Kalle im Dunkeln auf und ab. Was für ein wunderbares Gefühl, sich bewegen zu können!

Er sah Licht im Haus von Peters. Das Fenster war offen und er hörte ein schwaches Gemurmel von Stimmen. Worüber sprachen sie da drinnen? Kalles Abenteuerlust erwachte. Wenn man sich ganz leise heranschlich und unter das Fenster stellte, vielleicht konnte man das eine oder andere Nützliche hören.

Er schlich näher. Immer einen Schritt zur Zeit. Horchte immer zwischen zwei Schritten und stand dann endlich unter dem Fenster.

»Ich hab das Ganze satt«, hörte er Nicke mit unwirscher Stimme sagen. »Ich hab das alles bis in die Fußspitzen satt, ich mach nicht mehr mit.«

Und dann Peters ruhig und eiskalt: »Aha, du willst nicht mehr mitmachen! Und warum, wenn ich fragen darf?«

»Weil da was nicht in Ordnung ist«, sagte Nicke. »Früher, da war die Rede von der *Sache*. Man sollte alles tun, egal was, wenn es nur gut für die *Sache* war, haben sie einem gesagt. Armer und dummer Seemann, der man war, hat man den Scheiß geglaubt. Aber jetzt glaub ich nicht mehr dran. Es ist einfach nicht in Ordnung, so mit Kindern umzugehen, selbst wenn es gut für die *Sache* ist, so nicht!«

»Sieh dich vor, Nicke«, sagte Peters. »Ich brauch dich wohl nicht erst dran zu erinnern, was denen passiert, die versuchen abzuspringen.«

Eine Weile war es still. Dann sagte Nicke schließlich grämlich: »Nee, natürlich, ich weiß schon.«

»Na also«, fuhr Peters fort. »Und ich warne dich, noch mehr Dummheiten zu machen. Du redest so ein dummes Zeug daher, dass ich fast den Verdacht habe, du hättest den Jungen absichtlich laufen lassen.«

»Nu hör aber mal, Chef«, sagte Nicke ärgerlich.

»Na klar, so blöd kannst ja nicht mal du sein«, sagte Peters. »Sogar du müsstest begreifen, was es für uns bedeutet, dass er abgehauen ist.«

Nicke antwortete nicht.

»Nie in meinem Leben hab ich solche Angst gehabt«, sagte Peters. »Wenn das Flugzeug nicht bald kommt, geht alles schief, darauf kannst du Gift nehmen.«

Das Flugzeug? Kalle spitzte die Ohren. Was für ein Flugzeug sollte da kommen? Seine Überlegungen wurden unterbrochen. Durch die Dunkelheit kam jemand, jemand mit einer Taschenlampe. Er kam aus dem kleinen Haus, das vor dem Felsen lag, auf dem das Haus des Professors

416

stand. Sicher ist es Blom oder Svanberg, dachte Kalle und presste sich fest gegen die Hauswand. Aber er brauchte keine Angst zu haben. Der Mann hatte es eilig und einen Augenblick später hörte Kalle, wie er im Haus mit den anderen redete.

»Das Flugzeug trifft morgen früh sieben Uhr hier ein«, hörte er ihn sagen und erkannte Bloms Stimme.

»Gott sei Dank!«, sagte Peters. »Ich muss hier weg. Hoffentlich wird das Wetter so, dass sie landen können.«

»Doch, sicher, das Wetter beruhigt sich«, sagte Blom. »Die wollen einen neuen Bericht haben, bevor sie starten.«

»Gib ihn durch«, sagte Peters. »Hier in der Bucht ist es auf jeden Fall so ruhig, dass sie aufs Wasser runtergehen können. Und du, Nicke, sieh zu, dass du den Kleinen bis sieben Uhr fertig hast!«

Der Kleine – damit war natürlich Rasmus gemeint! Kalle ballte die Fäuste. Aha, nun sollte das Ganze ein Ende haben. Rasmus sollte fort von hier. Er würde weit weg sein, bevor es Kalle gelang, Hilfe herbeizuholen. Armer kleiner Rasmus, wo sollte er hin? Und was wollten sie mit ihm machen? Es war eine Schweinerei!

Man sollte meinen, Nicke habe Kalles Gedanken gehört.

»Schweinerei«, sagte er. »Genau das ist es. Ein armer kleiner Junge, der nichts Böses getan hat. Ich denk nicht dran, dabei zu helfen. Den können Sie selbst ins Flugzeug setzen, Chef!«

»Nicke«, sagte Peters und seine Stimme war beängstigend scharf. »Ich hab dich gewarnt und jetzt warne ich dich zum letzten Mal. Sieh zu, dass der Junge morgen früh um sieben Uhr fertig ist!«

»Zum Teufel!«, sagte Nicke. »Chef, Sie wissen ebenso gut wie ich, dass das arme Wurm niemals mit dem Leben davonkommt und der Professor auch nicht!«

»Oh, das weiß ich noch nicht so genau«, sagte Peters leichthin. »Wenn der Professor nur Vernunft annimmt... Übrigens gehört das nicht hierher.«

»Zum Teufel!«, sagte Nicke noch einmal.

Kalle hatte einen Kloß im Hals. Er war so traurig, alles war so hoffnungslos. Sie hatten versucht, wirklich versucht, mit all ihren Kräften versucht, Rasmus und dem Professor zu helfen. Aber es hatte nichts genützt. Diese bösen Menschen gewannen das Spiel. Armer, armer Rasmus!

Kalle stolperte voller Verzweiflung durch die Dunkelheit. Er musste versuchen mit dem Professor zu sprechen. Er musste ihn auf das Flugzeug vorbereiten, das sich morgen früh wie ein großer Raubvogel auf die Insel stürzen wollte um die Klauen in Rasmus zu schlagen. Das in der Bucht landen würde, sobald Blom durchgegeben hatte, dass sich das Wetter hinreichend aufgeklärt hatte.

Kalle blieb plötzlich stehen. Wie gab Blom das eigentlich weiter? Wie um alles in der Welt machte er das? Kalle pfiff durch die Zähne. Natürlich! Es musste hier irgendwo eine Sendestation geben! Alle Spione und Schurken, die mit dem Ausland in Verbindung standen, brauchten einen Sender.

Ein kleiner Gedanke begann in Kalles Gehirn zu arbeiten. Ein Radiosender, das war genau das, was er selbst jetzt brauchte. Himmel, wo war dieser Sender? Er musste ihn finden. Vielleicht… vielleicht gab es doch noch eine ganz winzig kleine Hoffnung.

Dort aus dem kleinen Haus war Blom gekommen! Dort lag es vor ihm. Ein schwaches Licht drang aus dem Fenster. Kalle zitterte vor Aufregung, während er sich anschlich. Er spähte durchs Fenster. Kein Mensch zu sehen. Aber – Wunder über Wunder – die Sendestation sah er. Ja, sie war in dem Haus.

Kalle fühlte am Türgriff. Unverschlossen – danke sehr, lieber, guter Blom. Mit einem Satz war Kalle am Sender und ergriff das Mikrofon. Gab es einen Menschen auf dieser großen, weiten Welt, der ihn hören würde? Gab es einen, der sein verzweifeltes Rufen hörte?

»Hilfe! Hilfe!«, bat er mit leiser, zitternder Stimme. »Hilfe! Hier spricht Karl Blomquist. Wenn mich jemand hört, rufe er sofort Onkel Björk an – ich meine, sofort die Polizei von Kleinköping anrufen und dort sagen, dass sie nach Kalvö kommen und uns retten sollen. – Kalvö heißt die Insel und sie liegt ungefähr fünfzig Kilometer südöstlich von Kleinköping – und es ist sehr dringend, denn wir sind gekidnappt worden. Beeilt euch und kommt hierher, sonst sind wir verloren. Kalvö heißt die Insel und…«

Gab es jemanden auf der weiten Welt, der gerade diesen Sender hörte? Jemanden, der gerade jetzt zuhörte und sich wunderte, warum es plötzlich wieder still im Äther war?

Kalle selbst wunderte sich nur, woher die Lokomotive gekommen war, die ihn überfahren hatte, und warum sein Kopf plötzlich so weh tat. Dann versank er in einer schwarzen Finsternis und brauchte sich über nichts mehr zu wundern. Mit dem letzten kleinen Rest seines Bewusstseins hörte er Peters' gehässige Stimme:

»Ich bring dich um! Verdammter Lümmel! Nicke, los, trag ihn zu den anderen!«

17. Kapitel

»Jetzt müssen wir scharf nachdenken«, sagte Kalle und befühlte vorsichtig die riesige Beule an seinem Hinterkopf. »Genauer gesagt: *Ihr* müsst nachdenken. Mein Schädel sitzt nämlich nicht mehr sicher auf seinem Stängel, glaub ich.«

Eva-Lotta kam mit einem feuchten Handtuch, das sie um Kalles Kopf wickelte.

»So«, sagte sie, »und nun liegst du ganz ruhig und bewegst dich nicht!«

Kalle hatte nichts dagegen, still zu liegen. Nach den Strapazen der letzten vier Tage und Nächte war ein weiches Bett eine wahre Wohltat für seinen Körper. Es war herrlich, wenn auch etwas albern, dazuliegen und von Eva-Lotta bemuttert zu werden.

»Ich denke schon scharf nach«, sagte Anders. »Ich sitze da und denke darüber nach, ob es irgendeinen Menschen gibt, den ich noch mehr hasse als diesen Peters, aber mir fällt keiner ein. Nicht mal der Werklehrer, den wir im vorigen Jahr hatten. Der war ein richtiger Schatz gegen Peters.«

»Armer Rasmus«, sagte Eva-Lotta. Sie nahm den Kerzenhalter und ging zu Rasmus und leuchtete ihn an. Da lag er und schlief so ruhig und zufrieden, als gäbe es nichts Böses auf der Welt. Im flackernden Lichtschein sieht er wie ein Engel aus, dachte Eva-Lotta. Sein Gesicht war mager geworden, die Backen, die von langen dunklen Augenwimpern beschattet wurden, waren hohl, und der weiche, kindliche Mund, der so viel dummes Zeug zu plappern pflegte, war jetzt unbeschreiblich rührend. Er sah so klein und wehrlos aus, dass Eva-Lottas ganze Mütterlichkeit schmerzhaft zu ihrem Herzen strömte, als ihr das Flugzeug einfiel, das morgen früh kommen sollte.

»Können wir wirklich nichts tun?«, fragte sie mutlos.

»Oh, ich möchte Peters gern irgendwo mit einer Höllenmaschine einsperren«, sagte Anders und kniff blutrünstig seine Lippen zusammen. »Eine nette kleine Höllenmaschine, die mal eben ›Klick‹ sagt – und dann wäre es endlich aus mit dem Knilch!«

Kalle lachte leise vor sich hin. Ihm war etwas eingefallen. »Weil du sagst: einsperren – *wir* sind ja eigentlich nicht im Geringsten eingesperrt. Ich hab ja schließlich den Schlüssel! Wir können fliehen, wenn wir wollen.«

»Du lieber Himmel«, sagte Anders überrascht. »Richtig, du hast ja den Schlüssel! Worauf warten wir noch? Kommt, wir hauen ab!«

»Nein, Kalle muss ruhig liegen bleiben«, sagte Eva-Lotta. »Nach so einem Schlag darf er nicht einmal den Kopf anheben.«

»Wir warten einige Stunden«, sagte Kalle. »Wenn wir Rasmus jetzt in den Wald bringen, brüllt er los, dass man es über die ganze Insel hört. Und hier schlafen wir besser als unter irgendeinem Busch im Wald.«

»Du redest so klug, man könnte beinahe glauben, dass dein Gehirn schon wieder funktioniert«, sagte Anders. »Ich weiß, was wir machen. Zuerst einige Stunden schlafen und dann so gegen fünf hauen wir ab. Und dann können wir nur hoffen, dass es sich bis dahin so weit aufgeklärt hat, dass einer von uns zum Festland rüberschwimmen kann um Hilfe zu holen.«

»Ja, sonst ist alles zu spät«, sagte Eva-Lotta. »Lange können wir uns auf der Insel nicht versteckt halten. Ich weiß, wie es mit Rasmus im Wald ist – und ohne Essen.«

Anders kroch in seinen Schlafsack, den ihm Nicke gnädigerweise gelassen hatte. »Frühstück bitte Punkt fünf Uhr – ans Bett«, sagte er. »Nun möchte ich schlafen.«

»Gute Nacht«, sagte Kalle. »Ich spür's in meinen Knochen, dass morgen allerhand passieren wird.«

Eva-Lotta legte sich auf ihre Pritsche. Sie verschränkte die Hände unterm Kopf und starrte zur Decke, wo eine dumme Fliege herumsurrte und jedesmal, wenn sie dagegenstieß, ein leises Geräusch verursachte.

»Übrigens mag ich Nicke ganz gern«, sagte Eva-Lotta. Dann rollte sie sich auf die Seite und pustete das Licht aus.

Kalvö, dreiundfünfzig Kilometer südöstlich von Kleinköping, ist nur für den, der umherirrt und nach einer kleinen Höhle im Wald sucht, groß und lang gestreckt. Für den, der sich ihr in einem Flugzeug nähert, ist die Insel nichts weiter als ein kleiner, kleiner grüner Punkt in einem blauen Meer, das voller ähnlicher grüner Punkte ist. Irgendwo, weit fort, ist gerade jetzt ein Flugzeug gestartet, um die kleine Insel, die dort zwischen vielen ähnlichen im Meer liegt, zu erreichen. Das Flugzeug hat starke Motoren und braucht nur wenige Stunden um sein Ziel zu erreichen. Sie brummen unaufhörlich und eintönig, die Motoren, und bald kann man auf Kalvö das gleichmäßig mahlende Geräusch hören, das an Stärke zunimmt und zu einem betäubenden Donnern wird, als die Maschine auf dem Sund niedergeht.

Der Sturm hat sich gelegt und in der Bucht gleiten die Wellen friedlich dahin, als die Maschine mit einem letzten, ohrenbetäubenden Gedröhn über die Wasserfläche dahinrast und dann ruhig vor der Anlegestelle liegen bleibt.

Da erwacht Kalle endlich. Und im selben Moment begreift er, dass das Gedröhne nicht vom Niagarafall kommt, von dem er geträumt hat, sondern von dem Flugzeug, das Rasmus und den Professor holen soll.

»Anders! Eva-Lotta! Wacht auf!«

Es klingt wie ein Jammerruf und scheucht die anderen augenblicklich aus den Betten.

Sie erkennen sofort das Ausmaß des Unglücks. Jetzt müssten sie zaubern können um noch rechtzeitig zu entkommen. Kalle wirft einen Blick auf die Uhr und weckt Rasmus. Es ist erst fünf. Was ist das nun wieder für eine neue Mode, zwei Stunden vor der festgesetzten Zeit zu kommen!

Rasmus ist müde und will nicht aufstehen, aber sie kümmern sich nicht um seine Proteste. Eva-Lotta streift ihm wenig zart den Overall über und Rasmus zischt wie ein wütendes Kätzchen. Anders und Kalle stehen daneben und trippeln vor Ungeduld auf der Stelle. Rasmus wehrt sich und schließlich packt ihn Anders am Genick und flüstert:

»Bilde dir nur nicht ein, dass so eine Heulboje wie du jemals eine Weiße Rose wird!«

Das hilft. Rasmus wird still und Eva-Lotta zieht ihm schnell und geistesgegenwärtig seine Turnschuhe an. Kalle beugt sich zu ihm und sagt schmeichelnd: »Rasmus, wir wollen wieder fliehen! Vielleicht sind wir bald wieder in der kleinen hübschen Höhle – du weißt doch noch. Und jetzt musst du laufen, so schnell du nur kannst!«

»Hat man so was schon gehört«, sagt Rasmus. Das pflegt sein Papa zu sagen. »Hat man so was schon gehört, solche Einfälle!«

Jetzt sind sie fertig. Kalle läuft zur Tür und horcht gespannt. Aber alles ist ruhig. Es sieht aus, als sei der Weg frei. Er sucht in der Hosentasche nach dem Schlüssel. Sucht und sucht…

»Nee, nee, nee«, jammert Eva-Lotta, »komm mir jetzt nur nicht damit, dass du den Schlüssel verloren hast!«

»Er muss hier sein«, sagt Kalle und ist so aufgeregt, dass seine Hände zittern. »Er muss hier sein.«

Aber so viel er auch wühlt, seine Hosentasche bleibt leer. Er hat nie so etwas Leeres gefühlt wie diese Hosentasche. Anders und Eva-Lotta schweigen. Sie beißen auf ihren Fingern herum und warten.

»Vielleicht ist er rausgefallen, als sie mich gestern Abend hier reingetragen haben«, meint Kalle.

»Ja, warum sollte er nicht herausgefallen sein«, sagt Eva-Lotta verbittert. »War ja gar nicht anders zu erwarten, wo alles andere in die Binsen geht.«

Die Sekunden vergehen. Kostbare Sekunden. Sie suchen wie verrückt auf dem Fußboden.

Nur Rasmus sucht nicht mit. Er hat angefangen mit seinen Borkenschiffen zu spielen. Sie fahren über Kalles Pritsche. Die Bank ist jetzt der »Große Stille Ozean«. Im Großen Stillen Ozean schwimmt ein Schlüssel, und Rasmus nimmt ihn und lässt ihn Kapitän auf einem Schiff werden, das »Hilda von Göteborg« heißt. Nicke hat dem Schiff diesen schönen Namen gegeben. So hieß nämlich auch das Schiff, auf dem Nicke vor langer Zeit einmal Leichtmatrose war.

Die Sekunden vergehen. Kalle, Anders und Eva-Lotta suchen und sind so fertig, dass sie vor Nervosität schreien möchten. Aber Rasmus und der Kapitän auf der »Hilda von Göteborg« sind nicht ein bisschen nervös. Sie segeln über den Großen Stillen Ozean und finden alles herrlich, bis Eva-Lotta mit einem Aufschrei den Kapitän von der Kommandobrücke reißt und die »Hilda von Göteborg« herrenlos ihrem Schicksal in der schweren Brandung überlässt.

»Schnell, schnell!«, ruft Eva-Lotta und gibt Kalle den Schlüssel. Bevor er ihn in das Schloss stecken kann, hört er etwas und wirft den anderen einen verzweifelten Blick zu.

»Es ist zu spät, sie kommen«, sagt er.

Eigentlich eine überflüssige Erklärung, denn die Gesichter von Anders und Eva-Lotta zeigen deutlich, dass sie es genauso deutlich gehört haben wie er.

Die Schritte, die sich nähern, haben es eilig, sehr eilig. Sie hören einen Schlüssel im Schloss.

Die Tür fliegt auf, Peters steht da. Er sieht rasend aus. Er stürzt herein und packt Rasmus am Arm.

»Komm«, sagt er brüsk, »komm, beeil dich!«

Aber jetzt hat Rasmus all die Übergriffe satt. Was wollen die eigentlich alle, was reißen die nur so herum heute früh? Zuerst den Kapitän von der »Hilda« und jetzt ihn.

»Stell dir vor, dass ich das aber nicht will!«, schreit er wütend. »Hau ab, blöder Herr Peters!«

Da bückt sich Peters und mit einem harten Griff hebt er ihn hoch. Er geht zur Tür. Die Aussicht, von Eva-Lotta, Kalle und Anders getrennt zu werden, bringt Rasmus fast um den Verstand. Er strampelt und schreit: »Ich will nicht – ich will nicht – ich will nicht!«

Eva-Lotta schlägt die Hände vors Gesicht und weint. Es ist so fürchterlich. Auch Kalle und Anders können sich kaum beherrschen. Regungslos stehen sie da und sind verzweifelt und sie hören, wie Peters die Tür abschließt, sie hören ihn gehen und hören das Schreien von Rasmus, das leiser wird und langsam erstirbt.

Aber dann kommt Leben in Kalle. Er nimmt den Schlüssel. Sie haben nichts mehr zu verlieren. Sie müssen wenigstens das traurige Ende der Geschichte mit ansehen um nachher der Polizei davon berichten zu können. Dann, wenn es zu spät ist und Rasmus und der Professor verschwunden sind – irgendwohin, wo die schwedische Polizei sowieso nichts mehr ausrichten kann.

Sie liegen hinter dichtem Gebüsch an der Anlegestelle und verfolgen mit brennenden Augen die dramatischen Ereignisse. Dort ist das Wasserflugzeug. Und dort kommen Blom und Svanberg mit dem Professor. Der Gefangene, dem die Arme auf dem Rücken gebunden sind, leistet keinen Widerstand. Er wirkt beinahe apathisch. Ergeben klettert er ins Flugzeug, setzt sich und starrt ausdruckslos vor sich hin. Dort kommt Peters aus seinem Haus gelaufen. Er trägt immer noch Rasmus, und Rasmus strampelt und schreit genauso laut und herzzerreißend wie vorher.

»Ich will nicht – ich will nicht – ich will nicht!«

Schnell läuft Peters über den Steg und als der Professor seinen Sohn sieht, zeigt sein Gesicht so viel Verzweiflung, wie es die unsichtbaren Zuschauer nicht für möglich gehalten hätten.

»Ich will nicht – ich will nicht!«, brüllt Rasmus. In rasender Wut versetzt Peters ihm einen Schlag um ihn zum Schweigen zu bringen, aber Rasmus brüllt noch lauter als vorher.

Da steht plötzlich Nicke auf dem Steg. Sie haben gar nicht gesehen, woher er kam. Er ist rot im Gesicht und seine Hände sind zu Fäusten geballt. Aber er rührt sich nicht, steht nur still und sieht Rasmus mit einem unbeschreiblichen Ausdruck von Sorge und Mitleid in den Augen nach.

»Nicke!«, schreit Rasmus. »Hilf mir, Nicke! Nicke, hörst du nicht?« Die jämmerliche Stimme bricht; er weint verzweifelt und streckt die Hände zu diesem Nicke aus, der so nett war und so schöne Borkenschiffe für ihn geschnitzt hat.

Und da geschieht etwas. Wie ein großer wütender Stier stürmt Nicke über den Steg. Kurz vor dem Flugzeug hat er Peters eingeholt und mit einem Aufbrüllen reißt er Rasmus an sich. Er gibt Peters einen Kinnhaken und Peters taumelt. Bevor er zu sich kommt, ist Nicke mit großen Sprüngen auf und davon. Peters schreit ihm nach und Eva-Lotta schaudert zusammen, denn so einen Schrei hat sie noch nie gehört.

»Bleib stehen, Nicke! Oder ich schieße!«

Aber Nicke bleibt nicht stehen. Er drückt Rasmus nur noch fester an sich und läuft auf den Wald zu.

Da fällt ein Schuss. Und noch einer. Aber Peters ist offenbar zu aufgeregt um richtig zielen zu können. Nicke läuft weiter und ist bald zwischen den Tannen verschwunden. Der Wutschrei, den Peters ausstößt, ist kaum noch menschlich zu nennen. Er winkt Blom und Svanberg. Zusammen rennen sie dem Flüchtling nach.

Kalle, Anders und Eva-Lotta bleiben hinter dem Gebüsch liegen und starren entsetzt zum Wald. Was geschieht dort zwischen den Tannen?

Ein schreckliches Gefühl, nichts sehen zu können – nur Peters' furchtbare Stimme zu hören, die flucht und schreit und sich langsam immer tiefer im Wald entfernt.

Da schaut Kalle in die andere Richtung. Zum Flugzeug. Der Professor sitzt dort mit dem Piloten, der ihn und die Maschine bewacht. Sonst ist niemand mehr da.

»Anders«, flüstert Kalle, »leih mir dein Messer.«

Anders zieht das Lappenmesser aus dem Gürtel.

»Was hast du vor?«, flüstert er.

Kalle fährt prüfend über die Messerschneide.

»Sabotage!«, sagt er. »Sabotage am Flugzeug. Das Einzige, was mir gerade einfällt.«

»Das ist gar keine schlechte Idee«, flüstert Anders ermunternd.

Kalle hat die Kleider ausgezogen.

»In einer Minute oder so müsst ihr laut schreien«, sagt er zu den anderen, »damit der Pilot abgelenkt wird.«

Dann macht er sich auf den Weg. In weitem Bogen schleicht er zwischen den Tannen zur Anlegestelle. Und als Eva-Lotta und Anders ihren Indianerschrei ausstoßen, läuft er die letzten Meter bis zum Steg und gleitet ins Wasser. Er hat richtig gerechnet, der Pilot schaut wachsam in die Richtung, aus der der Schrei kam, und sieht deshalb den schlanken Jungenkörper nicht, der wie ein Blitz vorbeischießt.

Kalle schwimmt unter dem Steg. Lautlos, wie sie es so oft im Krieg der Rosen geübt haben. Bald hat er das Ende des Steges erreicht und ist beim Flugzeug. Vorsichtig schaut er nach oben. Der Pilot ist durch die offene Kabinentür zu sehen. Er sieht auch den Professor und, was mehr ist – der Professor sieht ihn. Noch immer starrt der Pilot zum Wald hin, ohne etwas zu entdecken. Kalle hebt das Messer und macht einige stechende Bewegungen in die Luft, damit der Professor versteht, was er vorhat.

Und der Professor versteht. Und er begreift auch sofort, was er selbst zu tun hat. Wenn Kalle mit dem Messer am Flugzeug etwas vorhat, wird ohne Zweifel Lärm entstehen, der dem Piloten nicht entgehen kann. Wenn er nicht von einem noch stärkeren Lärm von woanders abgelenkt wird.

Der Professor übernimmt also den anderen Lärm. Er fängt an zu schreien und zu lärmen und stampft mit den Füßen auf dem Kabinenboden herum. Der Pilot soll ruhig glauben, dass der Professor verrückt geworden ist – dass er es noch nicht ist, ist ein wahres Wunder! Beim ersten lauten Schrei seines Gefangenen fährt der Pilot erschrocken hoch. Es erschreckt ihn, weil es so unerwartet kommt. Und dann wird er böse, weil er sich erschreckt hat.

»Halt's Maul!«, sagt er in einem eigentümlich fremden Tonfall. Er kann nicht viel Schwedisch. Aber so viel kann er jedenfalls.

»Halt's Maul, du!«, sagt er noch einmal und der eigentümliche Tonfall macht, dass es eigentlich recht gemütlich wirkt.

Aber der Professor schreit und trampelt nur noch heftiger. »Ich mache Lärm, so viel ich will!«, schreit er und er findet es jetzt sehr schön, zu trampeln und Krach zu machen. Es erleichtert die Anspannung seiner Nerven.

»Halt's Maul, du«, sagt der Pilot, »oder ich schlag Nase ab von dir!«

Der Professor aber schreit und unten im Wasser arbeitet Kalle, schnell und mit Methode. Genau vor sich hat er den linken Schwimmer des Flugzeugs und er stösst das Messer wieder und wieder durch das leichte Metall, bohrt und stösst überall dort, wo er heranreicht. Und bald sickert das Wasser durch die vielen kleinen Löcher. Kalle ist mit seiner Arbeit zufrieden.

Ja, ja, ihr hättet schon Nutzen von dem unzerstörbaren Leichtmetall, denkt er. Dann schwimmt er wieder zurück.

»Halt's Maul, du!«, sagt der Pilot. Und diesmal gehorcht der Professor.

18. Kapitel

Es ist Dienstag, der erste August, und es ist sechs Uhr morgens. Über Kalvö scheint die Sonne, das Wasser ist blau, das Heidekraut blüht, das Gras ist feucht vom Tau und Eva-Lotta steht hinter einem Busch und muss sich übergeben. Wird ihr nicht ihr Leben lang schlecht werden, wenn sie sich an diesen Morgen erinnert? Jedenfalls wird sie ihn nie vergessen, weder sie noch die anderen, die dabei waren.

Da war dieser Schuß. Irgendwo im Wald hatte jemand geschossen. Weit weg, sehr weit weg. Aber in der Stille des Morgens hallte er laut und Unheil verkündend wider und der Knall traf die Trommelfelle so schmerzhaft deutlich und scharf, dass einem davon schlecht werden musste.

Man wusste ja nicht, welches Ziel diese Kugel getroffen hatte. Wusste nur, dass Rasmus und Nicke sich dort im Wald mit einem furchtbaren Menschen, der bewaffnet war, aufhielten. Und man konnte nichts tun. Nur warten, wenn man auch nicht wusste, worauf. Warten, dass irgendetwas geschah, was diese entsetzliche Situation veränderte. Warten in alle Ewigkeit! Es war, als ob ein Leben verginge. Sollte es immer so bleiben: frühe Morgensonne über einer Anlegestelle, ein Wasserflugzeug, das auf den Wellen schaukelt, eine kleine Bachstelze, die zwischen dem Heidekraut herumtrippelt, Ameisen, die über einen Stein kriechen – und da liegt man auf dem Bauch und wartet? Und drinnen im Wald ist nichts anderes als Stille. Soll das wirklich bis in alle Ewigkeit so bleiben…?

Anders hat gute Ohren, er hört es zuerst.

»Ich höre etwas«, sagt er. »Würde mich sehr wundern, wenn das kein Motorboot ist.«

Die anderen lauschen. Tatsächlich – ein ganz schwaches Geknatter ertönt irgendwo draußen auf dem Wasser. In diesen verlassenen Schären, die von Gott und den Menschen vergessen scheinen, ist das schwache Knattern der erste Laut, der von der Außenwelt zu ihnen dringt. In den fünf Tagen, die sie nun auf der Insel sind, haben sie keinen fremden Menschen, kein Motorboot, nicht einmal einen Kahn mit einem Fischer gesehen. Aber jetzt ist dort irgendwo ein Motorboot draußen im Fjord. Kommt es hierher? Wer weiß?

Hier gibt es so viele Buchten, es gibt tausend Möglichkeiten, dass das Boot woandershin will. Aber *wenn* es kommt – kann man dann nicht auf den Steg laufen und mit aller Kraft seiner Lungen schreien: »Kommt her, kommt hierher, bevor es zu spät ist!« Wenn es aber nun eine kleine Urlaubsgesellschaft ist, die mit dem Boot vorbeifährt, die winkt und lacht und weiterfährt und gar nicht daran denkt, näher zu kommen und zu fragen, was los ist?

Die Ungewißheit und Spannung sind jeden Augenblick schwerer zu ertragen. »Nach allem, was war, werden wir nie mehr Menschen«, sagt Kalle.

Die anderen hören nicht auf ihn. Ihnen ist nichts anderes bewusst als das Geknatter da draußen auf dem Wasser. Und es kommt näher. Bald können sie das Boot weit, weit draußen sehen. Die Boote – es sind wahrhaftig zwei!

Aber aus dem Wald kommt auch jemand. Es ist Peters. Dicht hinter ihm Blom und Svanberg. Sie rennen zum Flugzeug, als gälte es das Leben. Vielleicht haben sie die Motorboote auch gehört und haben jetzt Angst. Nicke und Rasmus sind nicht zu sehen. Bedeutet das – nein, sie wagen nicht, daran zu denken, was es bedeuten könnte! Ihre Augen verfolgen Peters. Er ist beim Flugzeug angekommen, jetzt klettert er in die Kabine zum Professor. Für Blom und Svanberg ist offenbar kein Platz mehr. »Versteckt euch solang im Wald! Ihr werdet abends abgeholt!«

Der Propeller dreht sich. Das Flugzeug fängt an auf dem Wasser zu gleiten, dann beginnt es zu kreiseln und Kalle beißt sich vor Aufregung auf die Lippen. Jetzt wird es sich zeigen, ob seine Sabotage geglückt ist. Das Flugzeug zieht Kreise auf dem Wasser. Immer nur Kreise. Aber es erhebt sich nicht. Schwer neigt es sich auf die linke Seite, neigt sich tiefer und tiefer und dann kippt es.

»Hurra!«, schreit Kalle, alles andere vergessend. Aber dann denkt er an den Professor, der ja auch in dem Flugzeug ist, und als er sieht, wie es sinkt, wird er unruhig. »Kommt!«, schreit er den anderen zu. Und sie stürzen aus dem Gebüsch, eine wilde kleine Heerschar, die lange im Hinterhalt gelegen hat.

Das Flugzeug ist draußen im Sund gesunken. Es ist nicht mehr zu sehen. Aber da schwimmen Menschen im Wasser. Aufgeregt zählt Kalle. Ja, es sind drei.

Und ganz plötzlich sind die Motorboote da. Die Motorboote, die sie beinah vergessen hatten. Und, du lieber Himmel, wer ist es, der dort vorn im ersten steht?

»Onkel Björk! Onkel Björk! Onkel Björk!« Sie schreien, dass ihnen fast die Stimmbänder reißen.

»Oh, es ist Onkel Björk«, schluchzt Eva-Lotta, »oh, wie gut, dass er hier ist!«

»Und die vielen Polizisten, die er bei sich hat!«, schreit Kalle begeistert und erleichtert zugleich.

Draußen im Sund herrscht ein einziges Durcheinander. Sie sehen nur ein Gewimmel von Uniformen und Rettungsringen, die ausgeworfen werden, und Menschen, die aus dem Wasser gezogen werden. Zumindest sehen sie zwei, die herausgefischt werden. Aber wo ist der dritte? Der dritte schwimmt auf das Ufer zu. Er scheint keine Hilfe haben zu wollen. Er will sich wohl selbst retten. Ein Motorboot nimmt Kurs auf ihn. Aber der Mann hat schon einen zu großen Vorsprung. Jetzt hat er den Anlegesteg erreicht. Klettert daran hoch und kommt mit langen, platschenden Sätzen genau auf die Stelle zu, wo Anders, Kalle und Eva-Lotta sind. Sie haben sich wieder hinter den Büschen versteckt, denn der Näherkommende ist verzweifelt, und sie haben Angst vor ihm.

Nun ist er schon dicht bei ihnen und sie können seine Augen sehen, die voller Wut, Enttäuschung und Hass sind. Aber er sieht nichts. Er sieht die kleine Heerschar hinter dem Busch nicht. Er weiß nicht, dass seine erbittertsten Feinde in allernächster Nähe sind. Aber als er an ihnen vorüberläuft, streckt sich ein dünnes, knochiges Jungenbein vor seine Füße. Mit einem Fluch fällt er kopfüber ins Heidekraut. Und jetzt sind sie über ihm, seine Feinde, alle drei auf einmal. Sie werfen sich auf ihn, halten seine Arme und Beine fest, drücken seinen Kopf in den Sand und brüllen: »Onkel Björk, Onkel Björk, schnell, helfen Sie uns!«

Und Björk kommt. Natürlich. Noch nie hat er seine Freunde, die tapferen Ritter der Weißen Rose, im Stich gelassen.

Aber drinnen im Wald liegt ein Mann auf dem Rücken im Moos. Neben ihm sitzt ein kleiner Junge und weint.

»Nicke, du blutest ja«, sagt Rasmus. Ein roter Fleck, der immer größer wird, ist auf dem Hemd des Mannes zu sehen und der Fleck wird schnell größer. Rasmus zeigt mit einem schmutzigen Finger darauf. »Pfui Teufel, wie ist er blöde, dieser Peters! Hat er auf dich geschossen, Nicke?«

»Ja«, sagt Nicke, und seine Stimme ist so schwach und seltsam. »Ja, er hat auf mich geschossen… Aber deshalb musst du nicht weinen… Hauptsache, dir ist nichts passiert!«

Er ist ein armer, einfältiger Seemann und liegt nun hier und glaubt, dass er sterben muss. Aber er ist froh. Er hat so viele Dummheiten in seinem Leben gemacht und jetzt ist er froh, dass das Letzte, was er getan hat, gut war und richtig. Er hat Rasmus gerettet. Er weiß es nicht genau, wie er so daliegt, aber er weiß, er hat es versucht. Er weiß, dass er gelaufen ist, bis sein Herz wie ein Blasebalg pumpte und er fühlte, dass er nicht mehr weiterkonnte. Er weiß, dass er Rasmus an sich gepresst hielt, bis diese Kugel kam und er zu Boden fiel. Und Rasmus lief wie ein ängstliches Hasenjunges zwischen die Bäume und versteckte sich. Nun aber ist er wieder bei Nicke und Peters ist verschwunden. Der hatte es plötzlich sehr eilig wegzukommen. Sicher traute er sich nicht, länger zu bleiben und nach Rasmus zu suchen. Und deswegen sind sie jetzt beide allein hier. Das kleine Kerlchen, das bei ihm sitzt und weint, ist das einzige Wesen, aus dem sich Nicke in seinem Leben etwas gemacht hat.

Wie es dazu gekommen ist, begreift er selber nicht. Er weiß nicht, wie es anfing – vielleicht damals am ersten Tag, als Rasmus den Flitzbogen bekam und dankbar seine Arme um Nickes Bein schlug und sagte: »Ich finde, du bist sehr, sehr nett, kleiner Nicke!«

Und jetzt hat Nicke große Sorgen. Wie soll er Rasmus von hier wegbekommen, zurück zu den anderen? Etwas muss dort unten an der Anlegestelle passiert sein. Das Flugzeug ist nicht abgeflogen und das Motorboot hatte sicher auch etwas zu bedeuten. Irgendwie ist jetzt das Ende dieser elenden Geschichte nahe und Peters ist erledigt – so erledigt wie er. Nicke ist zufrieden. Alles wäre jetzt gut, wenn nur Rasmus schnellstens zu seinem Vater zurückkäme. Ein kleines Kind darf doch nicht im Wald sitzen und zusehen, wie ein Mensch stirbt. Das möchte Nicke seinem Freund ersparen, aber er weiß nicht, wie er es machen soll. Er kann nicht einfach zu ihm sagen: »Du musst jetzt gehen, denn der alte Nicke wird sterben, und dabei will er allein sein, will hier allein liegen bleiben und froh darüber sein, dass du wieder ein freier, glücklicher Junge bist, der mit dem Flitzbogen und den Borkenschiffen spielen kann, die Nicke für dich geschnitzt hat!« Nein, das kann man nicht sagen!

Und jetzt legt Rasmus den Arm um seinen Hals und sagt in zärtlichstem Tonfall: »Komm jetzt, kleiner Nicke, wir wollen gehen! Wir gehen zu meinem Papa!«

»Nein, Rasmus«, sagt Nicke mühsam, »ich kann nicht gut gehen. Ich muss hier bleiben. Aber du sollst gehen – ich will, dass du gehst!«

Rasmus schiebt die Unterlippe vor. »Stell dir vor, dass ich das nicht tu«, sagt er bestimmt. »Ich warte, bis du mitkommst. Siehst du wohl!«

Nicke antwortet nicht. Er hat keine Kraft mehr und er weiß auch nicht, was er sagen soll. Und Rasmus bohrt seine Nase in Nickes Backe und flüstert: »Denn ich hab dich so gern…«

Da weint Nicke. Er hat nicht mehr geweint, seit er ein Kind war. Aber jetzt weint er. Weil er so müde ist und weil das erste Mal in seinem Leben ein Mensch so etwas zu ihm sagt.

»So, hast du das?«, sagt er schniefend. »Denk mal an, dass du einen alten Kidnapper gern haben kannst, wie?«

»Ja, aber ich finde, dass Kidnapper nett sind«, versichert Rasmus.

Nicke nimmt seine letzte Kraft zusammen. »Rasmus, jetzt musst du tun, was ich dir sage. Du musst zu Kalle und Anders und Eva-Lotta gehen. Ich dachte, du willst eine Weiße Rose werden! Das willst du doch?«

»Ja, natürlich… aber…«

»Na also! Dann mach schon! Ich glaub, die warten schon auf dich!«

»Und du, Nicke?«

»Ich lieg hier gut im Moos. Ich bleib hier und ruh mich aus und will mir anhören, wie die Vögel zwitschern.«

»Aber…«, sagt Rasmus. Da hört er jemanden in der Ferne rufen. Jemand ruft seinen Namen. »Das ist ja Papa«, sagt er und lacht.

Da weint Nicke wieder, aber ganz leise, den Kopf in das Moos gedrückt. Ja, manchmal ist Gott einem armen Sünder gnädig – jetzt braucht er sich um Rasmus keine Sorgen mehr zu machen. Er weint vor Dankbarkeit – und weil es so schwer ist, dem kleinen Kerl Adieu zu sagen, der da im schmutzigen Overall steht und nicht weiß, ob er zu seinem Papa gehen oder bei Nicke bleiben soll.

»Geh nur und sag deinem Papa, dass im Wald ein alter kaputter Kidnapper rumliegt«, sagt Nicke leise.

Da schlingt Rasmus wieder die Arme um seinen Hals und schluchzt: »Du bist kein alter kaputter Kidnapper, Nicke!«

Nicke hebt mühsam eine Hand und streichelt Rasmus über die Backe. »Adieu, Häschen«, flüstert er. »Geh jetzt und werde eine Weiße Rose, die feinste kleine Weiße Rose…«

Rasmus hört, wie wieder sein Name gerufen wird. Er steht schluchzend auf, bleibt unentschlossen stehen und sieht Nicke an. Dann geht er langsam weg. Dreht sich ein paar Mal um und winkt. Nicke hat keine Kraft mehr zu winken, aber seine einfältigen blauen Augen folgen der Kindergestalt und diese Augen sind voller Tränen.

Jetzt gibt es keinen Rasmus mehr. Nicke schließt die Augen. Er ist zufrieden – und müde. Es wird schön sein, endlich zu schlafen.

19. Kapitel

»Walter Siegfried Stanislaus Peters«, sagte der Kommissar der Staatspolizei, »es stimmt genau! Endlich! Finden Sie nicht selbst, dass es endlich Zeit war, Ihnen das Handwerk zu legen?«

Peters antwortete darauf nicht. »Geben Sie mir eine Zigarette«, sagte er ungnädig.

Wachtmeister Björk ging auf ihn zu und steckte ihm eine Zigarette zwischen die Lippen. Peters saß auf einem Stein beim Anlegesteg. Seine Hände waren mit Handschellen gefesselt. Hinter ihm standen die anderen, Blom und Svanberg und der ausländische Pilot.

»Sie wissen doch, dass wir schon eine ganze Weile hinter Ihnen her sind«, fuhr der Polizeikommissar fort. »Ihren Sender hatten wir schon vor zwei Monaten angepeilt, aber bevor wir zugreifen konnten, waren Sie uns entwischt. Haben Sie die Spionage aufgegeben, weil Sie sich stattdessen mit Menschenraub befassen?«

»Das eine ist so gut wie das andere«, sagte Peters mit unverhohlenem Zynismus.

»Möglich«, sagte der Kommissar. »Aber jetzt ist es auf jeden Fall vorbei mit dem einen und dem anderen für Sie.«

»Ja, jetzt ist es wohl mit dem meisten vorbei«, gab Peters bitter zu. Er zog an seiner Zigarette. »Etwas möchte ich gern noch wissen«, sagte er. »Wie haben Sie herausbekommen, dass ich auf Kalvö bin?«

»Das haben wir erst bemerkt, als wir hierher kamen«, antwortete der Kommissar. »Und wir sind gekommen, weil ein Funkamateur gestern

Abend eine Nachricht von unserem Freund Kalle Blomquist auf Kurzwelle aufgefangen hat.«

Peters warf Kalle einen gehässigen Blick zu. »Konnte ich mir denken«, sagte er. »Wäre ich nur zwei Minuten eher gekommen, dann wäre er erledigt gewesen! Verdammte Gören! Sie sind schuld an all meinem Pech. Ich schlage mich lieber mit der ganzen schwedischen Staatspolizei herum als mit den dreien.«

Der Kommissar ging zu den drei Weißen Rosen, die auf dem Steg saßen. »Die Polizei kann froh sein, so prima Mitarbeiter zu haben«, sagte er.

Die drei schlugen bescheiden die Augen nieder. Und Kalle dachte, dass es ja eigentlich nicht die Polizei war, der sie hatten helfen wollen, sondern, genauer genommen, Rasmus.

Peters drückte den Zigarettenstummel mit dem Absatz aus und fluchte leise. »Worauf warten wir eigentlich noch?«, fragte er eisig. »Ich hab hier nichts mehr verloren.«

Eine kleine grüne Insel zwischen vielen anderen in einem blauen Sommermeer. Die Sonne scheint auf die kleinen Häuser, auf den langen Anlegesteg und auf all die Boote, die dort liegen und auf den Wellen schaukeln. Hoch über den Tannenwipfeln segeln auf weißen Schwingen die Möwen. Ab und zu taucht eine blitzschnell ins Wasser und erscheint wieder mit einem kleinen Ukelei im Schnabel. Die Bachstelze trippelt noch immer geschäftig durch das Heidekraut und die Ameisen klettern wohl immer noch über den Stein dahinten. So wird es heute sein und morgen und alle Tage, bis der Sommer zu Ende ist. Aber niemand wird es wissen, denn niemand wird hier sein. In einigen wenigen Minuten wird diese Insel sich selbst überlassen sein, ihren Blicken entzogen, und sie werden sie nie wiedersehen.

»Jetzt kann ich Eva-Lottas Häuschen nicht mehr sehen«, sagte Kalle.

Sie hockten achtern im Motorboot und starrten zur Insel zurück, die sie jetzt verließen. Sie sahen zurück und schauderten. Sie waren froh, dieses sonnige grüne Gefängnis endlich hinter sich zu lassen.

Rasmus sah nicht zurück. Er saß auf dem Schoß seines Vaters und machte sich Sorgen, weil sein Vater so viel Bart im Gesicht hatte. Wenn der nun weiterwuchs und länger und länger wurde und dann eines Tages, wenn Papa Motorrad fuhr, im Vorderrad hängen blieb? Noch etwas beunruhigte ihn.

»Papa, warum schläft Nicke eigentlich mitten am Tag? Ich will, dass er wach wird und mit mir spricht.«

Der Professor warf einen besorgten Blick zur Trage, auf der Nicke besinnungslos lag. Würde er jemals Gelegenheit bekommen, diesem Mann dort für das zu danken, was er für seinen Sohn getan hatte? Wahrscheinlich nicht. Es stand schlecht um Nicke, er hatte wenig Chancen zu überleben. Mindestens zwei Stunden würde es noch dauern, bis er auf dem Operationstisch lag, und dann war es vielleicht zu spät. Es war ein Wettlauf mit dem Tod. Wachtmeister Björk tat sicherlich alles, um das Letzte aus den Motoren herauszuholen, aber…

»Jetzt seh ich die Anlegestelle nicht mehr«, sagte Eva-Lotta.

»Und das ist gut so«, sagte Kalle. »Aber guck mal, Anders, dort hinten ist unsere Badeklippe.«

»Und unsere Reisighöhle«, murmelte Anders.

»In Höhlen zu schlafen macht aber Spaß, Papa, das kannst du glauben«, sagte Rasmus.

Kalle dachte plötzlich an etwas, worüber er mit dem Professor sprechen musste. »Ich hoffe, Herr Professor, dass Ihr Motorrad noch da ist, wo wir es versteckt haben. Hoffentlich hat es niemand gestohlen.«

»Wir fahren mal an einem Tag hin und kümmern uns darum«, sagte der Professor. »Meine Geheimdokumente machen mir mehr Sorgen.«

»Sss!«, machte Kalle. »Die hab ich doch an einer sicheren Stelle versteckt.«

438

»Jetzt kannst du uns ja wohl erzählen, wo«, sagte Eva-Lotta neugierig. Kalle lächelte geheimnisvoll. »Rate mal! Im Kommodenschubfach auf dem Bäckereiboden natürlich!«

Eva-Lotta schrie auf. »Bist du wahnsinnig?«, kreischte sie. »Stell dir vor, wenn die Roten sie geklaut haben – was dann?«

Ler Gedanke schien Kalle zu beunruhigen. Aber das ging schnell vorbei. »Sss«, sagte er, »dann klauen wir sie einfach zurück.«

»Ja«, rief Rasmus eifrig. »Wir stoßen Kriegsschreie aus und klauen sie wieder zurück. Ich werde auch eine Weiße Rose, Papa!«

Diese sensationelle Mitteilung tröstete den Professor nicht sehr.

»Kalle, durch dich krieg ich noch weiße Haare«, rief er. »Gewiss, ich stehe zeit meines Lebens in tiefer Dankesschuld bei dir, aber das sage ich dir, wenn die Papiere weg sind…«

Wachtmeister Björk unterbrach ihn: »Regen Sie sich nicht auf, Herr Professor! Wenn Kalle Blomquist sagt, dass Sie Ihre Papiere wiederbekommen, bekommen Sie sie auch!«

»Jetzt ist jedenfalls Kalvö ganz und gar verschwunden«, stellte Anders fest und spuckte in das strudelnde Kielwasser.

»Und Nicke, der schläft bloß, schläft und schläft«, sagte Rasmus.

Das gute alte Hauptquartier – niemand hat jemals ein besseres gehabt als die Weiße Rose! Der Bäckereiboden ist groß und geräumig und es gibt dort viele schöne Sachen. Wie die Eichhörnchen alles in ihr Nest tragen, so haben die Weißen Rosen im Lauf der Jahre hier alle ihre Kostbarkeiten gesammelt. Die Wände sind mit Bogen, Schilden und Schwertern geschmückt. Am Dachbalken hängt ein Trapez. Tischtennisbälle, Boxhandschuhe und alte Illustrierte häufen sich in den Ecken. Und an einer Wand steht Eva-Lottas zerkratzte Kommode, in der die Weißen Rosen ihren geheimen Reliquienschrein verwahren. In diesem Schrein liegen die Papiere des Professors. Besser gesagt: lagen. Er hat sie jetzt zurückbekommen, diese wertvollen Dokumente, die so viel Sorgen und Kummer verursacht haben und nun in Zukunft in einem sicheren Bankfach eingesperrt liegen werden.

Nein, die Roten hatten sie nicht genommen. Eva-Lottas Befürchtungen waren unbegründet.

»Aber wenn wir geahnt hätten, dass die Papiere in deiner Kommode liegen, hätten wir sie sicher in *unser* Hauptquartier gebracht«, sagte Sixten, als die Ritter der Weißen und Roten Rose die abenteuerlichen Erlebnisse besprachen. Sie saßen im Garten des Bäckermeisters am Abhang zum Fluss und Anders begleitete seine schauerliche Erzählung mit gewaltigen Gesten und großen Worten.

»Es fing an, als ich in dem Busch an der Ruinenwand hing. Seitdem hatte man nicht eine ruhige Minute«, versicherte er.

»Ihr habt immer ein Schwein«, sagte Sixten verbittert. »Warum konnten die Kidnapper nicht einige Minuten früher kommen, als *wir* an Eklunds Villa vorbeigingen?«

»Du nimmst den Mund ganz schön voll«, sagte Eva-Lotta. »Armer Peters, wenn er euch auf dem Hals gehabt hätte – lebenslänglich wäre dann zu viel gewesen.«

»Willst du Prügel haben?«, fragte Sixten.

Das war am ersten Abend nach der Rückkehr gewesen. Seitdem sind einige Tage vergangen. Und jetzt sind die Weißen Rosen in ihrem Hauptquartier auf dem Bäckereiboden versammelt. Vor ihnen steht ihr Anführer und erhebt seine mächtige Stimme: »Ein edler Mann und tapferer Krieger soll nun zum Ritter der Weißen Rose geschlagen werden. Ein Kämpfer, dessen Name weithin gefürchtet ist: Rasmus Rasmusson – tritt vor!«

Der gefürchtete Kämpfer tritt vor. Sicher ist er klein und nicht besonders erschreckend anzusehen, aber auf seiner Stirn brennt das Feuer der Begeisterung, das einen Ritter der Weißen Rose kennzeichnet. Er hebt seinen Blick zum Anführer. In seinen dunkelblauen Augen ist ein

Licht, das deutlich verrät: Jetzt erfüllt sich ein tiefer und inbrünstiger Wunsch. Endlich wird er ein Ritter der Weißen Rose, endlich!

»Rasmus Rasmusson, erhebe deine rechte Hand und schwöre den heiligen Eid! Schwöre, dass du nun und immerdar der Weißen Rose die Treue hältst, dass du keine Geheimnisse verraten willst und dass du die Roten Rosen bekämpfen willst, wo du nur ihre Nasen siehst.«

»Ich will es versuchen«, sagte Rasmus Rasmusson. Er hob seine Hand und begann: »Ich schwöre, nun und immerdar eine Weiße Rose zu sein und alle Geheimnisse zu verraten, wo meine Nase nur zu sehen ist, pfui Teufel, ja, das schwöre ich.«

»Alle Geheimnisse verraten – ja, das glaube ich ihm sicher«, flüsterte Kalle Eva-Lotta zu. »Ich hab noch nie einen Jungen gesehen, der so haarscharf dran vorbeiredet wie er.«

»Ja, aber er ist auf jeden Fall in Ordnung!«, sagte Eva-Lotta.

Rasmus sah erwartungsvoll seinen Anführer an. Was würde nun geschehen?

»Na, du hast es nicht ganz richtig gesagt«, sagte Anders. »Aber das macht nichts. Rasmus Rasmusson, knie nieder!« Und Rasmus fiel auf dem Fußboden auf die Knie. Oh, er war so froh, er hatte Lust, die Bohlen zu streicheln! Bald war dies hier auch *sein* Hauptquartier!

Der Anführer nahm ein Schwert von der Wand. »Rasmus Rasmusson«, sagte er, »nachdem du nun der Weißen Rose durch deinen Eid die Treue gelobt hast, schlage ich dich hiermit zum Ritter der Weißen Rose.« Er schlug Rasmus leicht mit dem Holzschwert auf die Schulter und dann sprang Rasmus freudestrahlend vom Boden auf.

»Bin ich nun auch wirklich eine Weiße Rose?«, fragte er.

»Weißer als die meisten«, sagte Kalle.

Im selben Moment flog durch die offene Bodenluke ein Stein. Mit einem Knall landete er auf dem Fußboden. Anders beeilte sich ihn aufzuheben. »Nachricht vom Feind«, rief er und machte das Papier ab, das um den Stein gewickelt war.

»Was schreiben diese kleinen Rötlichen?«, fragte Eva-Lotta.

»Ihr Läusepudel der Weißen Rose!«, las Anders. »Alte Papiere hinter alten Bücherregalen hervorkramen, das könnt ihr wohl, aber den Großmummrich bekommt ihr nie. Denn seht, er befindet sich im Haus des großen wilden Tieres und dessen Name ist GEHEIM. Beißt euch das große wilde Tier, wenn ihr verbotenerweise Karten spielt, nicht in die Hosen, habt ihr den höchsten Trumpf für euch und schon den halben Namen. Dann schreitet suchend durch des Namens Rest, besucht das große Tier, wenn ihr das ganze Rätsel überhaupt versteht – ihr Läusepudel!«

»Stoßen wir jetzt einen Kriegsschrei aus?«, fragte Rasmus voller Hoffnung, als der Chef zu Ende gelesen hatte.

»Noch nicht, erst müssen wir nachdenken«, sagte Eva-Lotta.

»Nachdenken! Worüber?«, fragte Anders.

»Ja«, sagte Kalle, »sie lassen merklich nach, die Roten. Großes wildes Tier. In Kleinköping gibt es doch wohl keine Löwen, Panther, Gorillas, Elefanten. Die Schafe können sie nicht meinen. Was also bleibt?«

»Pferde, Hunde und Katzen«, sagte Eva-Lotta.

»Bei uns im Garten sind viele Regenwürmer«, ergänzte Rasmus.

»Aber die sind nicht wild und groß schon gar nicht«, sagte Eva-Lotta.

»Pferde können wir auch streichen, bleiben Hunde und Katzen. So leicht ist das Rätsel übrigens gar nicht, finde ich«, sagte Anders nachdenklich.

»Ja, ja, etwas Gehirn muss man schon haben. Ich jedenfalls kenne keine einzige Katze in ganz Kleinköping, die wild ist«, sagte Eva-Lotta.

»Und damit sind wir bei den Hunden angelangt«, sagte Kalle lachend.

»Angestrengt haben sich die Roten wirklich nicht – ich tippe auf Doktor Hallberg!«

Die anderen sahen Kalle verdutzt an. Wenn Doktor Hallberg auch kein Kinderfreund war – ein großes wildes Tier war er ja wohl auch nicht gerade. Plötzlich leuchtete es in Eva-Lottas Augen auf. Sie stieß

Anders in die Seite und lachte. »Anders, Anders, wo ist dein Kopf? *Ich hab's!* Er meint nicht Hallberg – er meint – na?«

Anders runzelte die Stirn, dann lachte auch er. »Doktor Hallbergs Hund.«

»Richtig, endlich!«, rief Kalle. »Jetzt ist es nur noch ein Kinderspiel. Der höchste Trumpf: das AS und wenn wir ihn besuchen wollen, schreiten wir durch das TOR, das ist der Rest des Namens: ASTOR. Astor ist Doktor Hallbergs Hund.«

»Aber wie in aller Welt haben sie den Großmummrich zu Astor in die Hundehütte legen können?«, überlegte Eva-Lotta. »Sie müssen ihn vorher chloroformiert haben.«

»Wen – den Großmummrich?«, stichelte Anders.

»Quatsch, den Astor natürlich!«

Astor war der Schäferhund vom Oberarzt des Krankenhauses und er war genauso bösartig wie der Oberarzt, und das wollte etwas heißen.

»Die Roten haben sicher abgepasst, als Doktor Hallberg den Hund ausgeführt hat«, sagte Kalle.

»Und was machen wir jetzt?«, fragte Eva-Lotta.

Sie setzten sich auf den Fußboden und hielten Kriegsrat. Rasmus auch. Seine Augen waren groß wie Teller und die Ohren ganz rot. Jetzt endlich sollten also die Abenteuer beginnen! Anders sah Rasmus an und in seinen Augen blitzte es auf. Nun hatte Rasmus so lange und so ergeben darauf gewartet, eine Weiße Rose zu werden, konnte man da das Herz haben, es ihm abzuschlagen? Eigentlich war es ja ziemlich lästig, so einen kleinen Knirps die ganze Zeit um die Beine zu haben. Man musste versuchen irgendeine Beschäftigung für ihn zu finden, damit man sich in Ruhe mit den Problemen des Rosenkriegs befassen konnte ohne allzu große Einmischung von Ritter Rasmus.

»Du, Rasmus«, sagte Anders. »Saus los zum Krankenhaus und sieh nach, ob Astor in seiner Hütte liegt.«

»Darf ich dann einen Kriegsschrei ausstoßen?«, fragte Rasmus.

»Natürlich, das darfst du«, sagte Eva-Lotta. »Mal los.«
Und Rasmus sauste los. Mehrere Stunden hatte er geübt, an dem Seil hochzuklettern, das die Weißen Rosen benutzten um in ihr Hauptquartier und hinaus zu kommen. Raufklettern konnte er noch nicht, aber runterrutschen, das konnte er, obwohl es sich schrecklich gefährlich anfühlte. Nun warf er sich aufs Seil und stieß den wildesten Kriegsschrei aus, der jemals im Garten des Bäckermeisters ertönt war.
»Schön«, sagte Anders, als er verschwunden war. »Jetzt können wir wenigstens ordentlich reden. Zuerst – ausspionieren, wann Doktor Hallberg mit seinem Astor spazieren geht. Das ist deine Aufgabe, Eva-Lotta.«
»Wird geschehen«, sagte Eva-Lotta.

Rasmus trabte zum Krankenhaus. Er kannte den Weg, er hatte Nicke dort schon einmal besucht. Die Villa des Oberarztes lag neben dem Krankenhaus. »Privatbesitz« und »Achtung, bissiger Hund« stand auf den Tafeln neben dem Tor, das in den Garten führte. Aber Rasmus konnte zum Glück nicht lesen und trabte geradewegs in den Garten hinein. Astor lag in seiner Hütte. Er knurrte böse, als er Rasmus sah, und Rasmus blieb stehen. Er hatte seinen Auftrag falsch verstanden. Er glaubte, es wäre seine Pflicht, den Großmummrich in das Hauptquartier zu bringen. Aber wie konnte er es wagen, wenn Astor ihn so anknurrte? Hilfesuchend sah er sich um und bemerkte zu seiner Erleichterung, dass ein Onkel auf ihn zukam. Derselbe Onkel übrigens, der Nicke operiert hatte.
Doktor Hallberg war auf dem Weg zum Krankenhaus, als er den kleinen Ritter der Weißen Rose vor Astors Hütte sah. Natürlich wusste der Doktor nicht, dass er einen Ritter vor sich hatte, sonst hätte er vielleicht mehr Verständnis gehabt. Jetzt wurde er sehr wütend und beschleunigte seine Schritte um den Sünder ins Gebet zu nehmen. Aber Rasmus, der in dem Glauben lebte, dass nicht nur Kidnapper,

sondern auch Oberärzte nette Menschen seien, sah bittend zu dem strengen Gesicht hinauf und sagte:

»Hör mal, nimm doch deinen Hund da raus, ich will nämlich den Großmummrich holen!« Und als der Doktor nicht sofort tat, worum er gebeten worden war, nahm Rasmus ihn bei der Hand und zog ihn sanft, aber bestimmt zur Hundehütte.

»Komm, beeil dich bitte«, sagte er. »Ich hab's nämlich eilig!«

»Ach, hast du das?«, sagte Doktor Hallberg und lächelte. Jetzt erkannte er Rasmus – das war doch der kleine Junge, der entführt worden war und von dem so viel in den Zeitungen gestanden hatte.

»Willst du nicht reinkommen und Nicke guten Tag sagen?«, fragte der Doktor.

»Ja, aber erst, wenn ich den Großmummrich habe«, sagte Rasmus unerschütterlich.

Nicke erfuhr alles über den Großmummrich. Er durfte ihn sogar sehen. Rasmus hielt ihn ihm stolz unter die Nase. Und er stieß einen Kriegsschrei aus, damit Nicke hören konnte, wie der klang.

»Jetzt bin ich nämlich eine Weiße Rose, verstehst du, Nicke?«, erklärte Rasmus. »Vor einer Weile habe ich einen Eid darauf abgelegt.«

Nicke sah ihn mit Verehrung in den Augen an. »Ja, und eine feinere Weiße Rose kriegen die nie«, sagte er zufrieden.

Rasmus streichelte ihm die Hand. »Schön, dass du nicht mehr schläfst, Nicke«, sagte er.

Nicke fand es auch gut, dass er nicht mehr schlief. Sicher würde es noch eine ganze Zeit dauern, bis er das Krankenhaus verlassen durfte. Aber er wusste, er würde gesund werden, und was dann kam, sollte wohl auf irgendeine Art in Ordnung gebracht werden. Sowohl Doktor Hallberg als auch der Professor hatten versprochen ihm zu helfen, so viel sie konnten. Nicke sah also der Zukunft in Ruhe entgegen.

»Und es ist gut, dass du nicht mehr blutest«, sagte Rasmus und zeigte auf Nickes Hemd, das weiß und ohne Blutflecken war. Das fand Nicke auch. Er war noch nie krank gewesen und besaß noch die tiefe Bewunderung des Naturkindes für die bemerkenswerten Einfälle der Medizinmänner. Das mit der Bluttransfusion zum Beispiel – davon musste er Rasmus noch erzählen –, sich vorzustellen, dass die Ärzte Blut von einem anderen Menschen nahmen und es ihm dann einpumpten, weil er auf Kalvö so viel davon verloren hatte.

»Haben sie es von einem anderen Kidnapper genommen?«, fragte Rasmus. Er fand auch, dass es ganz merkwürdig war, was die Ärzte sich so ausdachten.

Aber dann hatte er es plötzlich eilig. Eigentlich durfte man ja keine Krankenbesuche machen, wenn man mit dem Krieg der Rosen zu tun hatte. Er drückte den Großmummrich in seiner Hand und lief zur Tür.

»Tschüss, Nicke«, sagte er, »ich komm ein andermal wieder.« Bevor Nicke antworten konnte, war er verschwunden.

»Du kleines Häschen«, flüsterte Nicke leise vor sich hin.

Kalle und Anders und Eva-Lotta saßen noch immer auf dem Bäckereiboden. Bäckermeister Lisander war gerade mit frisch gebackenen Zimtwecken bei ihnen gewesen.

»Eigentlich dürftet ihr ja keine Wecken haben«, brummte er, »bei so viel Ärger, den man durch euch hat. Aber«, und er streichelte Eva-Lottas Backen, »genau genommen habt ihr natürlich trotzdem welche verdient.«

Als er wieder in seine Backstube gegangen war, hörte man von draußen einen Kriegsschrei. Der ausgesandte Kundschafter kam zurück. Mit dem Gepolter einer ganzen Heerschar kletterte er die Bodentreppe hinauf.

»Hier«, sagte er und schleuderte den Großmummrich auf den Fußboden.

Kalle, Anders und Eva-Lotta starrten ihn an. Sie starrten den Großmummrich an. Und dann begannen sie zu lachen.

»Die Weiße Rose besitzt eine Geheimwaffe«, sagte Anders. »Wir besitzen Rasmus!«

»Ja, nun können sich die Roten begraben lassen«, sagte Kalle.

Rasmus sah unruhig von einem zum anderen. Die lachten doch wohl nicht über ihn? Er hatte doch hoffentlich alles richtig gemacht?

»Ich hab's doch wohl gut gemacht?«, fragte er ängstlich.

Eva-Lotta gab ihm einen Nasenstüber.

»Ja, Rasmus«, sagte sie und lachte. »Das hast du richtig gut gemacht!«

Astrid Lindgren

Verlag Friedrich Oetinger · Hamburg